HISTORIA
DE LA LITERATURA
ESPAÑOLA

HISTORIA DE LA LITERATURA ESPAÑOLA

Tomo I
LA EDAD MEDIA

Obra dirigida por
JEAN CANAVAGGIO

con la colaboración de
BERNARD DARBORD, GUY MERCADIER,
JACQUES BEYRIE y ALBERT BENSOUSSAN

Edición española a cargo de
ROSA NAVARRO DURÁN

EDITORIAL ARIEL, S. A.
BARCELONA

Título original:
Histoire de la Littérature espagnole

Traducción de
ANA BLAS

1.ª edición: octubre 1994

© Librairie Arthème Fayard, 1993

Derechos exclusivos de edición en castellano
reservados para todo el mundo
y propiedad de la traducción:
© 1994: Editorial Ariel, S. A.
Córcega, 270 - 08008 Barcelona

ISBN (OC): 84-344-7453-0
ISBN: 84-344-7454-9

Depósito legal: B. 25.114 - 1994

Impreso en España

PRÓLOGO

Los franceses están descubriendo España; o, por lo menos, una España insospechada. En lugar de la España austera de Felipe II, perpetuada por El Escorial, de la España pintoresca —corridas y flamenco—, popularizada por los románticos, de la España trágica de la guerra civil y de la dictadura, sumergida bajo el turismo de masas, ven afirmarse una España inédita que, en poco más de diez años, ha restaurado la democracia, ha mostrado su dinamismo económico y se ha unido a la Europa comunitaria. Aunque todavía existan tensiones, aunque la violencia no haya desaparecido, aunque, debido a las dificultades, las esperanzas surgidas en un primer momento a menudo hayan cedido terreno al desencanto, los Juegos Olímpicos de Barcelona y la Exposición Universal de Sevilla, a pesar de haber estado envueltos en un gran aparato publicitario por parte de los medios de comunicación, no son un escaparate falaz organizado para engañar. Son dos actos simbólicos del espíritu que impulsa a todo un pueblo que, visto desde el extranjero, expresa y manifiesta su genio creador por medio de pintores y escultores, de arquitectos y bailarines, de directores de teatro y cineastas.

En esta lista sólo faltan prácticamente los escritores, curiosamente excluidos de nuestro elenco de valores. Si se pregunta al hombre de la calle, apenas puede citar dos nombres: Cervantes y Lorca. El hombre culto dispone de un abanico más amplio: el Romancero, *La Celestina*, los místicos, la novela picaresca, la Comedia del Siglo de Oro forman parte de su cultura o, por lo menos, de su sistema de referencias. Aunque es de rigor señalar que Lope de Vega, Góngora, Calderón o Gracián le entusiasman, raramente los lee. No hay duda de que Unamuno, Valle-Inclán, Machado y Ortega y Gasset, han venido a rejuvenecer este panteón; que se han saludado como es debido los tres premios Nobel que, desde la guerra, han coronado a dos poetas —Juan Ramón Jiménez y Vicente Aleixandre— y luego a un novelista, Camilo José Cela; cierto es que, desde hace poco, un interés nuevo se hace sentir hacia novelistas —Vázquez Montalbán, Eduardo Mendoza— cuyas obras recientes figuran en buen lugar en las listas de ventas. Pero habría que preguntarse si todos estos nombres juntos llegan a corregir la imagen, por otro lado excesivamente somera, en que había cristalizado antaño la figura mítica de un gran poeta asesinado.

Es evidente que existen todavía inmensas zonas oscuras en un continente que el lector francés no se decide todavía a explorar. Se conforma, demasiado a menudo, con ideas recibidas que convendría disipar. La Edad Media española no es un lugar de tinieblas que ignoró a Occidente. La novela picaresca, si de verdad puede llamarse novela, no se limita únicamente al *Lazarillo*; lo que no quiere decir que haya que incluir en ella al *Quijote*. Góngora no es, como se afirmaba antaño, un poeta hermético y abstruso. El teatro del Siglo de Oro no se limita a esa docena de obras que se representan de vez en cuando en nuestros escenarios. Y hay algo más grave: escritores muy insignes, que forman parte del patrimonio cultural de nuestros vecinos, no tienen eco, o muy poco, de este lado de los Pirineos. Pensemos en Quevedo, máxima figura del barroco, al que unas traducciones ejemplares tratan de dar a conocer. O en Pérez Galdós, que dio todo su esplendor a la novela española del siglo XIX y que es indispensable descubrir por fin, de la misma manera que, gracias a un magnífico trabajo de equipo, se ha descubierto hace poco a su contemporáneo Clarín, el autor admirable de *La Regenta*. Otros, igual de prestigiosos, se encuentran a la espera de una consagración que esté a la altura de su talento: Valle-Inclán, cuya diversidad de inspiración empieza a sospecharse, sigue, sin embargo, encasillado en la leyenda que él mismo forjó alrededor de su personaje, cuando en realidad experimentó todas las formas de la novela y exploró instintivamente todos los caminos que abriría la revolución teatral de comienzos del siglo XX.

La comprobación que expresamos justificaba desde el comienzo nuestro propósito: tratar sólo la literatura peninsular en lengua castellana, para hacer un cuadro histórico y crítico de conjunto. Quitemos inmediatamente dos objeciones. Este libro no podía ser una historia de las literaturas de España. La literatura catalana, la literatura gallega, al igual que las lenguas de las que surgieron, tienen identidad propia. ¿Cómo reagruparlas? En una historia de la literatura española significaría negar esa identidad. Hemos preferido, por el contrario, respetarla.

Pero este libro no es tampoco una historia de las letras hispánicas de contornos imprecisos. Los escritores hispanoamericanos están sin duda unidos por una comunidad de destino. Pero en la escala de un continente. A pesar de las interferencias entre España y América Latina, del constante vaivén entre el Antiguo y el Nuevo Mundo, este destino no se confunde con el de la literatura peninsular. Imaginemos a García Márquez, Vargas Llosa u Octavio Paz embarcados en una historia de la literatura española. No lo podrían creer...

El proyecto que hemos realizado muestra, también, el espíritu con que se formó nuestro equipo. Especialistas en autores y en temas que aceptaron presentar, los hispanistas franceses que participan en esta empresa respetaron las exigencias científicas; pero también se adaptaron a un público variado, deseoso de tener entre sus manos, según los casos, un manual fiable, una obra de referencia o un libro de consulta. También querríamos que el estudiante de instituto, al igual que el universitario, dispusiera de un instrumento de trabajo reciente; también desearíamos ofrecer al hombre de la calle un panorama coherente que le resulte fácilmente asequible. Pero lo que hemos conseguido es una *historia* de la literatura, en toda la acepción del término, en la que las interpretaciones que se proponen están siempre relacionadas con un nivel de conocimientos, pero donde los encadenamientos manifiestan las opciones; ya sea que se tome en cuenta el veredicto de los siglos o que se proceda a revisiones consideradas indispensables.

El número de colaboradores —más de cincuenta— explica la diversidad de las contribuciones reunidas aquí. Al colocar su piedra en el edificio, cada uno ha dejado su impronta personal. Me ha parecido esencial mantener esta diversidad: creo que es la mejor garantía contra todo dogmatismo, contra cualquier esquematización reduccionista. El objeto literario, eminentemente complejo, se presta a diferentes enfoques, según se parta de las condiciones en que se publicaron las obras, de sus características intrínsecas, o de su devenir y del conjunto de significados que desarrollan. Sin privilegiar exclusivamente un determinado aspecto, cada uno de los colaboradores ha insistido más en el que se adaptaba mejor a sus preocupaciones; pero las ideas que presenta aparecen siempre situadas dentro de todo el conjunto de trabajos sobre el tema.

Hay que hablar de diversidad y no de disparidad, puesto que las contribuciones aquí recogidas tienen su origen en un proyecto global claramente definido desde el principio. En función de este proyecto hemos determinado las líneas de reflexión, distinguido corrientes y tendencias y asignado a los grandes autores el lugar que les corresponde, sin por ello dejar de lado a otros, poco o mal conocidos. Algunos lectores pensarán que hemos destacado demasiado a escritores menores; otros, al contrario, encontrarán que los hemos sacrificado en beneficio de las glorias consagradas. Asumimos plenamente nuestras decisiones. Prescindiendo de la lista de premios o del panteón de hombres ilustres, esta historia de la literatura, que intenta ser coherente, es, como debe ser, una construcción. Los equilibrios y los encadenamientos que establecemos reflejan, como es lógico, el progreso de los conocimientos, pero expresan, al mismo tiempo, nuestro punto de vista particular. Este punto de vista se refleja también en la distribución de la obra que, exceptuando la Edad Media, estudiada en conjunto, se articula por siglos. Por ello, cada período comienza por un capítulo de introducción que lo sitúa en el tiempo y que dibuja sus grandes líneas.

Una de las dificultades que hemos encontrado en nuestro trabajo ha sido la falta de perspectiva en lo que a la producción contemporánea se refiere. Los siglos pasados ya han recibido el veredicto de la posteridad. Aunque ese veredicto pueda someterse a revisiones parciales, nuestra época tiende más bien a legitimarlo que a cuestionarlo. No ocurre lo mismo con las obras más recientes, que se encuentran todavía bajo los efectos de las primeras reacciones, por lo que nuestro balance sólo puede ser provisional. A pesar de ello, no hemos querido dejar de hacer este balance: para poner de relieve la vitalidad de la España actual en un terreno en el que siempre ha sabido manifestar su genio particular; y, además, para demostrar que este auge se inscribe en un amplio movimiento que, desde el *Cantar de Mio Cid* hasta la generación actual, trasciende continuamente a las mutaciones y rupturas, consiguiendo así relacionar íntimamente un pasado y un presente siempre solidarios.

JEAN CANAVAGGIO

INTRODUCCIÓN

Este primer volumen de la *Historia de la literatura española* dirigida por Jean Canavaggio, que abarca la Edad Media, se inicia con una síntesis de la geografía e historia de los reinos peninsulares al comienzo de tal período. La visión general, sintética, orientativa, es una de las constantes de la obra, que sitúa lo literario en un marco cultural. Como toda historia de la literatura, responde, por una parte, a lo que la caracteriza: al recorrido histórico de la creación literaria en unidades de tiempo establecidas convencionalmente; pero, por otra, ofrece la novedad de ser un análisis hecho desde distintos puntos de vista. Los hispanistas franceses han escogido los géneros para sus diferentes estudios y los han combinado con la sucesión cronológica. Así Jeanne Battesti-Pelegrin habla de la lírica primitiva, y Monique de Lope y Michel Garcia de «la poesía en tiempos de Juan Ruiz». Bernard Darbord desarrolla el «nacimiento de la prosa» en el capítulo V, y en el capítulo VII, «nuevas facetas de la prosa». En este primer volumen, tal punto de partida permite abarcar bastante nítidamente la materia literaria porque el autor queda todavía en segundo plano o no aparece. Cuando éste cultive distintos géneros, cuando el anonimato sea una excepción, forzosamente la obra literaria de un mismo autor aparecerá en varios apartados. Este primer volumen es, por tanto, modélico. En él están analizadas extensa y profundamente las grandes creaciones, así el *Libro de buen amor* y *La Celestina*, pero también géneros a menudo orillados en otras obras semejantes, como tratados jurídicos y científicos.

Los hispanistas franceses, que parten del conocimiento de su propia literatura, aportan su visión de la literatura española desde una posición privilegiada en determinados campos, por ejemplo, en la materia de Bretaña o en la lírica de los trovadores. La riqueza de esa mirada se intensifica además por las distintas posiciones críticas de los especialistas que colaboran. Bernard Darbord, Jeanne Battesti-Pelegrin, George Martin, Alain Varaschin, Michel Garcia, Jean Roudil, Monique de Lope, Sylvia Roubaud, Pierre Heugas y Michelle Débax son los creadores de este volumen, y a través de sus análisis —originales, lúcidos—, se forma un panorama enormemente rico, variado y sugerente de la literatura de la Edad Media. Desde los orígenes de la lírica, la gesta, el mester de clerecía, el nacimiento de la prosa, la poesía contemporánea de Juan Ruiz, hasta las nuevas formas de la prosa, la poesía de fines de la Edad Media, el inicio del teatro y el romancero.

Como dice Jean Canavaggio en su prólogo, la obra está destinada al estudiante, pero también al lector curioso. Se acumulan los datos, si el lector los precisa, pero al mismo tiempo las exposiciones son sugestivas, amenas y aportan en muchos casos nuevos matices, nuevas luces a ese período inicial de nuestra literatura.

ROSA NAVARRO DURÁN

Capítulo I

UNA EDAD MEDIA ESPAÑOLA

Geografía e historia

España ocupa en la actualidad las cuatro quintas partes de la Península ibérica. Está separada de Francia por los Pirineos y de África, por los trece kilómetros de ancho del estrecho de Gibraltar. Estos dos obstáculos se franquearon fácilmente en la Edad Media: por el estrecho de Gibraltar penetraron, a partir del año 711, la civilización y la cultura musulmanas; en cuanto a los Pirineos, no impidieron el flujo de peregrinos, ni obstaculizaron el paso a las corrientes espirituales, ideológicas y artísticas de la Europa cristiana.

El área central de España está formada por una antigua meseta de una altura media de 600 metros. Esta meseta se eleva en la parte norte, donde se levanta la cordillera Cantábrica. Al oeste se sitúan tres sierras: la de Guadarrama, la de Gata y la de Gredos. La meseta central está también delimitada por tres depresiones terciarias: la del Ebro al norte, la del Guadalquivir al sur y la del Guadiana al oeste, en Extremadura. Por último, dos sistemas montañosos se alzan, uno al norte, los Pirineos, y otro al sur, las cordilleras Béticas (Sierra Nevada).

En estos relieves tan distintos no aparece la huella de una población homogénea: las pinturas rupestres de Altamira (Santillana del Mar) y las de Albacete, así como restos antropológicos y paleográficos confirman la presencia de dos focos principales de población. Uno se sitúa al noroeste (a él pertenecen los vascos y su lengua) y el otro al este. Los griegos llamaron a esta población del este iberos (*Iberia*). A lo largo de la costa se establecieron los fenicios que, al parecer, fundaron Gadir (Cádiz), en el año 1100 a.C. Incluso el nombre de España podría ser de origen fenicio, según R. Lapesa. Quizá fueron los fenicios quienes facilitaron la instalación de los judíos (los sefardíes) en España. Desde el año 600 a.c. se conservan escritos que atestiguan la existencia de importantes colonias griegas y púnicas (Cartago era una colonia fenicia en África).

Otros pobladores conocidos, pero de los que no se han conservado más que algunos documentos escritos, fueron los tartesios, que se establecieron hacia el año 1000 a.c. en el área que comprende actualmente Andalucía. Su capital, Tartessos, podría ser la bíblica Tarsis. Esta civilización no pudo resistir, hacia el año 500 a.c., la expansión cartaginesa.

A partir del 750 a.c., los celtas, procedentes del centro de Europa, se establecieron en la Península y ocuparon las zonas no habitadas del centro. Sin embargo, en el siglo III a.c., la potencia más importante continuaba siendo Cartago. Y esta hegemonía es la que los romanos destruirían gradualmente mediante una lenta pero inexorable romanización de la Península.

En el año 218 a.c., los Escipiones desembarcaron en Ampurias. En el 206 conquistaron Gades, último baluarte cartaginés. Les quedaba por colonizar el resto de la Península. La empresa les costó dos siglos y los mayores obstáculos fueron la tenaz resistencia de los celtíberos (cerco de Numancia, en el año 133) y la de los lusitanos. En el año 19 a.C., el emperador Augusto logró dominar España. Su nombre invade la toponimia: *Augusta Emerita* > Mérida, *Caesare Augusta* > Zaragoza. Una fecha importante es el año 38 a.C., que hasta el siglo XIV sirvió de punto de partida para el cómputo hispánico: el año 1338 de esa era corresponde, pues, al 1300.

España, dividida en provincias, adoptó la lengua y la legislación romanas.[1] Se llevaron a cabo construcciones admirables (basta con desplazarse a Segovia o a Mérida para hacerse una idea). Los emperadores Trajano, Adriano y Teodosio fueron naturales de Itálica, en el sur de España. Los dos Sénecas y Lucano nacieron en Córdoba, al igual que uno de los consejeros de Constantino, el obispo Osio, que desempeñó un importante papel en el concilio de Nicea: en el año 325 España estaba ya notablemente cristianizada.

Después de la escisión del Imperio romano, las tropas germánicas invadieron España, al igual que todo Occidente. A partir del año 409, los suevos, los alanos y los vándalos atravesaron los Pirineos. Los vándalos se ins-

1. Luis García de Valdeavellano, *Curso de historia de las instituciones españolas*, Madrid, Alianza, 1982, 2.ª ed., pp. 123-162.

talaron momentáneamente en el sur, en la Bética. Sin embargo, estas tres invasiones tuvieron una escasa influencia: los suevos no eran muy numerosos, los vándalos siguieron su camino hacia África y los alanos se establecieron en Lusitania, donde fueron exterminados por los visigodos que llegaron después. Los visigodos organizaron un vasto imperio, desde el Loira hasta el sur de España. Eran arrianos, lo que llevó a los francos de Clodoveo, convertidos al catolicismo, a luchar contra ellos. Los visigodos, derrotados en Vouillé en el año 507, se vieron obligados a replegarse en la Península y, en el año 560, establecieron su capital en Toledo.

En el año 587, Leandro, obispo de Sevilla y hermano de Isidoro (autor de las *Etimologías*)[2] convirtió al cristianismo al hermano del emperador Recaredo. Éste, a su vez, se convirtió dos años después: a partir de entonces, ambas culturas —la germánica y la romana— pudieron acercarse. Sin embargo, continuaron las tensiones. En el año 583, los visigodos se otorgaron privilegios que los convirtieron en un cuerpo social inviolable. En el año 694, Égica promulgó leyes antisemíticas.

A partir del año 711, las luchas intestinas en España —de las que la leyenda del conde don Julián es un ejemplo— favorecieron la expansión del islam hacia el oeste. Los musulmanes (árabes, sirios y beréberes) desembarcaron en Andalucía. Tarik, un berébere, derrotó a las tropas del rey don Rodrigo (batalla de Guadalete), origen de una importante leyenda épica. Los musulmanes, poco numerosos y sin mujeres, se mezclaron rápidamente con la población. A partir de este momento empieza, según Américo Castro, la historia de España, la historia de un país surgido de tres culturas (la cristiana, la judía y la musulmana).

Únicamente una pequeña parte de las montañas asturianas escapó a la invasión. En el resto de España, convertido en territorio islámico (*al-Andalus*), convivieron a partir de entonces: 1) árabes inmigrados (baladíes); 2) beréberes del África septentrional (*maurum* en los textos latinos), los «moros», por lo tanto, en el sentido estricto del término; 3) conversos al islam (muladíes); 4) cristianos no conversos al islam (mozárabes). Estos últimos eran tolerados, previo pago de un tributo.

En efecto, el islam toleraba que las «gentes del libro» (*ahl al-Kitab*), es decir los judíos y los cristianos, practicaran su religión, basada en textos sagrados anteriores a Mahoma.[3]

---

2. San Isidoro de Sevilla, *Etimologías*, edición bilingüe de José Oroz Reta, (I/II) Madrid, BAC, 1982. Consúltese la magnífica introducción general de Manuel Díaz y Díaz (I, pp. 7-257).
3. Luis García de Valdeavellano, *Curso..., op. cit.*, pp. 222 y 223.

Estos mozárabes hablaban un «romance» (lengua derivada del latín) particular. Esta lengua no ha llegado hasta nosotros. Su cultura, abierta a las demás civilizaciones (musulmana, hebraica) era asimismo original. Las jarchas son un ejemplo de ello. «Mozárabe» es una palabra de origen árabe que significa «el que se asimila a los árabes».

Los intercambios se desarrollaron también en otros terrenos, artísticos en particular, que trataremos en el capítulo siguiente.

Desde los primeros años se organizó ya una resistencia en Asturias, comandada por don Pelayo. La victoria cristiana de Covadonga (722), probablemente una simple escaramuza magnificada por la leyenda, es reconocida tradicionalmente como el comienzo de la Reconquista. Ésta concluyó en 1492, con la toma de Granada por los Reyes Católicos.

Hay que señalar el desarrollo irregular de la Reconquista: hubo una alternancia entre fases de expansión (siglos XI, XIII y XV) y períodos de estancamiento o de retroceso.

Se sucedieron cuatro dinastías musulmanas: los omeyas, los almorávides, los almohades y los nasridas. Los omeyas fueron expulsados de Damasco por los abasíes. Abderramán I se proclamó emir independiente de Córdoba. Abderramán III se convirtió en califa en el 929, pero en 1027 el califato se desintegró en reinos independientes (reinos de taifas).

Frente a la hegemonía musulmana, los descendientes de don Pelayo se establecieron en León y formaron un reino. En el siglo XI eran cuatro los Estados que se repartían la España cristiana: el condado de Barcelona, Aragón, Navarra y el reino de Fernando I, que comprendía Castilla, León y Galicia.

En 1137, Ramón Berenguer IV unió el condado de Barcelona con Aragón, al casarse con doña Petronila: poco a poco, la cristiandad se unificaba. La fundación, en el siglo XII, de las órdenes militares (Santiago, Alcántara y Calatrava), junto con los esfuerzos del papado y de las órdenes religiosas (Cluny) proporcionaron a la Reconquista una imagen halagüeña de cruzada.

Al esfuerzo cristiano se opusieron, a finales del siglo XI, los almorávides. Estos beréberes, procedentes de Marruecos, reinaron sobre vastos territorios de nuevo unificados. Un siglo después llegaron los almohades.

En 1212 (en las Navas de Tolosa), los almohades fueron a su vez derrotados; los nasridas, que les habían ayudado, sustituyeron a los almohades hasta el siglo XV. A lo largo del siglo XIII, los reinos cristianos realizaron avances decisivos: el rey aragonés, Jaime I, conquistó las islas Baleares; san Fernando, primo de san Luis, padre de Alfonso X y abuelo de don Juan Manuel, conquistó Úbeda, Córdoba, Murcia y Sevilla (1248).

El reino de Granada, apoyado por Marruecos gracias a la poderosa dinastía de los benimerines y sometido a tributo por los cristianos, no sería conquistado hasta el siglo XV (1492).

El mudéjar es el musulmán sometido a los cristianos durante la Reconquista. «Mudéjar» significa en árabe «aquel a quien le han permitido quedarse». Es, por lo tanto, el depositario de la cultura semítica en España. Por «morisco» se designará más tarde, según el diccionario de Covarrubias (1611), al musulmán convertido al catolicismo.

De esta herencia proceden los textos llamados aljamiados, redactados en lengua castellana, pero con la grafía en caracteres árabes (la aljamía era, para los musulmanes, la lengua romance). Estos textos, de tipo documental o poético, se escribieron sobre todo en los siglos XIV y XV. El ejemplo más conocido es el *Poema de Yúçuf*, que canta la gloria de Mahoma. Pero el mudejarismo sobrepasa en importancia estos pocos textos escritos y la cultura musulmana determinaría, sin duda, más de una obra destacada.

Por su parte, los cristianos siguieron avanzando en la reconquista y en la repoblación. Instalados en las fronteras («extremadura»), los colonos cultivaban la tierra cuando no guerreaban. A menudo renunciaban a su estatuto de hombres libres y se colocaban bajo la protección de los grandes señores (behetría), cuyo poder iba en aumento.

La literatura medieval se enriquece al ritmo de la Reconquista. De ella hablan obras maestras como el *Cantar de Mio Cid*, el *Poema de Fernán González*, la *Estoria de España* de Alfonso X el Sabio o una gran parte del Romancero. Al mismo tiempo, esta literatura se nutrió también de la expansión simultánea de la lengua castellana.

Un fenómeno aceleró la europeización de la Península: la peregrinación a Santiago de Compostela, que fue posible a partir del año mil, gracias a la Reconquista. Hasta entonces, en España la Iglesia había vivido recluida en la observancia del rito mozárabe y en las prácticas adopcionistas. Después de 1085, los franceses Bernardo y Olegario fueron los primeros arzobispos de la Toledo reconquistada. La orden de Cluny se instaló en Sahagún, seguida más tarde por el Cister en Poblet (Cataluña), y en Alcobaça, en Portugal. En el siglo XIII destacaron las órdenes mendicantes (Santo Domingo de Guzmán fue español).

CARACTERIZACIÓN CRONOLÓGICA DE LOS REINOS Y ESTADOS CRISTIANOS

Hasta los últimos años del siglo XV no se unificaron los reinos de la Península, a excepción de Portugal. Así pues, es necesario situar los Estados y los soberanos que han pasado a la literatura y cuyos nombres están presentes en las obras literarias.

Reino de Asturias, de León y de Galicia. Don Pelayo (718-737) fundó el primer Estado cristiano. García I (910-914) instaló la corte en León. En 1037, Fernando I incorporó León a Castilla.

Navarra (reino de Pamplona). Sancho III el Mayor, «emperador de las Españas» (1001-1037), dividió sus Estados entre sus hijos. Desde 1076 (muerte de Sancho IV) hasta 1134, Navarra estuvo sometida a Aragón. A la muerte de Alfonso I el Batallador, Navarra volvió a los herederos de Sancho IV. A partir de 1304, con Luis X el Obstinado, los reyes de Francia se sucedieron en el trono de Navarra. La ley sálica estuvo vigente en Francia, pero no en Navarra, por lo que en 1328, Juana II, hija de Luis X, se casó con Felipe, conde de Évreux, que subió al trono. Los condes de Évreux se convirtieron así en reyes de Navarra.

En 1429, Juan II, hijo de Fernando de Antequera y rey de Aragón, pasó a ser príncipe consorte de Navarra. A la muerte de su esposa doña Blanca (1441), usurpó el trono a su hijo, Carlos de Viana. A partir de 1479, las casas de Foix, de Albret y de Borbón fueron las soberanas de Navarra.

Los reyes de Castilla. El conde Fernán González (940-970) consiguió la independencia de Castilla, hasta entonces sometida a León. Las hazañas de este guerrero infatigable y de sus descendientes constituyen uno de los grandes ciclos de la epopeya castellana. Otro tanto ocurre con la sucesión del rey Fernando I (1065), cuya historia aparece reflejada en la juventud del Cid.

Sancho II, rey de Castilla (1065-1072), se apoderó de las tierras de sus hermanos: Galicia (García), León (Alfonso). Fue asesinado y le sucedió su hermano Alfonso VI, que será uno de los protagonistas importantes del *Cantar de Mio Cid.*

La casa de Borgoña y del Franco Condado accedió al trono de Castilla (1109-1369) a la muerte de Alfonso VI, ya que la hija de éste, doña Urraca, estaba casada con Raimundo de Borgoña. Al morir Alfonso VIII, Castilla pasó a Sancho III, mientras que Asturias y León volvieron a Fernando II (1157).

Alfonso IX, «el rey chico», sucedió a Sancho III y derrotó a los almohades en la batalla de las Navas de Tolosa, en 1212. A su muerte, Berenguela I se casó con Alfonso IX de León. Su hijo, Fernando III (san Fernando) se convirtió en rey de Castilla y de León. Alfonso X el Sabio reinó de 1252 a 1284. Le sucedió su hijo menor, Sancho IV (1284-1295), en detrimento de sus sobrinos. Entre sus sucesores destaca Alfonso XI (1312-1350), que se opuso con frecuencia a don Juan Manuel. Por último, en 1369, Pedro I el Cruel fue asesinado en Montiel por su hermanastro Enrique de Trastámara, que instauró una nueva dinastía.

Esta lucha es consecuencia de la crisis monárquica y social que marcó el siglo XIV: Pedro el Cruel era hijo legítimo de Alfonso XI. Sin embargo, su hermanastro, a pesar de ser bastardo, estaba apoyado por la nobleza y por el alto clero, en contra de los intereses de la naciente burguesía. Estalla entonces una guerra civil, que se reflejará en la obra del canciller Pedro López de Ayala, partidario de Enrique. La crisis, bien es verdad, era europea, pero para España significó el final del equilibrio entre las tres culturas. Detrás de la voluntad hegemónica de la nobleza se perfilaban ya las expulsiones de los siglos siguientes. Los *Proverbios morales* del judío Sem Tob de Carrión, dedicados a Pedro I, llevan ya la huella del deseo inalcanzado de una sociedad tolerante.

Después de Enrique II de Trastámara (1369-1379), accedió al trono Juan I. Fue el padre de Fernando de Antequera y el abuelo, por lo tanto, de los infantes de Aragón que aparecen en las *Coplas* de Jorge Manrique. Le sucedió Enrique III, Juan II y Enrique IV. A la muerte de éste, y después de una guerra civil en la que intervino el rey de Portugal, la corona recayó en Isabel la Católica, hija de Juan II y de su segunda esposa, Isabel de Portugal.

Los reyes de Aragón (1035-1516).   En un principio, Aragón no era más que un condado de Navarra. Sancho III el Grande lo convirtió en reino, coronando a su hijo Ramiro (1035-1066). Ramiro II el Monje (1134-1137) sucedió a Alfonso I el Batallador. Casó a su hija con Ramón Berenguer IV y, durante trescientos años, la corona de Aragón perteneció a la casa de Barcelona. De entre sus soberanos hay que destacar a Jaime II (1291-1327) cuya hija, doña Constanza, se casó con don Juan Manuel.
En 1410, con Martín I el Humano (1395-1410) se extinguió la dinastía. Después del Compromiso de Caspe (1412) subió al trono Fernando de Antequera (1412-1416), padre de los infantes de Aragón: Alfonso V (1416-1458), Juan II (1458-1479) y el famoso don Enrique de Villena, gran maestre de Santiago. Bajo Fernando de Antequera, los Trastámara reinaron tanto en Castilla como en Aragón.
Fernando II (1479-1516) estuvo casado con Isabel la Católica desde

1469. Se proclamó rey de Castilla con el nombre de Fernando V, alegando su matrimonio y su derecho como descendiente del rey Fernando IV de Castilla.

Los siglos XIV y XV estuvieron dominados por numerosos conflictos. En tiempos de los Trastámara, Castilla continuó asentando su hegemonía. Sacó partido de sus lazos con Francia, pero Juan I de Castilla fue derrotado en Portugal, en la batalla de Aljubarrota (1385).

La lengua castellana

El habla del norte de España, el castellano, es el resultado del desarrollo lingüístico del latín en la región cantábrica, sobre un sustrato formado por hablas antiguas de las que proviene el vasco actual. Esto explica que muchas de las características fonéticas del castellano pertenezcan también al vasco y evidencia la naturaleza de su relación.

El castellano se extendió poco a poco a gran parte de la Península, al ritmo de la Reconquista: la hegemonía política de Castilla permitió su expansión. En la Edad Media, las fronteras políticas de los reinos definían al mismo tiempo, de manera aproximada, zonas dialectales. Esas hablas se mantuvieron aun cuando entre los clérigos se impuso una lengua escrita y literaria.

Creemos importante describir algunos rasgos esenciales de estas hablas: rasgos genéricos comunes a todas (nos encontramos en la Romania) y rasgos específicos propios a cada una. Conviene no olvidar, sin embargo, que únicamente el galaico-portugués, el catalán y el castellano han producido ricas literaturas, si bien en esta obra nos limitamos al estudio de la lengua castellana.

Al igual que las lenguas francesa, italiana, rumana, etc., el castellano es una lengua románica, es decir, surgida del latín. La fragmentación de las hablas se explica por el sustrato lingüístico propio de cada región (el sustrato es la lengua previa sobre la que la nueva lengua —el latín— viene a asentarse).

De esta manera, la lengua latina, que llegó con los romanos, dio origen, según las regiones, a hablas diferentes, más puras en la Bética, más marcadas por el sustrato en el norte: la lengua utilizada anteriormente en la región cantábrica transformó notablemente el latín vulgar que se hablaba entonces.

Dentro del territorio ibérico hay que distinguir, por lo tanto, seis grandes zonas dialectales. La lengua romance hablada en el sur no es muy conocida. Se conservan testimonios poéticos (las jarchas, estudiadas en el capítulo II). También son muy valiosos la toponimia y algunos glosarios. Esta lengua se llama mozárabe, ya que era la de los cristianos que vivían, desde el siglo VIII, en territorio islámico. El mozárabe fue desapareciendo con el avance de la Reconquista y fue sustituido por las hablas de los colonizadores cristianos, obviamente de mayor prestigio.

Así pues, se hablaban cinco lenguas que, a grandes rasgos y de oeste a este, eran: el gallego, el leonés, el castellano, el aragonés y el catalán. La unificación lingüística puede describirse como una progresión de estas cinco hablas del norte, a expensas del mozárabe, y por una progresión del castellano sobre las otras lenguas.

El gallego es el origen de la lengua portuguesa. Hasta el siglo XIV fue un medio de expresión privilegiado para los poetas líricos de inspiración provenzal. Más adelante aludiremos brevemente a las *Cantigas de Santa María* de Alfonso X el Sabio, quien redactaba sus tratados y crónicas en castellano y se servía del gallego en todas sus composiciones líricas.

La prosa catalana era ya floreciente en la Cataluña medieval. Ausias March introdujo, en el siglo XV, una poesía catalana que sustituyó a la poesía occitana.

Los dos dialectos más cercanos al castellano fueron el leonés y el aragonés. Han sido muy bien estudiados. No produjeron una literatura importante puesto que, en el siglo XIII, en el momento en que se impuso la literatura romance, Castilla había ya asentado su hegemonía e implantado su lengua.

Sin embargo, son numerosos los textos en los que el filólogo puede detectar la procedencia leonesa, aragonesa o de otro lugar de su autor. Podemos citar varios ejemplos.

El *Cantar de Mio Cid* (1207) presenta algunos rasgos aragoneses. La *Disputa del alma y el cuerpo* (siglo XIII) muestra características leonesas.

En la poesía de Berceo aparecen vocablos riojanos (dialecto navarro). En la *Razón de amor* se integran rasgos aragoneses y castellanos, junto con la influencia gallega de las *Cantigas de amigo*: la lengua literaria carecía todavía de homogeneidad.

Las grafías aragonesas abundan en la *Vida de Santa María Egipcíaca*, en el *Libre dels tres reys d'Orient* y en el *Libro de Alexandre*. Esta última obra es de gran interés en lo que a las grafías se refiere. Está escrita en castellano (*semejar, fijo*), pero en el manuscrito más antiguo hay numerosos rasgos leoneses. Por otro lado, la obra también se conoce, además, por un manuscrito del siglo XV muy influido por el aragonés. Se trata, sin duda, de un texto castellano transcrito por un copista leonés y, más tarde, por otro aragonés. El texto histórico del *Liber regum* (finales del siglo XII) está redactado en lengua navarra. Se encuentran rasgos leoneses en el *Libro de los gatos* (siglo XIV, manuscrito del siglo XV). Juan del Encina, en el siglo XV, introdujo en su obra la lengua de los campesinos leoneses. Esta lengua, muy pintoresca, preludia ya el sayagués, el habla típica de los campesinos en la comedia española.

El caso de Juan del Encina es, sin embargo, diferente: en esa época, la imprenta había fijado ya la lengua original del autor, suprimiendo la intervención de los copistas.

Para resumir, el castellano impone su fuerte originalidad. En cierto sentido, el leonés y el aragonés se parecen. Su arcaísmo es la prueba de una cierta unidad peninsular. Por el contrario, los caracteres propios del castellano no se encuentran en otras partes. Los ejemplos siguientes ayudan a comprender todo lo que esta lengua tiene de innovadora en esta zona ibérica de la Romania:

Latín	Grafías leonesas o aragonesas	Grafías castellanas	Fonética castellana
MULIEREM	*muller*	*mujer*	[muxér]
OCTO	*oito*	*ocho*	[óĉo]
PLANUM	*plano*	*llano*	[l̮áno]
FILIUM	*fillo*	*hijo*	[íxo]
-ELLUM	*-iello*	*-illo*	[-íl̮o]

En el siglo XIII se tenía una conciencia clara de la preponderancia de Castilla, de los castellanos y del castellano. El autor del *Poema de Fernán González* lo proclama, por aquel entonces, con orgullo: a pesar de ser simplemente un pequeño «rincón» de España, al comienzo, un pequeño grupo («convento») de guerreros, gracias al conde Fernán González y a sus descendientes, Castilla conquistó casi toda la Península:

Avn Casty(e)lla Vyeja, al mi entendimiento,
mejor es que lo hal por que fue el çimiento,
ca conquirieron mucho, maguer poco convento,
byen lo podedes ver en el acabamiento.[4]

La literatura medieval hispánica

En la Edad Media, la lengua culta es el latín, por lo que, durante mucho tiempo, los tratados, los textos jurídicos, los manuales y las crónicas se redactaron en esa lengua. Antes del siglo XIII no se desarrolla una literatura romance en España. Hasta ese momento, sólo se utilizaba la lengua romance en la epopeya y en la poesía lírica, cuya transmisión era a menudo oral, y en escritos no literarios: glosas, actos jurídicos, etc.

En España, como también en Francia, la necesidad de escribir en lengua popular nace de una voluntad meritoria, pero forzosa, de hacerse entender de un público iletrado.

Esta voluntad se pone de manifiesto en los *Serments de Strasbourg* (año 842). Luis el Germánico y Carlos el Calvo firmaron en esta ciudad un tratado de alianza contra su hermano Lotario. Con el fin de que sus tropas fueran testigos del acuerdo, se prestó juramento en la lengua de los francos y en la de los germanos. Un historiador de esa época, Nithard, incluyó el documento en su crónica. Algo antes, en el concilio de Tours (813), se había recomendado a los obispos que obligaran a pronunciar las homilías en lengua popular.

En realidad, la impulsora de la literatura en lengua vernácula fue la Iglesia: en España, como en todas partes, la educación elemental tuvo que hacerse en lengua popular. Los sermones resultaron un instrumento privilegiado. Por otro lado, fue considerable, también, la influencia de las órdenes monásticas (Cluny, Cister) y, más tarde, en el siglo XIII, la de las órdenes mendicantes (dominicos y franciscanos). Esto explica que la literatura estrictamente profana tardara en llegar.

Los más antiguos textos españoles escritos en lengua vernácula son las glosas de los monasterios de San Millán de la Cogolla y de Santo Domingo de Silos, en dialecto navarro, cercano al aragonés. Las glosas servían para interpretar un texto latino (sermón, vida de santo, etc.).

---

4. Edición de Zamora Vicente, Madrid, Espasa Calpe, 1963, estrofa 157.

Más adelante estudiaremos los orígenes mozárabes de la primitiva poesía lírica castellana. Después examinaremos el origen gótico (visigodo) de la epopeya, puesto de relieve por Ramón Menéndez Pidal y por Erich von Richthofen. La epopeya es una «historia épica de la humanidad» (Menéndez Pidal). Por esta razón, Alfonso X la utilizará frecuentemente al redactar sus crónicas.

Los amplios fondos de la literatura europea llevaron a los clérigos letrados a elaborar una vasta producción poética, que denominaron «mester de clerecía», y que oponían orgullosamente a la poesía juglaresca. Se inspiraban muy directamente en la literatura latina (milagros, vidas de santos) y en los archivos de los monasterios, de donde obtenían temas de devoción. Frente a la libertad métrica del juglar (basada en la poesía oral y en la memoria popular), los clérigos utilizan la cuaderna vía, una estrofa monorrima de versos alejandrinos (de 14 sílabas) escrita sobre pergamino.

Más variados son los orígenes y el modo de producción del *exemplum* o apólogo, cuento que sirve para ilustrar una lección moral. El *exemplum*, ya estudiado por Aristóteles, se introduce en España gracias a una doble tradición, europea y oriental: el *Libro de los gatos* (siglo XIV) es una traducción de las *Fabulae* de Odo de Cheriton, un clérigo inglés, mientras que el *Calila e Dimna* llegó a las manos del futuro Rey Sabio por medio de traducciones árabes del sánscrito y del persa antiguo. Estos cuentos tienen diversas finalidades: primeramente fueron utilizados como sermón (desde el apólogo prosaico hasta el cuento maravilloso, todo sirve como pretexto para la edificación espiritual), pero también aparecen en otras obras de sabiduría. *El conde Lucanor*, de don Juan Manuel, es una buena síntesis de las corrientes ejemplares y gnómicas: sus medios de expresión son el ejemplo y la sentencia.

En los siglos XIV y XV la literatura se abre a nuevas formas. La poesía en lengua castellana tiende a abordar todos los temas y a sustituir a la de expresión gallega (a este respecto, la muerte del conde de Barcelos, en 1354, se considera a menudo como una fecha clave). El *Libro de buen amor*, de Juan Ruiz, es un compendio de los usos poéticos de esa época: desde el zéjel hasta la cuaderna vía, de la pastorela (en su expresión burlesca) al *planctus*. Finalmente, en el siglo XV, la influencia italiana y el culto de la Antigüedad renovaron el pensamiento. Enrique de Villena (1384-1434) tradujo a Homero, a Virgilio y a Dante.

También en el siglo XV se esbozó una evolución hacia lo que más tarde se llamaría novela. Las leyendas artúricas del ciclo del Graal determinan un nuevo estilo literario: el *Libro del caballero Zifar*, *La gran conquista de ul-*

tramar, el *Amadís de Gaula*. Con la *Cárcel de amor*, de Diego de San Pedro, la «novela sentimental» (según expresión de Menéndez Pelayo) alcanza la perfección. ¿Se trata verdaderamente de obras «sentimentales»? En realidad, más que por el análisis de los sentimientos de los personajes, destacan por la profusión con que esos sentimientos se manifiestan, por medio de una expresión que oscila entre la alegoría y la descripción clínica. Las expresiones que *La Celestina*, de Fernando de Rojas, toma de la *Cárcel de amor* bastan para demostrar la influencia de esos «tratados» en una obra considerable (1499-1502) y, de cualquier modo, irreductible a un teatro medieval cuyos orígenes siguen siendo misteriosos y su producción muy escasa.

En el siglo XV, tanto la historia como la poesía intentan convertir a las grandes figuras de su tiempo en héroes de la Antigüedad. Ambición encomiable, sin lugar a dudas, pero no desprovista de interés para familiares y vasallos de grandes señores, como Fernán Pérez de Guzmán (1377-1458), autor de *Generaciones y semblanzas*, Juan de Mena, Jorge Manrique, etc.

La crónica en lengua romance, introducida por el Rey Sabio a finales del siglo XIII, se hace cada vez más detallada. La obra del rey Alfonso es el prototipo del género: así, don Juan Manuel compone una *Crónica abreviada*, inspirada en la *Estoria de España* de Alfonso X. Muy a menudo, los grandes escritores escribían crónicas, al mismo tiempo que ensayaban otros géneros literarios: Alonso Martínez de Toledo, arcipreste de Talavera, y Pedro López de Ayala son los ejemplos más notables.

Esta profusión creciente de géneros literarios se explica por la existencia de un público cada vez más diversificado e interesado en la lengua y en sus posibilidades expresivas. Se tratará a menudo el tema de las ventajas comparadas del latín y las lenguas romances. Por otro lado, el castellano se convertirá en objeto de estudio por parte de los gramáticos: en 1492, Antonio de Nebrija redacta la primera gramática del castellano.[5]

La transcripción de las obras pasa por etapas sucesivas: del monasterio a la ciudad, del pergamino al papel, de los manuscritos a las primeras ediciones de finales del siglo XV (incunables). En las obras así transmitidas, domina una característica que Ramón Menéndez Pidal ha descrito ampliamente: la perduración de los temas a lo largo de los siglos y a pesar de las innovaciones genéricas.

---

5. Antonio de Nebrija, *Gramática de la lengua castellana*, edición preparada por Antonio Quilis, Madrid, Editora Nacional, 1980.

La figura de Rodrigo, *el Cid* (1040-1099), es un buen ejemplo de personaje histórico que se introduce en la literatura por los más diversos canales:

— La tradición oral y la canción de gesta épica: el *Cantar de Mio Cid* (1207) y el Romancero (testimonios a partir de 1450).
— El panegírico latino: *Carmen Campidoctoris.*
— La historia en prosa latina: *Historia Roderici*, así como todos los grandes cronistas hasta el siglo XIII (*De rebus Hispaniae*, 1248, del arzobispo de Toledo).
— El poema tardío: *Rodrigo* o la *Crónica rimada de las mocedades de Rodrigo*, en el siglo XIV).
— La crónica castellana evoca ampliamente al personaje.

La primera expresión artística en lengua castellana fue, como es frecuente, oral. Oralidad y escritura: la distinción no es gratuita y ya veremos en detalle cómo el soporte de una obra condiciona enormemente la naturaleza del texto. La forma oral se caracteriza por la repetición de fórmulas, por la utilización constante de la parataxis, o ausencia de subordinación. La forma escrita aportó más rigor lógico, gracias a la hipotaxis, o subordinación. La producción escrita tenía que desarrollarse, puesto que existía una conciencia literaria. La palabra «literatura» procede de *littera* que, al igual que *lettre* en francés, significaba, en un primer momento, el «escrito» enviado a una persona ausente. Si, como muchos creían en la Edad Media, la etimología de una palabra contiene una realidad, sería, pues, el acto de «grabar» unos signos convencionales en un soporte sólido lo que crearía la literatura.

Imitación, traducción, amplificación. Estas palabras definen una gran parte de la creación literaria en la Edad Media. El escritor es, en primer lugar, un eslabón anónimo de una cadena. Recoge una enseñanza, un argumento, un ejemplo y lo presenta a un público diferente. Este anonimato de las obras contribuye a que desaparezcan.[6] Éste es quizás el motivo por el que, poco a poco, el escritor ha querido afirmar su autoría. Sobre este tema se puede contraponer a dos figuras contemporáneas del siglo XIV: el arcipreste de Hita abandona con humor (¿es verdaderamente sincero?) su *Libro de buen amor* a los retoques de la posteridad. Don Juan Manuel, por el contrario, no soportaba la idea de que se pudiera modificar, de alguna manera,

---

6. Alan Deyermond, «The lost genre of medieval Spanish Literature», *Hispanic Review*, XLIII, 1975, pp. 231-259; «The lost literature of medieval Spain: excerpts from a tentative catalogue», *La Corónica*, V, 1976-1977, pp. 93-100.

un texto escrito, *ne varietur*, de su propia mano. El lector del arcipreste es un intérprete, un glosador, cualidades peligrosas para don Juan Manuel, celoso guardián de su biblioteca. El edificio se incendió, sin embargo, y de esta manera desaparecieron los manuscritos autógrafos del escritor.[7]

Por último, nos queda por aludir al problema de la fecha en que termina la Edad Media. Generalmente, se admite que concluye en 1492, año en el que concurren el final de la Reconquista, el descubrimiento de América, la expulsión de los judíos de la Península y la publicación de la gramática de Nebrija. En realidad, todo el siglo XV no es sino una transición hacia la estética del siglo XVI y del Renacimiento (tardío en España): más que señalar los límites del ocaso de la Edad Media, preludia la voluntad de una creación nueva. Ya se han instaurado los graves debates que tendrán lugar en el siglo siguiente: se discute la figura del Papa. La crítica de las costumbres del clero está presente desde el siglo XIV, tanto en la obra de Juan Ruiz, arcipreste de Hita, como en la del canciller de Ayala. La voluntad de reforma se afirma en la pluma de Alfonso de Madrigal el Tostado (1400-1455) y en los sermones de san Vicente Ferrer (1350-1419). Por otro lado, hay que añadir que, cuando una sociedad sobrevalora los ideales caballerescos, es señal de que nos hallamos ante una institución en decadencia.

Sin embargo, los rasgos más característicos de la literatura medieval, los que Ramón Menéndez Pidal incluye en el concepto de tradicionalidad, perduran a lo largo de los siglos siguientes y producen magníficos «frutos tardíos» que, «precisamente por su tardía madurez, tuvieron mejor razón y fueron apreciados, como venidos en época más adelantada que la que en otros países los había producido».[8]

Ésta es, sin duda, la razón por la que la literatura medieval castellana no ha conocido un eclipse comparable a la de los «siglos bárbaros» en Francia. Muy apreciada en el Siglo de Oro, tendrá todavía más éxito en épocas posteriores, cuando en el siglo XVIII la atención se vuelva hacia textos antiguos y cuando el Romanticismo se entusiasme con la Edad Media.

BERNARD DARBORD

7. *Libro de buen amor*, ed. de Criado de Val y Naylor, Madrid, CSIC, 1965, ms. T, p. 552. Juan Manuel, *Obras completas*, II, ed. de J. M. Blecua, Madrid, Gredos, p. 23.
8. Ramón Menéndez Pidal, *Los españoles en la literatura*, Buenos Aires, Espasa-Calpe, 1960, p. 139.

CAPÍTULO II

LA LÍRICA PRIMITIVA

La España de las tres culturas

Circunstancias histórico-culturales de la España medieval. Las circunstancias históricas particulares de España, en primer lugar las características de su romanización, la latinización y la cristianización de los visigodos de España y, sobre todo, la presencia (a veces belicosa, a veces pacífica, pero siempre conflictiva) de los musulmanes en la Península ibérica, durante un período que se extiende de tres a ocho siglos según las regiones, crean unas condiciones únicas en todo Occidente y hacen de España el punto de encuentro natural entre la cristiandad y el islam.

«Cristianos, moros y judíos», sinónimo de «todos»: de esta manera se expresa en el español medieval el concepto de totalidad; la suma de un conjunto de singularidades. Lo que no impide, sino que, por el contrario, implica diversidad y conflictos.

Formación de una cultura hispano-musulmana. En el crisol de al-Ándalus (España) se fusionaron las diferentes corrientes del islam; el califato de Córdoba tuvo su propia cultura. Gracias a la protección de los califas, todos los sectores de la ciencia conocieron un brillante desarrollo. La figura destacada de este primer período fue, sin duda, Ibn Hazm, autor (además de otras obras de historia, incluso de historia de la literatura, como también de filosofía) de la obra maestra de la literatura arábigo-andaluza, *El collar de la paloma.* Este maravilloso tratado de retórica y de poética del amor, en el que aparece la huella de *El banquete* de Platón, retomado en el amor *udhrí*, constituye una obra en la que cada página prefigura ya el amor cortesano, la poesía mística o la de los *stilnovistas*.

En el terreno poético, Oriente producía una poesía refinada y culta; las estrofas monorrimas de la *qasida* cantaban el amor y la vida del nómada. La *muwaššaah*, más popular, y, a continuación el zéjel, derivado de ésta, no tardaron mucho en aparecer en el marco hispano-andaluz.

Aunque fueron, naturalmente, los musulmanes quienes tomaron la iniciativa en el desarrollo cultural, también contribuyeron a él las minorías étnicas y religiosas, judíos y cristianos mozárabes. Durante el período califal, los musulmanes permitieron a los judíos disfrutar de una situación particular, por lo que éstos pudieron desempeñar un papel original y al mismo tiempo duradero, ya que sobrevivió al califato, cuando se dividió en los reinos de taifas. Efectivamente, ¿no fue el judío Avicebrón (Salomon ibn Gabirol) quien divulgó la inspiración neoplatónica? En cuanto a los hispanogodos, marcados por el Renacimiento intelectual isidoriano, prolongaron la cultura clerical del período visigodo (en el año 924, el papa Juan X reconoció el rito mozárabe). En lo que al mundo artístico se refiere, las construcciones mozárabes se impregnaron de las técnicas del islam (utilización del ladrillo y del estuco, sobre todo). Por el contrario, los poetas árabes parecen haber escuchado la voz de la poesía popular hispánica, que recogen en las jarchas.

Los reinos cristianos, por su parte, a medida que se organiza la Reconquista, bajo la bandera cultural y espiritual de la Iglesia, desarrollarán, a partir del año 800, el mito dinamizador de la tumba de Santiago, un antimahometanismo que electrizará a los cristianos en su «cruzada». Con los peregrinos del Camino de Santiago, Europa occidental atraviesa los Pirineos y deja en iglesias, monasterios y conventos la huella del arte del Norte: el primer arte románico.

En el siglo XII, España ocupa un lugar importante en la cultura del Occidente europeo. Al-Ándalus decae sin duda, políticamente, en una miríada de reinos de taifas, pero su influencia cultural es aún intensa. En el siglo XII la poesía está en su apogeo. Y, asimismo, es, en el siglo XII cuando las corrientes del pensamiento aristotélico pasan a Occidente, gracias al islam (Avempace, Abentofail, Avenzoar y, naturalmente, Averroes), pero, también, gracias al judío Maimónides.

España, puente cultural entre la cristiandad y el islam.   Los contactos belicosos entre cristianos y musulmanes están presentes en todas las memorias. Sin embargo, hubo también contactos más pacíficos. La España medieval representa el puente cultural entre el islam y la cristiandad de Europa, en particular cuando, después de la reconquista de Toledo (1085), esta ciudad se convirtió en un centro cultural internacional.

Tras la problemática «escuela de traductores de Toledo» (¿llegó, verdaderamente, a existir?) persiste una realidad innegable: la de los intercambios entre intelectuales de culturas y de credos diversos, que se reunieron en Toledo (Daniel de Morley, por ejemplo, o Gerardo de Cremona, entre tantos otros), donde la ósmosis cultural suscitó un considerable trabajo de traducción. En ese círculo, Hermann de Carintia dio a conocer el *Planisferio*, de Ptolomeo, Roberto de Chester tradujo el Corán al latín y Gerardo de Cremona divulgó a Aristóteles. Un siglo después, impulsadas por Alfonso X, se multiplicaron las adaptaciones y traducciones, en medio de una inquietud intelectual intensa y productiva. Hermann «el alemán» se trasladó a Toledo para traducir la *Poética* de Aristóteles y, más tarde, Michel Scott adaptó, probablemente también en Toledo, la *Metafísica*. Gracias a la actividad de los colaboradores del Rey Sabio, el castellano se convierte en el instrumento de base para dar a conocer las obras de Oriente (*Calila e Dimna* y los apólogos orientales). Al mismo tiempo, Alfonso X compone en gallego las *Cantigas de Santa María*. La denominación de «España de las tres culturas» se debe, por tanto, a esta extraordinaria efervescencia de intelectuales de diversos credos, que concurrieron en la corte del rey de Castilla y León, y a la iniciativa de éste, lo cual constituye un fenómeno único en la historia del Occidente medieval.

La convivencia. ¿Cuáles fueron la importancia, la naturaleza y la calidad de los contactos? En la vida cotidiana debieron de ser, sin lugar a dudas, una realidad: convivencia en buena armonía y situaciones conflictivas, fases sucesivas de aceptación del otro y de intolerancia: el pueblo vivió de diferentes formas este estado de cosas. Los historiadores no se ponen de acuerdo al interpretarlo. El gran apóstol de la convivencia fue Américo Castro. Para él, «los visigodos no fueron españoles», por lo que la historia de España no tiene sentido más que a partir de la invasión musulmana —con los conflictos que genera—, que es la que propiciará una sociedad enormemente rica y compleja, en la que cada uno (cristiano, judío o musulmán) tendrá conciencia de pertenecer a una misma comunidad. Según Castro, la historia de España se estructura partiendo del culto a Santiago y de la cruzada que enarbolaba su bandera; sin embargo, ese culto era, en primer lugar, el reflejo de la *djihâd*, la guerra santa de los musulmanes. Más adelante, cuando la Reconquista concluye, toda la vida espiritual de la Es-

paña del siglo xv, e incluso de después, habría que explicarla por el papel
de los «conversos» (judíos convertidos) y por sus inquietudes ideológicas.
El historiador Claudio Sánchez Albornoz combatió violentamente esta tesis, recusando toda solución de continuidad en la historia de España, en-
crucijada de civilizaciones mucho antes de la llegada del islam.
En cualquier caso, la confluencia cultural (simbiosis y antibiosis) fue
única y, en el terreno literario es, sin duda, este fenómeno del mudejarismo
el que permitió salvaguardar el patrimonio lírico más antiguo de la Península.

Los orígenes de la lírica

En un principio había... Es inútil intentar determinar el nacimiento de
una literatura, como también lo es fijar un límite entre el uso del latín hablado
y el de las lenguas vernáculas. El primer poema castellano que se conserva
(*Cantar de Mio Cid*) se remonta a principios del siglo xiii, pero esto no nos
dice nada sobre los orígenes de la lírica peninsular que, como toda manifestación artística, se pierde en el tiempo. Todas las sociedades conocen, al margen incluso de los caminos de la literatura, el desarrollo de un «canto» simbólico, transmitido por vía oral y a menudo colectiva, acompañado a veces
de danzas de carácter mágico, que es una expresión ritual: caza, fecundidad,
ciclos de la vida y ritos iniciáticos; más tarde, expresión amorosa.
Como ocurre en todo folclore, cuando el lenguaje está asociado a él, el
folclore peninsular se enriquece con las aportaciones sucesivas de las culturas que lo rodean. Las condiciones de la latinización en España (para no re-
montarnos más lejos), así como las de los invasores visigodos, hacen suponer que se elaboró progresivamente una lengua de comunicación, con sus
particularidades dialectales, frente al latín que continuaba hablándose y que
seguía existiendo también como lengua de creación literaria. La convivencia
de hispano-romanos y de visigodos, primero, y más tarde, sobre todo, la presencia prolongada del islam en España —la coexistencia cultural de cristianos, judíos y musulmanes—, dio igualmente origen a determinados fenómenos lingüísticos. Mientras que los mozárabes, sin duda bilingües, hablaban
entre ellos un dialecto hispano-romano, los mudéjares, por su parte, transcri-
bían en caracteres árabes (lengua «aljamiada») el habla romance.
Hubo una poesía en lengua vulgar, no cabe duda. Incluso si el paso,
lento, de lo oral a lo escrito nos impide acceder a ella directamente, incluso
si no se conservan documentos anteriores a la época musulmana, existió y
ha llegado a nosotros gracias a la convivencia.

Pero, ¿con qué se nutría esta poesía? ¿En qué fuentes se inspiraba? En España, como en otras partes, el origen de las manifestaciones propiamente literarias de la lírica ha dado lugar a diversas teorías.

1. Los datos del problema

Durante mucho tiempo se ha creído que toda la lírica romance procedía de la lírica provenzal, cuyas más antiguas manifestaciones se remontan a finales del siglo XI, con los poemas de Guillermo de Aquitania. Esta concepción «provenzalista», defendida por Alfred Jeanroy, que se ha hecho extensiva a los troveros del norte, sostiene que la lírica occidental nació bajo la égida de los trovadores. Únicamente quedaría por encontrar una explicación al nacimiento de la lírica provenzal en sí.

Existen tres tesis:

1) *La tesis medio-latina y litúrgica.* La teoría litúrgica, presentada por Gaston Meyer y Reto Bezzola, afirma que la producción poética medieval deriva de la poesía latina de esa misma época. Se trata de una poesía culta, clerical, que ha transmitido sus rimas y de la que es un ejemplo la poesía en latín de los goliardos, que se desarrolló en la Europa medieval y de la que hay algunas huellas (directas o indirectas) en España. Los poetas cultos que escribían en lengua vernácula, estaban influidos por el latín, que también utilizaban.

2) *La teoría folclorista.* La tesis folclorista es producto del romanticismo y tiene su origen en la escuela comparatista que estuvo de moda en el siglo XIX. Sostiene que en todos los países de Europa se produce el desarrollo, prácticamente simultáneo, de un mismo tipo de lírica (cantigas de amigo, canciones de mujer, *Frauenlieder*, *virelais* y villancicos). De aquí se deduce un origen común, que partió de las raíces populares del folclore y de los rituales de la vida cotidiana. Gaston Paris, con su teoría de la adaptación de las fiestas de mayo, Karl Vossler y Leo Spitzer, han ilustrado esta tesis que hace hincapié en el genio creador del «pueblo poeta».

3) *La tesis arábigo-andaluza.* Ya desde principios de siglo, los arabistas, españoles primero y extranjeros después (Julián Ribera y, luego, Nykl), sospecharon la importancia de la cultura árabe para el desarrollo y la personalidad de la lírica europea. Sus hipótesis fueron combatidas enérgicamente (por motivos no siempre estrictamente científicos), sobre todo porque consideraban que el origen de la lírica era arábigo-andaluz. Un su-

ceso vino a reforzar estas hipótesis y a trastocar los términos de la vieja cuestión: Samuel Stern descubrió, en 1948, unos poemas de al-Andalus, en lengua romance, llamados *jarchas*. Apoyándose en este descubrimiento, los partidarios de la escuela castellana de Menéndez Pidal desplazaron el interés hacia Castilla y, apoyándose en la confrontación de las jarchas y de la poesía tradicional castellana, los villancicos, llegaron a la conclusión de que existe, necesariamente, un origen común. Este origen común obliga a retrotraer en el tiempo la realidad de una lírica tradicional, anterior a la de los poetas árabes.

Los historiadores de la literatura (R. Hitchcock) están profundizando, actualmente, en el estudio de esas interrelaciones.

2. LAS JARCHAS

En un artículo que tuvo una gran resonancia, sobre «los versos finales en español en las *muwaššahas* hispano-hebraicas», Stern descubrió que los versos finales de algunos poemas cultos (las *muwaššahas*) en lengua hebraica estaban escritos en romance. En efecto, demostró que en esos poemas (en español: *moaxajas*) aparecían breves fragmentos escritos parcialmente en mozárabe, algo en lo que hasta entonces no se habían fijado los eruditos, debido a la transcripción exclusivamente consonántica de estos textos.

Forma de la jarcha. La jarcha (en árabe: «salida, fin») está, por tanto, integrada en una composición poética culta, hispano-árabe o hispano-hebraica, la moaxaja, cuya estructura es la siguiente: una estrofa con rima propia, seguida de cuatro o cinco estrofas, siguiendo el esquema *AA BB-BAA, CCCAA, DDDAA...* Estos poemas están compuestos en árabe o en hebreo clásicos y únicamente los versos comunes que terminan la estrofa están escritos en lengua vulgar: árabe o romance. Ésta es, pues, la estructura de la jarcha. Citemos la conclusión de una moaxaja erótica de cuatro estrofas:

Mama, ay habibe!
So l-ymmella sagrella
el-quwello albo
e bokella lamrella.

Problemas de interpretación. El descubrimiento de las jarchas no resolvió todos los problemas. La primera dificultad, debida a las complicaciones que presenta la transcripción de los poemas árabes, fue la de reconstruir las jarchas. Emilio García Gómez, traductor de Ibn Hazm, el autor de *El collar de la paloma*, se convirtió en un paciente ilustrador y, siguiendo a Stern, publicó una serie de jarchas árabes, que transpuso calcando el ritmo. Gracias a él, fue posible la lectura de las jarchas. Pero la interpretación de éstas sigue siendo difícil. La paciencia de los investigadores no tiene límites, y su ciencia hace retroceder progresivamente las fronteras de lo desconocido:

«*Venid la pasca / ayun sin ellu / [...] meu corazon por elu*», es la versión de Stern; corregida por Luis Cantera: «*[...] venid la Pasca, ed vien (?) sin elu / com'caned meu coraçon por elu*»; Dámaso Alonso, por su parte, propone: «*[...] venid la Pasca, ed yo sin elu / Como meu corachon por elu*».[1]

En el estado actual de las investigaciones, sería muy peligroso servirse sin precaución de estos textos, tan retóricos, tan elaborados formalmente, como si de textos definitivos se tratara.

Sólo gracias a un estudio sistemático y a la organización del *corpus* se podrá llegar a una mejor comprensión de estos poemas, fundamentales para el conocimiento de la primitiva lírica española.

El descubrimiento de las jarchas fue también muy importante para los lingüistas: el dialecto mozárabe, que hasta entonces se reducía a algunas palabras aisladas o a términos científicos, pasó a ser accesible por medio de frases coherentes, enriquecidas, además, por las sutilezas de la lengua poética. Por otro lado, se abría también el camino a nuevas hipótesis en lo que al origen de la poesía romance se refiere...

La jarcha y la lírica árabe. En efecto, la jarcha está muy ligada a las dos formas poéticas que los árabes utilizaron en España: la moaxaja, en la que la jarcha se integra, y el zéjel. Según la tradición árabe, fue el cordobés Muqaddam al-Qabrī, el poeta ciego de Cabra, quien inventó la moaxaja, allá por el año 900. Pero, ¿era árabe Muqaddam, como se ha admitido durante mucho tiempo? ¿O era mozárabe y, por consiguiente, hispanófono, como sugirió García Gómez y como sostiene Brian Dutton?[2]

    1.   Samuel S. Stern, *Hispanic-Arabic Strophic Poetry*, ed. de L. P. Harvey, Oxford, 1974; Dámaso Alonso, «Cancioncillas de amigo mozárabes (primavera temprana de la lírica europea)», *Revista de Filología Española*, XXXIII, 1949, pp. 297-349.
    2.   Brian Dutton, «Some doubts about the reconstruction of the Kharjas», *Bulletin of the Hispanic Studies*, XLII, 1965, pp. 73-81.

En cualquier caso, la forma de la moaxaja se diferencia de la forma de la poesía árabe culta por excelencia, la qasida, aunque se propagó por la Romania gracias al zéjel, que deriva de ella.

El zéjel hispano-árabe, en lengua vulgar (árabe vulgar), es una poesía estrófica tripartita que consta de un estribillo (cabeza / *markaz*), de una estrofa de variación (mudanza / *dyuz*) y de una vuelta al estribillo (vuelta / *jarcha*). La jarcha es esa última estrofa, por lo menos en la moaxaja, donde el poema se cierra únicamente con la forma vulgar. El zéjel, por el contrario, utiliza formas vulgares en todas las estrofas. Por otro lado, parece ser que tanto los cristianos como los árabes de al-Ándalus utilizaron un sistema común de métrica silábica y no cuantitativa.

¿Podrían ser la moaxaja y el zéjel la adaptación, realizada por los poetas árabes y hebreos, de una forma popular anterior, incluso ajena a la Península? Se supone que las jarchas existían antes que las moaxajas y que se percibían como un préstamo del patrimonio tradicional.

La jarcha y la poesía tradicional. Estas observaciones apuntan a la existencia de una lírica vulgar en la Península, en Andalucía, ya desde el siglo X u XI. La temática de las jarchas sugiere asimismo otras comparaciones. Muchos de estos poemitas se parecen a las canciones de mujer: poemas deliciosos en los que una joven llora ingenuamente la ausencia del amigo, se desahoga junto a su madre, expresa su deseo, o publica su pasión: confesiones introspectivas, confidencias, nostalgias.

La jarcha, a menudo simbólica o metafórica, traduce también sentimientos masculinos, en un contexto erótico o externo al amor (el elogio o el panegírico). En estos casos es una prolongación metafórica del poema, la ilustración emocional, el «clímax» afectivo. Algunas parecen muy antiguas, y el tono lírico diferente hace pensar que el poeta ha utilizado, en una moaxaja culta, una jarcha que podría ser tradicional, por lo tanto anterior.

La lírica de los trovadores

Los trovadores en España. Hace cerca de nueve siglos, se oyó por vez primera una poesía en lengua romance, en boca de Guillermo de Aquitania, conmovido por la dulzura del tiempo nuevo y por el deseo que renacía bajo la helada y la escarcha. Desde entonces, los poetas no han dejado de escuchar el canto de los trovadores. En el Lemosín, en el Languedoc, en Provenza primero, los trovadores inventaron («encontrar») la expresión del amor. Cantaron también la pasión, la naturaleza, el compromiso militante y la violencia política, el sarcasmo. Su «gran canto», mil veces repetido a lo largo del encadenamiento sutil de las estrofas, los ecos de las rimas, el brillo de las figuras, era la *gaya ciencia*: una idea, una pasión, una técnica, una artesanía refinada, difícil, un juego irónico, que pronto se extendería por toda Europa.

En lengua de oc, en occitano, en provenzal, después en italiano, en galaico-portugués, y, finalmente, en catalán. Generaciones de *trobaritz*, trovadores, juglares, menistriles, músicos, cantores, bailarinas, franquearon montañas (y mares, hasta Sicilia), erigidos en vates de la lírica cortesana. El norte de la Península, territorio frecuentado por los trovadores occitanos, fue el primero en conocer a estos poetas venidos de lejos, los Cercamon, los Marcabrú, que cantaban las proezas de los príncipes cristianos de las Españas. Éstos los protegían, como Alfonso II de Aragón (1154-1196), poeta a su vez, que acogió a Pere Vidal, a Raimbaud de Vaqueiras y que podía jactarse de la amistad de Guiraud de Borneilh o de Arnaut Daniel.

Hasta finales del siglo XII, mucho después, por lo tanto, del nacimiento de la lírica occitana, no aparecen en España los primeros trovadores[3] que componen en su lengua vernácula: en el occidente peninsular.

La lírica galaico-portuguesa. Portugueses o gallegos, no resulta fácil a veces establecer una distinción y, por otro lado, no es esencial, puesto que la coherencia de su producción permite hablar de una lírica galaico-portuguesa.

Frente al anonimato de las jarchas, la lírica galaico-portuguesa, que se desarrolla a partir del siglo XII y, sobre todo, en el siglo XIII, ha legado nombres de poetas. Fueron numerosos y muchos de ellos itinerantes. Juglares y trovadores de baja extracción, como Meendinho, Joän Zorro, Juliän Bolseiro o el menistril Lourenço, se codeaban con grandes barones (Pai Soares de Taveiros, Pero Gomes Barroso), con príncipes y reyes (Pedro, conde de Barcelos, hijo bastardo de Don Dionís, el propio Don Dionís (1261-1325), que fue rey de Portugal durante cuarenta y seis años, y, naturalmente, el rey de Castilla y de León, Alfonso X el Sabio).

La producción de estos poetas se recogió en manuscritos colectivos, los *cancioneiros*. El *Cancionero de Ajuda* (Biblioteca de Lisboa), copiado ha-

3. M. Rodrigues Lapa, *Lições de literatura portuguesa. Epoca medieval*, Coimbra, 1966 (6.ª ed.); *Cantigas d'amigo dos trovadores galego-portugueses*, ed. de J. J. Nunes, 3 vols., Coimbra, 1928; *Cantigas d'amor dos trovadores galego-portugueses*, ed. de J. J. Nunes, 2 vols., Coimbra, 1932; *Cantigas d'escarnho e de mal dizer dos cancioneiros medievais portugueses*, ed. de Manuel Rodrigues Lapa, Vigo, 1965.

cia finales del siglo XIII o principios del XIV y que nos ha llegado incompleto, reúne sobre todo el *corpus* de trescientas diez cantigas de amor (*cantigas d'amor*).

Dos siglos le separan del *Cancioneiro da Vaticana*, que colecciona 1205 poemas, copiados en Italia hacia finales del siglo XV o a principios del siglo XVI. Estos textos se encuentran en el *Cancionero Colocci-Brancuti* (llamado así por el nombre de sus propietarios sucesivos), que se conserva actualmente en la Biblioteca Nacional de Lisboa y que consta de 1647 canciones. El patrimonio poético de la alta Edad Media permite agrupar tres géneros fundamentales: las cantigas de amor, las de escarnio y maldecir y las de amigo.

La ideología y la estética de la cantiga de amor deja traslucir la herencia de la poesía cortés. Algunos le han reprochado su carácter convencional. En la cantiga de amor, el lector habitual de los trovadores provenzales reconocerá la *cansó* que, de manera clara o disimulada, está presente en los motivos temáticos, en la ideología cortés que transmite, en el estilo, incluso, y en la lengua, plagada a veces de occitanismos. Por otra parte, la deuda está reconocida. Don Dionís define, partiendo de los trovadores, una estética que desea personal y original: «*Provençaes soen mui ben trobar / e dizen eles que é con amor; / mais os que troban no tempo da frol, / e non em outro, sei eu ben quenon / an tan gran coita no seu coraçon / qual meu por mia sennor vejo levar.*»

Las cantigas de amor muestran, por lo tanto, su origen trovadoresco. Los poetas convertirán el mal de amor (*coita d'amor*) en una característica: «*Se eu pudesse desamar / a quen sempre desamou, / e podesse algun mal buscar / a quen sempre mal busco! / Assi, me vingaria eu / se eu pudesse coita dar / a quen sempre coita me deu*» (Pero da Ponte).

El «yo» de las cantigas de amor es siempre masculino. El sentimiento de amor o de desamor que expresa es, sin duda, el del «amante cortés». Está también muy cerca del «mártir de amor» que los cancioneros castellanos difundirán, dos siglos más tarde, y que pasará al preciosismo encarnando el «amor a la española».

Las cantigas de escarnio y maldecir (*cantigas d'escarnho e de mal dizer*) tienen características muy diferentes y, sin embargo, son los mismos poetas los que las componen con asiduidad. La antigua canción de escarnio provenzal se llama generalmente *sirventés*: no difiere en nada, por su forma, de la canción de amor, de la que imita (¿servilmente?) la estructura y la melodía. El contenido sí aparece vivificado desde el interior, con los sentimientos o las ideas del poeta. Pueden ser cantos de acción militante, sátiras agresivas o advertencias morales, como los de Peire Cardenal. Los temas son variados, aunque algunos (como la campaña de Simón de Monfort contra los albigenses, por ejemplo) gozan de la predilección de los poetas.

En las cantigas de escarnio galaico-portuguesas aparecen todos estos aspectos, adaptados a las circunstancias peninsulares. Guían al lector a lo largo de una historia de Portugal jalonada de protestas satíricas. Se pueden percibir los avatares de la Reconquista, las jactancias de los caballeros cobardes, de los que se queja Alfonso X: «*O que levou os dinheiros / e nom trouxe os cavaleiros / e por nom ir nos primeiros / que faroneja? Pois que voe com os postumeiros maldito seja!*»

También recogen estas cantigas la búsqueda desengañada de la verdad, por parte de Airas Nunes de Santiago («*porque no mundo mengou a Verdade*»), así como las impertinencias de Lourenço, aprendiz de trovador, y otras insolencias en las que la burla graciosa (contra el cobarde o el cornudo) provocaba una carcajada general.

La temática de las cantigas de amigo, por su parte, se parece a la de las jarchas y a la de las canciones de mujer; es la expresión de una lírica más popular y más antigua también. A lo largo de unas cuantas estrofas (dísticos, tercetos, cuartetos), que concluyen a veces con un envío, la joven se lamenta de su mal de amor. Está sola, al borde del mar, nostálgica, contemplando las olas y esperando a su amigo que se ha ido a la guerra o que está ausente, y sueña con un regreso incierto.

La cantiga de amigo está fuertemente anclada en un paisaje rural, predominantemente marítimo: pinos, el mar, aunque también, a veces, la fuente o la orilla del arroyo, un ciervo que enturbia el agua. Se distingue, en este aspecto, de la jarcha mozárabe, que suele ser urbana. En la cantiga de amigo, como en las más antiguas canciones de mujer tradicionales, aparece una sencilla obra dramática: la joven dialoga con su madre, que vela celosamente por ella; o que, pocas veces, actúa como mediadora en sus amores. «*Vi eu, mia madr', andar / as barcas e-no mar / e moiro-me d'amor. / Foi eu, madre, veer as barcas / e-no ler / e moiro-me d'amor. / As barcas e-no mar / e foi-las aguardar / e moiro-me d'amor.*» (Nuno Fernandes Torneol.)

Junto con las *barcarolas* marítimas de Joãn Zorro («En Lisboa, velas nuevas / sobre la mar / he hecho levar») aparecen las cantigas de romería de Pedro Viviães, cantigas de baile (*bailadas*) y alboradas (*albas*): «*Levad'amigo, que dormides as manhanas frias / todas las aves do mundo d'amor dizian / leda m'ando eu. / Levad'amigo, que dormides las frias*

manhanas, /oda las aves do mundo d'amor cantavan: leda m'ando eu.»
(Nuno Fernandes Torneol.)

Sin embargo, a menudo la separación de los amantes, cuando llega el alba, se acerca más al llanto desesperado de la mujer abandonada, que al grito de júbilo del amante satisfecho, al amanecer, propio de las albas provenzales.

Por último, en gallego también compuso el rey castellano Alfonso X las 427 *Cantigas de Santa María*, cantigas de loa a la Virgen, homenaje también a la lengua de los trovadores, reconocida como tal dos siglos después por Íñigo López de Mendoza: «Los trovadores, sean castellanos, andaluces o de Extremadura, han de componer en lengua gallega o portuguesa.» Las *Cantigas de Santa María*, conservadas en lujosos manuscritos con brillantes miniaturas, son un conjunto de narraciones de milagros, de fiestas marianas, de alabanzas a Nuestra Señora. Sin embargo, en su forma personal, son también un homenaje al vasallo y el himno del cristiano: «*Rosa das rosas / e fror das frores / Dama das damas / senhor das senhores.*»

Al agotarse la fuente de inspiración en Occitania, resurgió en Cataluña. Bien es cierto que los catalanes aparecían ya en las *vidas*, biografías de los trovadores, y que, en 1170, el rey Alfonso II de Aragón podía establecer debates con Guiraut de Borneilh, el «maestro de trovadores». Arnaut de Maruelh lo alaba y Bertran de Born lo acusa en sus panfletos. Sin embargo, los primeros trovadores catalanes escriben en «provenzal». Ésta es, para ellos, la lengua de la *gaya ciencia*, reivindicada como tal por Luys d'Averço en el tratado de rimas, el *Torcimayn*, a finales del siglo XIV. Es también la lengua de Guillem de Cabestany (el «trovador al que comieron el corazón»), de Raimón Vidal de Besalú, teórico del arte poético, de Guillem de Cervera. Imitando a la escuela poética de Toulouse, en 1393, se instituyó en Barcelona un «Consistorio de la Gaya Ciencia». Poco a poco, el catalán, al principio plagado de italianismos (Pere de Queralt, Melchior de Gualbes), va adquiriendo derecho de ciudadanía: Andreu Febrer (1384-1444), el gran poeta Jordi de Sant Jordi (1400-1424) y, por fin, Ausias March, que se distancia de los trovadores (dejando «aparte el estilo de los trovadores») y se declara poeta «en catalán». A pesar de ello, en su léxico se percibe todavía un vasallaje lingüístico y, algunos de sus poemas (aunque la mentalidad sea otra) presentan a veces, en pleno siglo XV, la misma dificultad que los textos herméticos del *trobar clus*.[4]

4. Martín de Riquer, *Historia de la literatura catalana*, Barcelona, Ariel, I, II, 1965.

La técnica del paralelismo.   Las correspondencias entre las canciones de mujer, las *Frauenlieder*, las cantigas de amigo y las jarchas hacen que estén muy ligadas entre sí. Lo mismo sucede en lo referente a los temas y a las técnicas poéticas. Todos estos géneros tienen en común, en primer lugar, las formas paralelísticas.

El paralelismo asegura la cohesión del poema, por medio de la repetición simétrica de series asonantes de versos correspondientes, que pueden subdividirse en dísticos. Por otro lado, las estrofas pueden agruparse utilizando un encadenamiento (el *leixa-pren*). Este paralelismo de la poesía tradicional la acerca mucho a la música: recuerdos de coros alternados, ecos lejanos de canciones de danza, canciones de mayo; desgraciadamente todas estas melodías no se han conservado, al contrario de lo que ha sucedido con las de Martín Codax, el único poeta cuyas obras han merecido el honor de un cancionero musical propio. Sin embargo, no hay la menor duda de que la música es parte integrante de la creación y de la elaboración poéticas. Variaciones sobre un tema, deslizamientos imperceptibles de la sinonimia, reiteración de «rimas equívocas», declinaciones del políptoto en los *mozdobres*: «*Ondas do mar de Vigo / se vistes meu amigo? E ai Deus, se verra cedo! / Ondas do mar levado / se viestes meu amado? / E ai Deus, se verra cedo! Se vistes meu amigo? o por que eu sospiro? E ai Deus, se verra cedo!*». (Martín Codax).

El paralelismo puede limitarse a una palabra, pero puede ser también sintáctico o semántico. Y es métrico, sin duda, puesto que fue musical. La magia de la danza y el ritual tendían a fijarlo y a reducirlo. Los poetas le proporcionaron variedad y originalidad, lo despojaron de la rutina y le añadieron imaginación. Cuando el paralelismo y el *leixa-prens* coinciden, las mejores cantigas de amigo adquieren un ritmo de danza: «*Ay frores, ay frores do verde pinho / se sabedes novas domeu amigo? / Ay Deus! E hu é? / Ay frores, ay frores do verde ramo / se sabedes novas do meu amado? / Ay Deus! E hu é?*» (Don Dionís).

Los dísticos paralelísticos de Joän Zorro, de Martín Codax o de Pero Meogo encuentran su simetría con la inclusión del estribillo en la estrofa del Rey Sabio («Rosa de las rosas», etc.).

También en Cataluña se escucha el eco de estos paralelismos, como, por ejemplo, en esta *viadeyra* de Cerverí de Girona, que se acerca a la tradición de las *canciones de malmaridadas*: «*No'l prenatz lo fals marit / Jana delgada! / No'l prenatz lo fals jurat / que pec'és, mal ensenyat, / Jana delgada*», etc.

Más tarde, el paralelismo sigue presente, aunque metamorfoseado, en el villancico, el zéjel o el romance, los moldes favoritos del canto lírico en Castilla. Y, también, en el célebre *cosaute* (del francés *coursault*, baile de corte), canción de bailada del almirante Diego Hurtado de Mendoza: «*A aquel árbol que buelve la foja / algo se le antoja, / a aquel árbol del bel mirar / faze de manas flores quiere dar / algo se le antoja.*»

Transmitidos oralmente, los villancicos forman parte del patrimonio de la canción popular, difundida, al principio, por los «villanos». Más tarde, se convierte en una forma musical y métrica determinada, recogida en los cancioneros de la siguiente manera: pieza tripartita, con estribillo, desarrollo y vuelta al refrán. Así pues, el villancico está muy emparentado con el zéjel (cuya estrofa-desarrollo es monorrima):

> Tres morillas me enamoran
> en Jaén,
> Aixa, Fátima, Marién.
>
> Tres morillas tan garridas,
> iban a coger olivas,
> y hallábanlas cogidas
> en Jaén,
> Aixa, Fátima, Marién.
>
> Y hallábanlas cogidas,
> y tornaban desmaídas,
> con las colores perdidas
> en Jaén,
> Aixa, Fátima, Marién.

Sin duda tiene esta canción un lejano origen oriental.

El esquema tripartito del villancico castellano se da, también, sin paralelismo. Aparecen los temas de la poesía folclórica: la «fuente del rosal», donde los jóvenes van a lavarse uno a otro; el jardín en primavera, donde «cogen la rosa»; pero, bien es verdad que, muy a menudo, sus estribillos reaparecen: «Por el río me llevad, amigo / y llevadme por el río», y les hacen eco: «Del rosal vengo, / mi madre / vengo del rosal.»

Tradición oral viva, primero, antes de que los poetas cultos (en un principio, árabes y judíos, gallegos y portugueses después, catalanes y castellanos, por último) se encargaran de fijarla por escrito, la canción popular luego será recogida en «cancioneros» a finales del siglo xv. Ahí es donde hay que buscarla.

Otros componentes de la poesía primitiva: el debate. En España fue conocido también, en los albores literarios, este género, común a toda Europa, que consiste en un debate escolástico entre clérigos y caballeros, alma y cuerpo, agua y vino... La *Disputa del alma y el cuerpo* se remonta, quizás. al *De contemptu mundi*, pero, frente a los poemas latinos, su hechura es original. Este texto arcaico es también interesante para el lingüista, debido a los elementos de carácter dialectal que aparecen en él. Se conservan dos versiones: la primera, de finales del siglo xii, sin duda, y otra versión del siglo xiv: la *Revelación de un ermitaño*. Este poema breve presenta la visión de un cadáver del que acaba de salir el alma. Ésta reprende al Cuerpo que, por sus pecados, es responsable de la perdición de ambos. El manuscrito, incompleto o truncado, no nos ha legado la réplica del Cuerpo. Se ha relacionado con el poema francés correspondiente.[5] Este texto debió de ser muy popular, ya que algunos de sus pasajes aparecen en una muy antigua *endecha* tradicional sobre la fatalidad del destino: *Parióme mi madre / una noche oscura.*[6]

En *Elena y María* (siglo xiii) se expone un tema que apasionó a toda la Europa medieval: el debate entre el Clérigo y el Caballero, que se recoge en los *Philis y Flora* y demás *Juicios de amor*. En este debate escolástico se perciben los ecos de las *tensós* provenzales y de los enfrentamientos escolásticos de la poesía de los goliardos. Los héroes son, en este caso, heroínas, que proclaman los méritos respectivos de sus amantes. Elena hace el elogio del Caballero, mientras que la sarcástica María defiende al Clérigo y su intervención tiene un carácter de crítica social profunda, lo que hace que *Elena y María* sea clasificado a menudo como obra satírica. El diálogo es incisivo, mordaz incluso. Las dos mujeres se encomiendan al juicio del rey Oriol quien, en contra de lo que solía suceder en este tipo de debates, no reconoce la superioridad del Clérigo: en este caso, prevalece la censura moral.

El debate como género no se agota en esta época, como se comprobará en la literatura hispánica posterior.

---

5. Antonio G. Solalinde, «"La disputa del alma y del cuerpo". Comparación con su original francés», *Hispanic Review*, 1, 1933, pp. 196-207.
6. Manuel Alvar, *Endechas judeo-españolas*, Madrid, 2.ª ed., pp. 59-68.

Razón de amor. Este poema castellano del siglo XIII, descubierto hace aproximadamente cien años, consta de un doble título que ha provocado divergencias entre la crítica: *Razón de amor. Denuestos del agua y del vino.* ¿Podría tratarse de dos obras diferentes unidas, de manera burda, por un copista poco hábil? Actualmente se piensa, más bien, que son dos fragmentos de una única obra, coherentes a pesar de las apariencias.

En la *Razón de amor*, la heroína narra una «visión amorosa». Una tarde templada de abril, en un frondoso vergel por el que mana una fresca fuente, se detiene un viajero para calmar su sed: es un paisaje codificado en la retórica antigua como *locus amoenus*. Aparece, cantando, una joven muy bella que está cortando flores. Los enamorados, que no se habían visto nunca, se reconocen, sin embargo, y se aman intensamente, durante un momento. «Amor lejano» de carácter trovadoresco: la separación no tarda en llegar. En presencia del amante, solo y desesperado, una paloma derrama el agua de un vaso colocado al lado de una copa de vino, que la dama había dispuesto para recibir a su enamorado. El agua se mezcla con el vino y se establece el debate entre el Agua y el Vino (*Denuestos del agua y del vino*), que constituye la segunda parte de la obra. Se trata de un debate sembrado de insultos, que rompe totalmente con la retórica, de la primera parte, y cuyo desenlace es incierto.

¿Nos encontramos ante un poema amoroso, ante una alegoría cristiana (en la que la joven representaría a la Virgen), o ante la expresión literaria de la herejía cátara? Es atractiva la interpretación simbólica de este debate: ¿se trata de un debate sobre la validez del *fin amor* o sobre la satisfacción del deseo? ¿Es un debate sobre la pureza, sobre la búsqueda de la verdad? El hecho de que el joven sea, en este caso, un clérigo y no un caballero, renueva un viejo tema muy apreciado en la Edad Media.

JEANNE BATTESTI-PELEGRIN

CAPÍTULO III

LA GESTA

El cantar de gesta es un poema que narra los hechos de un miembro laico de la aristocracia. Está dirigido a un público que rebasa el círculo de los letrados y su difusión es sobre todo oral (tanto si se cantaba, como si se recitaba o se leía). En España, se trata de composiciones de versos anisosilábicos (es decir, sin medida fija), con hemistiquios biacentuales, agrupados en tiradas asonantes. Sin embargo, pocos restos de la épica española han llegado hasta nosotros. Dos textos largos —el *Cantar de Mio Cid* y la *Crónica rimada de las mocedades de Rodrigo*— y un breve fragmento de un *Cantar de Roncesvalles*, son los únicos conservados. Además, sólo existe una copia manuscrita, más o menos truncada, de cada uno de ellos. Basta con esto para darse cuenta de la poca vitalidad del género épico o, por el contrario —siempre que se admita una forma de existencia específica—, para aumentar hasta donde se quiera la extensión de un *corpus* subterráneo. Sea como fuere, el estudio de la épica española se ha centrado, principalmente, en su misma existencia.

Desde finales del siglo XIX hasta los años sesenta de este siglo —durante toda la larga vida de Ramón Menéndez Pidal— prevaleció la tesis de un «estado latente» de las gestas.[1] Esencialmente, la tesis que Pidal y sus discípulos «neotradicionalistas» sostenían era que las narraciones heroicas recogidas por la historiografía se limitaban a transcribir canciones surgidas en el momento en que acaecieron los sucesos que contaban, que en un prin-

---

1.   Las principales obras de Ramón Menéndez Pidal sobre la gesta se citan en la bibliografía. Dos críticas importantes a sus tesis: Pierre Le Gentil, «La notion d'état latent et les derniers travaux de M. Menéndez Pidal», *Bulletin Hispanique*, n.º 60, 1953, pp. 113-148; René Cotrait, *Histoire et poésie: le Comte Fernán González. Genèse de la légende*, Grenoble, 1977.

cipio eran fieles a la historia, pero que se diversificaron más tarde en múltiples variantes, a lo largo de siglos de transmisión oral, y que, al pertenecer al registro «popular» de los juglares, habían quedado durante mucho tiempo al margen de la expresión escrita. Por medio de las crónicas, se intentó rastrear la progresiva introducción de los cantares, según iban avanzando los siglos, concretamente hasta el último tercio del XIII, cuando, a partir de la *Estoria de España*, se les abrieron todas las puertas de la historiografía. Todavía en el siglo XVI, el romancero «tradicional» había atestiguado la persistencia fragmentaria de la poesía épica primitiva. En ese *corpus* latente se creyó encontrar cuatro monumentos y varias piezas de menor importancia. Vamos a estudiar las narraciones de donde los neotradicionalistas han pretendido exhumar los cantares. No los presentaremos en el orden en que fijaron su aparición —a fin de cuentas, la cronología de los sucesos narrados—, sino en el orden en que se encuentran en los textos.

La gesta latente

1. EL *POEMA DE FERNÁN GONZÁLEZ*

Documentos. Fernán González sucedió a su padre en el condado de Lara, poco antes del 930, y murió en el 970. Aunque los documentos atestiguan una gran actividad conquistadora, muestran también que los resultados no fueron superiores a los conseguidos por otros condes castellanos. En realidad, lo que distingue a Fernán González, y lo que llamará la atención de los historiadores, son sus importantes logros políticos: la unificación, durante su gobierno, de los antiguos condados castellanos. Apoyándose en esa unidad, mantenida de manera hereditaria, la ambición de un hombre y de su linaje aumentará sin tregua el peso del condado en el interior mismo de la corona leonesa y su influencia sobre los poderes vecinos, lo que llevará, a finales del siglo X y principios del XI, a una forma de autonomía política, que desembocará en una monarquía propiamente castellana poco después del año 1035.

Retratos leoneses. Precisamente a finales del siglo X, o en los primeros años del siglo XI, con la *Crónica de Sampiro*,[2] aparece en la historiografía el primer retrato, poco halagüeño, del conde. A lo largo de los siglos XII

---

2. Fray Justo Pérez de Urbel, *Sampiro, su crónica y la monarquía leonesa en el siglo X*, Madrid, CSIC, 1952.

y XIII, desde don Pelayo de Oviedo, hasta Lucas de Tuy, todos los sucesores leoneses de Sampiro toman su esquema y endurecen los rasgos. No se menciona a Fernán González más que para ilustrar el carácter desleal y sedicioso de la nobleza castellana. ¿Combates contra los árabes, contribución a las grandes empresas guerreras de los reyes de León, repoblaciones? Nada hay de todo esto. La vida de Fernán González no es sino una serie de rebeliones y de intrigas contra la monarquía leonesa. Y lo que es peor: de fracasos y de humillaciones. ¿Se trata de malevolencia por parte de los historiadores leoneses? Sin duda. ¿Lucas de Tuy no concibe incluso como acto tiránico la unidad política del condado, que había sido, sin embargo, concedida por el rey de León? Estamos, a pesar de todo, convencidos de que el retrato que se perfila no dista mucho de la realidad histórica: la de un político ambicioso, ya poderoso, y obstinado, que sabía sacar partido de todo con el fin de engrandecer su estirpe y de conseguir que tuviera peso en los destinos del reino.

La exaltación castellana. Durante este período, los primeros anales de Castilla y de la Rioja se limitan a recoger dos hechos en lo que al conde se refiere: la repoblación de Sepúlveda, y su muerte. Los eslabones del linaje de Fernán González se van perfilando, hacia el pasado, hacia el futuro. En la segunda mitad del siglo XII, la *Chronica najerensis*[3] presenta la ascendencia del conde y muestra cómo su descendencia, después de la unión con la dinastía real de Navarra, por el matrimonio de Munia Elvira de Castilla y de Sancho III el Mayor, instaura, con su hijo Fernando I, la monarquía castellana. En la biografía del conde aparece un episodio navarro: sorprendido en Cirueña por García I de Navarra, el conde es hecho prisionero; la hermana del rey lo libera a cambio de una promesa de matrimonio. Llega un momento en que Fernán González alcanza la dimensión que será el eje de su leyenda: el conde se caracteriza como «aquel que liberó a los castellanos del yugo del dominio leonés». Esta imagen adquiere todavía más grandeza en *De rebus Hispaniae*,[4] la obra de Rodrigo Jiménez de Rada, arzobispo de Toledo, concluida entre 1243 y 1246. Si se sigue la tradición historiográfica leonesa, la incriminación política del conde aparece, no obstante, moderada por la elección de palabras, por la reorganización de algunos episodios. Se mencionan los éxitos militares personales (la toma de San Esteban de Gormaz), así como su participación en las grandes ofensivas llevadas a cabo por la monarquía leonesa (la batalla de Osma, la campaña de Zaragoza). Se magnifican, sobre todo, las virtudes naturales y el carisma de un hombre a

3. Antonio Ubieto Arteta, *Crónica najerense*, Valencia, Anubar, 1966.
4. María Desamparados Cabanes Pecourt, *Rodericus Ximenius de Rada. Opera*, Valencia, Anubar, 1968.

quien los castellanos confían el gobierno condal de toda Castilla. A partir de ese momento, Fernán González encarna las aspiraciones políticas de todo un pueblo y se inician los albores de un consenso castellano. Como antepasado y precursor de reyes, se le dispensa una oración fúnebre que lo sitúa a la altura de los soberanos leoneses.

Es posible, por lo tanto, rastrear, hasta mediados del siglo XIII, la evolución contrastada del retrato de Fernán González. A la visión que nos presenta la historiografía leonesa del conde como rebelde, como manipulador político, se opone la de la historiografía castellana, que sustituye esta imagen por la de un héroe libertador, precursor providencial de los reyes de Castilla.[5]

El «Poema de Fernán González». Poco después de 1250, un monje de San Pedro de Arlanza compone, siguiendo las normas del «mester de clerecía», el *Poema de Fernán González*. Casi al pie de la letra —una vez realizadas las adecuaciones necesarias para su inclusión en la tradición historiográfica—, se prosifica el poema en la *Estoria de España*.

El *Poema de Fernán González* comienza invocando a Dios y exponiendo la finalidad que se propone: narrar la historia de los últimos reyes visigodos, la invasión musulmana, los comienzos de la Reconquista, las hazañas de Fernán González. Desde la época de Recesvinto a la de don Rodrigo, España vive su edad de oro: piedad general, opulencia de los lugares de culto, paz civil asentada sobre una sólida construcción trifuncional. El caos se presenta con el conde don Julián, que aconseja al rey don Rodrigo transformar las armas, ahora ya inútiles, en instrumentos de cultura. Es el momento de la entrada de los árabes en España y de la inevitable derrota de los godos en Sangonera. La cristiandad cautiva sucumbe ante el pillaje y la miseria. La Iglesia está en ruinas. Sin embargo, algunos supervivientes de la batalla, llevándose consigo las reliquias, se refugian en las montañas del Norte. Dios les guía hacia don Pelayo, que será el fundador de una nueva monarquía y el primer artífice del resurgimiento. Al morir sin descendencia Alfonso II el Casto, la monarquía fundada por don Pelayo desaparece. Los castellanos eligen dos jueces, Laín Calvo y Nuño Rasura: el Cid será descendiente del primero de ellos y Fernán González del segundo. Aquí empiezan las hazañas del conde. Comienzos difíciles, como los de cualquier héroe: el conde, segundón de la familia, se cría en el monte con un humilde carbonero. Al morir sus hermanos, que se han sucedido en el gobierno de Castilla, vuelve Fernando y es inmediatamente reconocido por sus súbditos.

---

5. Sobre esta cuestión, cf. R. Cotrait, *op. cit.*, pp. 249-561.

Es el inicio de una vida de combates: contra los árabes de la plaza fuerte de Carazo, a la que pone sitio y acaba por tomar, y más tarde contra el gran Almanzor, derrotado en Lara. No lejos de ahí, en Muño, el conde se había visto obligado a exhortar a sus tropas, cuyos jefes se mostraban amedrentados. El estímulo decisivo fue una profecía de Pelayo, monje de una modesta ermita descubierta por el conde durante una cacería de jabalíes (el futuro monasterio de San Pedro de Arlanza, que Fernán González colmará de beneficios y donde reposará su cuerpo). El rey de Navarra invade Castilla, es vencido y muere. Antes de la batalla, Fernán González tuvo, una vez más, que alentar durante largo tiempo a sus tropas. El conde de Toulouse y de Poitiers, pariente del rey de Navarra, ataca, a su vez, a Castilla. Los súbditos de Fernán González no pueden más: están agotados y él mismo está gravemente herido. Los jefes se quejan. Nueva arenga y nueva victoria: durante el combate, también el conde de Toulouse pierde la vida. Poco tiempo después de este triunfo, Castilla se ve obligada a enfrentarse otra vez con Almanzor, cuyos ejércitos, reforzados por africanos, avanzan hacia Hazinas. Fernán González se dirige, piadosamente, a la ermita de San Pedro. Pelayo ha dejado de existir. Solo, abandonado por todos los reyes de España, el conde reza y se queda dormido. En sueños se le aparece Pelayo: le revela que Dios le considera su vasallo, le promete la victoria y la ayuda de Santiago. Una vez más, el conde debe de enfrentarse a la cólera de sus súbditos, y de nuevo sus palabras, valerosas y piadosas, reconfortan y movilizan a los «cruzados». El combate, salpicado de arengas y de oraciones, es largo e incierto. Pero Santiago se aparece al frente de las legiones angélicas: Almanzor se ve obligado a huir. El conde es convocado a la corte donde el rey de León se encapricha de su caballo y de su azor y se los compra, prometiéndole pagárselos más tarde, «al gallarín». La reina, hermana del rey de Navarra, quiere vengar la muerte de su hermano y tiende una trampa a Fernán González: con el pretexto de recompensarle casándole con la hija del nuevo soberano navarro, organiza una cita en la que el castellano es capturado. Un conde lombardo visita a Fernán González en su encierro de Castroviejo. Conmovido, habla de la injusticia de este encarcelamiento con la prometida, la infanta de Navarra, quien libera al conde a cambio de que confirme su promesa de matrimonio. Después de una huida llena de aventuras, se reúnen con los castellanos y se casan. García de Navarra invade Castilla y es vencido y hecho prisionero por Fernán González quien, una vez más, gracias a sus ardientes palabras, ha conseguido que los nobles superen sus flaquezas. Ante un nuevo ataque de los árabes, el rey de León pide ayuda a Fernán González. Éste le asegura la victoria pero, como la hostilidad de la reina y de su partido sigue vigente hacia él, el conde reclama el dinero que se le debe por la compra del azor y del caballo. El rey retrasa el pago. Liberado a instancias de su hija, la nueva condesa de Castilla, García de Navarra, vuelve a atacar al conde y es derrotado en Valpirre. Aquí se interrumpe el manuscrito del *Poema*. La *Estoria de España*[6] parece indicar que la narración continuaba hasta que se consigue la independencia de Castilla, como compensación de la deuda contraída por el rey de León, puesto que los intereses habían llegado a ser superiores al tesoro real.

El *Poema de Fernán González* es, ante todo, una apología de Castilla, y su rasgo más sobresaliente es, quizá, la paradoja que se deriva de la elección de las fuentes sobre las que se construye el relato de los orígenes del reino.

Después de haberse inspirado en la tradición más asentada, y en particular en el *Chronicon mundi*[7] de Lucas de Tuy, para los temas generales y para la organización de la introducción (origen y llegada a España de los godos, conversión al cristianismo, reparto de los obispados por Wamba, etc.), el *Poema de Fernán González* se aparta hábilmente de ella, para apoyar su relato en otro texto: el *Liber regum*.[8] Con el fin de privar a los reyes castellanos de su ascendencia astur-leonesa (aureola otorgada por la mitología neogótica), y de introducir al mismo tiempo en su historia una ruptura dinástica, seguida de una elección que recordase la restauración reciente de la monarquía en Navarra, esta crónica navarra de finales del siglo XII había trastocado la historia tradicional de las monarquías hispánicas: había asimilado, desde su fundación por don Pelayo, la monarquía neogótica a la monarquía castellana, había truncado la dinastía con Alfonso II el Casto y, por último, había imaginado que se eligieron dos jueces, Nuño Rasura y Laín Calvo, de quienes descendían, respectivamente, los reyes de Castilla y los nuevos reyes de Navarra. Este dispositivo, destinado inicialmente a defender los intereses navarros, es aprovechado por el *Poema de Fernán González* para situar a Castilla en el origen de las monarquías cristianas de la España occidental. Mucho más adelante, el poeta tratará de las disputas de Fernán González con la corona leonesa, así como de su lucha por la independencia del condado castellano. Pero todo esto sólo acontecerá partiendo de la presuposición (cuya flagrante aberración se guardará muy bien de aclarar el texto) de que previamente al reino de León, había existido un reino de Castilla la Vieja.

6. R. Menéndez Pidal, *Primera Crónica General de España...*, 2 vols., Madrid, Gredos, 1955.
7. Andreas Schott, «Lucae Diaconi Tudensis Chronicon mundi ab origine mundi usque ad eram 1274...», *Hispaniae Illustratae*, Frankfurt, 1608, IV, pp. 1-119.
8. Louis Cooper, *El liber regum. Estudio lingüístico*, Zaragoza, Institución Fernando el Católico, 1960.

De esta manera, por medio de una expansión abusiva de su existencia en el tiempo y en el espacio, se coloca a Castilla en el origen y al frente del destino español: en Castilla se refugian los supervivientes del desastre de Sangonera, en Castilla reina el primer rey posterior a los visigodos de España, don Pelayo. A partir de este momento todo se relaciona con la historia castellana: será a Castilla a quien Carlomagno quiera obligar a pagar tributo, y Bernardo del Carpio, que se opone a ello, dejará de ser leonés para convertirse en castellano. El elogio tradicional de España consiste, antes que nada, en la exaltación de su (nueva) raíz:

> Pero de toda Spanna Casty(e)lla es mejor,
> por que fue de los otrros (el) comienço mayor [...]

E incluso:

> Aun Casty(e)lla Vyeja, al mi entendimiento,
> mejor es que lo hal por que fue el çimiento.

El *Poema* tiene un segundo significado importante al concebir a Fernán González como eje de los destinos castellanos. La agotadora recurrencia de las batallas, la división regular de la narración en torno a las arengas del conde convierten a éste, más que en un caudillo, en el polo de cohesión y de abnegación de los castellanos. A pesar del valor de sus representantes, la nobleza cae, demasiado a menudo, en la lasitud. Sólo la voz del jefe es capaz de devolver la tranquilidad, de edificar y de reunir, llegando así a provocar el sobresalto salvador. Fernán González, heredero de un condado unido, general de las tropas, rector y movilizador de la nobleza, actúa como un rey. Además, no sólo se vale de las virtudes laicas (militares y políticas) de la monarquía, sino que, como hombre piadoso, con la mirada puesta en Dios, guiado por un monje ermitaño, aceptado por el Señor como vasallo, protegido por los santos y los ángeles, alternando lo heroico con los sermones, roza constantemente el mundo de lo sagrado y se acerca a la naturaleza sacerdotal. Y es, precisamente, en este elogio de la monarquía donde radica el tercer sentido fundamental del *Poema*.

Si bien la nobleza es el brazo armado de la monarquía —un brazo que se cansa demasiado rápidamente y demasiado a menudo—, su fuerza espiritual, su socorro providencial residen en la Iglesia, y dentro de ésta, en los monjes, seres pobres, recluidos, muy cerca de Dios. Prueba de este mensaje es, en primer lugar, la importancia renovada de la construcción trifuncional en el discurso inicial del *Poema*. Al transformar a los guerreros en campesinos, a los defensores en labradores, se produjo la transgresión fatal que permitió a los árabes vencer. Antes había habido la intervención del diablo y la enemistad de Dios. En el fondo, el aspecto más cruel de la derrota es, si se quiere, la ruina de la Iglesia, y serán las reliquias, recogidas de manera precipitada, las que harán posible que la cristiandad española vuelva a renacer, será la voz de Dios la que oriente a los desgraciados hacia don Pelayo. En cuanto a Fernán González, ¿qué sería de él si la oración, si la manifestación onírica o milagrosa de lo sacro no determinasen siempre el resultado de los enfrentamientos? Que los labradores padezcan, que los caballeros combatan, que los clérigos atestiguen el fundamento y el devenir espirituales del mundo: éstos deben ser los objetivos de la monarquía, de doble naturaleza.

La historiografía nos proporciona la trama general de la narración histórica del *Poema*. Las notas legadas por René Cotrait,[9] cuya desaparición prematura ha supuesto un duro golpe para los estudios sobre Fernán González, evidencian también la riqueza de influencias literarias (historia latina, cantares de gesta franceses, *Cantar de Mio Cid*, obra de Berceo); la multiplicidad de préstamos tópicos (Biblia, textos litúrgicos, leyendas de fundación, vidas de santos, folclore); así como las contaminaciones históricas que, en torno a un armazón heroico, aglutinan los rasgos de algunos de los reyes de Castilla, o sucesos destacados: Fernando I, sus relaciones con Navarra y León, la infancia de Alfonso VIII... El incesante combate del conde contra los árabes, las resistencias de la nobleza, el apaciguamiento de las discrepancias entre Castilla y León, bien pueden estar en relación con el reino de Fernando III: el conflicto con León durante su minoría, resuelto ya en 1230, bajo su autoridad, por medio de la unión definitiva de las dos coronas; la intensa actividad conquistadora, salpicada de retrasos provocados por la mala voluntad de la nobleza. En Muño y en Lara tuvieron lugar sucesos que, al principio del reinado, decidieron el futuro del reino. Por el contrario, las alusiones a la sexta cruzada, una referencia a los benimerines, la posesión, por un solo hombre, de los condados de Toulouse y de Poitiers, y, más en general, el tema de la tensión con Navarra, el tono gibelino y la hostilidad latente de los grandes nobles —más adecuada todavía al tiempo de Alfonso X que a la época de Fernando III—, podrían sugerir que el *Poema de Fernán González* fue compuesto bajo el reinado del Rey Sabio, a finales de los años 1260. La penosa coyuntura a la que tenían que enfrentarse los monasterios de la meseta castellana, en particular el de San Pedro de Arlanza, contribuyó a de-

---

9. R. Cotrait, *op. cit.*, pp. 563-574.

terminar el fondo ideológico de la obra: desplazamiento hacia el sur y, seguidamente, interrupción de la Reconquista, hegemonía del clero secular y de las órdenes militares, auge creciente de las órdenes mendicantes, primeros efectos de depresión económica, gastos originados por el sueño imperial de Alfonso.

En las divergencias del *Poema* con la historiografía del siglo XIV y con el Romancero, los partidarios del neotradicionalismo creyeron poder fundar la existencia de una canción perdida, de la que el *Poema* sería una refundición. René Cotrait demostró la inutilidad de tal suposición. La *Primera Crónica General*, a la que recurren a menudo para apoyar su teoría, no atestigua la existencia de una doble tradición poética y, por otro lado, las variantes a que se alude —menores: en esencia, una entrevista agitada entre el conde y el rey Sancho de León a orillas del Carrión— parecen apuntar más bien hacia un desarrollo posterior de la leyenda. La *Crónica de Castilla*, la *Crónica General de España de 1344* y la *Crónica rimada* —sobre las que volveremos— indican que ese desarrollo podría estar ligado a la composición de la *Crónica rimada de las mocedades de Rodrigo*.

2. EL SITIO DE ZAMORA

Los hechos.   En 1065 muere Fernando I. Reparte su reino entre sus hijos: Castilla para el mayor, Sancho; León para el segundo, Alfonso; Galicia y Portugal para el menor, García. La armonía dura poco tiempo: ya en 1068, Sancho y Alfonso se enfrentan en Llantada; en 1071, se reconcilian momentáneamente y se alían para desposeer de su parte a García; a principios de 1072, Sancho y Alfonso se enfrentan de nuevo. En Golpejera, el ejército leonés es derrotado. Alfonso se exilia en el reino musulmán de Toledo, al tiempo que su hermano se corona rey de León, restaurando así la unidad del reino de Fernando. Sin embargo, la nobleza leonesa se subleva. Zamora, plaza fuerte, acoge a los rebeldes. Sancho le pone cerco, pero es asesinado a traición el 7 de octubre de 1072. Alfonso vuelve del exilio y sucede a su hermano. Éstos son los hechos que aparecen en los documentos, en las inscripciones, en los anales y en los testimonios más antiguos. No obstante, desde el primer momento, los relatos los interpretaron de diferentes maneras.

Primeras narraciones.   En Castilla, nada más morir Sancho, una apostilla en un libro litúrgico mozárabe acusa a Alfonso: quebrantando su exilio, entra en Zamora y trama, junto con los habitantes de esa ciudad, la muerte de su hermano. Posteriormente, cuando Alfonso VI ya está instalado en el trono, los escritos públicos modifican el objetivo. En el epitafio del difunto rey, en el monasterio de Oña, en una confirmación del fuero de Castrojeriz, se acusa a doña Urraca, hermana de los reyes enemigos. En León, reino originario de Alfonso, la historiografía de las primeras décadas del siglo XII se muestra más indulgente. El *Chronicon Compostellanus*[10] no deja de señalar que doña Urraca se sublevó en Zamora, pero atribuye exclusivamente a los habitantes de la ciudad el asesinato; no aparecen referencias a doña Urraca en la *Crónica de don Pelayo*:[11] sólo el nombre del asesino, Bellido Dolfos, se menciona en el relato. E incluso este nombre desaparece en la *Historia silensis*,[12] en donde se presenta ya a los habitantes de Zamora con los rasgos nobles de súbditos indefectiblemente fieles a su rey.

Amplificación cidiana. Desde mediados hasta finales del siglo XII, en la Rioja castellana y en Navarra, la historiografía vuelve a las fuentes, pero, al mismo tiempo, se produce un desarrollo legendario del suceso. A las figuras de Sancho, dominado por la soberbia y por su carácter impulsivo, y de doña Urraca, sobre quien una pérfida entrevista con Bellido hace recaer definitivamente la culpa, la *Chronica najerensis* contrapone la del Cid, humilde, piadoso y valeroso. Van aflorando diálogos y detalles heroicos. La víspera de la batalla de Golpejera, Sancho se jacta de poder vencer, él solo, a mil adversarios, pero, llegado el momento, será el Cid quien consiga hacer huir a los catorce caballeros leoneses que habían capturado a su rey; después del asesinato de Sancho al pie de las murallas de Zamora, Bellido, perseguido por Ruy Díaz, consigue salvarse únicamente porque, en su precipitación, el Cid había montado un caballo sin ensillar. Con algunas variaciones de contenido o de lugar, este tipo de detalles cidianos aparece también en el *Liber regum*. Esta nueva materia —sobre la que volveremos al presentar el *Cantar de Mio Cid*— forma parte, en realidad, de la poderosa eclosión de una leyenda que gira en torno a los hechos de Ruy Díaz bajo el reinado de Sancho II y que se puede observar también en la composición, algo anterior a estos textos, de la *Historia Roderici* y del *Carmen Campidoctoris*.[13] Elogio del Cid y rehabilitación de Alfonso VI: estas actitudes no son probablemente ajenas al hecho de que, a partir de 1134, los reyes de Navarra descienden del Cid y de que, a partir de 1150, las dinastías de Navarra y de Castilla están emparentadas con el Cid y con Alfonso VII, nieto de Alfonso VI.

10.   Enrique Flórez, *España sagrada*, 29 vols., Madrid, 1745-1775, t. XXIII, pp. 326-329.
11.   Benito Sánchez Alonso, *Crónica del obispo Don Pelayo*, Madrid, JAEIC, 1924.
12.   Fr. J. Pérez de Urbel y Atilano González Ruiz Zorrilla, *Historia silense*, Madrid, CSIC, 1959.
13.   R. Menéndez Pidal, *La España del Cid*, 2 vols., Madrid, Espasa Calpe, 1969, 7.ª ed., t. II, pp. 906-971 y pp. 878-886.

Siglo XIII: síntesis, aportaciones y tendencias. En 1236, Lucas de Tuy lleva a cabo, en el *Chronicon mundi*, una síntesis de la tradición historiográfica que sigue dominando el partidismo de las crónicas leonesas. Doña Urraca está presente en Zamora, pero no es responsable de la muerte de su hermano. Ésta es obra de un caballero audaz que no actúa por felonía. La aportación cidiana de la segunda mitad del siglo XII subsiste sólo de manera residual en un motivo del combate de Golpejera (menos elogioso hacia el Cid que el hecho de armas de la *Najerensis*: una treta sugerida por el Cid al rey de Castilla). En *De rebus Hispaniae*, Rodrigo de Toledo retoma el relato de Lucas. El historiador navarro-castellano reintroduce, sin embargo, la persecución de Bellido por Ruy Díaz, sacada del *Liber regum*. Aparecidas en la crónica de Lucas y recogidas por Rodrigo surgen dos novedades. La primera tendrá una amplificación extraordinaria en la *Estoria de España* de Alfonso X: los disidentes de Zamora eligen como jefe a Arias Gonzalo. La segunda conocerá un desarrollo poético prodigioso en el Romancero: antes de aceptarlo como rey, los castellanos y los navarros exigen a Alfonso que jure que no está implicado en la muerte de su hermano; únicamente el Cid se atreve a recibir este juramento, por el que el nuevo rey de Castilla le guardará rencor durante toda su vida. ¿Estamos ante fuentes desconocidas o ante invenciones de Lucas? La aparición de Arias Gonzalo, personaje oscuro, permitía, de todas maneras, preservar la poderosa familia leonesa de los Ansúrez, que el *Chronicon Compostellanus* situaba, desgraciadamente, en Zamora, al lado de doña Urraca, y a propósito de la cual Lucas dice que los miembros más importantes habían seguido a Alfonso en su exilio. Por otra parte, el juramento prestado por Alfonso de León confirma solemnemente su inocencia, a la vez que las circunstancias en que se llevó a cabo censuran y desacreditan a la nobleza castellana, a la que Lucas recrimina continuamente.

La expansión. Sin embargo, será después de 1270, en la *Estoria de España*, cuando este episodio tenga un desarrollo espectacular. En primer lugar, la materia cidiana se amplía. Ruy Díaz está presente ya desde el reinado de Fernando I, que es quien educa al joven en la corte y quien le arma caballero después de la toma de Coimbra. Cuando llega el momento de repartir el reino, Fernando encomienda sus hijos al Cid y le encarga que haga respetar sus voluntades testamentarias. Rodrigo se convierte entonces en el consejero íntimo de Sancho de Castilla y, a lo largo de todo el episodio, aparece dividido entre el compromiso que había adquirido hacia Fernando y la obediencia que debe a su impetuoso monarca. El enfrentamiento entre Sancho y García pone ya en evidencia que el ímpetu del rey de Castilla no podrá frenarse con buenas palabras. Ruy Díaz se plegará, por lo tanto, a su voluntad, de manera ejemplar. Será el artífice de las victorias de Sancho sobre sus hermanos, en Santarem primero y más tarde en Golpejera, y será, igualmente, el encargado de reclamar a doña Urraca la cesión de Zamora. A la muerte del rey castellano, el Cid sentirá recaer sobre él el rencor de los príncipes. Sin embargo, en la *Estoria de España*, la renovación del episodio se debe, sobre todo, a la amplificación del relato del propio asedio con el recuerdo del comportamiento de los sitiados, y, después de la muerte de Sancho, al añadido de un apéndice judicial: el desafío lanzado por Diego Ordóñez, caballero castellano, a los habitantes de Zamora. La fidelidad de éstos hacia doña Urraca es tan perfecta como la de Ruy Díaz hacia Sancho, por lo que los duelos judiciales con los que se cierra el episodio no sirven para dilucidar las responsabilidades.

Sobrepasando en mucho la diferencia castellano-leonesa, en torno a la postura insostenible en la que Sancho coloca a sus súbditos y a los de sus hermanos, la *Estoria de España* elabora un relato ejemplar regido por dos grandes ejes. El primero es el de la lealtad del súbdito hacia su señor, que debe prevalecer en las peores condiciones, incluso si el señor es culpable, como Sancho, al contravenir la voluntad de su padre, o doña Urraca que, con palabras culpablemente ambiguas, deja actuar a Bellido. A este respecto, todos los vasallos, los de García, los de Alfonso, los de Sancho y los de doña Urraca, son irreprochables. Y lo que es más —cosa que aparece aquí por primera vez en la historiografía, que puede rastrearse a lo largo de toda la *Estoria de España* y que conocerá su apogeo en el Romancero— esta actitud intachable de la nobleza y de la aristocracia caballeresca se hace extensiva a la caballería ciudadana y a los burgueses de Zamora. La lección culmina en el segundo eje del episodio: ante las exageraciones, denunciadas por el prudente Arias Gonzalo, del desafío lanzado por Diego Ordóñez, los asaltantes y los sitiados se ponen de acuerdo para recurrir a hombres «sabidores et onrrados» que les indiquen «qual (es) el derecho». De esta manera, en ambos lados surgen hombres de ley para resolver el conflicto según el derecho escrito que es el que estipula las reglas de la lid judicial, organizando estrictamente a los campeones y regulando la violencia natural —aunque arcaica y nefasta— de la aristocracia. Prevalece totalmente la sumisión del súbdito a su rey, la observancia, controlada por expertos, del procedimiento judicial escrito. Nos encontramos, pues, con que el relato del sitio de Zamora que nos presenta la *Estoria de España* se rige, en su raíz, por el proyecto centralista y codificador de Alfonso X, elaborado en los tratados jurídicos de los años 1250 y 1260.

Éste es el relato que, con ligeras variantes, reproducen las crónicas posteriores. El inicio, sin embargo, aparece muy profundamente renovado. Contemporánea de la *Estoria de España* o ligeramente posterior a ésta, la *Crónica de veinte reyes*,[14] que será en la que se inspire sobre este punto la *Crónica General de España de 1344*,[15] portuguesa, amplifica el episodio del reparto del reino por Fernando. Bajo una fuerte dramatización se ponen en escena los conflictos de los hijos reales, a quienes el Cid puede contener a duras penas: el sombrío Sancho se opone a que se haga el reparto, las hijas, olvidadas, reivindican sus derechos con vehemencia y, como telón de fondo, la nobleza se agita y se forman bandos a favor de cada uno de los herederos. Estas divisiones recuerdan las que se produjeron en el momento de las sucesiones de Alfonso X y de Sancho IV. Si se analizan más a fondo, quizá habría que ver en ellas el esbozo de una problemática que se fue acentuando en la materia temática heroica, a finales del siglo XIII y principios del XIV. Nos referimos a la amenaza que representaba para los segundones la afirmación progresiva y bajo diferentes formas del derecho de primogenitura. En lo que a esta escena se refiere, la *Crónica de veinte reyes* pretende apoyarse en un *Cantar del rey Fernando*. La *Estoria de España*, al indicar la duración del sitio de Zamora, se pronunciaba en contra de la que venía fijada por los que denomina, según los manuscritos, «cantares» o «cantares de gestas».

3. BERNARDO DEL CARPIO

Dentro del corpus latente de los cantares de gesta españoles, la leyenda de Bernardo del Carpio es, sin duda, la que menos se ha estudiado. Al carecer totalmente de referente histórico y al estar basada en un héroe que no era castellano, se podría pensar que contravenía a la vez el historicismo metodológico y el nacionalismo ideológico de Pidal y sus discípulos.

El anti-Roldán. La primera vez que se menciona a Bernardo del Carpio es en el *Chronicon mundi*, es decir en 1236. De los amores naturales del conde Sancho y de Jimena, hermana del rey Alfonso II de León (791-842),

---

14. La obra permanece inédita. Parece ser que están en preparación dos ediciones (una de Brian Powell y otra de Nancie Joe Dyer). Edición parcial por Inés Fernández-Ordóñez: *Versión crítica de la Estoria de España*, Madrid, Seminario Menéndez Pidal, 1993.
15. Luis Filipe Lindley Cintra, *Crónica General de Espanha de 1344*, 3 vols., Lisboa, Académia Portuguesa da Historia, 1951-1961.

nace Bernardo. El rey casto reacciona con furor y hace encarcelar al conde y enclaustrar a Jimena. En la corte, educado con el cariño del rey que no tenía hijos, el joven se distingue por su valentía y sus virtudes. Carlomagno, después de expulsar a los sarracenos de Francia, atraviesa los Pirineos. Una vez sometidas Cataluña, Vasconia y Navarra, exige el sometimiento del rey de León. Ayudado por Marsilio, rey musulmán de Zaragoza, Bernardo derrota a la retaguardia imperial en Roncesvalles. Sin embargo, el muy cristiano emperador consigue reagrupar su ejército y vencer en una segunda y gran batalla, en la que perecen muchos sarracenos. Con grandes honores, se lleva a Bernardo con él. Bajo el reinado de los sucesores de Carlos, el joven se distingue en todas partes como defensor del imperio. No se menciona nunca a Bernardo durante los reinados de los dos primeros sucesores de Alfonso II, Ordoño y Ramiro. Vuelve a aparecer con Alfonso III (866-909). En un primer momento, Bernardo contribuye a los logros militares de los cristianos en el Duero, pero más tarde, después de haber tomado posesión del castillo del Carpio, cerca de Salamanca, no tarda demasiado en sublevarse contra el rey, que mantiene prisionero a su padre. Los sarracenos aprovechan para devastar León, Astorga y sus alrededores. Prometiéndole dejar en libertad a su padre, Alfonso pide ayuda a Bernardo, y los sarracenos son derrotados. Carlos, «tercer emperador de los romanos», invade España. Bernardo y Muza, rey de Zaragoza, hacen huir a su ejército. Antes de morir, Bernardo ayuda de nuevo a Alfonso III contra los árabes Imundar y al-Catenetel.

Las aventuras de Bernardo bajo el reinado de dos reyes Alfonso, el enfrentamiento repetido con el emperador, la promesa incumplida por el rey de liberar al conde Sancho, la interrupción arbitraria del relato... Todo esto constituye una evocación muy detallada y bastante confusa al mismo tiempo, que no deja de intrigar al lector. Se han formulado varias hipótesis[16] sobre una posible leyenda que Lucas habría puesto de acuerdo con el saber histórico, o sobre varias versiones de una misma leyenda que habría conjugado en una sola. Ninguna de estas hipótesis es convincente y, desde hace cincuenta años, se han abandonado los estudios sobre este tema. De la configuración legendaria se desprenden dos propósitos importantes. El tema del encarcelamiento del padre de Bernardo, relegado a un plano muy secundario, no provoca ninguna confrontación de principios, y su desarro-

---

16. Manuel Milá y Fontanals, *De la poesía heroico-popular de España*, Barcelona, 1974; W.J. Entwistle, «The cantar de gesta of Bernardo del Carpio», *Modern Language Review*, 23, 1928, pp. 307-322 y 432-482; A. B. Franklin, «A study of the origins of the legend of Bernardo del Carpio», *Hispanic Review*, n.º 5, 1937, pp. 286-303.

llo narrativo queda en suspenso. Por lo tanto, todo parece apoyarse en la elaboración de un mito sistemáticamente opuesto al establecido por la *Chanson de Roland*. A Carlomagno, que la historiografía calificaba a menudo de lujurioso, se opone Alfonso el Casto; a Roldán, sobrino del emperador, Bernardo, sobrino del rey de León; Roncesvalles es el eje donde el desastre de la cristiandad se transforma en triunfo de la hispanidad. El ingenio que Lucas despliega para restaurar la imagen del emperador y para que Bernardo encaje dentro de los preceptos del héroe cristiano no puede disimular la proclamación prohispánica y antifrancesa de una leyenda que estaría dirigida a invertir el mito de Roldán.

En *De rebus Hispaniae*, el Toledano vuelve a tomar a grandes trazos el relato de Lucas, aunque elimina, eso sí, la repetición del combate contra el emperador. Pero cambia el enfoque. En este caso, es Alfonso II quien propone abandonar su reino a Carlomagno, a cambio de que éste le ayude contra los sarracenos, y Bernardo no es sino uno de los próceres que, como fervientes defensores de la soberanía del reino, están dispuestos a deponer al rey con el fin de salvaguardarla. No hay tacha en el combate de los leoneses contra el emperador: es Carlomagno quien, culpablemente, deja de luchar contra el islam para atacar a los cristianos de España. La amenaza sarracena sobre la retaguardia no es más que un rumor táctico con el fin de inquietar a los francos, y la que huye ante Bernardo es la vanguardia de las tropas imperiales. A Carlos no se le dará la oportunidad de resarcirse de su derrota, puesto que muere en Aquisgrán, arrastrado por los placeres de las termas... El sentimiento hispánico se afirma, a la par que se va otorgando a la nobleza un papel más importante, como defensora de la perpetuidad del reino. El tema de la sublevación contra el rey aparece como secundario, pero en la versión de Rodrigo, Alfonso cumple su palabra y libera al conde Sancho, con lo que desparecen las diferencias con Bernardo. A fin de cuentas, lo que se viene a ilustrar, tanto con las hazañas de Bernardo del Carpio como con el relato de Rodrigo en su conjunto, son los beneficios de un entendimiento entre la nobleza y la realeza, dentro del respeto mutuo de sus valores...

Nobleza y monarquía. A la trama legada por los historiógrafos de la primera mitad del siglo XIII, que constituye «la estoria por el latin», como la denomina la *Estoria de España*, ésta le añade elementos que pretende tomar de una *Estoria de Bernardo*, e incluye también variantes extraídas de «cantares». Una de estas variantes se refiere a la genealogía del héroe, quien, según parece que dicen, era hijo, no de la hermana de Alfonso el Casto, sino de la de Carlomagno, que habría sido seducida por el conde Sancho (san

Díaz, en este caso) durante una peregrinación a Compostela. Y sobre todo, cambia el equilibrio temático de la leyenda: el enfrentamiento con el emperador tiene poco peso ya respecto al conflicto que opone a Bernardo y a Alfonso por el problema del cautiverio del conde. El tema familiar se enriquece con nuevos componentes: dos parientes nobles de Bernardo le revelan sus orígenes (que él imaginaba reales); en la serie de combates que tendrá que librar al servicio de Alfonso para conseguir a cambio la liberación de su padre, Bernardo se verá obligado a luchar contra un primo hermano, llegado de Francia, al que dará muerte. Por otro lado, no se produce la reconciliación que aparecía en el relato de Rodrigo el Toledano. A pesar de sus promesas, a pesar de los fieles servicios de Bernardo, el rey va retrasando la liberación del conde. Ante las peticiones cada vez más insistentes del héroe, Alfonso dicta un decreto de exilio. Rodeado de sus parientes próximos, Bernardo se traslada a Saldaña, el condado de su padre, y emprende una guerra contra el rey. Desde el castillo del Carpio, en el que se instalará poco después, y aliado con los moros, hostiga las fronteras del reino. Para acabar con estos desórdenes, el rey propone un pacto: el padre será devuelto a Bernardo si, a cambio, entrega las llaves del castillo del Carpio. Bernardo entrega las llaves, pero a él le traen a su padre muerto. Sus reproches hacen que sea de nuevo desterrado. Sin embargo, Alfonso termina reconociendo los derechos de Bernardo y le concede hombres y bienes antes de enviarlo a Francia, donde se encontrará con sus parientes. Aunque Carlomagno le honra, Bernardo tiene que enfrentarse con el hijo legítimo de la hermana del emperador, que se niega a reconocerlo como hermano. Abandona la corte y siembra el terror en los caminos de Francia. Vuelve a España, obtiene varias victorias frente a los árabes en los Pirineos aragoneses, se casa con la hija de un conde, y muere poco tiempo después.

Teniendo en cuenta que adapta diversas fuentes, el relato de la *Estoria de España* no está exento de coherencia. Rodrigo el Toledano era el único que presentaba una versión optimista de la aventura de Bernardo del Carpio, a la que la *Estoria de España* confiere un tono muy doloroso y cuyo desenlace descentrado revela el punto muerto a que conduce la antinomia de los principios expuestos en la narración. Un gran sentido parece desprenderse de las situaciones en las que se expresa su manera de concebir la relación política en el reino: la elección a la que se ve enfrentado Bernardo entre monarquía y parentesco, entre la alienación filial a la corona, que simboliza una consanguinidad real vivida como una filiación ilusoria, y el deber filial al que le obliga la verdadera solidaridad de parentesco. Es difícil armonizar dos «naturalezas» (la que liga a Bernardo con su rey y la que le liga con su padre), y la muerte del conde tres días antes de su liberación las compromete definitivamente. Aunque sea fortuita, esta muerte no deja por ello de poner en evidencia dos sistemas que se oponen. ¿Debe Alfon-so III respetar hasta el final la decisión tomada por Alfonso II, o debe recompensar los servicios de su vasallo? ¿Tiene Bernardo que plegarse sin condiciones a la autoridad real o seguir las exigencias de la ley de la familia o del clan? La buena voluntad de la que tanto el rey como Bernardo hacen gala, a lo largo de todo el relato, es incapaz de resolver este dilema.

En realidad, el fracaso parece deberse a la ausencia de un código susceptible de conciliar las relaciones de dependencia y los criterios de obligación. También en este aspecto, el relato heroico parece recoger las reflexiones de los juristas alfonsinos sobre la distinción y la jerarquización de las «maneras de naturaleza». ¿Habría que ver aquí el reflejo de las relaciones de la corona con la nobleza, en una época en la que ésta va incrementando, sobre el poder real, una presión que Alfonso X no podrá contener? Las relaciones de Bernardo con su familia podrían sugerir que este tema político se percibe a través de la amargura de los bastardos y de los segundones reales, que proliferaban en la segunda mitad del siglo XIII. Su destino frustrante y aventurero está marcado por unas relaciones tensas con la corona, o incluso, a veces, por una lucha abierta contra ella, encabezando bandos nobiliarios; por estancias en cortes extranjeras; por el exilio en Francia o en Aragón, y por conseguir casarse con herederas de la nobleza.

4. LOS SIETE INFANTES DE LARA

Una serie de comprobaciones documentales e historiográficas llevaron a Menéndez Pidal a situar a finales del siglo X la aparición de un *Cantar de los siete Infantes de Lara* [o *de Salas*].[17] Lo que nos ha llegado es un relato que figura por vez primera en la *Estoria de España* del último tercio del siglo XIII.

Ruy Velázquez, rico hombre de la comarca de Lara, se casa con doña Lambra, prima hermana de García Fernández (970-995), conde de Castilla.

---

17. R. Menéndez Pidal, *La leyenda de los infantes de Lara*, 3.ª edición, en *Obras completas*, t. I, Madrid, 1971. Opiniones (diversamente) opuestas: Angelo Monteverdi, «Il cantare degli infanti di Salas», *Studi medievali nuova serie*, n.º 7, 1934, pp. 113-150; C. Guerrieri Crocetti, *Il Cid e i cantari di Spagna*, Florencia, Sansoni, 1947; R. Cotrait, *op. cit.*, pp. 170-177.

Asiste a la boda el buen Gonzalo Gustioz de Salas, hombre de menor rango, yerno de Ruy Velázquez y padre de siete hijos (los *infantes*). Durante los festejos caballerescos destaca un primo hermano de doña Lambra; Gonzalo González, hijo menor de Gonzalo Gustioz, le sobrepasa. Se produce un altercado entre ambos y Gonzalo González mata al primo de doña Lambra. Ésta se siente ultrajada. Ruy Velázquez se pone de parte de su esposa, hiriendo a su propio sobrino. Los infantes se agrupan. Se forman dos bandos que oponen a los parientes y que están dispuestos a llegar a las manos. Sin embargo, el conde García Fernández y Gonzalo Gustioz se interponen. Todo el mundo se perdona, y se acuerda, incluso, que los infantes entren al servicio de Ruy Velázquez, es decir, que el tío «críe» a los sobrinos. A pesar de esto, el odio va incubándose. En Barbadillo, cerca de las ventanas de doña Lambra, Gonzalo González, ligero de ropas, está bañando a su azor. Doña Lambra, indignada, envía a uno de sus hombres que, con un pepino relleno de sangre, salpica el pecho de Gonzalo. Debajo del manto protector de su tía, los siete hermanos irán a vengarse de quien les ha ofendido, manchando de sangre la ropa de doña Lambra. De nuevo se establece la paz entre Ruy Velázquez y sus sobrinos. Pero, esta vez, bajo las amables palabras del tío se esconde un propósito malvado. Con el pretexto de que Almanzor le ha propuesto ayudarle a compartir los gastos de su boda, Ruy Velázquez pide a Gonzalo Gustioz que vaya a Córdoba a recibir el dinero. Mientras tanto, ha enviado un mensaje al rey moro pidiéndole que detenga a su yerno y que le corte la cabeza. En pago por este favor, fingirá una expedición durante la cual le entregará a los infantes de Salas, que tanto contribuyen a la resistencia de los cristianos. Almanzor no ajusticia a Gonzalo Gustioz, pero lo encarcela. Por su parte, los infantes se han ido a combatir. Después de una última disputa con Ruy Velázquez, durante la cual hay derramamiento de sangre, y que se resuelve mediante el pago de una indemnización a su tío, los infantes y sus vasallos se enfrentan con los moros. Los cristianos se ven sobrepasados en número. El tío se niega a ayudarlos, mostrando así su rencor. Después de una terrible batalla, mueren todos. En Córdoba, le muestran a Gonzalo Gustioz las cabezas de los infantes, expuestas sobre un lienzo blanco. Almanzor libera a Gonzalo y éste vuelve, destrozado, a Castilla. Sin embargo, había tenido un hijo de una dama de la nobleza musulmana que le servía en la prisión. Mudarra González, informado de sus orígenes y de la terrible desgracia ocurrida a sus hermanos, marcha, a su vez, a Castilla con el fin de vengarlos. Desafía a Ruy Velázquez en la corte del conde García Fernández, que separa a los adversarios y consigue una tregua de tres días. Sin embargo, Mudarra tiende una emboscada nocturna a su enemigo y lo mata. Velando por la honra del conde de Castilla, esperará a que éste muera para apoderarse de su prima doña Lambra y quemarla.

Tal como aparece en la *Estoria de España*, la leyenda de los Siete Infantes de Lara narra una serie de rivalidades, de ofensas y de venganzas en el seno de una familia de la aristocracia castellana. Dentro del sistema que presenta, se puede entrever una red de significados que resultan muy valiosos para conocer ese grupo social y para entender su mentalidad. Desde el punto de vista sociopolítico, el antagonismo entre la nobleza y una aristocracia de menor rango. Desde el punto de vista del parentesco, una reivindicación por parte de los segundones y, más en profundidad, una reflexión sobre el valor de los lazos de alianza y de consanguinidad respectivamente, puesto que el traidor Ruy Velázquez toma siempre partido por el honor de su esposa frente al de sus sobrinos. Todo esto parece estar enmarcado dentro de unas consideraciones sobre el derecho, de las que Anne-Marie Capdebosq parece haber percibido el alcance fundamental, y que son los límites, ilustrados de manera muy pertinente en la célula de poder de la aristocracia (el parentesco), de las fórmulas tradicionales de resolver los litigios dentro de la aristocracia: venganza de sangre, arreglo amistoso, o, incluso, arbitraje real representado por las intervenciones del conde de Castilla. Al fracasar estos medios, se está poniendo de relieve la urgente necesidad de instaurar otros principios, otros procedimientos: una jurisdicción real que transforme a cada persona en un sujeto individual del derecho, sin que intervengan los lazos de parentesco o de clan. Necesidad de un código jurídico que prevalezca por encima de las solidaridades sociales, prioridad de los lazos «naturales» sobre los lazos contractuales simbolizada por la mala elección de la alianza contra la consanguinidad... he aquí también dos aspectos importantes, uno jurídico y otro político, de los que rigen el propósito del tratado de las *Siete Partidas*.

Estos son los cuatro grandes hitos de la materia heroica española en los que el neotradicionalismo ha detectado los reflejos cambiantes de otros tantos cantares de gesta. Alrededor de ellos aparecen leyendas menores, en particular la leyenda de la *Condesa Traidora*,[18] que narra los infortunios conyugales del conde García Fernández, y el *Romanz del Infant García*,[19] que relata el asesinato, en León, del joven García Sánchez, último conde de Castilla. A continuación vamos a abordar el *corpus* de los cantares atestiguados.

18. R. Menéndez Pidal, «Realismo de la epopeya española. Leyenda de la Condesa Traidora», *Humanidades*, n.º 21, 1930, pp. 11-33.
19. R. Menéndez Pidal, «El Romanz del Infant García y Sancho de Navarra antiemperador», *Studi letterari e linguistici dedicati a Pio Rajna*, Florencia, Hoepli, 1911, pp. 41-85.

La gesta atestiguada

1. CANTAR DE RONCESVALLES

De lo que Menéndez Pidal[20] consideraba un cantar largo, sólo se han conservado alrededor de cien versos, en un manuscrito de principios del siglo XIV. Este fragmento, en lengua navarro-aragonesa, podría haber sido compuesto en el siglo XIII. Con influencias de la *Chanson de Roland* y del *Pseudo-Turpin*, y adornado con algunas aportaciones locales (sería Carlomagno quien habría construido el camino de Santiago), muestra al emperador contemplando los cadáveres de los caballeros franceses y llorando la muerte de Roldán. El interés de España por la materia del *Roland* está confirmado por unas líneas que aparecen añadidas, a finales del siglo XI, en un manuscrito del monasterio de San Millán de la Cogolla: la famosa *Nota emilianensis*.[21] Ésta presenta un relato que se separa, en varios puntos, del cantar francés (en particular, los doce pares son todos sobrinos de Carlomagno, a quien sirven un mes al año cada uno), pero no atestigua de manera irrefutable la existencia de una versión poética del *Roland* anterior a la que se conserva en el manuscrito de Oxford. Con mayor razón, la alusión a Roldán y a Oliveros que aparece en el *Poema de Almería* que cierra la *Chronica Adefonsi Imperatoris*,[22] de mediados del siglo XII, es insuficiente para probar la existencia de un *Roland* español. Estas huellas, con las que Pidal confirmó su tesis neotradicionalista, atestiguan únicamente que la leyenda de Roldán se difundió en España, donde adquirió unos rasgos singulares y dio lugar a una línea poética de la que no se puede evaluar ni el alcance, ni el contenido.

2. CANTAR DE MIO CID

Éste es el gran monumento de la gesta castellana. Aquí denominaremos *Cantar* a todo el conjunto de versiones virtuales de la obra, reservando el término de *Poema* para la única versión poética atestiguada, como lo hacen los «neoindividualistas», que quieren poner de relieve, de este modo, su elaboración personal y culta. En el único manuscrito que se conserva, que

20. R. Menéndez Pidal, «Roncesvalles. Un nuevo cantar de gesta español del siglo XIII», *Revista de Filología Española*, n.º 4, 1917, pp. 105-204.
21. Dámaso Alonso, «La primitiva épica francesa a la luz de una Nota emilianense», *Revista de Filología Española*, n.º 37, 1953, pp. 1-94.
22. Luis Sánchez Belda, *Chronica Adefonsi Imperatoris*, Madrid, CSIC, 1950; H. Salvador Martínez, *El «Poema de Almería» y la épica románica*, Madrid, Gredos, 1975.

data de mediados del siglo XIV, faltan tres hojas, y otras están muy estropeadas por el uso de reactivos, procedimiento éste muy utilizado antaño por los transcriptores. Un *explicit* atribuye la «escritura» —¿copia, refundición o composición?— a Per Abbat (o Pedro Abad), y la sitúa en 1207. Siempre ha habido diferentes opiniones por lo que a la datación se refiere. Todavía hoy en día, los especialistas están divididos entre los que aceptan una fecha próxima a la que fijó Menéndez Pidal (primera mitad del siglo XII) y los que, cada vez más numerosos, se apoyan en una serie de trabajos históricos, lingüísticos y literarios de calidad, aunque no totalmente concluyentes, y piensan, más bien, que habría que remontarse hasta 1200, aproximadamente.

Documentos. El héroe del *Poema* es un personaje histórico: Rodrigo (Ruy) Díaz, llamado, en los documentos redactados por él o por su mujer, *Campi doctor* («maestro en el arte de combatir») o también, en la historiografía y en la poesía en lengua vernácula, *Campeador* (de *campear*, «combatir») o, por último, *Cid* (del árabe *Saïd/Sidi*, «señor»). Se puede rastrear la vida de Ruy Díaz gracias a la firma de algunos diplomas reales y a que aparece mencionado como juez en las actas de varios juicios; o bien por medio de algunos escasos documentos privados. Entre los años 1066 y 1071 se le ve figurar dentro del círculo de allegados al rey Sancho II de Castilla. Después de la muerte de éste en Zamora y de la coronación de Alfonso VI, Rodrigo sigue estando presente en la corte hasta 1076. En 1074 aparece casado con Jimena, hija del conde de Oviedo y —según los historiógrafos— sobrina del rey de Castilla. En la carta de arras aparecen los orígenes sociales y geográficos de Rodrigo: su patrimonio lo constituyen unas cuantas tierras y algunos pueblos del noroeste de Burgos. Se aleja primero de la corte durante un período que va de 1076 a 1079 y más tarde, tras la confirmación de un documento real en Burgos en 1080, se produce un segundo y largo eclipse hasta 1087. Vuelve al lado del rey en 1087 o 1088, y luego desaparece definitivamente: los dos últimos diplomas que firma Rodrigo Díaz datan de 1098 y se trata de donaciones a la catedral de Valencia. A pesar de su gusto por la leyenda, una historiografía rica y precoz permite colmar las lagunas de esta documentación esporádica.

Historiografía primitiva. A partir de los diez primeros años del siglo XII, los cronistas musulmanes señalan ya la gran hazaña de Rodrigo: la conquista de la rica ciudad de Valencia. En territorio cristiano, a mediados del siglo XII, aparece un texto que llama la atención por su información abundante y fiable: la *Historia Roderici.* Nos imaginamos a su autor investigando en los documentos de archivos, inspirándose en relatos musulmanes del reino de Zaragoza, heredero de una memoria viva. La *Historia* se complace, sobre todo, en las relaciones tempestuosas de Ruy Díaz y de Alfonso VI de Castilla. Explica el porqué del silencio que reina en los documentos entre los años 1080 y 1087: por razones que parecen ser consecuencia de una lucha de influencias en la corte, Rodrigo había sido expulsado del reino de Alfonso. Hasta 1087, la *Historia* lo sitúa combatiendo a sueldo del rey musulmán de Zaragoza. Bien es verdad que éste era tributario de Alfonso: Rodrigo no era traidor a su señor, sino un aventurero. Por otra parte, al poner freno a las influencias aragonesa y catalana en el curso medio del Ebro, estaba al servicio de los intereses castellanos. La *Historia* permite también interpretar que el que firmara documentos reales entre los años 1087 y 1089 se debe a que volvió a ganarse el favor del rey, debido en gran parte, sin duda, al desembarco de los almorávides en España, en 1086. Rodrigo se nos muestra, más tarde, en la región valenciana, afirmando en todas partes la presencia militar de Castilla, encargado quizás por el rey de mantener el reino de Valencia bajo la dependencia castellana. Por último, la *Historia* explica la falta de documentos después de 1088: en 1089, al no haber podido acudir, como se lo pedía Alfonso, en auxilio de Aledo, cercado por los almorávides, el rey le condenó de nuevo al exilio. En este caso, el destierro iba acompañado de la pérdida de sus posesiones y de sus bienes y del encarcelamiento de su familia. A partir de ese momento, desheredado y dedicado a sí mismo, Rodrigo llevará una vida aventurera y se aprovechará de la agitación y de las disensiones de la región levantina. Oponiéndose a las ambiciones antiguas o recientes —del conde de Barcelona, al que derrota en 1090, del rey de Zaragoza, de los almorávides— Rodrigo impone su protección a los reyes levantinos, coloca a un hombre de confianza al frente de Valencia e instala sus tropas en los alrededores. Una visita del caballero castellano a Zaragoza facilita las maniobras del partido proalmorávide que, apoyándose en la llegada de tropas marroquíes, toma el poder en Valencia. Ruy Díaz decide apoderarse definitivamente de la ciudad, a la que pone cerco y obliga a rendirse en 1094. Un ejército almorávide que llegaba de refuerzo es derrotado en Cuarte. En un momento en que, por todas partes, los cristianos están retrocediendo ante el islam, Rodrigo refuerza sus posiciones, especialmente con la toma de Murviedro (Sagunto) en 1098. La mezquita de Valencia se transforma en iglesia y una donación de Rodrigo muestra, al poco tiempo, a Jerónimo oficiando en ella como obispo. Sin embargo, el señor de Valencia muere en 1099; y en 1102, a pesar de la ayuda de Alfonso VI, Jimena y sus vasallos se ven obligados a abandonar la ciudad. Desde un punto de vista efectivo, la prodigiosa aventura personal de Ruy Díaz no trae consigo consecuencias. Por el contrario, su difusión legendaria no dejará de aumentar.

La leyenda real. Desde el primer momento, los textos de historia envuelven a Rodrigo en la leyenda. Se trata, primero, de una leyenda negra, en tierra islámica: por medio de las acciones de un tirano hábil y despiadado, los historiógrafos proalmorávides de los años en torno a 1110 ponen de manifiesto las contrariedades a que se exponen los príncipes andaluces que recurren al apoyo militar de los cristianos para fortalecer su independencia. En tierra cristiana, la leyenda parece un problema de herederos. En primer lugar, de herederos históricos, puesto que se trata de un héroe cuya imagen podía explotarse desde cualquier perspectiva, pero de herederos genéticos también, ya que las hijas de Ruy Díaz, Cristina y María, se habían casado, respectivamente, con el infante Ramiro de Navarra y con el conde de Barcelona, Ramón Berenguer III. Si los descendientes catalanes del Cid se separaron de los destinos españoles, el hijo de Ramiro y de Cristina, García Ramírez (1134-1150), fue coronado en Navarra y, de la hija de García, casada con Sancho III de Castilla, nació Alfonso VIII (1158-1214). Desde finales del siglo XI hasta finales del XII, el *Carmen Campidoctoris* en Cataluña o en Aragón, la *Historia Roderici* y la *Chronica najerensis* en los confines de Castilla y de Navarra, en la Rioja, y el *Liber regum* en Navarra atestiguan, por ese orden, el nacimiento y el desarrollo de una temática de la que hemos hablado brevemente al evocar el sitio de Zamora. A falta de la amistad, desmentida por los hechos, entre Alfonso VI y el Cid, estas obras ensalzan, por lo menos, la unión de éste con Sancho II. El relato del reinado del rey castellano convierte a Ruy Díaz en el inseparable compañero de Sancho y hace de él su doble caballeresco: educación del joven Rodrigo en la corte del rey; participación decisiva en las victorias logradas por Sancho contra Ramiro I de Aragón en Graus, contra García de Galicia en Santarem, y contra Alfonso de León en Llantada y Golpejera; concesión al Cid del mando de los ejércitos reales, y, finalmente, vanas proezas personales ante los muros de Zamora. Nacida quizá de algunos temas compensadores imaginados en vida de Rodrigo, ampliada en el momento de la recomposición política del territorio español que se produjo a la muerte de Alfonso I el Batallador, en 1134 (restauración de la monarquía navarra, acaparamiento de la corona aragonesa por parte del conde de Barcelona, ambiciones hegemónicas de la monarquía castellana), desarrollada todavía más, y permitida gracias a los lazos de parentesco que, de manera progresiva, fueron ligando a todos los reyes de España con Rodrigo, la eclosión de la leyenda sirvió, según las épocas, a intereses diversos. Es posible que el *Carmen* no fuese sino un poema en honor del señor de Valencia, escrito en un principio con la intención de rehabilitar su pasado político, y conservado, más tarde, por los dueños de Cataluña y de Aragón, con el deseo de demostrar a sus vecinos que ellos no se quedaban a la zaga en lo que a parientes ilustres se refería. En Castilla, convertir a Ruy Díaz en el artífice de las victorias de Sancho fue dar, sin duda, y antes que nada, una explicación honrosa a los reveses de su hermano, Alfonso VI, verdadero antepasado, a fin de cuentas, de los soberanos de esa época. Bajo Alfonso VII, la leyenda contribuyó a los fines del imperialismo castellano. Después del reparto del reino por el emperador y de la muerte prematura de Sancho III de Castilla, durante la minoría de edad de Alfonso VIII, primer rey castellano descendiente de Ruy Díaz, la leyenda sirvió para defender a la monarquía que se encontraba en peligro. Sus desavenencias con Alfonso VI, interpretadas como una consecuencia nefasta derivada de su fidelidad ejemplar a Sancho II, convirtieron al Cid, en Navarra, en el símbolo de un entendimiento político antiguo, sellado por lazos de sangre ya en 1150, y que debía de perpetuar el reconocimiento, por parte de Castilla, de la restauración navarra. Para reforzar este sistema, los redactores del *Liber regum* inventaron, precediendo al Cid y a Alfonso VII el Emperador, que son los auténticos antepasados comunes de las dinastías castellana y navarra de la segunda mitad del siglo XII, una diarquía original compuesta por sus ascendientes Laín Calvo y Nuño Rasura, con lo que la unión política y genética culminaba en los jueces de Castilla. Esta leyenda real domina en la historiografía del siglo XII. Únicamente la *Historia*, que la incluía en la introducción, se separaba enseguida de ella para desarrollar la aventura del exilio. Los hechos de Rodrigo posteriores a su expulsión estaban también presentes en las narraciones navarras, aunque de manera concisa. Anterior o posterior a estos textos —y probablemente colateral, alimentado con intercambios con la tradición—, el *Cantar de Mio Cid* propone, apoyándose en este segundo plano de la vida de Ruy Díaz, una renovación profunda del mito cidiano.

El Cantar de Mio Cid.   En el estado en que ha llegado hasta nosotros, el poema comienza con el llanto del héroe, que contempla, por última vez, los bienes que tiene que abandonar. En Burgos, primera etapa del camino hacia el exilio, los habitantes se lamentan también ante la desgracia de este vasallo ejemplar. Dos prestamistas judíos (engañados con complacencia por medio de una burda estratagema) facilitan a Ruy Díaz el dinero necesario para pagar a sus tropas. Última ruptura: el Cid debe separarse de su mujer y de sus hijas, que deja al cuidado del abad de San Pedro de Cardeña. Es necesario alimentarse, es necesario pagar la soldada a una tropa que crece día a día. Los comienzos son modestos: toman Castejón, una aldea sobre el Henares y exigen rescate por ella. De camino, saquean Hita, Guadalajara y Alcalá. No tarda en caer en manos del Cid la plaza fuerte de Alcocer. En los alrededores empieza a cundir la inquietud. El rey de Valencia envía a dos generales, que son derrotados por Rodrigo. El botín es considerable y hace posible que el Cid piense en establecer una política que le permita recuperar el favor del rey de Castilla, a quien envía treinta caballos enjaezados. En su avance, el Cid pisa tierras musulmanas que eran tributarias del conde de Barcelona. Éste le desafía inmediatamente. Los dos ejércitos se enfrentan en el pinar de Tévar y Ramón Berenguer es vencido. Rechaza altivamente, en un primer momento, la comida que el Cid le ofrece, pero, al final, para conseguir la libertad, se ve obligado a comer, dejando a un lado su orgullo. Junto con la alegría de acumular las riquezas de un nuevo botín, los hombres del Cid sienten la felicidad de esta primera victoria sobre la vanidad nobiliaria. Siguen avanzando hacia oriente. Cerca de Valencia, conquistan Jérica, Onda, Almenar, Burriana y, por último, la gran plaza fuerte de Murviedro. Rechazan nuevamente a otros refuerzos valencianos. El cerco sobre Valencia se va estrechando cuando toman Cebolla, Peña Cadiella (Benicadell) y, más tarde, tras un largo acoso, Denia, Játiva y Cullera. En Aragón, en Navarra, en Castilla se pregona: «Quien quiere perder cueta e venir a mitad» (v. 1189), ¡que se una al Cid! Ponen cerco a Valencia, que se rinde al cabo de nueve meses. El rey de Sevilla, que viene en su ayuda, es vencido y despojado. La riqueza de los combatientes es ya prodigiosa. Oro, plata, tierras, armas y caballos, todo lo necesario para elevar su rango, cuando se es caballero, o para convertirse en caballero, cuando se es peón. Para colmo de felicidad, el obispo Jerónimo, buen clérigo y buen guerrero, llega atraído por las hazañas del Cid, e inmediatamente se funda el obispado de Valencia. Se envían cien corceles a la corte de Castilla, y el rey pone en libertad a Jimena y a sus hijas. El emir de Marruecos, Yúçuf, en persona, se presenta ante las murallas de Valencia y su derrota señala el apogeo del primer movimiento narrativo: el restablecimiento (y la ascensión) socioeconómicos.

Queda por restablecer el vínculo político, por volver a conseguir el favor del rey, privación que resulta obsesiva. Sin embargo, lo que debería haber servido para un resurgir del Cid, le conduce, al contrario, a una nueva caída. Envía a Alfonso doscientos caballos enjaezados y armados. Pero no serán ni los presentes, cada vez más ricos, ni los relatos de las hazañas del Cid los que venzan el rigor del rey. Dos hermanos, de la ilustre familia condal de los Beni-Gómez, los infantes de Carrión, se interesan muy de cerca por la trayectoria de Ruy Díaz. Las ansias de riqueza prevalecen sobre el sentimiento consciente de una unión desigual, y presionan al rey para conseguir que el caballero les entregue a sus hijas en matrimonio. Implícitamente, el rey concederá su perdón a cambio del consentimiento del Cid. A orillas del Tajo se sellarán, al mismo tiempo, el perdón y las bodas. La unión, de la que el rey se responsabiliza plenamente, no tarda en mostrarse decepcionante: en el combate, la cobardía de los infantes sólo se ve igualada por su jactancia. En una ocasión, huyen precipitadamente al ver que un león, que se ha escapado de su jaula, irrumpe en el salón donde se encuentran reunidos el Cid y sus vasallos. Por la corte valenciana circulan las burlas. A pesar de los esfuerzos de Rodrigo por salvar las apariencias, los infantes, humillados, traman su venganza: con el pretexto de que sus mujeres visiten las posesiones de Carrión, las dejan abandonadas en el robledal de Corpes, después de haberlas azotado y espoleado. Inmediatamente, el Cid pide justicia al rey, su señor, que es quien ha casado a sus hijas. Se convoca una asamblea judicial en Toledo y, a pesar de las presiones, el rey y los jueces responden favorablemente a las quejas presentadas por el Cid, con lo cual, los infantes se ven obligados a devolver las espadas que les había entregado su suegro, y a restituirle el dinero de la dote. Son vencidos en un desafío de honor. Durante el proceso se produce el acontecimiento que asegurará la fama del Cid: los infantes de Navarra y de Aragón piden la mano de sus hijas. Dice el poeta: «Oy los reyes d'España sos parientes son; / a todos alcança ondra por el que en buen ora nació»(vv. 3724-3725).

Ramón Menéndez Pidal dedicó dos monumentos de erudición[23] a demostrar la historicidad del *Poema de Mio Cid*. Se elevaron, sin embargo, algunas voces[24] que defendían algo que es evidente: partiendo de unos puntos anclados en la historia de Ruy Díaz (su origen social y geográfico, su familia, sus desavenencias con Alfonso VI, la conquista de Valencia, las bodas principescas de sus hijas), el poema desarrolla un tejido de invenciones, cuya trama estamos todavía lejos de haber desenredado (personajes y lugares reales, pero desplazados en las aventuras cidianas, reorganización de los hechos, ficción pura). Esta configuración, propicia a dejarse arrastrar por la tentación de los tópicos temáticos y formales de la epopeya, del folclore y de la literatura edificante, hace del *Poema de Mio Cid* una obra simbólica llena de significación.

El armazón semántico articula dos grandes movimientos, que constan, cada uno, de un momento de pena seguido por un momento de alegría. A la catástrofe del exilio —aniquilamiento económico, social y político del Cid— le sigue una ascensión heroica, que culmina con la toma de Valencia, la reconstitución de la célula familiar y el perdón real. Toda esta construcción, basada en el esfuerzo, se desmorona con la afrenta de Corpes. Sirve para que el Cid recuerde que ni las proezas, ni la riqueza pueden proteger al caballero de la soberbia de la gran nobleza. El rey y el derecho deberán contar con las virtudes personales para que se haga justicia. Este doble recorrido y la sanción final parecen mostrar dos propósitos fundamentales.

---

23.   R. Menéndez Pidal, «*Cantar de Mio Cid*». *Texto, gramática, vocabulario*, Madrid, Espasa Calpe, 1954, 3.ª ed., y *La España del Cid, op. cit.*

24.   La primera: Leo Spitzer, «Sobre el carácter histórico del Cantar de Mio Cid», *Nueva Revista de Filología Hispánica*, n.º 2, 1948, pp. 105-117.

En el primero, socioeconómico, es donde mejor se manifiesta la singularidad del *Poema de Mio Cid* respecto a la gesta francesa. Desde los primeros momentos del exilio hasta la segunda demanda del proceso, no se habla de otra cosa que no sea ganancia y riqueza. En el relato de las batallas, parece que sólo cuenta la exaltación del botín. Incluso el primer teniente del Cid, Minaya Alvar Fáñez, dedica gran parte de su tiempo a contarlo y a distribuirlo. Y dentro de la ganancia, de la riqueza, los metales que se pueden transformar en moneda son, con mucho, los más preciosos. Oro, plata, moneda, que hacen a los combatientes fieles y solidarios, que estimulan la promoción social, que refuerzan la cohesión política del señorío y del reino, que pacifican a los moros, que consolidan a la Iglesia. Oro, plata, moneda, cuyo buen uso cimienta todas las relaciones sociales, cuya acumulación merecida, basada en el trabajo guerrero, los convierte en un criterio de valor moral y cuya apropiación por medio del matrimonio, o cuyo gasto desconsiderado, son motivo de condena, en primer lugar, para los predadores de la nobleza. Ante la asamblea judicial de Toledo, el Cid rechaza las tierras que los infantes le proponen como compensación por la dote. Quiere que le devuelvan su dinero. Se ponen a subasta caballos, armas y arneses, símbolos todos ellos de la aristocracia, y apreciados por su valor mercantil. Estas muestras de un nuevo orden económico y social, en el que el valor de la moneda triunfa sobre el valor de la tierra, en el que el esfuerzo personal cobra valor frente al nacimiento, se plantean desde el principio de la gesta cidiana por su implantación en un universo municipal de mercaderes, de caballeros villanos y de banqueros. Podrían muy bien expresar las aspiraciones de los hombres nuevos que, agrupados en las ciudades, conquistan, a lo largo del siglo XII, un lugar en la sociedad castellana. Alrededor de este polo, la caballería inferior, que constituía también el núcleo de una «sociedad de frontera», contribuirá a reactivar los valores tradicionales y a proclamar otros nuevos: el esfuerzo guerrero, la administración rigurosa del «aver monedado», la adjudicación de un valor moral a las ganancias, la movilidad social.

No obstante, esta nueva evaluación contiene un mensaje político. La obra no se limita a denigrar a la nobleza comparándola con los caballeros y los burgueses. Tampoco se contenta con exaltar la imagen de un rey que ratificaría ese cambio de equilibrio. Adecuando la historia y la tradición poética a las preocupaciones de su época, Menéndez Pidal veía en el Cid un parangón de la mesura, de la fidelidad, del sentimieno patriótico digno de oponerse a los herederos escépticos y desencantados de la «generación del 98». Muchos otros han puesto de relieve, más tarde, el «mensaje cívico» del *Poema*: lealtad ejemplar del súbdito a su rey, sentido de la justicia, sumisión a la ley. Quizá habría que ver también en él algo que estaba más cerca de la problemática del siglo XII, es decir, la defensa de una nueva dependencia política. En efecto, el homenaje vasallático, ritual que se repite de principio a fin del *Poema*, es tan importante, tan característico del terreno cidiano y de su programa ideológico, como la exaltación del valor del dinero. Desde hace tiempo, los historiadores han señalado la debilidad, el carácter tardío y singular de un feudalismo castellano que se definía más por una relación política que por una relación económica, de concesión de feudos. El *Poema de Mio Cid* muestra, quizá, uno de los movimientos que condujeron a Castilla hacia esa forma específica de feudalismo: a la dependencia «natural» (adquirida por nacimiento) que el Cid no rechaza, pero de la que se ilustran los puntos débiles —un orden político que eterniza la todopoderosa familiaridad del rey y de la nobleza—, y a la que se oponen la flexibilidad, la eficacia y la justicia de una dependencia personal, basada en un contrato de servicio y que es la única capaz de proporcionar a los hombres nuevos el acceso a la esfera de poder.

En el contrato doble que se adopta a orillas del Tajo, los dos temas se entrecruzan. El acuerdo de matrimonio es corrompido por las apetencias nobiliarias y por la persistente adhesión de Alfonso a los antiguos valores: Ruy Díaz consigue ligarlo, de manera preventiva, con el homenaje vasallático. Después de la afrenta de Corpes, este contrato político será el que obligue al rey a defender, como señor, a su vasallo contra los representantes del poder «natural». Al mismo tiempo que celebra la victoria de la justicia real sobre la justicia privada, con lo que sitúa al rey como juez supremo de un nuevo Estado de derecho, la asamblea judicial de Toledo exalta a éste como señor feudal. En cualquier caso, el juicio final sanciona este desplazamiento en favor suyo: pasa de los intereses nobiliarios, mantenidos como imperecederos por el señorío natural y el sistema de la justicia privada, a los valores que los caballeros y los burgueses pretenden asentar apoyándose en la dependencia personal y en el ejercicio del derecho por la monarquía.

Anclado en lo social, portador de aspiraciones procedentes de abajo y de las fronteras, difundido oralmente, el *Poema de Mio Cid* está cargado de un significado mucho más profundo que la leyenda que, a mediados del siglo XII, gravitaba en torno a las coronas de España.[25] Por el alcance de su

---

25. Último y excelente balance de los trabajos dedicados al Cantar de Mio Cid: Francisco López Estrada, *Panorama crítico del Poema de Mio Cid*, Madrid, Castalia, 1982. Última edición con repaso exhaustivo de la crítica cidiana: Alberto Montaner, *Cantar de Mio Cid*, Barcelona, Crítica, 1993.

proclamación ideológica, pone los cimientos del primer mito cidiano. Dejado de lado por la historiografía hasta el último tercio del siglo XIII, el *Cantar* se incluye, en prosa, en la *Estoria de España*. Sin embargo, su narración, depurada de su poder reivindicativo, dedicada a servir únicamente a los intereses de la corona, no ensalza más que la sumisión ejemplar a un rey cuyas deliberaciones dominan a los poderes sociales.

A pesar de todo, lo que la posteridad —crónicas, romancero, comedia— destacará, en un primer momento, de todo el mito cidiano, no serán ni las hazañas de Ruy Díaz bajo el reinado de Sancho II, ni los logros conseguidos en el exilio decretado por Alfonso VI, sino otra narración, la tercera, elaborada a finales del siglo XIII o a principios del XIV: una gesta de juventud que se desarrolla en tiempos de Fernando I, padre de ambos reyes.

3. CANTAR DE LAS MOCEDADES DE RODRIGO

Compuesta en tiempos de Fernando IV, entre 1295 y 1312, la *Crónica [de los reyes] de Castilla*[26] es una refundición del relato del reinado de Fernando I que aparecía en la *Estoria*, al que se han añadido las hazañas del joven Rodrigo Díaz. En un manuscrito de finales del siglo XIV, a continuación de este texto figura una versión poética de la misma narración, que suele conocerse como la *Crónica rimada de las mocedades de Rodrigo*.[27] Paradójicamente, los neotradicionalistas, siempre propensos a detectar cantares tras la historiografía, han negado a esta obra poética, cuya forma corresponde a lo que se ha venido considerando como modelo de la gesta, el privilegio de haber servido de fuente a la *Crónica de Castilla*. Cuestión de decoro en materia científica: la arrogancia del joven Rodrigo de la *Crónica rimada* entraría en contradicción con la mesura y el humilde servicio de la realeza que serían propios del héroe en la gesta castellana. Típica de la decadencia del género, la *Crónica rimada* debería considerarse como la degeneración de un cantar perdido, del que la *Crónica de Castilla*, desprovista de excesos, presentaría un reflejo más fiel. Por ello, la versión de las *Mocedades* que aparece en la *Crónica rimada* se dató en la segunda mitad, incluso en los últimos decenios, del siglo XIV. Sin embargo, no existe nin-

---

26. Texto inédito. Una edición del segmento dedicado a las hazañas del Cid en *Crónica del famoso cauallero Cid Ruy Díaz Campeador*, Burgos, 1512 (facsímil de Archer M. Huntington, Nueva York, De Vinne Press, 1903).
27. Edición y estudio de Alan D. Deyermond, *Epic Poetry and The Clergy: Studies on The «Mocedades de Rodrigo»*, Londres, 1969.

gún dato, ni en el estado de la lengua, ni en las fuentes, que pruebe formalmente que se trata de una composición tardía. Por otro lado, ¿no es la *Crónica rimada* el único testimonio textual que defiende la existencia de una canción bajo la prosa historiográfica? Considerémosla, pues, como lo que es: la única forma conocida del *Cantar de las mocedades*, cuyo tono y contenido se adaptan al molde de la historiografía real por medio de la *Crónica de Castilla* (anterior a 1312), lo mismo que sucede respecto a la *Estoria de España* y al *Cantar de Mio Cid*.

La *Crónica rimada* comienza con la narración en prosa de la elección de los jueces de Castilla. La evocación de los hechos de Nuño Rasura y de sus descendientes, en la que aparece una breve gesta de Fernán González, tomada del *Poema* dedicado al conde castellano, sufre extrañas modificaciones. De Nuño Rasura, considerado por vez primera como el fundador de San Pedro de Arlanza, nace un mal hijo que, huyendo del odio paterno, se refugia en territorio musulmán. Ahí se encuentra con una buscona cristiana, hija del rey de Navarra. De la unión de ambos nacen tres hijos: los mayores no valen nada, pero el menor no sería sino Fernán González. Curiosamente, el linaje de los condes castellanos desemboca más tarde, después del conde Sancho, nieto de Fernán González, en Sancho Abarca, rey de Navarra según toda la tradición historiográfica y, aquí, primer rey de Castilla. En Palencia, durante una cacería, el rey Sancho Abarca descubre en una cueva el cuerpo de san Antolín y compra el lugar al conde de Palencia. El obispo de Toledo, expulsado de su diócesis por los moros, se refugia en Palencia y obtiene del rey un privilegio de franqueza y, del Papa, la fundación de un obispado. Sancho Abarca hereda de su abuelo el reino de León y se desinteresa del gobierno de los castellanos. Éstos se sublevan contra él, encabezados por «los otros linajes», los de los fijosdalgo, descendientes de Laín Calvo. La narración retrocede y evoca, en primer lugar, la fundación de San Pedro de Cardeña por el segundo juez de Castilla y, a continuación, a sus descendientes. Cuatro hijos: los tres primeros serán el origen de las casas de Haro, Mendoza y Castro, y el último es Diego Laínez, padre de Ruy Díaz. Muere el rey Sancho Abarca. Su hijo mayor, Alfonso, hereda León; el segundo, García, Navarra; el último, Fernando, es aclamado por los castellanos. Fernando declara la guerra a sus hermanos mayores, se apodera de León y deja Navarra, vencida, a Ramiro, hijo natural de García. Aconsejado por los hijos de Laín Calvo, sus primeras medidas consisten en dar armas a Castilla y, a continuación, en confirmar los privilegios del obispo de Palencia. Aquí es donde verdaderamente comienza la gesta de Rodrigo.

El conde don Gómez roba el ganado a Diego Laínez. Como represalia, éste quema las tierras del conde. Don Gómez le desafía a un combate de cien contra cien. A pesar de las reticencias de su padre, Rodrigo, que ni siquiera tiene trece años, participa en la batalla y mata al conde. Jimena, hija pequeña de don Gómez, va a pedir justicia a la corte del rey. Fernando duda: atacar a Rodrigo significa exponerse a que los hidalgos se subleven. Jimena sugiere una solución: que el rey la case con Rodrigo. Llamado a la corte, el joven llega rodeado de vasallos amenazadores y se niega a besar la mano de Fernando. Al final, contra su voluntad, acepta el matrimonio con Jimena, pero jura que no tendrá al rey por señor, ni se unirá a su mujer hasta haber ganado cinco lides campales. La primera victoria la consigue contra los moros, pero niega al rey la quinta parte del botín que se le entregaba normalmente. Castilla disputa a Aragón el dominio de Calahorra. En nombre del rey de Aragón, el conde navarro Martín González desafía a los castellanos. En la corte de Fernando, nadie se atreve a representar a Castilla frente al campeón aragonés. Rodrigo se presenta, acepta el desafío, pero solicita un aplazamiento para poder ir a Compostela. Durante la peregrinación, ayuda a un leproso, que resulta ser san Lázaro y que predice a Rodrigo el éxito en todo lo que emprenda. A su regreso, Rodrigo vence a Martín González. Nueva expedición de los moros contra Castilla, de acuerdo con los condes castellanos que quieren deshacerse de Rodrigo. Después de incitar a Fernando a que vaya a Santiago a armarse a sí mismo caballero, Rodrigo derrota a los moros y hace prisioneros a los condes traidores.

Mientras tanto, a la corte van llegando cartas firmadas por el rey de Francia, por el emperador y por el Papa. Urgen a España para que pague tributo al imperio. Fernando está abatido: esta petición es contraria a la tradición y le deshonra, tanto de cara a sus antepasados como frente a sus descendientes. Rodrigo le aconseja que luche contra la alianza. Los españoles atraviesan los Pirineos y el Ródano y se encuentran con los poderosos ejércitos del conde de Saboya. El círculo que rodea a Fernando está espantado. Una vez más, Rodrigo llega para ayudar al rey y, esta vez, le besa la mano. Fernando le otorga el mando de los ejércitos reales, pero el joven lo rechaza: ese cargo está reservado para los grandes, y él ni siquiera ha sido armado caballero. Pide, a cambio, que se le conceda el derecho de ser el primero en atacar. Nada más ser armado caballero, Rodrigo vence al ejército de Saboya y captura al conde. Con el fin de ser liberado, éste ofrece a Rodrigo a su hija heredera. Una vez más, el héroe considera que su estado es demasiado bajo para permitirle aceptar un matrimonio tan ventajoso, y conduce a la joven al lecho del rey de Castilla. Como recompensa por semejante victoria, Fernando coloca a novecientos caballeros bajo el señorío de Rodrigo, que recibe su besamanos. A partir de ese momento será llamado Ruy Díaz. Rodeado de sus nuevos vasallos, encargado de la vanguardia, Ruy Díaz avanza hacia París, donde le esperan el rey de Francia, el Papa y el emperador. Atraviesa él solo todo el ejército francés, golpea con el puño las puertas de la ciudad y desafía a los doce pares. Cuando llega Fernando, Rodrigo le coloca inmediatamente bajo su protección. Tiene lugar una entrevista con los partidarios del imperio. Las conversaciones toman mal cariz y Ruy Díaz desafía al rey de Francia. Pero en la fecha fijada para el combate, la infanta de Saboya da a luz un hijo. El Papa bautiza al recién nacido; el rey de Francia y el emperador son los padrinos. Las fuerzas imperiales solicitan una tregua. Para lanzarse al combate que Rodrigo exige, Fernando y sus adversarios se conceden, unos a otros, un plazo de cuatro años. Aquí se interrumpe, con una frase incompleta, la copia manuscrita.

En la *Crónica rimada*, la historia de las monarquías de España presenta tantas concentraciones y desplazamientos, la materia procede de tantas mezclas de fuentes históricas y heroicas, que la obra no sólo está aislada de los esquemas tradicionales, sino que está, incluso, privada a veces de coherencia interna. Además de la imagen que presenta de los héroes castellanos, su organización narrativa paradójica, su irregularidad métrica y las oscuridades de una copia muy deficiente llevaron a Menéndez Pidal a desacreditar totalmente esta obra.

Incluso los estudios, importantes, sin embargo, de Samuel G. Armistead y de Alan Deyermond se han dejado llevar por esta hipótesis. El primero, obsesionado por las divergencias que existen entre la versión poética y las versiones historiográficas, se ha dedicado a reconstruir el «original» de la canción y a esbozar las múltiples variantes: la mayor parte de sus trabajos se refiere a textos imaginarios. El segundo, absorbido por el lugar que, entre San Pedro de Arlanza y San Pedro de Cardeña, ocupa San Antolín de Palencia en la *Crónica rimada*, ha limitado su estudio y su interpretación a los pasajes que tratan de la historia primitiva del obispado: la décima parte de los versos, en total.

Si se toma la *Crónica rimada* como la única versión atestiguada del *Cantar de las mocedades de Rodrigo*, si, después de admitir no sólo el desplazamiento del contexto y del punto de vista, en relación con el mito cidiano anterior, sino también la diferencia de cultura y de finalidad entre su autor y los historiógrafos, así como algunos accidentes de transmisión, si después de todo esto, se acepta mirar esta obra sin prejuicios, aparecen, de repente, su insólita belleza y su profunda coherencia.[28]

---

28. Un interesante trabajo de interpretación histórica, desgraciadamente desviado hacia la «primera versión» de las *Mocedades*: Jole Scudieri Ruggieri, «Qualque osservazione su *Las Mocedades de Rodrigo*», *Cultura neolatina*, n.º 24, 1964, pp. 129-141. Sugestivas observaciones a pesar de una interpretación histórica a mi parecer equivocada en: Juan Victorio (ed.), *Mocedades de Rodrigo*, Madrid, Espasa Calpe, 1982.

El besamanos, cuyo significado sigue siendo básicamente el mismo que en el *Poema de Mio Cid*, tiene en la *Crónica rimada* un relieve particular. Aquí no se trata ya de que el rey acepte una nueva concepción de la dependencia política. Dentro de una relación en la que ésta parece ser la única dependencia válida, predomina la imagen de un vasallo que negocia su homenaje, pero que, al mismo tiempo, se impone a sí mismo merecerlo, es decir que lo valora en todos los aspectos. Fernán González y los castellanos de cara a la corona leonesa, los castellanos frente a Fernán González, Rodrigo hacia Fernando: el rechazo o las condiciones puestas al besamanos por el vasallo convierten a este rito en la piedra angular del edificio político. Dentro de la narración, este sistema aisla dos polos irrevocablemente enfrentados, como lo muestra de manera emblemática la leyenda de los jueces. Desde su origen, la historia de Castilla se confunde con la de dos potencias que se temen y se complementan, iguales y rivales, procedentes de los dos padres fundadores de la identidad política del reino, llamados a negociar, de común acuerdo, la concordia: la monarquía, heredera de Nuño Rasura, y la aristocracia, heredera de Laín Calvo.

Pero, ¿de qué aristocracia se trata? Desde luego no del conde don Gómez, ni del conde navarro, ni de los condes traidores, ni del conde de Saboya, contra los que Rodrigo ha combatido y a los que ha vencido. Tampoco se trata de la nobleza apática que rodea a Fernando y a la que ataca el héroe de las *Mocedades* cada vez que interviene en la corte; se trata de los «fijosdalgo», designados por una lexía ambigua que indica el deseo de identificarse, por su extracción, con la nobleza, pero cuyo porvenir basado en las hazañas y el prestigio que ven en el hecho de ser armados evidencian su condición de caballeros. ¿Cuál sería, pues, la definición, no mítica, sino social, de esta caballería, que la leyenda de los jueces de Castilla coloca en paralelo con la monarquía y que en el relato está destinada a relevar a una nobleza que desfallece? Los índices que la caracterizan son numerosos y, por una especie de expansión simbólica, marcan a la mayoría de los actores de las *Mocedades*.

Fernán González, el rey Fernando, Diego Laínez, padre de Rodrigo, Jimena: todos son segundones. Y luego: Alfonso I, nacido de la unión de un conde con la hija natural de don Pelayo; Fernán González, nacido de un hijo malvado de Nuño Rasura y de una buscona; el joven Ramiro, hijo natural de Sancho de Navarra, a quien Fernando I entrega el reino después de derrotar a su soberano; Rodrigo, que tiene, él también, un hermano (o sobrino) nacido de la unión de su padre (o de su hermano) con una campesina —doblemente bastardo—. Y, al encontrarse el joven con el conde de Saboya ¿no se presenta a sí mismo, con el fin de que la derrota sea más humillante, como descendiente, no de un juez de Castilla, sino de un juez municipal? ¿No sugiere que su padre «vendia su panno» (vv. 913-915)?

Segundones, bastardos, villanos, los héroes de las *Mocedades* acumulan todos los inconvenientes y todas las infamias que tocan al nacimiento. Y por ello, obligado a alcanzar lo que para otros es innato, obligado a pasar la prueba, el «fijodalgo» lo transforma todo en prueba. Primera preocupación: la búsqueda de un «estado». Aunque esta prueba, en su recorrido y por sus espejuelos —servicio al rey, alianza hipergámica— reproduzca, con una fidelidad trivial, las prácticas reales, se nos muestra magnificada porque el héroe se impone como condición la de alcanzar su objetivo en reñida lucha. Búsqueda de un estado, e incluso de un nombre, puesto que el patronímico, que permite ser identificado a través de unos antepasados a su vez heroicos, cuyo valor es necesario confirmar en cada generación, se convierte igualmente en una conquista, que se valorará, a su vez, según la importancia de la hazaña.

La clave de esta representación parece ser un aspecto de la historia castellana de finales del siglo XIII y de principios del XIV. La sublevación de la nobleza contra Alfonso X, su deposición de hecho, la minoría de Fernando IV —ese «rey niño», homónimo del de las *Mocedades* y al que tanto se parece—, inauguran un largo período de debilitación de la monarquía. El poder se fracciona, los parientes y los descendientes de Alfonso (la plétora de los «infantes») se pelean por conseguir fidelidades personales, familiares y de bandos. La monarquía encontrará apoyo en las capas inferiores del grupo dominante: en las ramas menores de la nobleza, en los bastardos de las grandes casas (todos ellos perjudicados por la evolución del sistema de sucesión que priva de herencia a los segundones y a los hijos ilegítimos), en los caballeros, y, sobre todo, en la burguesía caballeresca (rica, ambiciosa y abastecedora de oficiales). La arquitectura ideológica de la *Crónica rimada* se apoya en los actores de una hegemonía que se está gestando: en la casa de Mendoza, modesta en sí, pero que, gracias a la descendencia de Laín Calvo, se codea con los viejos y grandes linajes de Castro y de Haro, en los segundones y en los bastardos que, con la revolución de los Trastámara, llevarán a cabo la renovación nobiliaria (e incluso real) de la segunda mitad del siglo XIV, en la caballería municipal que, al amparo

de la corona, va ascendiendo y preparándose para unirse a la nueva nobleza.

En el extranjero, donde Fernando IV seguía enfrentándose con la hostilidad del Papa y del rey de Francia, partidarios de los infantes de La Cerda,
descendientes del hijo mayor de Alfonso X, estos grupos sociales recono-
cían el equilibrio de las fuerzas que habían combatido las aspiraciones de
Alfonso el Sabio al imperio: el tema se inserta en una antigua tradición
de independencia y resurge con la ilusión nostálgica de una época en que
la monarquía castellana resplandecía en el mundo. Por lo que se refiere a la
trilogía San Pedro de Arlanza / San Pedro de Cardeña / San Antolín, no
puede ser sino la marca de un anclaje geográfico. La existencia, en Palencia, de una familia de caballeros que pretendía descender de Diego Ruiz, el
hijo que el *Liber regum* atribuía a Ruy Díaz, y cuyos miembros destacaron,
durante la minoría de edad de Fernando IV, por su apoyo a María de Molina, madre del rey, podría ayudar a comprender la aparición de esta trilogía y a identificar al autor del *Cantar de las mocedades de Rodrigo*.

Al final de este recorrido, la objeción individualista aparece como un
requerimiento teórico, ampliamente sobrepasado por la oposición al neotradicionalismo de Menéndez Pidal que supone tener en cuenta la forma de
existencia atestiguada de los relatos históricos. Las referencias de la historiografía a los cantares hacen pensar, indiscutiblemente, que éstos existieron.
Pero hoy en día, nada se puede afirmar con seguridad sobre su forma, y lo
mejor será suponer que, junto con las grandes gestas, existieron también poemas cortos. Además, estas referencias no son constantes: algunos relatos parecen tener relación con leyendas orales, mientras que otros se atribuyen explícitamente a fuentes historiográficas o parahistoriográficas. En cuanto a la
variación de los relatos en las crónicas, o a las diferencias entre las crónicas
y los cantares (cuando existen), es inútil relacionarlas, por principio, con la
vida subyacente de la poesía oral: la mayoría de las veces, se pueden explicar por la intensa actividad de reescritura que caracterizó la historiografía.
El testimonio de los textos contradice también la antigüedad que Menéndez
Pidal atribuía a la gesta española: da la impresión de que la mayoría de los
relatos se compusieron entre mediados del siglo XII y los albores del siglo
XIV. Esto explica que, al no haberse constituido dentro del contexto de su referente, no hayan, la mayoría de las veces, conservado mejor que otros las
huellas de la historia. Por último, Castilla no es la única cuna de héroes españoles: existieron otros centros de creación y de difusión de gestas y de leyendas, entre ellos la zona navarra del Camino de Santiago.

Una vez admitidos estos puntos, el camino queda libre para volver a examinar el mito heroico dentro de sus realizaciones concretas. Sería urgente hacer un estudio semántico. Debería llevarse a cabo por medio de un análisis confiado de la semiología de los textos y de su relación significativa, no respecto al contexto histórico de los sucesos que narran, sino respecto al que existía en el momento en que se elaboraron los textos. Este recorrido rápido ha puesto de manifiesto la existencia de unas tendencias muy marcadas, orientadas hacia las relaciones entre la monarquía y la aristocracia y hacia los intereses de cada uno de estos polos: en cuanto a la monarquía se refiere, la constitución de un vínculo político y de una ideología, y, en el caso de la aristocracia, diversas peticiones originadas por conflictos internos, sociales y familiares. Estos ejes fundamentales dan lugar a especificaciones que se relacionan con problemas coyunturales que podrían periodizarse, así como a una confrontación constante de puntos de vista: dos determinantes mayores de la variedad y de la variación de los relatos. En este aspecto, la leyenda cidiana constituye, por la diversidad de su testimonio textual y por su peso en las mentalidades históricas, un terreno privilegiado para comprender mejor el imaginario heroico español.

GEORGES MARTIN

CAPÍTULO IV

EL MESTER DE CLERECÍA

> Mester trayo fermoso, non es de joglería;
> mester es sin peccado, qua es de clerecía:
> fablar curso rimado por la quaderna vía,
> a sílabas contadas, qua es grant maestría.
>
> *Libro de Alexandre*, estr. 2.[1]

Introducción

Nueva maestría, indica la primera estrofa del *Libro de Apolonio*. Nueva manera, precisan los *Milagros* de Nuestra Señora de Gonzalo de Berceo.[2] Nueva técnica: maestría, ministerio, oficio (mester).

En principio, aparentemente no hay equívoco: el léxico y la sintaxis de la frase ponen de relieve la univocidad del discurso del mester de clerecía. Esta univocidad viene dada, ante todo, por la *cuaderna vía* (vía cuádruple o, dicho de otra forma, modo cuaternario) que constituye su estructura formal, elemento capital de una expresividad medieval, cuya esencia está ligada a la convención de la forma.

Después de una serie de formalizaciones lingüísticas y textuales, el sentido de mester de clerecía parece deslizarse al de medio, método y modo de la *cuaderna vía*. El propio ejercicio de este acto unificador configura la unidad de expresión: el verso, estructura mínima común e idéntica, unidad de sentido y de ritmo, denominador común del género.

---

1. Texto tomado de la edición de Dana Arthur Nelson.
2. Estrofas 135-136.

Composición. Organización. Tradición. Y, más allá de las características visibles —dificultades de elaboración, comprensión más o menos limitada a un determinado público, posición del poeta respecto al poema...—, la elaboración de un ropaje de luces: «un traje de lengua» (Paul Zumthor).

Eminencia, preeminencia de las palabras sobre las cosas. En esto se pone de manifiesto la fuerza de la *cuaderna vía*. Las palabras son función de esas cosas, son la función de los vínculos que las unen a la estrofa, a la rima, a la razón del poema todopoderoso.

Arquitectura. Redes. Presiones temáticas y formales. Inserta en una estructura de transmisión que la sobrepasa, la relación entre el significante y el significado se produce, abreviada, por medio del metro. Ciencia de números, patrón rítmico y medida melódica. Sumisión a un orden superior. Solidez. Coherencia. Significación. La creación plástica como vehículo de la voluntad. Más allá de la estética, a través de la manera de concebir su arte, de hacerla consumir y de impregnar de ella a los demás, el poeta propone su visión del mundo. Orden, o mejor, armonía.

En un principio, por lo tanto, mester, oficio, profesión de un arte. Componer por medio del conocimiento. Obligación de dominar la técnica. Esfuerzo que hay que ofrecer a Dios y que es necesario difundir para salvar almas. Saber intachable, alimentado por las enseñanzas que se dispensan en toda la Península Ibérica, por el *trivium* y el *quadrivium*. No todos los clérigos disponen de ellas, pero incluso el «simple clérigo, pobre de clerecía»,[3] tiende hacia la enseñanza superior de las Escrituras. Vía. Voz.

Su forma es la de la cuarteta monorrima, compuesta de versos de catorce sílabas métricas, con dos hemistiquios acentuados, cada uno, en la sexta sílaba. Módulo métrico irreductible y aislable, si se dejan a un lado las variaciones y algunas fluctuaciones ulteriores, esta estrofa de cuatro versos monorrimos de alejandrinos es un modelo específico de cadencia, que determina la cantidad y la intensidad del decir. Afirma solemnemente la supremacía de un marco rítmico de utilización práctica, simbólica, polifónica.

---

3. Gonzalo de Berceo, *Milagros*, estrofa 220. Sobre la formación intelectual, Horacio Santiago Otero, «La formación de los clérigos leoneses en el siglo XII», *Santo Martino de León*, León, Isidoriana Editorial, 1987, pp. 177-191. Del mismo autor, en colaboración con María Teresa Cardó Guinaldo, *Las instituciones jurídicas en algunas escuelas medievales de la Península Ibérica*, Madrid, CSIC, 1984. Sobre la elaboración de los manuscritos, Manuel C. Díaz y Díaz, *Libros y librerías en la Rioja altomedieval*, Logroño, Instituto de Estudios Riojanos, 1979.

Sistema modelador que acoge y da seguridad, que presenta un mismo esquema de costumbre y que estructura el sentido; forma global proyectada sobre la realidad, deseo y nostalgia, sin duda, frente a la anarquía y a la violencia del mundo, la ficción convencional regula lo que se presenta a la lectura, lo que hay que leer: la leyenda. Se despliega dominada por el formalismo, que desea, quizá, fortalecer por escrito la frágil oralidad, y emplea formas probablemente llegadas a la naciente Universidad de Palencia, por influencia de maestros franceses. En esta rama hispánica de una poesía europea en la que la estrofa de los goliardos emparenta con el verso tetrástilo francés (Francisco Rico), la expresión del pensamiento traduce una verdad universal: la perfección. Sin que estén ausentes el color dialectal de la lengua, fuera de la norma lingüística oficial del castellano, ni los cultismos, ni el virtuosismo.

En esta tensión máxima se encuentra la recompensa: «abrir lenguas con los dedos, llevar silenciosamente la vida eterna a los hombres, combatir con la pluma y la tinta las sugerencias del diablo» (Casiodoro). En ella se encuentra también la ideología estética y moral que, después de haber adaptado un breve fragmento de las *Siete Partidas* de Alfonso X el Sabio, guiará al *Rimado de Palacio* hacia la elección deliberada de la *cuaderna vía*, en pos de una forma respetable y respetada, con una retórica digna de expresar una filosofía.

Detrás de las simples palabras, un inmenso proyecto: proponer una representación del universo. No solamente por medio de la construcción de la obra que, desde lo temporal, pretende hacer emerger a los que la reciban hacia la luz divina, esculpida como una promesa que el Creador, el Pantócrator, muestra desde el umbral:

> *En el nomme del Padre que fiço toda cosa,*
> *e de Don Jesu Cristo, fijo de la Gloriosa,*
> *e del Spíritu santo [...]*[4]

No solamente por la disposición interior, cuya intención es la de embarcar al hombre adormecido en una nave en la que, estimulado, podrá vencer el pecado y «hacer que el espíritu ciego surja hacia la luz», como pretendía Suger de Saint-Denis. Sobre todo, organizar, con una finalidad, con una intención determinada, incluso si no se especifica siempre.

---

4. Gonzalo de Berceo, *Vida de santo Domingo de Silos*, estrofa 1.

Triple es la intención.
En primer lugar, representar, contar una historia, ejemplos. Encarnar. Cálculo, medida, relatos bien torneados. Imágenes con que alimentar el mito y medios con los que anclar la efímera aventura humana en lo permanente. Allí se encuentra Dios.
Después, honrar, glorificar a Dios. Por medio de la ofrenda de una obra, trabajo largo, fruto de la paciencia y de cuidados solícitos. Acción de gracias personal del autor y de su comunidad. Sacrificio, diferente del de la misa, pero cuyos fines son similares. Ofrecer para consagrar, ofrecer para captar, para capturar la atención divina, para establecer con ella un vínculo tranquilizador y que garantice la protección y las ventajas de ésta. Si es necesario, exagerando el gesto para mejor tender la mano, para guiar mejor la de Dios o la de algún intercesor glorioso, para forzarla incluso con el fin de asegurarse el mejor lugar. Dar para recibir. Dar y recibir. Señor y vasallo. Relaciones de soberanía feudales.
Construcción de ejemplos fuera de lo común, la obra no debe ser común. Es necesario, por lo tanto, y será el tercer objetivo, presentar esta transmisión extraordinaria con un ropaje particular, que no sea vulgar. Presentar de forma adecuada, describir con armonía, para demostrar mejor. Adornar la historia para que sea singular. Superior maestría, la del saber, indicadora de un poder. Mostrado, presentado a todos los oyentes, enseñado como un tesoro. Superior incluso a una reliquia, una especie de relicario sencillo y majestuoso, el receptáculo y el cuerno de la abundancia de la Santa Madre, la Iglesia.

> Sin embargo, la obra no está aislada. Está unida a aquello de lo que parece separarse y de donde, a pesar de todo, procede: un sistema de valores. Porque es también uno de los valores del sistema. Incluso si, prácticamente, no percibimos más que la parte reservada a Dios, por lo mucho que lo sagrado dilata lo profano después de absorberlo, la obra, la construcción, el trabajo de edificación, en la doble acepción de la palabra, arquitectónica y moral, instruye sobre la totalidad.

Hoy en día sabemos que, después de ignorarse mutuamente, después de enfrentarse, los dos mesteres, el de clerecía y el de juglaría se unen en el siglo XIII, bajo el impulso de los franciscanos y de los dominicos. Después de haber estado excluidos de la sociedad, de haber sido condenados por sus gestos y por sus palabras, los juglares, confinados al terreno del pecado que simbolizan en el siglo XII, pasan a ser también, para los clérigos del siglo XIII, unos competidores que saben captar el oído del público, unos rivales peligrosos a los que intentarán sustituir.

Este análisis, que confirma sin duda el papel desempeñado por las órdenes mendicantes en el cambio de actitud de la Iglesia hacia los juglares, se concentra, quizá de manera demasiado exclusiva, en un único aspecto de la reacción del clero. Este aspecto no podría explicar ni ilustrar por sí solo la evolución completa del mester de clerecía. Hoy en día está definitivamente admitido que la distinción entre juglares y clérigos no puede basarse en las diferencias temáticas y estilísticas de sus respectivas producciones.

No hay duda de que el mester de clerecía parece ser una especie de reacción contra algunos aspectos de la juglaría que se consideraban incorrectos e inaceptables, una reacción por parte de los hombres de letras, que, en aquel momento eran los clérigos —personas cultas y también eclesiásticas: la mayoría de las veces eran las mismas—, pero no sería exacto sacar la conclusión de que existía una oposición radical entre los dos mesteres. Ambas actitudes no son antagónicas. Coexisten, según la imagen del juglar del *Libro de Alexandre*, que no anula la afirmación solemne del orgullo de casta clerical.[5]

La diferencia entre las dos técnicas, culta cada una de ellas a su manera, reside en el arte de componer. La clerecía afirma un sistema cerrado: métrica regular, número preciso de sílabas y rima perfecta. La juglaría prefiere formas menos estables, más fáciles de modular por y para la expresión oral, y que aparecen en las obras épicas y en los demás poemas juglarescos: conjuntos amétricos, anisosilabismo y mezcla de asonancias y de consonancias a modo de rima.

Al estar moldeada por la *cuaderna vía*, ciencia de la cuadratura estrófica, la clerecía se presenta como «un arte de compromiso» (Francisco López Estrada). Se inspira en fuentes latinas, pero se expresa en lengua vulgar; quiere ser culta, pero tiende a vulgarizar; está compuesta para ser recitada, pero impone el culto a lo escrito. El estudio de sus relaciones con la juglaría permite plantearse varias cuestiones de primordial importancia. La de sus orígenes: ¿de dónde procede el mester de clerecía? La de sus componentes: ¿cuáles son las fuerzas que lo sostienen y cómo están organizadas? La de su expresión: ¿bajo qué forma se presentan sus producciones? Las respuestas a estas preguntas permitirían preguntarse cuáles son las consecuencias de este movimiento clerical de carácter didáctico.

---

5. *Libro de Alexandre*, estrofa 232.

A grandes rasgos diremos que una nueva necesidad, ligada a las transformaciones sociales y políticas, hizo también necesario distinguir a los juglares de los clérigos. Estos últimos no se afirmaron únicamente para debilitar la corriente juglaresca, ni para desmarcarse de ella —aun aceptando a los juglares piadosos y a los historiadores— y conjurar el peligro que podían representar conservando, en muchos aspectos, su herencia o la misma «cultura útil» en las canciones de santos y de gesta.

Los clérigos se propondrán, sobre todo, describir y explicar las diversas situaciones que se producen en una sociedad en evolución, aislando a algunos juglares como los *cazurros* (bufones con tendencias escabrosas), tachados de groseros, y destacando el papel de otros autores, como los *trovadores épicos*, probablemente porque también ellos estaban relacionados con las capas dominantes de la caballería.[6]

Hacia finales del siglo XIII, la juglaría se ha dado cuenta del peligro y ha decidido excluir de sus filas a los elementos considerados indeseables, con el fin de que la sociedad, dominada por clérigos y señores, los tolere o incluso, mejor todavía, los admita. Había, pues, que integrarse en unos esquemas sociales cada vez más complejos, puesto que la división tripartita de la sociedad iba cediendo paso a una estructura social basada más bien en el estado, en la profesión. El oficio se convertía en mérito.

Aunque la inserción que se propuso en 1235 a algunos juglares, siempre que se limitaran al campo de la epopeya o de la hagiografía, supone reconocer su valor intelectual al valorar su oficio y concederles, por tanto, un cierto status social, estas buenas acciones, efímeras y relativas, no dejan de ser obra del poder establecido. Así, los juglares, elemento dominante en número y en popularidad, tienen que resignarse a que los clérigos, instauradores de un sistema del que sólo son una minoría marginal, delimiten su importancia en la representación del mundo que proponen, reflejo más o menos fiel de la sociedad.

En una época en la que todo fenómeno lleva el sello de la religión, las obras del mester de clerecía son los vectores de un conocimiento indirecto, que proviene de lo que ven y retienen aquellos que saben, que leen y que escriben. Habría que preguntarse si los textos presentan lo que los clérigos querían encontrar en el público, lo que el público vivía o creía, o las dos cosas a la vez. Amplio programa de investigaciones, más ambicioso todavía si se tiene en cuenta que las transmisiones y las redacciones son a veces muy posteriores a las creaciones originales.

Estos textos recogen sobre todo temas eruditos, de meditación, porta-

---

6. Alfonso X, *Siete partidas*.

dores de tendencias didácticas y morales. ¿Arte más subjetivo, psicológico y filosófico? Podría ser. ¿Golpeado pesadamente por la regularidad versificatoria, monótono y de rima plana? A veces. A menudo culto, salpicado de latinismos y de fórmulas librescas y litúrgicas, pero también de modismos y de vulgarismos, lleno de ingenuidad y de vivacidad, capaz de superar, por su invención, a los modelos literarios europeos de la Edad Media latina.

En un mundo en el que las fuerzas económicas y demográficas varían mucho, juglares y clérigos tienen, sin embargo, algunas características comunes. La principal es la de enarbolar la misma bandera, que les une como si pertenecieran a una misma familia, la bandera de la cultura. Son todos ellos intelectuales que abren una brecha en el frente social. Pero, los clérigos, con un estatuto particular derivado de su cometido, ocupan una posición que desborda el marco de la literatura y desde esa posición intervienen en la vida de toda la sociedad.

Se manifiestan justo en el momento en que se perfila un nuevo empuje económico y comercial, a veces incluso antes, en el campo y en las ciudades. Parece como si el desarrollo económico sirviese precisamente de base al mester de clerecía, que recupera el trabajo de la burguesía naciente, al mismo tiempo que conserva unas relaciones privilegiadas con los caballeros, asegurando la posición de la Iglesia en la cúspide del edificio social. Las principales producciones del mester de clerecía dejan traslucir los diferentes aspectos de una evolución perceptible por medio del *Libro de Alexandre*, de las obras de Gonzalo de Berceo, del *Libro de Apolonio*, del *Poema de Fernán González*, y que nos conducirá hasta las creaciones posteriores.[7]

El *Libro de Alexandre*

El clérigo, el emperador y los caballeros. En el estado actual de la cuestión, no podemos compartir el estudio de Dana Arthur Nelson sobre el manuscrito P, más bien aragonés del siglo XV, y atribuir la obra a Gonzalo de Berceo. Más cercano a las fuentes que el manuscrito P, el manuscrito O, quizá de finales del siglo XIII, convierte a Juan Lorenzo de Astorga, o a algún librero castellano, en su autor, o más probablemente en un copista, con rasgos leoneses.[8] Se considera que el *Libro de Alexandre* data del primer tercio del siglo XIII.

---

7.   Georges Cirot, «Sur le *mester de clerecía*», *Bulletin hispanique*, vol. XLIV, 1942, pp. 5-16; e «Inventaire estimatif du *mester de clerecía*», *Bulletin hispanique*, vol. XLVIII, 1946, pp. 163-209.
    8.   *Libro de Alexandre*, estrofa 2675.

A partir de la estrofa 1637 (ms. O, o 1778 en el ms. P), se podría afirmar que la obra fue escrita entre 1202 y 1205 y que las alusiones a la quinta cruzada de 1217 (estrofa 860) y al rey de Sicilia en 1228 (estrofa 2522) se explican por retoques posteriores.[9] Otros especialistas la sitúan alrededor de 1250. Partiendo de textos anteriores que le sirven, en diferentes grados, de fuentes de inspiración o de modelo, en particular el *Alexandreis* de Gautier de Châtillon, pero también el *Roman d'Alexandre* de Lambert Le Tort y Alexandre de Paris, la *Historia Preliis*, el *Ilias* del pseudo-Píndaro, así como las *Etimologías* de san Isidoro de Sevilla y algunos elementos de Quinto Curcio, de Ovidio..., la obra narra en 2675 estrofas la vida de Alejandro Magno, adornada de digresiones dedicadas principalmente a la guerra de Troya, a la evocación de Babilonia, a un fresco del infierno y de los pecados capitales y a una descripción de la tienda de Alejandro.

A pesar de su apariencia de enciclopedia temática y estilística, esta obra compleja y ambiciosa no carece de personalidad ni de cohesión. Estas características se deben, sobre todo, a la voluntad de mostrar cómo la conciencia que el héroe tiene de su fama se transforma en orgullo y le hace caer en pecado. Los defectos de sus grandes cualidades arrastran a Alejandro, víctima de sus triunfos, hacia la caída final.

Por un triple proceso de cristianización, de medievalización y de moralización, el autor ilustra en su relato los méritos de un orden caballeresco y sobre todo monárquico, encarnado en un héroe soberbio que, al pecar, queda inscrito en un orden clerical al que, por la educación recibida de Aristóteles, debía mucho y cuyas lecciones creadoras no tendría que haber olvidado. Dice Alejandro:

«*Maestro, tú-m crieste, por ti sé clerezía*»[10]

El monarca a la conquista de lo absoluto. Al borrar y al excluir los elementos paganos de la historia, el autor convierte al héroe en una especie de buen cristiano rodeado de personajes que, aunque también paganos, se expresan como cristianos. Estos elementos de lengua se añaden a un ritual de oraciones tomado de un importante material característico del siglo XIII, que subraya el combate maniqueo entre un diablo activo y un Dios todopoderoso.

---

9. Francisco Marín,«La confusión de numerales latinos y románicos y la fecha del *Libro de Alexandre*», *Ínsula*, n.º 488-489, 1987, p. 20.
10. *Libro de Alexandre*, estrofa 38. Sobre los consejos de Aristóteles a Alejandro, cf. cap. V (*Poridat de poridades* y obras similares).

Alejandro es un personaje cristianizado, descrito sobre todo como rey medieval, valiente y sabio a la vez, dotado de una personalidad excepcional, señalada desde su nacimiento por prodigios y virtudes precoces, que le llevan, con toda naturalidad, a ejercer sobre los animales y sobre los hombres el poder que ha heredado.

Apoyándose en una realidad histórica, el autor medievaliza los estudios de Alejandro, que recibe de Aristóteles una educación basada en el *trivium* enriquecido con la mitad del *quadrivium* (música y astronomía), y con la historia natural y la medicina. A estas enseñanzas, evidentemente clericales, se añade la valentía del rey. Sobre este valor se asienta su cualidad de jefe, capaz de expresar su sentido del esfuerzo, del arrojo, de la heroicidad, y por este valor es justamente comparado con el león. Experto en armas tanto como en el saber, Alejandro merece plenamente la corona que ostenta.

En efecto, posee la cualidad primordial del adalid medieval: la generosidad. Esta liberalidad, que es un buen recurso táctico, concuerda con la magnanimidad, característica de la nobleza, de donde proceden también su compasión y su cortesía, en particular con las mujeres.

Un final anodino para un emperador conquistador. Sin embargo, lo que caracteriza, sobre todo, a Alejandro es la ambición. La búsqueda de la fama, la sed de gloria, estimuladas por el deseo de conquistar el mundo y de explorarlo, desatarán las iras de Dios.

Así, antes de que el poema aborde los aspectos moralizadores, Alejandro aparece representado como un tipo de caballero que se proclama defensor pero, al mismo tiempo, señor de los humildes, y que no permite que se contradiga el orden trifuncional y de vasallaje inmanente de la sociedad. Señor, vasallo o villano, cada uno tiene su lugar. Alejandro, que no aceptó nunca ni una gota de leche que viniera de una nodriza plebeya, quiere permanecer por encima de esa masa indigna.

Más allá de la expresión de estos ideales, Alejandro afirma su carácter real. El acento que se pone sobre la autoridad real, y que acompaña al tema omnipresente de la traición, no deja lugar a dudas: el peor de los crímenes es el de lesa majestad. La simpatía del autor por el monarca y la visión absolutista de la autoridad real son, quizá, un homenaje a la época y a la personalidad de Fernando III el Santo. Simbolizan, sin lugar a dudas, la exaltación del sistema monárquico encarnado por el más valeroso y el más famoso *bellator*.

El *Libro de Alexandre* participa, a su manera, en la elaboración de un
ideal de paz imperial, concebido con la vista puesta atrás, en tiempos relati-
vamene tranquilos, bajo el impulso de la Reconquista cristiana. La propaganda de determinados valores, sobre todo la generosidad, la mesura, el
coraje, parece dirigida a las clases superiores de la nobleza (a los *ricoshom-
bres*) y quizá, también, a un público más vasto, al que el autor desearía ver
apoyando plenamente los principios feudales. Al mismo tiempo, podría querer que se aceptase la autoridad monárquica, aprovechando que la nobleza
se sentía amenazada por el empuje urbano. La autoridad monárquica se presenta como un comportamiento que serviría para unir a todos los nobles y a
todos los caballeros, grandes y pequeños.

Como remate a estas tomas de posición, el autor lleva a cabo un evidente esfuerzo moralizador y didáctico, en el que destaca, sobre todo, la
crítica a la soberbia desmesura de Alejandro. Esta desmesura conduce a la
condena divina de ese hombre, sin duda superior, pero que ha caído, como
cualquier mortal, en la trampa diabólica del pecado de vanidad.

Un único pecado basta para que el hombre se condene. Esta impresionante presencia didáctica es esencial. El *Libro de Alexandre* es una suma
de lecciones de moral cristiana. Puesto que Dios no le importaba, Dios ha
«abandonado» a Alejandro.[11] Su única preocupación era la de dominar. Dominar el azar de su nacimiento y el de su existencia. Salvar a su país de la
opresión, con el fin de salvarse del laberinto. Pero, al salir de éste, construye otro, más profundo todavía: el de su única búsqueda, de su única
ciencia, la conquista, la soledad. Al no saber pasar desde el vacío hasta
Dios, Alejandro huye del miedo al vacío y cae en el vacío de lo absoluto.
No hay nadie más insignificante que este héroe magnífico. En la obra no
hay elementos neutros o indiferentes. Cada uno de ellos representa a Dios
o al diablo, un ejemplo loable o reprobable. En su búsqueda imposible,
Alejandro no puede más que buscar a Dios. O dejar de existir.

El autor, por lo tanto, exhorta a su público a que abrace la moral cristiana, a la vista del espectáculo de la vanidad del mundo, del poder y de las
riquezas. En una especie de *contemptus mundi* y de promesa, el autor
alienta al cristiano a que se preocupe de su salvación, puesto que el diablo
no deja de afanarse por conseguir que se condene. Desde el momento en
que sólo en la fe puede haber esperanza de salvación, el cristiano debe po-
nerse al servicio de Dios. Esta conclusión, perfectamente lógica, hace ca-

11. *Libro de Alexandre*, estrofa 988.

llar a los caballeros y aparece acompañada de una serie de críticas morales sobre la sociedad contemporánea. Presentando un panorama muy completo, el autor insiste en subrayar la superioridad de los clérigos sobre los guerreros. Sin la clerecía, incluso el mejor rey no es nada. Las letras valen más que las armas. No importa que esto se narre utilizando expresiones de juglaría. Mientras que el juglar distraía indistintamente a todos los que le escuchaban, sin que por ello todos se entretuvieran con el mismo juglar, el clérigo quiere instruir a todos, pero no se dirige indistintamente a todos. La clerecía y los *oratores* recuperan la defensa e ilustración de una teoría monárquica, para beneficio de su saber, que se constituye, de golpe, en un verdadero poder.

Gonzalo de Berceo

A la sombra de los monasterios de San Millán de la Cogolla, de Suso y de Yuso (de arriba y de abajo) se dibuja la personalidad de Gonzalo, llamado de Berceo, el pueblo de la Rioja donde nació.

La lectura de sus obras, contrastada con la de los documentos oficiales, permite reconstruir una trama. El autor, nacido hacia finales de 1195 o en 1196, fue diácono en San Millán en 1221, firmó como sacerdote el 14 de junio de 1237 y durante el año 1240 en el mismo Berceo. No es seguro que haya sido notario de Juan Sánchez, abad del monasterio benedictino, hacia 1246. Confesor desde 1236 hasta 1242, parece ser que Gonzalo de Berceo desaparece antes de finales de 1264, dejando sin acabar el *Martirio de san Lorenzo*.

Este ambiente culto, producto de su educación en San Millán, probablemente ampliada en la universidad de Palencia, y más tarde en contacto con las riquezas culturales del monasterio, se expresa en una amplia producción literaria: relatos hagiográficos, como la *Vida de san Millán de la Cogolla*, la *Vida de santo Domingo de Silos*, el *Poema de santa Oria* y el *Martirio de san Lorenzo*, centrados en santos locales, en la Virgen (*Milagros de Nuestra Señora*, *Duelo de la Virgen*, *Loores de Nuestra Señora*) y en el culto (*El sacrificio de la Misa*, los *Himnos* y *Los signos del Juicio Final*). Relatos cultos, con el número de sílabas estrictamente medido, sin sinalefa, pero relatos que saben captar también aspectos más populares, como la conocida y sin igual canción «Eya velar»

del *Duelo*. Sin duda porque en la religión que así se manifiesta convergen aspiraciones de diferentes orígenes; quizá, también, porque el grado
de cultura de los clérigos difería bastante de uno a otro. Relatos hábiles,
que saben combinar la fe y la salvación con las preocupaciones materiales. Una paleta rica de matices, con un pincel manejado con firmeza en
el arte de predicar.

Las 489 estrofas de la *Vida de san Millán*, compuestas quizá antes de
1236, se basan en la *Vita Aemiliani*, del obispo Braulio de Zaragoza, y en el
Liber miraculorum, del monje Fernandus, para narrar la infancia, la educación y la vida de eremita del santo local. Su muerte y ascensión al cielo están precedidas por los milagros que hizo en vida, por diversas profecías y
por la fundación del monasterio. El libro tercero insiste en otros milagros
post mortem y en la cuestión de las donaciones anuales que debe recibir el
monasterio, en contrapartida por la intervención decisiva del santo riojano
en la batalla de Simancas, junto a Santiago.

La misma estructura tripartita, en concordancia con el simbolismo ter-
nario de la cosmovisión medieval, aparece de nuevo en las 777 estrofas de
la *Vida de santo Domingo de Silos*, inspirada en la *Vita sancti Dominici*, del
abad Grimaldo. Gonzalo de Berceo la termina hacia 1236.

Unos diez años posterior, el *Sacrificio de la Misa* podría estar inspirado
en *De sacro altaris mysterio*, de Inocencio III. Sus 297 estrofas explican el
significado de las diferentes etapas de la nueva liturgia e inauguran un ciclo
doctrinal. Éste se prolonga con las 210 estrofas del *Duelo que fizo la Virgen
el día de la Pasión de su fijo Jesuchristo*. Siguiendo el modelo del tratado
apócrifo de san Bernardo dedicado al planto mariano, forman un monólogo
muy intenso. Los tres *Himnos*, que no serían sino una traslación de sus homónimos latinos, preceden a los *Loores de la Virgen*, 233 estrofas de inspiración bíblica marcadas por la presencia mariana.

Algunos pasajes de *De los Signos que aparescerán antes del Juicio* podrían datarse entre 1236 y 1246. Esta obra está inspirada, en parte, en el comentario de san Jerónimo sobre las visiones de Zacarías y de Isaías.

Empezados antes de 1246, completados después de 1252, los veinticinco
Milagros de Nuestra Señora han tenido, y tienen todavía hoy, gran éxito.
Tomados de colecciones latinas medievales, están introducidos por la intervención mariana, a la que el autor parece muy apegado, aunque sólo fuera
por el culto que se rendía a la Virgen en el monasterio de San Millán.

Este regreso al localismo se ve confirmado por las 205 estrofas del *Poema de santa Oria*, compuesto entre 1248 y 1258. Este relato clásico, tomado
del texto latino de Munio, confesor de esta santa de las cercanías del monasterio, está salpicado de interesantes visiones.

Por último, el *Martirio de san Lorenzo*, incompleto, está probablemente inspirado en recopilaciones medievales y en un localismo que hace pensar que Gonzalo de Berceo conocía todo lo que fuera emilianense.

Un mundo cambiante. A lo largo de unos treinta años, desde 1236, Gonzalo de Berceo sitúa infatigablemente a la Iglesia en la cúpula de la jerarquía social que presenta en sus relatos hagiográficos, verdaderos instrumentos al servicio del orden clerical y de los intereses del monasterio de San Millán de la Cogolla. Se expresa con la gravedad que confiere la escritura frente al arte superficial de los recitadores, pero en lengua vulgar, en «romanz», la que permite a todo el mundo «fablar con so vezino»,[12] asequible a todos. A pesar de lo que dice, debía ser, sin duda, lo suficientemente culto como para redactar obras en latín, pero prefirió, hábilmente, «fer una prosa en román paladino,», como si se limitara a escribir lo que leía. De esta manera fomentó el fervor y trató, al mismo tiempo, de canalizar donaciones hacia San Millán, copatrón de España eclipsado por Santiago.

El interés de este clérigo adquiere así una dimensión muy particular, ya que la mayor parte de su obra se centra en el monasterio. Este localismo puede explicarse, en gran medida, por la concentración de fuerzas vivas emilianenses alrededor de un valle encajado entre montes. Desde 1227 hasta 1259, las dificultades sociales, económicas y políticas parecen obligar al monasterio a adoptar una actitud defensiva y a recurrir, incluso por medio de la pluma de Gonzalo de Berceo, a la falsificación del texto de los votos de Fernán González, con el fin de conseguir fondos para su fundación, por entonces ya aislada al sur del principal camino hacia Santiago. Al verse fuera del mundo, el monasterio se rebeló contra él, con una especie de desprecio por parte de los señores eclesiásticos rurales hacia las nuevas corrientes urbanas. Frente a la complejidad de la historia que lo rodea, propone un proyecto unificado, preocupado por afirmar la existencia de lugares en los que el hombre se encontraría rodeado por la presencia de Dios.

Una conciencia local. Anclado en el mundo rural, parece como si San Millán de la Cogolla se fortificase contra las ciudades que se van formando a lo largo del *camino francés*, en Nájera o en Santo Domingo, llamado, acertadamente, de la Calzada. El monasterio se encierra en una postura más románica que gótica, y que parece provocar en Gonzalo de Berceo una actitud antimusulmana y, al mismo tiempo, hostil hacia todos los que consi-

---

12. *Vida de santo Domingo de Silos*, estrofa 2, y *Martirio de san Lorenzo*, estrofa 1.

dera marginales (locos, enfermos, mujeres, judíos, algunos juglares…). Tributo de la época, de la teología o de los mitos, pero quizá en parte, también, deseo de halagar a determinados gustos del público.

Dentro de su universo mental, y desde sus islas temporales y espaciales, al público no le queda más salida que el camino hacia el cielo, presentado por medio de magníficas composiciones que combinan la fe en los lugares santos con la promesa de curaciones milagrosas y la búsqueda de la salvación. Salud-salvación. El milagro, querido por Dios, necesario, natural, es capaz de empujar a la gente hacia la devoción, aunque sólo sea porque la remisión del sufrimiento forma parte de la terrible espera del mundo medieval, atenazado entre la amenaza de la condena eterna y la promesa de la inmortalidad.

De esta manera se va afirmando, contra los invasores, los no creyentes, los asesinos de Cristo y los pecadores, una sociabilidad creyente, católica y clerical en pro de las «buenas gentes», del rebaño de fieles servidores que, por medio de las buenas obras, se esfuerzan por conseguir la salvación. Al utilizar, de manera sistemática, el singular para evocar al ser humano cuya existencia gravita hacia una muerte irremisible, Gonzalo de Berceo está indicando sin lugar a dudas que, aunque el individuo forme parte de un orden, no podrá integrarse en un grupo institucional, a menos que sea santo, defensor y heraldo de la Iglesia, la de la Rioja sobre todo, y capaz de dirigir la sociedad.

La obra de Gonzalo de Berceo es absolutamente medieval: derecho, antropomorfismo, materialismo, formalismo, concepción feudal de las relaciones humanas, amor cortés… A veces se ha intentado establecer una tipología de las grandes nociones que la nutren (santidad, pecado, locura, miedo, pobreza), o descubrir en ella el reflejo de las realidades comerciales, de los sufrimientos y de los remedios de esa época. Sin embargo, habría que preguntarse si la literatura, aunque sea de peregrinación, no sigue siendo literatura antes que nada. Obra de fe, ¿no se podría pensar que el verdadero milagro es, en realidad, el texto, los *Milagros* de Gonzalo de Berceo? A lo largo de todas sus obras se impone el talento de un narrador extraordinario, de un verdadero autor dramático, juglar divino de la puesta en escena, presto a la incitación amable a beber un vaso de buen vino, pero dispuesto también a oficiar, de manera épica o lírica, por medio de un arte poético riguroso.

Más allá de los ecos del mundo hostil, brutal o inquietante de la Edad Media, la naturaleza en sí se encuentra clericalizada por medio de una expresión artística culta, no exenta de placer, pero a la que la Iglesia impone su fe y su ciencia. En la descripción del incendio del santuario del Mont-Saint-Michel, el texto del milagro 14 se separa de la fuente latina que lo ha inspirado y adquiere una dimensión propia gracias a la perspectiva en espejo: en medio de las olas, una especie de isla; en el centro, un monasterio; entre sus muros, los monjes; objeto central de su culto, una imagen de madera, salvada del fuego del cielo gracias al círculo, casi mágico, formado por un manto mariano excepcional. Imagen respetada, recreada.

Profano y sagrado. Para un público verdaderamente abrumado por las dificultades cotidianas, la misión de los personajes sagrados parece ser la de asumir el sentimiento trágico de la vida, soportando sobre sí mismos el peso de los sufrimientos que hay que sobrellevar. Los santos, la Virgen, incluso Cristo, «derechero» alcalde de rectitud, concentran sobre sí mismos el sudor de los *laboratores*, al mostrar un sano dolor en el sufrimiento, en el martirio o en la Pasión, y al proponer un sistema simbólico que condensa el sufrimiento terrenal identificándolo con el de Cristo. Del santo labrador, se pasa al labrador santo.

A pesar de que el texto establece una doble distancia entre, por un lado, el pasado del personaje y el presente, cuando ya ha sido recibido, y, por otro, el destino inimitable del mártir y la trayectoria del cristiano normal, la función social de las vidas de santos sigue siendo muy actual. ¿Responde a una interpretación basada en el sacrificio, dentro de una antropología del orden social? También es posible relacionarla, simplemente, con el tema del sufrimiento del señor que, en la Edad Media, justificaba la santificación de los héroes desaparecidos trágicamente y que contribuyó a que, progresivamente, se identificara la santidad con el derramamiento de sangre.

La narración no rehúsa recurrir al miedo. A este respecto, Gonzalo de Berceo parece situarse en una perspectiva vindicativa bastante cercana al Apocalipsis, utilizando las señales precursoras de una teología del castigo, para hacer que coincidan un final repentino y la esperanza en una visión cristiana de la muerte, más moral que espiritual. Desde la humanización de lo divino hasta este cristianismo del miedo, pasando por la aritmética de la salvación, el gran mercado del siglo XIII, así como por la contabilidad del más allá, parece como si la clerecía de Berceo quisiese compensar el desmoronamiento de su autoridad sobre la sociedad terrenal. Casi de manera desesperada.

Sin salirse nunca de su rango, de su oficio, de su clase social, el hombre berceano vive en una continuidad que sólo pueden modificar las instancias celestes. De esta forma, la sociabilidad refleja una espiritualidad que convierte a la clerecía en la única vía de ascenso social. Mientras que el caballero se transmuta en un santo *matamoros*, el único modelo de educación que se propone es el de san Millán, en la escuela del monasterio. Por ello vemos que el pastor de ovejas se convierte en pastor de almas. Sabrá también oponerse a la fuerza brutal de los guerreros, como lo hicieran el papa Sixto y san Lorenzo ante Decio o santo Domingo de Silos ante el rey. De esta manera, los bienes de la Iglesia quedan protegidos de la violencia por seres poderosos y esforzados que, aunque de origen campesino, son capaces de situarse por encima de los monarcas guerreros, de hacer vanas sus amenazas, de disfrutar, incluso, con sus propios tormentos, como lo hiciera san Lorenzo en la parrilla.

La Virgen recibe un trato especial. Aunque siga siendo producto de un proceso más literario que teológico, heredero de la larga tradición festiva y entusiasta de la hagiografía, Gonzalo de Berceo otorga a la Madre de Dios un papel específico dentro de la organización de la salvación. Más que en la elocuencia griega se inspira, quizá, en una tradición mariana forjada por una liturgia hispánica, decadente pero fortalecida por las ideas de san Bernardo, como también en una psicología particular, más dirigida hacia Cristo salvador que santificador.

Los *Milagros* atestiguan la ominipresencia y la omnipotencia de la Virgen. Ella consigue que la casulla de san Ildefonso estrangule al usurpador que se la ha puesto, redime los pecados del sacristán que ha fornicado, hace que sobre el cadáver del clérigo pecador nazca una flor maravillosa. Salva el alma de un religioso que no había dejado de honrarla nunca, interviene también en la salvación de un hombre humilde pero caritativo, y perdona al ladrón culpable, en consideración a su devoción (milagros 1 a 6). Aunque sea un simple, el clérigo zafio se ve recompensado por los servicios prestados. Dos hermanos romanos, un campesino bribón, el prior de Pavía y Huberto, su sacristán, todos ellos pueden entrar en el paraíso. Siendo un simple cura, Jerónimo es nombrado obispo (milagros 9 a 13). La Virgen no olvida que el novio de Pisa ha sido un fiel devoto suyo. Protege al inocente niño judío de las maldades de su padre y perdona a los tres caballeros que han profanado su capilla. Es capaz tanto de censurar y de castigar a los judíos de Toledo, como de salvar de las aguas y de ayudar en el parto a una mujer encinta. No excluye de su protección al monje ebrio, ni a la abadesa pecadora. Salva al náufrago, se convierte en banquero del mercader bizantino que debe dinero a un usurero judío; su misericordia llega a los bandidos —entre los que se encuentra un clérigo— que han desvalijado su iglesia. Socorre, por último, a Teófilo quien, engañado por un judío satánico, había firmado un pacto y vendido su alma al diablo (milagros 15 a 25). Médico de almas, María es la verdadera «Puerta del Paraíso». Mientras san Pedro no puede hacer nada por salvar del infierno el alma de un monje pecador, la Virgen es la única que puede recurrir el juicio de Cristo. Éste, como buen hijo, se inclina ante la intercesión de su madre. La Virgen dicta su ley (milagro 7). De manera parecida, cuando el diablo engaña al peregrino de Santiago, el apóstol implora la intervención de la Virgen. Ésta dicta una sentencia favorable, que la instancia suprema no hace sino ratificar. ¿Querría esto decir que Dios no es más que una instancia de asiento? (milagro 8).

Desde el punto de vista cuantitativo, Gonzalo de Berceo se muestra también heredero de la estatuaria hierática del arte románico, que nos presenta a la Virgen ocupando su sitio en la gloria, coronada de virtudes y con su Hijo en sus brazos augustos. A pesar de esto, en los *Milagros* se trasluce, aquí y allá, una plástica más gótica. María aparece a veces de pie, menos rígida, más bella y sonriente, más humana.

La referencia a la escultura es una cuestión que se plantea también a propósito de un episodio de la *Vida de san Millán de la Cogolla*. Parece como si Berceo hubiera preferido alejarse del texto de Braulio y de la imitación más o menos servil y ampliada del modelo latino, para describir alguna de las escenas representadas en los relieves de marfil del famoso relicario local. El santo sale favorecido. Rechaza el ataque de los demonios que han venido a prender fuego a su cama y esboza, a continuación, una sonrisa victoriosa —otro aspecto singular de este episodio—.

Situándose en una de las fronteras del discurso ideológico de la Iglesia, Gonzalo de Berceo, más tradicionalista que ella frente a determinados fenómenos que le parecen peligrosos, hace gala de una rigidez que puede interpretarse como personal y ligada a sus propios intereses. Arrastrado por una verticalidad casi obligatoria y, al mismo tiempo, ligado a las preocupaciones terrenales, el autor encierra y se encierra en una religiosidad estricta, que lo convierte en un clérigo prisionero de los engranajes de la historia.

Siempre preocupado por fortalecer las prerrogativas del clero, marginando con el fin de cimentar la sociedad cristiana y de afirmar una fe de cuya sinceridad no se puede dudar en los poemas festivos, Gonzalo de Berceo no es probablemente consciente de que su tradición, que programa de manera definitiva el futuro, favorece la aparición de nuevas formas sociales que germinan dentro del propio mester de clerecía.

El *Libro de Apolonio*

Esta obra, que parece ligeramente posterior a 1250, proviene con probalidad de una pluma castellana. Es posible que un copista riojano la modificara y que cristianizara un original latino recreándolo en un contexto nuevo, en el del desarrollo urbano y de la expansión del mundo de los mercaderes.

Algunos prefieren datarla en 1240 y se la atribuyen a un escriba catalán instalado en Aragón, melómano y enamorado del mar, lo que le diferencia de los autores habituales del mester de clerecía, clérigos seculares, universitarios, conocedores de la cultura de las elites, viajeros y acostumbrados a utilizar los documentos públicos.

La trama de la historia helenística se reelabora y se funde con la época del autor español. Las fuentes combinan los relatos griegos y bizantinos (Homero, Jenofonte, Heliodoro...), a través del texto muy latino de la *Historia Apollonii regis Tyri* y de sus referencias a Virgilio, a Ovidio, a Horacio... Apolonio, rey de Tiro, hombre del siglo VI en la transmisión de Venancio Fortunato, es víctima del azar. Perseguido por un destino hostil, se ve arrastrado por aventuras y desventuras políticas y familiares. Al final de 656 estrofas de relato lineal, su búsqueda personal le conduce a la felicidad.

El intelectual y el poder. Este rey de Tiro, que piensa, que habla y que cree como un príncipe medieval, muestra un agudo sentido de la dignidad y de la nobleza que, junto con sus virtudes de sabiduría, dulzura y bondad hacen de él una especie de bienaventurado que sobrelleva los padecimientos como un cristiano. Ya no es cuestión, por lo tanto, de un hombre perfecto, sino de un cristiano envuelto en los negocios de los hombres, que ha dejado de ser bueno o malo, para convertirse en virtuoso y piadoso, sometido a la voluntad de Dios, Señor, Rey y Creador.

De esta manera, la ejemplificación transmite un cristianismo claro, que, a partir de ese momento, conduce a la espiritualidad a un sabio que se deja convencer por el modelo de amor y de fidelidad de su esposa, Luciana. Por su parte, Tarsiana, hija de Apolonio, perdida y luego hallada, añade también al sentido del honor y de la dignidad una inteligencia obstinada, que se caracteriza por un amor apasionado a los estudios, por encima de las dificultades que revisten.

En muchos aspectos, el *Libro de Apolonio* es la historia de un intelectual que ha estudiado el mundo y que ha intentado conocerlo de manera
concreta, guiado por una actitud crítica, poniendo de manifiesto al mismo
tiempo su humor y su sentido de la cortesía, porque es sensible al qué di-
rán. Poseedor de una ciencia histórica, Apolonio adquiere así la ciencia de
gobernar. Al ejercer su razón dentro de los límites de la ortodoxia, Apolonio, que es fuerte porque es sabio, establece, quizá también, las bases del
poder de la razón.

Hispanización medieval.   El largo errar de Apolonio, el largo peregrinar que lleva a cabo durante trece años para recuperar el poder que perdió
en Tiro, lo sitúa en una perspectiva cristiana ejemplar. Le permite, también,
encontrarse con la realidad castellana de la segunda mitad del siglo XIII.
Bajo nombres de ciudades y de cortes de Grecia y de Asia, su odisea perfila un paisaje humano y urbano español. Es posible detallar el «realismo»
de los movimientos y de las descripciones, el de las escenas de la vida cotidiana y doméstica, la descripción de las idas y venidas, la evocación de
los utensilios, de las plazas del mercado e, incluso, de las juglarías. Esta
novela es, asimismo, un relato de amor y de aventuras.

Es evidente que la clerecía se aleja de la aristocracia guerrera en pos de
aspiraciones más cortesanas, y que se separa de los ideales eclesiásticos para
acercarse a las tribulaciones de un intelectual más o menos frustrado, que no
es sino un hombre sin demasiada ambición, incluso ya, en cierto modo, un
burgués. El paréntesis doloroso que representan las peregrinaciones de Apolonio tiene, por lo tanto, en cuenta una sociabilidad más dinámica y más di-
versificada, con unos rasgos mercantiles que son probablemente fruto de la
observación aguda de un autor más original de lo que parece.

A pesar de que surjan estos valores profanos, la voluntad aleccionadora
sigue estando presente y, con ella, las inviolables diferencias sociales de una
jerarquía mostrada como inmanente. El noble continúa siendo noble y, en la
desgracia, despliega su verdadera e incuestionable condición, incluso si,
para sobrevivir, se ve obligado a ejercer provisionalmente de honrado juglar,
hasta que se restablezca su situación original: rey, esposo y padre, Apolonio
termina recuperando su ciudad y la paz. En esta exaltación de cierto tipo de
sabiduría se inspirarán, en el siglo XIV, los *Proverbios de Salomón.*

Al conformar a Apolonio según los rasgos de un intelectual más bien
laico, al mostrar su sabiduría clerical, al destacar, por ejemplo, la ciencia no
sagrada del médico, al describir, en fin, un mundo en el que el noble aspira

a alcanzar la cúspide del edificio social, el autor está afirmando que es Dios, y sólo El, quien se ocupa de que todo esto suceda. La clerecía no intenta ya condenar la ambición de alguien como Alejandro. Se da cuenta de que probablemente no puede seguir luchando contra todas las corrientes externas, como lo hacía Gonzalo de Berceo. Propone un tipo de santidad más fácil de identificar y, quizá, más creíble que el modelo evangélico. Al adaptarse a un mundo laicizado, a la nobleza, antaño caballeresca hasta en sus más altas esferas y ahora más activa en la corte, sólo le deja el campo de la cortesía para que pueda manifestarse.

Al esforzarse por responder a las exigencias de un cierto tipo de relato prodigioso sin plegarse a lo popular, el *Libro de Apolonio* expresa la perdurabilidad de una clase de nobleza cuyo ideal primitivo se transforma en deseo de aventuras. Frustrada en sus aspiraciones guerreras, dará salida a sus tensiones por medio del modelo cortés, del culto a la mujer y de su evocación. En esta concordancia entre la turbulencia de los seres y de las cosas y la serenidad del orden cristiano, será la muerte quien, al final, tenga la última palabra.

El *Poema de Fernán González*

También de autor desconocido, el *Poema de Fernán González* ha llegado hasta nosotros en un texto redactado hacia mediados del siglo XIII. A menudo se ha querido ver en él una reelaboración de un poema anterior, obra de juglares refundida más tarde de acuerdo con las normas del mester de clerecía. Georges Martin discute esta hipótesis en el capítulo precedente. En éste, el autor tratará de explicar cómo se ha llevado a cabo una original clericalización de la gesta.

El texto trasluce la variada cultura de su autor. Parece aludir al *Libro de Alexandre*, a la *Vida de san Millán*, de Berceo, y al *Libro de Apolonio*. Se basa no solamente en la Biblia, sino también en la *Historia del pseudo-Turpin*, en el *Codex Calixtinus*, en la *Historia Gothorum*, de san Isidoro de Sevilla, en el *Chronicon mundi*, de Lucas de Tuy, en el *De rebus Hispaniae*, del arzobispo Rodrigo el Toledano y, por último, en el *Liber regum*.

El argumento del relato se describe, *supra*, en las páginas 36-38. Se trata de las hazañas de Fernán González, enemigo sucesivamente de los moros al lado del rey de León, su señor, más tarde del conde de Toulouse y de Navarra y, por último, del mismo rey de León. Esta existencia agitada concluyó en el 970, cuando Castilla caminaba ya hacia la independencia.

La obra presenta una sabia dosificación de estos elementos históricos, combinados con otros, ficticios y folclóricos. Aunque truncada, aparece como la epopeya del perfecto héroe castellano: un caballero valeroso que se sumerge en el estruendo de las batallas, «patriota» generoso y cortés y, por último, devoto. Contrastando con una cierta irregularidad métrica heredada, quizá, de la gesta original, y transponiendo también algunos episodios, una estructura tripartita culta y rígida pone de relieve el papel de Dios y el de un monasterio: el de San Pedro de Arlanza, cerca de Burgos. Su defensa e ilustración identifican sus intereses, de los que no está ausente la dimensión económica, con los del conde y con los de Castilla.

A lo largo de la historia de la Península se va perfilando el auge de Castilla y, en el centro, la gesta del conde, el más noble de sus caballeros. Éste entrega su alma a Dios como si del verdadero rey de España se tratara, facilitando así que se identifique a su propio personaje con el soberano de la época, el rey Fernando I.

Dios salva al conde, el conde salva a Castilla, Castilla salva a España. Heredero de los mejores, vinculado por su nacimiento con el linaje más alto, «[esse] conde prymero / nunca fve en el mundo otrro tal cavallero»,[13] dotado de todas las virtudes tanto heroicas como humanas, capitán valeroso, es un ejemplo de lealtad que Dios no puede sino recompensar continuamente con su protección. Refugio, santuario, islote de resistencia desde el que se extenderá la Reconquista, Castilla, con sus fogosos castellanos, es única, mejor que todas las demás regiones, cuando sigue a su adalid excepcional. Por ello, sobre esa roca castellana, ¿cómo san Pedro, aunque sólo sea de Arlanza, se resistiría a construir su iglesia? Porque, verdaderamente, esta vieja Castilla, condado pequeño que tendrá la gran fortuna de convertirse en reino por la gracia de Dios, del mejor apóstol y de los santos más extraordinarios, es la punta de lanza de la Península.

La gesta clericalizada. Historia y ficción se funden en la epopeya culta de la cruzada contra los musulmanes. Desde la traición hasta el desastre y la Reconquista, todos los grandes temas de la tradición épica se respetan: destrucción, jerarquía militar, cautividad y liberación, riquezas, cortesía y fidelidad…, envueltos en una especie de fe «ingenua» en las leyendas y los milagros locales, sueños maravillosos en los que aparecen ejércitos de ángeles de blancas armaduras.

---

13. *Poema de Fernán González*, estrofa 173.

No puede sorprender puesto que el cometido del conde es restaurar la fe: engrandecer la cristiandad humillando al paganismo. Anunciado por los profetas, el combate de la Reconquista es un servicio, una ofrenda a Dios. Fortalecidos por esta justificación profana y sagrada, los castellanos llevan a cabo una guerra santa, una cruzada. Fernán González ve recompensado este amor de Dios. Como buen señor de un vasallo leal, Dios Todopoderoso le ayuda a vencer milagrosamente al diablo, aliado de los musulmanes. La confesión, la oración y la comunión tienen más fuerza que todos los hechizos juntos, que todas las estrellas o que toda la astrología.

Se dice misa en el monasterio. San Pedro de Arlanza recuerda aquí a San Millán de la Cogolla. El monasterio, núcleo económico, social y político cuyos comienzos parecen haber sido favorecidos por los nobles, ve cómo sus intereses se identifican, gracias al *Poema*, con los de Fernán González y con los de Castilla, en una fusión prometedora de la iglesia, el monasterio y la tumba del conde. Esta humilde ermita, tan hospitalaria, es un lugar privilegiado: sepultura y relicario. Método al que se recurre: desde un pasado lleno de prodigios fabulosos, hasta un presente radiante, todo atrae hacia ese monasterio, como hacia otro San Pedro cercano, el de Cardeña, marcado por la huella del Cid.

La clericalización castellana. El propósito político se va perfilando. Desde Burgos y su espléndido aislamiento, Castilla afirma su diferencia para mejor encaminarse hacia la independencia. Al agrandar el territorio reconquistado, Fernán González instaura, poco a poco, su primacía política sobre el territorio oriental, Navarra y su capital, Nájera. Burgos, capital de la bondad y del amor, aspira a convertirse en la capital de todo el territorio, «de un mar a otro». Porque Castilla es diferente. Se expande hacia el sur también, porque es mejor. Su solo nombre hace huir a los moros. Pero sobre todo, porque sabe oponerse al desorden, a las conmociones sociales. El orden garantiza su armonía y prosperidad. Trifuncional. Enarbolado contra la esclavitud por el respeto al Señor y por la lealtad.

En efecto, de esta manera se utiliza bien la oposición. La sublevación sería un envilecimiento sin honor, mientras que el rechazo de la sumisión es el honor de reivindicar la libertad. Con la fuerza de su orgullo, el señor de Castilla rechaza la insoportable tradición aristocrática leonesa, envuelta en los pliegues de la traición, para afirmar, con la delicadeza de un diplomático, su independencia.

De la humilde figura de un caballero cuyas raíces se pierden en la «Montaña», el *Poema de Fernán González* hace un Grande de España. Fantástico heredero de los mejores, alcanza el status heroico-simbólico y el reconocimiento universal. Rebelde, político, soberano. Pero con la bendición de otro, más grande, de quien sólo representa el brazo armado, aquí en la tierra.

Conclusión

Conocer mejor las circunstancias reales en las que nacieron las obras del mester de clerecía sería, sin duda, una de las maneras de situarlas en su mundo y de comprenderlas mejor. Todo el mundo aventura sus ideas, pero cada uno lo hace a su manera. Por ello, antes de hacerla extensiva a todas las producciones del mester de clerecía, habría que comprobar muy de cerca la hipótesis propagandística que Brian Dutton ha formulado a propósito de Gonzalo de Berceo y de los intereses del monasterio de San Millán de la Cogolla.

Quedaría, además, por resolver la cuestión del público y saber si estas obras se recitaban ante un auditorio, como ocurría con las de los juglares.

Se puede sostener que las expresiones orales de los textos del mester de clerecía son meras fórmulas sin carácter funcional. Pero se puede, del mismo modo, sugerir que las obras se destinaban no sólo a la lectura individual (que debía basarse en la pronunciación del texto, antes de pasar a ser silenciosa hacia el siglo XV), sino también a la lectura oral.

Problema espinoso el de la escritura en una literatura con finalidad oral, ya que ¿quién puede afirmar que poemas enteros, que serían partes de libros ya acabados o en fase de realización, no habrían sido presentados, acompañados de música y de mimo, por ejemplo, mientras que el libro, una vez terminado, se destinaba a un lector individual? De esta manera, ¿el mester de clerecía pasa de ser libro reservado, a ser libro divulgado; de lo sagrado a lo vulgar, de lo singular a lo colectivo?

Nacido de los miembros de un grupo, de las exigencias de sus actividades comunes y de sus relaciones con determinadas fuerzas de poder, el mester de clerecía se concreta en una especie de libre asociación corporativa de profesionales: de los clérigos. Su oficio, medio para su ascenso social, refuerza su posición en el mundo. Sus autores ponen en común un capital cultural y social. Centro de poder y componente del grupo social dirigente, el mester de clerecía es, por lo tanto, una red de tensiones, capaz

de apoyarse en el mundo y capaz de sacar partido de la sociabilidad cons-
tituida, de acercarse a ella, como lo hacen las órdenes mendicantes, al pueblo de los caminos, de las calles y plazas y, si fuera necesario, capaz de utilizar sus formas.

En efecto, por su tipo de organización, la clerecía controla uno de los
recursos sociales: el saber. El clérigo no tiene una inteligencia pura que esté
por encima de todo, ni es un ideólogo ligado, de manera indisoluble, a la
clase dirigente que, dependiendo del momento, domine el sistema. El clérigo se sitúa en un límite: está ligado y, al mismo tiempo es diferente, tiene
una doble determinación, como la misma ideología.

Sería, sin duda, peligroso construir un esquema voluntarista y finalista
de las relaciones entre la clerecía y la política. Al informar para salvar, al
enseñar y al divulgar, al hacer ver y creer, la clerecía utiliza un saber que
aumenta su propio poder y que contribuye a tejer las demás redes del poder. Producto de una sociedad ya organizada, el mester de clerecía es revelador del crecimiento de determinados sectores de actividad. Pero es también lengua, discurso, tipo. No es, únicamente, una organización técnica
basada en la *cuaderna vía*, una literatura de elite para todos, sino que, además, estructura. Establece normas para su equilibrio interno y, de cara al
exterior, define sus objetivos, organiza sus intercambios, con la juglaría,
por ejemplo, con la epopeya...

Extracción cultural y reproducción. Por medio del mester de clerecía, la
sociedad medieval española actúa y se perpetúa, supeditada a un orden del
mundo superior que, cuando es necesario, se impone brutalmente. La rueda
de la Fortuna de Alejandro giraba por efecto de un deseo pecaminoso: la
ambición. Sin embargo, aunque sea ilustre, Alejandro no puede ser el Supremo, ya que el poder secular forma parte integrante de la Iglesia, «como
uno de sus numerosos servicios, destinado a colaborar en la salvación de
las almas» (Pierre Damien).

El estudio interno de las obras del mester de clerecía permite observar
que, a lo largo de los movimientos que se producen con la Reconquista, los
centros se desplazan. También los ambientes. Pasan del grupo, de la tropa
cuyo ilustre estandarte es un caudillo muy hispanizado, a la congregación
riojana cuyo santo es un venerable intercesor; más tarde, a la familia cuyos
miembros se dispersan y emprenden un inicio de autonomía intelectual por
medio de viajes pre-urbanos, y, por último, se dirigen hacia el hombre solo,
hacia el individuo. Esta evolución va acompañada de un cambio en los sentimientos, desde el miedo al otro hasta el miedo a sí mismo, en relatos que
dan confianza, no tanto subrayando los rasgos del otro como encomendán-

dole, precisamente, que nos dé seguridad. De esta manera, el mester de clerecía se dirige, sin duda, desde el Bien hacia lo Bueno.

Por medio de las diferentes fases del mester de clerecía, la Iglesia difundió, según las épocas y según las regiones castellanas, un sistema ideológico trifuncional con la misión de servirla, presentó su proyecto de sociedad utilizando una especie de discurso de masas rico en imágenes, y
propuso un marco mental en el que se inscribe, de forma ideal, la humanidad.

Encargados de ayudar a Cristo en la tierra, algunos elegidos tuvieron la
misión y la carga de defender con su pluma la sociedad justa según la autoridad, la jerarquía y la Providencia. El mester de clerecía se parece bastante a los sermones franciscanos, que transmiten sus mensajes «*ad utilita-
tem et edificationem populi, anuntiando eis vitia et virtutis, poenam et
gloriam*» en la lengua de los humildes.

Audible y escuchada, la casta clerical, sacerdotal, lugar en el que unas
veces convergen y otras se oponen influencias, tendencias y experiencias
llegadas de horizontes, de costumbres y de tradiciones con contenidos intelectuales y sociales diferentes, tuvo la obligación apasionada de acosar al
pecado para librar de él a los laicos perdidos por el mundo, utilizando, si
era necesario, remedios drásticos, marcados por un neoevangelismo hecho
de pobreza y de renuncia.

Una forma de llegar a los humildes por medio de la palabra y de
unirse a ellos para defenderlos, pero igualmente para hacerse cargo
de sus sufrimientos. Una manera también de llegar a un público de masas y de presentarle su alegato «*pro dogma*». Los clérigos, *oratores* que
rezan y que predican, capaces por su formación intelectual amplia (a pesar de la heterogeneidad de las enseñanzas) de difundir la buena nueva,
se dirigirán tanto al campesino como al caballero que lo domina, afirmando sutilmente, de esta manera, la supremacía de lo espiritual sobre
lo temporal.

En este sentido podemos relacionar esta poesía culta con la estética de
su época. Música alrededor de los retablos, capiteles esculpidos, pintura
de miniaturas, todo esto sirve para estilizar, también, el carácter de los
tímpanos de las iglesias. En apoyo de esta idea, dejando a un lado tres
composiciones cortas que tratan del pecado original, de los diez mandamientos y de la caída de Jerusalén, los 1088 versos de la *Vida de san Ildefonso* confirman que lo espiritual se impone sobre lo temporal. Esta obra

del beneficiado de Úbeda es consecuencia de la decisión tomada por la Asamblea de Peñafiel hacia 1302 o 1303, de instaurar la fiesta de san Ildefonso, cuya casulla toledana había servido ya de inspiración a Gonzalo de Berceo.

Más o menos consciente y deudora de las condiciones en que se produce, esta doctrina no es inmutable. Evoluciona lentamente y aflora según las diversas situaciones. Amenazada por diferentes formas de herejía, perturbada por los progresos de la ciencia, quebrantada por los efectos sociales del auge económico, la Iglesia se ve obligada, en el siglo XIII, a evolucionar también, para poder asegurarse su propia salvación.

Edificada sobre un ideal monástico románico dirigido a una sociedad con poca movilidad, tiene que reaccionar para adaptarse a las nuevas aspiraciones sociales. Al predicar una cruzada interna contra el hereje y otra externa contra el infiel, la clerecía recupera a los caballeros, que ya habían manifestado sus ansias de poder, y los encamina hacia una empresa dispuesta por el mandato supremo de Dios. Sumisión a la voluntad divina, esa es la lección que transmite el *Libro de Alexandre*.

Después de que se reconociera el arrojo de los poderosos, en la persona del glorioso caballero antiguo, en el cual los valores nobles se aunaban con un innegable fervor casi religioso, el declive de la institución caballeresca se ve consagrado por Gonzalo de Berceo, único autor que destaca del anonimato general de la clerecía. Prefiere menos violencia y más religiosidad, y da la primacía al poder celestial y al santo, pregonando las hazañas de este nuevo héroe indiscutible.

Bajo los adornos de la cortesía y de la galantería, que sirven para disimular las dificultades de su existencia, el caballero, en la persona de Apolonio, toma los rasgos matizados de un intelectual en busca de los poderes de la sabiduría. El *Poema de Fernán González* confirma esta aparición del hombre. El designio político del conde le confiere una nueva dimensión que difumina la acumulación artificial de sus cualidades y que casi llega a hacer de él un verdadero individuo.

Excluyendo a los seres imperfectos, por lo tanto pecadores, la clerecía despeja el terreno y se propone enfrentarse con las fuerzas externas que la atacan. Al mismo tiempo que hace un análisis más detallado de una sociedad cada vez más compleja, la Iglesia, que ha establecido una sólida red de parroquias, se esfuerza por volver a estabilizar la masa de quienes la sirven con su trabajo, por captar donaciones, y por renovarse con el fin de afirmarse al frente de esa sociedad que parece tomar impulso en la vía de un progreso, sobre todo económico, que todos esperan duradero. Para ello, oculta, si es preciso, los antagonismos sociales. Elabora imágenes sensibles, que crean a su vez, incluso en la iconografía, modelos de comportamiento: los santos y más todavía Cristo, Dios hecho hombre y Rey de reyes, Señor-soberano de un universo de vasallos, o la Virgen, Madre amorosa y protectora.

Otras tantas redes para captar las nuevas corrientes de sensibilidad de una religiosidad gótica que proclama la salvación y la victoria por medio del tema de la Pasión, lo que no impide, en absoluto, que se manifiesten los elementos «populares» y folclóricos. Vemos así cómo Gonzalo de Berceo antepone las convicciones a las especulaciones, la práctica a la doctrina. La heterodoxia que pueda derivarse de ello, y no únicamente debida a cierta fidelidad a los modelos o por un arrebato jovial del juglar, aunque se trate de cantos divinos o marianos, es producto de la convergencia de aspiraciones de orígenes diversos, ligadas, por ejemplo, a las exigencias religiosas del pueblo y al desarrollo de la teología. O quizá, también, a la conciencia que tenía el clero de una diferenciación social real de las prácticas y de las creencias religiosas.

Esta dialéctica que se expresa en la escritura es el reflejo de los continuos intercambios que se producían entre los artesanos del mester de clerecía y los del mester de juglaría, en la elaboración artística. Con los siglos, la fortuna literaria de este arte fue cambiante, según se tomara a los autores de la escuela de la *cuaderna vía* por ingenuos miniaturistas, por sabios orfebres que estilizaban esculturas antiguas o por perversos propagandistas de mentalidad localista.

Estas fluctuaciones tienen orígenes lejanos: así, Berceo es heredero de una ambigüedad teológica, puesto que admite las visiones proféticas como medio para revelar la mediación única entre el hombre y Dios, al tiempo que rechaza los sueños y los condena como obra del demonio. En el *Poema de santa Oria*, Berceo decide dar el máximo relieve al viaje alegórico de la santa. Sus visiones no son sino anticipaciones de deseos proyectados. Utopías simbólicas que se inscriben asimismo en la evolución de una espiritualidad bien concebida, como búsqueda onírica del Tiempo y como representación dramática de la Muerte.

Joël Saugnieux se preguntaba: «¿De qué organización, de qué institución social emana el *mester de clerecía?* ¿Qué poder se esconde bajo la sabiduría de los clérigos? ¿A qué objetivo de aculturación responden la cruzada pedagógica del *mester de clerecía* y sus grandes campañas de divulgación? Más exactamente ¿cuál es la situación sociocultural que reflejan las "convicciones personales" del poeta? ¿Qué geografía social, como suele decirse, disimula la geografía de las ideas y de los sentimientos?»[14]

Estos interrogantes quedan en pie. Se sabe que aparecerán resistencias. Lo mismo que sucede entre clérigos y villanos, se produce un doble acercamiento entre burgueses y gente del pueblo en la ciudad, y entre clérigos y caballeros en el campo. Esta transformación de la sensibilidad social suscitará una nueva forma de vivir, de la que surgirá el optimismo del *Libro de buen amor*, y una forma de morir, de donde procede el pesimismo del *Libro de miseria de omne*. Significará, con la aglutinación lingüística, el final del mester de clerecía.

ALAIN VARASCHIN

14.   Joël Saugnieux, *Cultures populaires et cultures savantes en Espagne du Moyen Âge aux Lumières*, París, CNRS, 1982, pp. 26 y 27.

CAPÍTULO V

NACIMIENTO DE LA PROSA

Introducción

El siglo XIII representa un giro decisivo en la producción escrita en lengua «romance» (del adverbio latino *romanice*). Los primeros documentos jurídicos o legales redactados en leonés o en castellano datan de la primera mitad de siglo, sin que por ello se dejara de utilizar el latín en las cancillerías. Los documentos literarios en prosa castellana aparecen poco después.

La palabra «prosa» tenía dos acepciones en la Edad Media. La primera, tradicional, era la del adverbio latino *prorsus*, «en línea recta»: sin obstáculo de rima o de cesura. «Prosa» designaba también a un texto de carácter religioso destinado al canto, y que podía estar escrito en verso. Esta segunda acepción perdurará hasta el siglo XV. De ella no trataremos en este capítulo.

Gracias a Alfonso X el Sabio (1221-1284) y a sus colaboradores, la prosa castellana se desarrollará durante la segunda mitad de siglo. El impulso se produce sobre todo en tres campos: el derecho y las ciencias, la historia, y los cuentos y apólogos. Cada uno de ellos constituye una parte de este capítulo. Empezaremos recordando las primeras palabras escritas en español.

Las primeras glosas. El predominio progresivo del romance sobre el latín viene dado por el deseo de transmitir un saber. En la comunicación oral hacía ya mucho tiempo que los sermones se pronunciaban en lengua vulgar (Concilio de Tours, 813). No es raro que las primeras manifestaciones escritas hayan sido glosas, o traducciones explicadas del latín.

Estos primeros «vagidos» de la lengua española (la expresión es de Dámaso Alonso) surgen en Navarra en el siglo x. Ramón Menéndez Pidal llevó a cabo su edición paleográfica en sus *Orígenes*... Estos textos se denominan *Glosas emilianenses* (del monasterio de San Millán de la Cogolla) y *Glosas silenses* (del monasterio de Santo Domingo de Silos). Exceptuando un pasaje de oración que aparece en las primeras, se trata de palabras aisladas que acompañan al texto latino.

Más tarde, en el siglo XIII, los lexicógrafos y los escribanos enriquecieron la prosa romance, que se convirtió en un instrumento de lengua privilegiado.

Alfonso X el Sabio. Nacido en Toledo en 1221, el Rey Sabio reinó desde 1252 hasta su muerte en 1284. La tradición ha conservado mejor sus fracasos políticos que sus conquistas, llevadas a cabo, bien es verdad, cuando era todavía un niño o al comienzo de su reinado (Murcia, Cartagena, Cádiz, Niebla). Fracasó en el Algarve contra el rey de Portugal, y en Navarra. Elegido emperador del Sacro Imperio Romano Germánico, no pudo, sin embargo, acceder al trono (1275). A su muerte, en plena guerra civil contra su hijo menor Sancho que pretendía la sucesión, sólo le quedaba Sevilla.

Por el contrario, su obra en el campo de la cultura y de las letras es excepcional. No es el iniciador en España de los géneros que cultivó: el monasterio catalán de Ripoll traducía textos árabes desde el siglo X. Por otra parte, la escuela de traductores de Toledo había sido creada en el siglo XII por Raimundo, arzobispo francés de Toledo (1126-1152). Sin embargo, Alfonso imprimió un nuevo impulso a estas actividades. Enriqueció el vocabulario y la sintaxis de la lengua española, porque quería convertir al castellano en vehículo de cultura. La presencia de pensadores hebreos y musulmanes contribuyó igualmente, sin duda, al declive del latín (aunque muchas de las traducciones latinas de manuscritos árabes y hebreos fueron realizadas en Toledo).

La huella de Alfonso está presente en todos los ámbitos estudiados: la traducción y la crónica, la obra científica y jurídica, el campo de la sabiduría; también en los escritos gnómicos, filosóficos, y en los cuentos. Esta producción se verá coronada, en el siglo XIV, por la obra de don Juan Manuel, sobrino del rey Alfonso.

La prosa culta

1. LAS TRADUCCIONES

La conquista de Toledo por el rey castellano Alfonso VI, en 1085, había permitido a algunos obispos emprendedores procedentes de Borgoña o del Languedoc trasladar al terreno cultural, para mayor beneficio del mundo cristiano occidental, el combate contra los infieles. Se tradujo al latín parte del saber de la Antigüedad que se había conservado en árabe. Un siglo después, en la segunda mitad del siglo XIII, son la lengua y la cultura romances las que se ven favorecidas por la actividad traductora: de forma dispersa primero, y, más tarde, de manera sistemática, impulsada por Alfonso X, que ambiciona convertir al castellano en una lengua de cultura internacional. Este proyecto ya no recuperará de los fracasos políticos del Rey Sabio. De todos modos habrá servido para dotar al romance castellano del estatuto de lengua «nacional», y habrá legado, al mismo tiempo, una larga nómina de obras asequibles desde ese momento a los que no sabían latín, tanto en el campo científico —astronomía, astrología, matemáticas—, como en el literario —historia, filosofía, apólogos—.

Durante la primera mitad del siglo XIV, esta actividad disminuye notablemente, y aumentan, en cambio, los trabajos de adaptación y de *compendium*, a los que recurren normalmente los autores que se preocupan por facilitar la adquisición del saber a los lectores que se desaniman ante la erudición clerical. Habrá que esperar hasta finales del siglo XIV para ver renacer un trabajo de traducción importante. La sociedad castellana ha vuelto a encontrar la estabilidad; existe un flujo creciente de intercambios con los países vecinos, a los que contribuirán notablemente las misiones diplomáticas y las reuniones de letrados de toda Europa, motivadas por el cisma (1378). Ese cambio se deberá, también, a algunas iniciativas privadas, entre las que hay que destacar, en primer lugar, las de Pedro López de Ayala (1332-1407), que participó a la vez como promotor y como traductor.

A partir de los trabajos de Pedro López de Ayala, el siglo XV vive una verdadera edad de oro de la traducción, originada por la doble influencia de mecenas como el Marqués de Santillana (1398-1458) y de eruditos como Enrique de Villena (1384-1434) y Alonso de Cartagena (1384-1456), en la primera mitad del siglo, y por los círculos de la Universidad, en la segunda mitad. La consecuencia es que, a finales de siglo, el lector que no sabe latín cuenta con versiones en lengua vernácula —a menudo simultáneas en castellano, en catalán y en portugués— de obras de grandes autores de la Antigüedad: desde Aristóteles hasta Vegecio, pasando por Platón, Homero, Plutarco, Ovidio, Virgilio, Tito Livio, Séneca, Valerio Máximo y César. Esto demuestra que la sociedad peninsular de aquella época —o por lo menos su elite culta— tenía grandes deseos de saber. Sin embargo, esta corriente de traducción apenas si está influida por el humanismo italiano. Sigue siendo «medieval» en esencia: las glosas y los comentarios que aparecen en los textos traducidos dan mayor importancia a la dimensión moral, o tratan las partes narrativas en forma de alegoría. Estos traductores no juzgan las obras de la Antigüedad desde una perspectiva arqueológica, como lo hacen los humanistas. A pesar de todo, incrementan el gusto por la erudición y amplían el círculo de letrados, gracias a autores como Juan del Encina, traductor-adaptador de las *Bucólicas* de Virgilio (antes de 1496) e iniciador de la literatura pastoril.[1]

2. LAS CRÓNICAS

La literatura histórica representa, en todo el Occidente medieval, una parte importante de la producción escrita. Está redactada sobre todo en latín, no tanto por imitar a los autores clásicos, que no se volvieron a descu-

---

1. Breve cronología de las obras de traducción en lengua romance:

Siglo XIII
Traducciones de la Biblia.
Apólogos: *Calila et Dimna*; *Sendebar*.
Alfonso X: traducción de obras históricas, tratados de derecho y obras científicas, del latín, del árabe y del hebreo.

Finales del siglo XIII
Libro del Tesoro, de Brunetto Latini (partiendo del texto francés).
Obras de literatura sapiencial.

Siglo XIV
Dichos de Santos Padres, de Pero López de Baeza.
Traducciones de Pedro López de Ayala: *Moralia*, sobre el libro de Job, de san Gregorio; *Libro de las sentencias*, de san Isidoro de Sevilla; *Consuelo de la Filosofía*, de Boecio; *Caída de los príncipes*, de Boccaccio; tres *Décadas* de Tito Livio; *Livro da falcoaria*, de Pero Menino.

Siglo XV
Enrique de Villena: *Eneida* y *Divina Comedia*; *Rhetorica ad Herennium* (Pseudo-Cicerón).
Pero González de Mendoza: *Ilíada* (según la versión latina de Pier Candido Decembri).
Pedro de Chinchilla: *Historia troyana*, de Guido de Columna.
Alfonso de Cartagena: *De providentia*, de Séneca; *De officiis*, *De senectute* y *De inventione*, así como el *De rhetorica*, de Cicerón.

brir hasta más tarde (siglo XIV), como por seguir a enciclopedistas medievales como san Isidoro de Sevilla, cuya huella se percibe a lo largo de todos estos siglos. Cuando aparecen en la Península obras en romance, a partir del siglo XII, adoptan la forma de modestos anales (*Crónicas navarras* y *Anales toledanos*) o de compendios de historia (*Liber regum*). Estas obras pertenecen más a la tradición de las genealogías reales que a la de la crónica propiamente dicha, que encuentra su mejor expresión en la obra latina de Lucas de Tuy y del arzobispo Rodrigo el Toledano. El *Chronicon mundi* del obispo de Tuy (1236) y la *Historia gothica* del arzobispo de Toledo (1243) representan, en efecto, el apogeo de una producción en lengua latina que subsistirá durante varios siglos más.

A mediados del siglo XIII, por iniciativa del infante Alfonso, futuro Alfonso X de Castilla y León, las sociedades cristianas se dotan de una verdadera historia en lengua romance. Este fenómeno no es exclusivo de la Península, es común a todo Occidente y viene acompañado de la unificación de los criterios que los historiadores utilizan. A partir de entonces, se redactará una crónica, es decir, una «compilación seria, que presente en riguroso orden cronológico, e indicando las fechas, un relato escrito con un estilo cuidado».[2] Esta doble exigencia —exactitud de las fechas y de los hechos, junto con la belleza del estilo y de los temas— define perfectamente el proyecto de Alfonso X.

Éste pensó primero en que se redactara una crónica de *Hispania* —entendida como la Península Ibérica—, situándola en el contexto universal, por medio del mito, o bien relacionando los acontecimientos peninsulares con otros externos. Ello le obligaría, por un lado, a recordar la vida de Hércules, fundador mítico de España, y, por otro, a desarrollar ampliamente la historia de Roma. Alfonso X concebía la historia como la recopilación del saber anterior, recogido en las más diversas fuentes. Para él, la historia no es simplemente producto de la voluntad divina, sino que responde también a la necesidad que el hombre tiene de conservar la memoria de los actos de sus antepasados, con el fin de sacar de ellos una enseñanza para la vida.

Tan alta ambición, para la que el marco de una *Estoria de España* resultaba insuficiente, dio lugar al proyecto de una *General Estoria* (Historia universal), empresa demasiado vasta para que pudiera acabarse durante su reinado, pero significativa porque pudo iniciarse. El cronista parte de la

---

2. Bernard Guenée, «Histoire et chronique. Nouvelles réflexions sur les genres historiques au Moyen Âge», *Actes du colloque sur la chronique et l'histoire au Moyen Âge*, París, Presses de l'Université de Paris-Sorbonne, 1984, pp. 10 y 11.

creación del mundo, pero no llega más allá del nacimiento de la Virgen. Al morir el rey, el proyecto se abandonó y en los siglos siguientes sólo suscitó un interés mínimo. No se supo captar el espíritu que lo alentaba. Las exigencias impuestas por la vida «nacional» no tardaron en dejar de lado las pretensiones universalistas.

La *Estoria de España* tuvo mejor fortuna. El trabajo de sus continuadores era, también, más fácil. Alfonso X dejaba un proyecto global y había redactado las partes más difíciles, las que se referían a las épocas más remotas. Había que agradecerle, sobre todo, el que hubiera tratado de manera magistral la delicada cuestión de la herencia gótica, en la que pretendía basarse la legitimidad de la reconquista, por parte de los cristianos, de las tierras todavía en manos de los musulmanes. La invasión del 711 había sido un castigo infligido por Dios a unos soberanos culpables de herejía (el arrianismo) y carentes de sentido moral. El episodio de Covadonga demostraba que Dios quería socorrer a su pueblo y restituirle la totalidad de sus tierras, es decir, toda la España visigótica. La promesa de victoria, unida al sentimiento de invulnerabilidad, característico de los estados cristianos de la Península a mediados del siglo XIII, justifica ampliamente que se redactara una crónica en la que los musulmanes quedarían reducidos a meros comparsas, confinados en el reino de Granada.

El proyecto, en conjunto, fue llevado a término: desde los comienzos míticos de *Hispania*, hasta el final del reinado de Fernando III (1217-1252), padre de Alfonso. El Rey Sabio sólo redactó la parte dedicada a la historia romana. El resto se compuso después de su muerte, según el esquema que él había establecido. La redacción se acabó en el siglo siguiente.

Alfonso X dejó, sobre todo, un monumento literario que contribuyó, más que ningún otro, a otorgar al castellano su carta de nobleza. Precisión de estilo, riqueza del vocabulario que evita resueltamente los latinismos, amplio espacio dedicado al relato, claridad expositiva son otras tantas cualidades que podrían hacernos olvidar que el romance empieza apenas a escribirse. A partir de entonces, existirá un modelo del que los escritores posteriores tomarán abundantes préstamos.

Alfonso X había creado un género, el de la crónica real. Sus principios estaban claros y daban poco lugar a posibles desviaciones. La unidad fundamental del relato es el reinado, del que las fechas de inicio y fin aparecen indicadas con todo lujo de referencias cronológicas (era hispánica, era cristiana, advenimiento del Papa, del emperador, etc.). La sucesión de los reinados se respeta de manera rigurosa. Del mismo modo, en el interior de cada uno de ellos se sigue escrupulosamente el orden en que los hechos se suceden. Cada episodio tiene asignado un capítulo, numerado y precedido por un título explícito. Cuando los hechos son poco numerosos, cada capítulo corresponde a un año de reinado.

La existencia de un marco formal tan riguroso facilitó el trabajo a los que se encargaron de proseguir la obra a la muerte de quien lo había concebido. Los sucesores de Alfonso X no continuaron la crónica añadiendo, después del relato del reinado de Fernando III, el del reinado del Rey Sabio. Sin duda les impidieron hacerlo las circunstancias históricas, bastante agitadas durante los dos primeros reinados y principios del siguiente, además de algunos obstáculos de orden puramente ideológico. Cuesta imaginar, especialmente, cómo Sancho IV, el hijo de Alfonso que se sublevó contra su padre, hubiera podido exponer con complacencia el relato de una época en la que él mismo desempeñó un papel tan controvertido.

Aquí topamos con una de las limitaciones del género, concebido más para construir un vasto armazón ideológico partiendo de una investigación erudita que para informar con exactitud de la historia reciente. Por lo tanto, habrá que esperar a que el poder real se estabilice, relativamente, con Alfonso XI (1312-1350), para que el proyecto se reanude. La iniciativa parte del mismo rey, que continúa de este modo la práctica instaurada por Alfonso X. En efecto, el relato de los reinados de los tres sucesores de Fernando III (Alfonso X, Sancho IV y Fernando IV), a veces conocido con el nombre de *Tres crónicas*, o, también, *Crónica de tres reyes,* se redacta bajo el reinado de Alfonso XI, que dirige, además, la elaboración de su propia crónica. Todo, en estas *Tres crónicas*, se aleja del modelo alfonsí, como si el rey del siglo XIV hubiera tenido que llevar a cabo, sin entusiasmo, una tarea impuesta. En realidad su ambición es otra: quiere dirigir personalmente la redacción de su propia crónica, pero, para evitar la ruptura en la progresión de la crónica real, las leyes del género le exigen, primero redactar el relato de los reinados que han precedido al suyo.

Alfonso XI encarga la elaboración de la crónica de sus hechos (*Crónica de Alfonso XI*) a uno de sus cancilleres, Fernán Sánchez de Valladolid. El trabajo ya no recae en el erudito sino en el funcionario. Con ello se refuerza la personalización del discurso histórico. La persona del rey es, más que nunca, central. La unidad de la comunidad deja de realizarse por mediación de un pasado asumido de manera colectiva, para realizarse a través de la adhesión a un monarca exaltado como persona. La exigencia ideológica es tal que la crónica sola no basta: un poema (el *Poema de Alfonso XI*) tendrá que venir a sumarse al elogio del rey.

La crónica de Alfonso XI se interrumpe en el año 1344, probablemente por razones ligadas a las circunstancias de su redacción. Así permanecerá durante treinta años, es decir, durante todo el reinado de sus dos sucesores inmediatos. Esos años, ocupados por una guerra civil, no eran propicios para redactar un texto que exigía un mínimo de acuerdo sobre la persona del monarca. Ahora bien, ninguno de sus dos sucesores obtuvo un reconocimiento unánime, y ambos contaron únicamente con sus partidarios. La primera señal de normalización aparece en 1376, cuando el segundo de ellos, Enrique II, encarga una copia preciosista de la crónica de su padre para el tesoro real. La normalización se confirma con la redacción de una *Gran Crónica de Alfonso XI*, que es una amplificación sistemática de la versión primitiva, entre 1376 y 1379.

La tarea para el cronista del reinado de los sucesores de Alfonso XI es mucho más ardua. El asesinato de Pedro I por Enrique II de Trastámara (1369) es un acontecimiento difícil de narrar con objetividad, bajo la mirada, forzosamente vigilante, del rey asesino o de sus descendientes. Por otro lado, ¿qué papel hay que asignar al rey muerto? ¿Hay que preservarlo en la genealogía real? Y, en caso de que se le elimine, ¿cómo llenar el hueco que quedaría? Es un noble castellano, el canciller Pedro López de Ayala, quien se dedica a resolver esta paradoja, probablemente por iniciativa propia.

Las circunstancias políticas de los años 1380 le ayudan, al acabar con el conflicto dinástico: Enrique III, pretendiente al trono de Castilla, está casado con Catalina de Lancaster, única descendiente del rey asesinado. El cronista puede, por lo tanto, restablecer la cadena temporal. Pedro I podrá tener su crónica, pero durante el período que comienza en 1360, su hermano Enrique figurará también como rey de Castilla. El cronista pasará de uno a otro y después, a partir de la fecha de la muerte de Pedro, continuará el relato ya iniciado del reinado del rey Enrique. Así se salvan las apariencias de la unidad de Castilla en torno a la figura del monarca. Bien es verdad que el cronista no renuncia a ensombrecer el retrato del rey cruel, pero se permite cierta indulgencia hacia sus allegados, entre los que destaca María de Padilla, su amante, sin por ello hacer peligrar la unidad ideológica de su relato.

Pedro López de Ayala es un escritor que domina la técnica. Buen conocedor de Tito Livio, reserva un lugar importante a los discursos y a los coloquios. Lector asiduo de literatura caballeresca, es capaz de crear personajes bien dibujados y de dramatizar determinadas escenas cruciales. Su dominio le permite tanto sugerir como exponer, lo que aumenta la eficacia de su propósito, que no es otro que justificar el lugar alcanzado, gracias a las liberalidades de la nueva dinastía por cierta nobleza que depende de los privilegios reales. Su crónica de Pedro I es una de las obras maestras de la prosa medieval castellana.

Bajo el reinado de Juan I (1379-1390), sucesor de Enrique, debió empezar a tomar cuerpo el proyecto de Pedro López de Ayala de redactar la crónica de los sucesores de Alfonso XI. Se conocen dos textos: uno de ellos, la versión llamada *abreviada*, de la que se modificarán la disposición y la redacción para establecer la versión definitiva. El Canciller falleció en 1407, es decir, sólo unos meses después que el último de los cuatro reyes, Enrique III. Parece ser, sin embargo, que dejó acabada la crónica de este monarca, lo mismo que la de sus antecesores.

La notoriedad adquirida por Pedro López de Ayala influyó notablemente en los cronistas reales del siglo XV. La *Crónica de Juan II* (1406-1454) fue compuesta por tres redactores por lo menos. Alvar García de Santa María (1370?-1460), al mismo tiempo que se proclama heredero de la tradición castellana, pone de relieve, con un indiscutible talento expositivo, el carácter narrativo del género. Redacta la parte que abarca el período de 1406 a 1420 y, probablemente también, la de 1420 a 1435. El halconero real, Pedro Carrillo de Huete, completa el trabajo de su predecesor, pero sólo conocemos su versión por la refundición que de ella hizo el obispo Lope de Barrientos, entre 1454 y 1469. Pedro Carrillo de Huete narra de una manera realmente eficaz una serie de hechos de los que, a menudo, ha sido testigo, e ilustra así, perfectamente, el espíritu notarial que domina al género después de Alfonso X. Su continuador, el obispo Lope de Barrientos (1382-1469), cae más fácilmente en la tentación de seguir las modas cortesanas de la época. Su frase larga, a veces ampulosa, concede más importancia a las palabras que a las imágenes.

Esta variedad de tono muestra la riqueza potencial del género creado en el siglo XIII. El tiempo ha pasado, las formas de vivir y de pensar han cambiado considerablemente, y, sin embargo, la crónica real sigue siendo un medio adaptado a la expresión de una colectividad como la que ocupa el territorio cada vez mayor de Castilla y León.

El reinado de Enrique IV (1454-1474) tuvo varios cronistas: el capellán del rey, Diego Enríquez del Castillo, privado de su cargo a la muerte del monarca, puede lucir sus dotes de orador, puesto que la belleza de estilo es otra de las constantes del género; tras él, Alonso de Palencia, autor de una crónica latina en cuatro *décadas,* y el autor anónimo de la *Crónica castellana.*

Diego de Valera (1412-1488?), por su parte, narra algunos episodios notables de los reinados de Enrique IV y de los Reyes Católicos, en su *Memorial de diversas hazañas.* Aun limitándose a un simple florilegio, consigue mostrar su valía, imprimiendo al relato de estos hechos importantes una gran moralización.

El reinado de los Reyes Católicos impone, sin embargo, al género una evolución que, con el tiempo, le será nefasta. Los soberanos deciden ejercer plenamente su autoridad sobre el trabajo del cronista. Fernando del Pulgar (alrededor de 1425-después de 1490), cronista oficial, redacta el relato hasta el año 1490. Éste se prolonga con un sumario que abarca hasta la muerte de Fernando (1516). Pulgar se desenvuelve bien en su trabajo, ya que su formación cultural es lo suficientemente amplia como para permitirle evitar la mera adulación, en la que caen muchos de sus contemporáneos. Su obra, sin embargo, no es tan personal como la de Alonso de Palencia. Aunque haya redactado las *Décadas* en latín, este autor muestra una conciencia política y crítica tan agudas, una voluntad de independencia tan firme y un estilo tan punzante, que contribuye a modificar radicalmente la concepción del género. En adelante, éste no podrá limitarse ya a elogiar al monarca. El cronista se reserva el derecho de expresar sus opiniones personales.

Mencionaremos, por último, a Andrés Bernáldez, cura de Los Palacios, cerca de Sevilla, autor de la *Historia de los Reyes Católicos Don Fernando y Doña Isabel*.

La existencia de la crónica real está estrechamente ligada a la institución monárquica y a la imagen del soberano. Fue un rey, Alfonso X, quien fijó las reglas del género y quien le otorgó, al mismo tiempo, sus primeras cartas de nobleza. Cada vez que se cuestionaba la personalidad del rey, se interrumpía la redacción de las crónicas. Y, al contrario, siempre que se reanuda, es síntoma evidente de que se ha llegado de nuevo al consenso. A pesar de su aparente rigidez, el género ha sabido adaptarse a diferentes épocas y talentos. Ninguna otra literatura medieval muestra tanta capacidad para integrar otros géneros (épico, lírico, narrativo) u otros temas (mitológico, caballeresco), ninguna puede pretender presentar mayor variedad de estilos y de tonos.

La crónica real, forma privilegiada de la historiografía medieval, no es, sin embargo, la única expresión de ésta. La *Estoria de España* de Alfonso X se prolonga por medio de refundiciones y adaptaciones. La *Crónica de 1344*, mal llamada *Segunda Crónica General*, tiende a sustituir hasta el siglo XV a la obra del Rey Sabio: concede mucha importancia a las fuentes poéticas y legendarias. La *Crónica de veinte reyes*, compuesta alrededor de 1360, abarca el periodo del 924 al 1252, y fue seguida de cerca por una *Crónica de los reyes de Castilla*, también llamada *Crónica del Cid*, que comienza un siglo más tarde y se acaba en la misma época. La *Tercera Crónica General*, compuesta alrededor de 1390, fue reeditada en 1541 por Flo-

NACIMIENTO DE LA PROSA

rián de Ocampo, lo que le valió gran notoriedad en tiempos modernos. La *Cuarta Crónica General* concluye con la muerte de Juan II (1454). El aragonés Juan Fernández de Heredia (1310?-1396?) redactó una *Gran y verdadera historia de España*, que utiliza algunas fuentes originales. El obispo de Bayona y confesor de Carlos III de Navarra, fray García Euguí, encargó una crónica general de España hasta la muerte de Alfonso XI, que termina con una breve historia de Navarra hasta 1387, fecha de la muerte del padre de Carlos III.

El siglo XV fue un siglo de divulgación histórica, gracias, sobre todo, a la proliferación de sumarios y de resúmenes. Los más conocidos son los de Juan Rodríguez de Cuenca, despensero de la reina Leonor, esposa de Juan I de Castilla; la anónima *Crónica de 1404* ; la *Suma de las crónicas de España*, de Pablo de Santa María (1350-1435), rabino y más tarde obispo de Cartagena y de Burgos; la *Atalaya de crónicas*, de Alfonso Martínez de Toledo (fallecido en 1474); el *Reportorio de príncipes de España*, de Pedro de Escavias (1410?-1485?), el cual presenta una versión interesante del reinado de Enrique IV de Castilla.

La influencia de la crónica medieval es considerable en la época moderna. Es una de las fuentes predilectas del Romancero. Algunos de sus episodios inspirarán también a los dramaturgos del Siglo de Oro. Constituye una reserva inagotable de relatos y anécdotas que los prosistas utilizarán con profusión. A partir de la segunda mitad del siglo XVIII, la crónica real será objeto de un estudio crítico y aparecerán reediciones, entre las que destaca la que salió de la imprenta de Antonio Sancha.[3]

3. LOS TRATADOS JURÍDICOS Y CIENTÍFICOS

Dentro de la España medieval, Alfonso X representa un momento crucial en la historia del discurso escrito jurídico y científico, tanto por la diversidad de contenido como por la importancia cualitativa y cuantitativa de los textos elaborados, así como por la forma de designar y expresar conceptos múltiples, simples o cultos, y, por último por la manera de organi-

---

3. Estos textos se reeditaron ya en el siglo XVI. El cronista aragonés Jerónimo Zurita, por ejemplo, preparó una edición de las dos versiones de las crónicas de Ayala. En cuanto al doctor Lorenzo Galíndez de Carvajal, se encargó de preparar para la imprenta las crónicas del siglo XV. Algunas de ellas siguen conociéndose únicamente por la versión que él editó (la de Alvar García de Santa María —salvo el comienzo, que acaba de ser publicado en su versión primitiva— y la de Enríquez del Castillo).

zar sintácticamente las palabras y de desarrollar la argumentación para llegar a una producción escrita clara y didáctica, firmemente ordenada y jerarquizada. Textos jurídicos y científicos de gran belleza, que plantean varios problemas teóricos.

Por comodidad y sin faltar al rigor, las necesidades de periodización
nos hacen considerar como alfonsíes las obras jurídicas y científicas que
abarcan el período sincrónico que va de 1241 a 1284; sin embargo, esos
textos se inscriben en realidad dentro de un estado latente del que provienen y del que se aprovechan, en un *continuo que les antecede*. La anterioridad de ese continuo puede ser cuestión de años (el *Setenario*, en lo que a
las *Siete Partidas* se refiere) o de períodos más largos (las *Instituciones* de
Justiniano, del siglo VI), pero, de cualquier modo, está *presente en el proceso de redacción*. De esta manera, los textos se manifiestan como escritos
datados, superpuestos a otros, y portadores de construcciones posteriores.
Un conceptualismo latente, traducido ya con anterioridad en lengua y en
discurso, pero que sigue siempre presente, genera una nueva escritura, la
reescritura de una escritura anterior. Se alude a ello en un buen número de
prólogos, por medio de expresiones sencillas: *los libros, los sabios, los en-
tendidos*, que, al mismo tiempo que ensalzan lo dicho anteriormente, justi-
fican de manera indirecta la labor de reescritura, puesto que ésta se apoya
precisamente en lo que dicen los «libros», los «sabios» y los «expertos». El
recurso a la *auctoritas*, que hace posible manejar gran cantidad de textos
con numerosas variantes, facilitará, bajo un aparente respeto, las innovaciones del siglo XIII: totalización del saber y carácter enciclopédico, abundancia de escritos, utilización del romance y modificaciones subrepticias
del contenido.

La consecuencia en la escritura es que las obras que analizamos aquí
tienen en común, en mayor o menor grado, bien es verdad, el presentar una
gran variación, prueba de la actividad parafrástica medieval. Se inscriben
en estratos de dos tipos:

a) Los manuscritos de una tradición (por ejemplo, los del *Fuero Real*)
constituyen una capa *intratextual*. El texto, más bien multiforme, se copia;
domina la repetición, pero cuenta con una tupida red de variantes sutiles y
delicadas: el idiolecto, la mano y el espíritu del copista se perciben. Es posible que algunos elementos de reescritura se mezclen con la repetición,
pero se sigue estando dentro de un sistema de difusión del texto, y la comparación, en sentido vertical, presenta cierta homogeneidad.

b) Varias tradiciones, opuestas entre sí, constituyen capas *intertex-*

tuales (e individualmente intratextuales); se trata más bien de un sistema de reescritura, de reelaboración del texto, multiforme y multisignificante. La comparación, en sentido horizontal, presenta cierta heterogeneidad. Así:

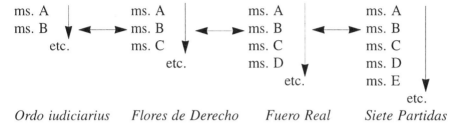

La variación es una cuestión primordial en el estudio de los textos medievales y, más en particular, de las tradiciones manuscritas jurídicas y científicas; plantea el problema del tipo de edición y del interés, en este aspecto, de una presentación yuxtalineal de todos los testimonios de una tradición, presentación que debe respetar escrupulosamente los significantes, por muy diferentes que sean. Esta presentación hace más fácil apreciar la evolución del español en la Edad Media y resolver muchos problemas que deben plantearse y concebirse de otra manera, desde un punto de vista metodológico: filiación y clasificación cronológica de los manuscritos, que debe basarse en el estudio exhaustivo de una variante en todos sus aspectos; descripción de diferentes *scriptae*; morfología ágil con soluciones múltiples y paralelas, que es conveniente describir; índices onomasiológicos que hay que organizar y explotar; sintaxis variada; concepción de la variante como efecto expresivo, o como retoque en el discurso que se está construyendo, etc.; atribuciones que hay que revisar, basadas en la escritura del texto, en su redacción.

En este contexto cultural, el problema, a menudo evocado, de saber si Alfonso X es el autor de los textos jurídicos y científicos que tradicionalmente se le atribuyen es un falso problema; se pueden aportar elementos de respuesta claros y, de entrada, el establecimiento de una distinción, fácil, y por lo tanto un poco artificial, entre autor «formal» y autor «material».

Alfonso X fue un espíritu culto y perspicaz, cuyo amor a la ciencia y cuya capacidad crítica para valorar la importancia de una cultura o de una ciencia y, por lo tanto, para rodearse sin prejuicios de sabios de formación diferente y de colaboradores cuyo trabajo había que coordinar, se ponen a menudo de relieve en los prólogos, género en el que se entremezclan lo convencional de la tradición y la habilidad política, la sinceridad y la verdad: «[...] el noble Rey do Alfonso [...] qui sempre desque fue en este mundo amo e allego a ssi las sciencias e los sabidores en ellas [...].» (*El libro conplido en los iudizios de las estrellas.*)

Su función fue la de dirigir, animar y supervisar. Su papel, el de un empresario, el de un maestro de obras de las redacciones importantes de la segunda mitad del siglo XIII; en este sentido, no debemos dudar en considerarlo como el autor «formal» de las obras que vamos a estudiar.

Pero no pudo ser el autor «material»: sus funciones y sus preocupaciones no le permitían asumir personalmente una redacción científica. Se rodeó para ello de eminentes colaboradores, que representaban el saber de su época, de traductores y de aplicados compiladores.

En efecto, la obra alfonsí es, ante todo, un inmenso taller:

a) De compilación y de erudición de calidad, y en esto muy representativa de su época; está presente la preocupación de abarcarlo todo: se elaboran sumas, lo más completas posible, de todos los conocimientos y de todas las disciplinas (derecho, historia, astronomía, astrología, mineralogía médica, juegos, etc.).

b) De composición y escritura; de redacción en romance (castellano), al que se da prioridad (quizá por influencia de los judíos, para quienes el latín era, sobre todo, una lengua litúrgica, y por la necesidad de disponer de un instrumento de unión entre cristianos, judíos y árabes, pero, fundamentalmente, debido al contexto reinante de generalización del empleo de las lenguas vernáculas). El castellano, lengua vulgar, es elevado al nivel de lengua culta al ser utilizado para redactar obras científicas y documentos de la cancillería, antes redactados en latín. Esto tiene como consecuencia un desarrollo importante del discurso en prosa, por medio del intenso cultivo de las posibilidades de la lengua, por la necesidad de expresar nuevos conceptos y, por lo tanto, de introducir cultismos, nuevos términos que se definen cuidadosamente y de los que no se duda en facilitar equivalentes en otras lenguas (latín o griego, por ejemplo).

La corrección del texto parece haber sido una de las preocupaciones de Alfonso X, cuyo trabajo de revisión y de supervisión se menciona a menudo, según un pasaje del *Libro de la ochava esfera* (por ejemplo, ms. 9-26-4-D-97, Real Academia de la Historia, fol. 1.º).

c) De traducción. Suscitando y patrocinando numerosas traducciones del árabe al castellano, Alfonso X prosigue la tradición de los traductores toledanos y, más lejos en el tiempo (siglo X), la de las traducciones catalanas de Barcelona y de Ripoll.

Así, en 1240 —Alfonso X tenía por entonces once años—, Herman el Alemán estaba trabajando en Toledo y acabando una traducción al latín del *Comentario medio* de Averroes; su nombre viene a añadirse a una larga lista de traductores toledanos de renombre, entre los que se encuentran Miguel Escoto, Gerardo de Cremona, Roberto de Chester, Herman el Dálmata, Adelardo de Bath, Domingo Gundisalvo y Juan Hispalense, que sirvieron de puente entre la época de las traducciones alfonsíes y la de las traducciones auspiciadas por don Raimundo.

Desde don Raimundo, arzobispo de Toledo de 1126 a 1152, hasta Alfonso X, Gonzalo Menéndez Pidal ha establecido que la técnica de la traducción se practicaba de la siguiente manera: el trabajo se encargaba a un equipo compuesto por dos personas especialistas en la materia; una conocía la lengua del original (el árabe, por ejemplo), la otra dominaba la lengua de llegada (el latín), y los dos colaboradores tenían en común la lengua vulgar. La originalidad de Alfonso X consistió en comprender que la lengua vulgar podía transformarse en lengua de llegada, ser transcrita por un copista y dejar de ser únicamente el *vínculo oral* entre el árabe (u otra lengua) y el latín.

El rey creó también una escuela en Sevilla, y recurrió a equipos formados por dos personas, de las cuales unas, como Garci Pérez o Guillén Arremón hablaban castellano y otras, Judá Ben Mosé o Abraham, por ejemplo, dominaban las lenguas orientales. Documentos que se traducen en una primera etapa pueden ser objeto, veinte años después, de formulaciones y redacciones definitivas.

Dos razones fundamentales hacen de Alfonso X un magnífico representante, en España, del modelo de escritor del siglo XIII: por un lado, recopila textos, preocupado por la difusión del saber, característica de esa época; por otro, ha utilizado el romance y se ha enfrentado, por lo tanto, con el problema de la escritura que ha tenido que resolver.

Destacan tres textos jurídicos: el *Fuero Real*, el *Espéculo*, y las *Siete Partidas*, que constituyen un corpus importante y extenso. Alfonso X se vio en la *necesidad* de redactar estas obras: ¿por qué, y con qué objeto?

Cuando accede al trono de Castilla y León, la situación de la Península Ibérica en el ámbito jurídico se caracteriza por una gran complejidad, llena de contradicciones y de matices, y por una enorme diversidad. Domina la falta de uniformidad. Así, el *Fuero Juzgo*, elaborado en época de Fernando III —versión romance del *Liber Iudiciorum* del 650, llamado también *Liber Iudicum, Liber Gothicum, Liber Iudicis, Lex Gothorum,* o *Lex Visigothorum*— se aplicaba en tierras leonesas (aunque no fue el único texto en vigor, puesto que en el 1020 se hizo una versión del *Fuero de León*-derecho de la Reconquista) y en Andalucía, mientras que en Castilla (donde el *Liber* parece haber sido aplicado sólo de manera muy esporádica) y en Extremadura se regían por un localismo jurídico, que se basaba en las costumbres y en las sentencias judiciales.

Los usos y costumbres, los derechos y deberes de los habitantes de una localidad estaban recogidos en los *fueros*, cuyas redacciones podían ser *breves* —alrededor de cincuenta disposiciones sobre determinados aspectos de derecho público y penal; por ejemplo, el *fuero* latino de Sepúlveda (1076), y los de León (1017-1020), Guadalajara (1133), Molina de Aragón (1154), Avilés (1157), Uclés (1179), etc.— o *largas*, esto sobre todo a partir del siglo XII (un prototipo es la de Cuenca). Algunas localidades tuvieron dos versiones: una breve y una larga (Brihuega, por ejemplo: se le acordó una versión breve, en latín, entre 1121 y 1129; y otra larga, de más de trescientos capítulos, se redactó en romance entre 1237 y 1240). Se forman tradiciones manuscritas forales, o familias: un texto sirve de modelo para versiones que se conceden a localidades más o menos cercanas. El *fuero* de Benavente se expande por tierras gallegas y asturianas: Castropol, Gijón, Langreo, Llanes, Maliayo, Miranda, Parga, Pola de Lena, etc.; el de Cuenca tiene una difusión importante: Alarcón, Alcaraz, Alcázar de San Juan, Baeza, Cazorla, Haro, Huete, Iznatoraf, Sabiote, Úbeda, Zorita de los Canes, etcétera. Estas atribuciones múltiples son ya un comienzo de unificación.

En cuanto a las sentencias judiciales (*fazañas*), eran pronunciadas por los jueces sobre un tema concreto, y bastaban para introducir reglas de derecho.

> Esto es por fasannya: que mandaron prender a Johan delos Montes por achaque que furto et lo mas por que disian que se iasia con muger de su marido e con otras mugeres; e mandol enforcar.
>
> (*Libro de los Fueros de Castiella*, ed. Galo Sánchez, p. 142)

Sin embargo, Alfonso X desaprueba firmemente este tipo de sentencia, salvo si procede del rey:

> Otrosi decimos que non debe valer ningunt juicio que fuese dado por fazañas de otro, fueras ende si tomasen aquella fazaña de juicio quel rey hobiese...
>
> (*Partida* III, tít. XXII, ley XIV)

En este contexto de vida jurídica intensa y de formas variadas, excesivamente dispersa (como ya lo percibió Fernando III, bajo cuyo reinado se empezó a redactar el *Setenario*) y cuando, al mismo tiempo, se extendían el derecho romano, objeto de estudio en la Escuela de Bolonia desde la segunda mitad del siglo XI, y la cultura romanista, Alfonso X lleva a cabo la redacción de sus sumas jurídicas, concebidas como una ordenación legislativa.

Es importante señalar que los manuscritos conocidos de las obras que estudiamos (*Fuero Real, Espéculo, Siete Partidas*) son posteriores a 1284, y, por tanto, posteriores también a la muerte de Alfonso X. Los manuscritos que proceden del *scriptorium* alfonsí parecen ser sólo dieciséis; corresponden a las *Cantigas de Santa María* (4); la *Estoria de España*; la *General Estoria I*; la *General Estoria IV*; el *Libro de las Leyes*; el *Libro de las Formas*; el *Lapidario*; el *Libro de las Cruzes*; el *Libro conplido en los iudizios de las estrellas*; los *Libros del saber de astronomía*; los *Cánones de Albateni*; el *Picatrix*; y el *Libro del axedrez, dados e tablas*.

La voluntad de renovar el derecho, presente en las tres obras que vamos a comentar, se manifiesta de dos maneras:

a) Por la voluntad expresada de unificar el derecho y de considerar que la situación anterior, desordenada y conflictiva, era insostenible. Se manifiesta el deseo de que, en adelante, se siga y se respete una única redacción.

b) Por la reivindicación del monopolio legal; los poderes jurisdiccionales dejarán de justificarse por costumbre o libre arbitrio, y pasarán a manos del rey, con lo que se conseguirá además poner fin —como se desea— o, por lo menos reducir la autonomía de las comunidades y de un determinado tipo de poder (adquirido) de la nobleza. Es el monarca quien debe crear la ley.

Fuero Real

Las denominaciones de esta obra son múltiples, características de la *variatio* y de la percepción del texto en la Edad Media: *Fuero Real, Fuero Real de Valladolid, Fuero Real de Castilla, Fuero Real de España*, así como: *Flores, Libro de las Flores, Flores de las Leyes*, o incluso: *Libro del Fuero, Fuero del Libro, Fuero de la Corte, Libro del Fuero de las Leyes*, etcétera.

Alrededor de cuarenta manuscritos, completos o fragmentarios, transmiten esta tradición, cuyo contenido está repartido en cuatro libros, subdivididos respectivamente en doce, quince, veinte y veinticinco títulos, con un total de más de quinientas leyes. Los cinco primeros títulos del libro I tratan de derecho eclesiástico; el sexto, de las leyes (*De las leyes et de sus establecimientos*), lo que, junto con el derecho público, el derecho civil (libro III), el derecho común y la organización judicial (en particular el libro II), el derecho penal (sobre todo el libro IV) configuran fundamentalmente el desarrollo del texto.

Las fuentes, múltiples, tienen todavía que ser profundizadas: *a*) los *Fueros*, en particular el de Soria; *b*) el *Liber iudiciorum* y/o el *Fuero Juzgo*; *c*) *Lo Codi*; *d*) el derecho común (*Instituciones, Digesto, Código, Summas*). El texto, redactado entre 1252 y 1255, todavía de carácter localista, fue otorgado como fuero municipal en varias ciudades, en el norte de Castilla sobre todo. Por ejemplo: Aguilar de Campoo, 14 de marzo de 1255; Peñafiel, 19 de julio de 1256; Buitrago, 23 de julio de 1256; Burgos, 27 de julio de 1256; Talavera, 8 de agosto de 1247; Niebla, 28 de febrero de 1263; Valladolid, 19 de agosto de 1265. Los textos de estas concesiones figuran en el *Memorial Histórico Español*, Madrid, 1851, t. I, páginas: 57-62, 89-93, 93-97, 97-100, 124-127, 202-204, 224-228. Las razones a las que se alude se repiten de un privilegio a otro: *a*) ausencia de un *fuero* completo y respetable al que remitirse; *b*) de donde surgen incertidumbres, disputas y querellas y, por consiguiente, la justicia no se puede ejercer bien; *c*) necesidad, por lo tanto, de que se otorgue el *Fuero Real (escripto en libro é seellado)*.

Muy a menudo, la concesión comportaba al mismo tiempo privilegios específicos para la localidad a la que se otorgaba, a cambio de servicios prestados «[...]é para darles galardon por los muchos servicios[...] damosles et otorgamosles estas franquezas que son escriptas en este previllegio[...]» (se trata, en este caso, de Valladolid; *cf. Memorial Histórico Español*, t. I, Madrid, 1851, pp. 224-228).

Espéculo

El título de *Espéculo*, sin duda posterior a Alfonso X, se generalizó rápidamente a partir del siglo XIV: bajo esta denominación se hace referencia al texto en las glosas marginales de numerosos manuscritos. Varios pasajes explican su génesis: «Este es el Libro del Ffuero que ffizo el rrey don Alffonso [...] el qual es llamado Especulo, que quiere tanto dezir como espeio de todos los derechos» (*Espéculo*. Texto jurídico atribuido al rey de Castilla don Alfonso X, el Sabio, ed. de R. A. MacDonald, Madison, Univ. de Richmond, 1990, fol. 2r).

Sin embargo, «*el libro del fuero*» designaba también al texto que se abreviaba a menudo en «*libro*»: «las leys deste libro» (libro IV, ley XVI, p. 254). Únicamente un manuscrito de la Edad Media, que data de alrededor de 1390, lo reproduce (B.N., Madrid: ms. 10123); los otros tres son muy posteriores: de los siglos XVI, XVIII y XIX.

El objetivo de Alfonso X es el de proporcionar una redacción sistemática del derecho capaz de contribuir a la unificación jurídica del reino y el de presentar, por tanto, una compilación general, que sea al mismo tiempo guía moral y jurídica, y que pueda responder a todos los problemas. Observar la ley es una necesidad, que se facilita, en teoría, de la siguiente manera: las ciudades dispondrán de un ejemplar que reproduzca el original, conservado en la corte, donde podrá ser consultado.

En el caso de que una versión tenga lagunas, será el rey quien efectúe las modificaciones que se juzguen indispensables, prueba complementaria de la voluntad de afirmar el monopolio legislativo del rey (libro I, ley 3).

Hoy en día el texto consta de cinco libros, cuya redacción es anterior al 31 de agosto de 1258; comenzada en 1253, estaba ya concluida, muy probablemente, en mayo-junio de 1255. Sin embargo, numerosas referencias encontradas aquí y allá dan a entender sin lugar a dudas que los libros debían ser siete e incluso probablemente nueve. El libro V actual está incompleto y, además, debió existir otro libro V, diferente del que conocemos. La cuestión que se plantea, por lo tanto, es la de saber si el manuscrito de que disponemos está incompleto, truncado, debido a una transmisión defectuosa, o si la redacción no llegó a acabarse, con lo cual se trataría, en cierto modo, de una obra fallida. Aquilino Iglesia Ferreirós ha formulado la hipótesis de que se abandonó la redacción a partir de 1256, fecha en la que se ofreció a Alfonso X la corona imperial. Este hecho histórico podría haber supuesto una modificación de los proyectos del rey, y le habría llevado a concebir otra obra, mucho más ambiciosa y de gran envergadura, más universal y digna de un emperador: las *Siete Partidas*.

El contenido de los cinco libros versa sobre las leyes y la fe, el rey y la casa real, las obligaciones militares, la justicia y el cuerpo de justicia, y el desarrollo de los procesos.

Las «*Siete Partidas*»

El texto generalmente conocido bajo el nombre —el más corriente— de *Siete Partidas* (ya que consta de siete partes, cifra con un significado sagrado particular en aquella época: los siete días de la semana, los siete colores del blasón, los siete planetas, el candelabro de siete brazos, etc. y en el que, además, con la primera letra de cada *partida* se forma la palabra «Alfonso»), ha sido también conocido con otros nombres: *Fuero del fuero, Fuero del libro, Fuero de las leyes.*

En el prólogo, muy general, de alcance universal y donde no se hace ninguna referencia especial a Castilla o a España, se establece un triple objetivo: *a*) llevar a cabo un proyecto concebido por el padre de Alfonso X; *b*) facilitar el trabajo de sus sucesores y, por lo tanto, preparar el futuro; *c*) facilitar a los hombres una línea de conducta que deberán seguir y respetar.

La fecha de redacción y su duración son inciertas. Parece ser que se inició probablemente en 1256, y que se encargó de ella a una comisión de juristas; habría que volverla a replantear por completo, y un enorme campo queda abierto a la investigación: sólo la comparación sistemática y exhaustiva de todos los manuscritos, con vistas a una edición digna de ese nombre, nos permitiría entrar en la dinámica del texto y descubrir las huellas de las fuentes y de los juristas, ya que se han barajado varios nombres, pero sin pruebas, tanto en lo que a la redacción en sí se refiere, como en lo que concierne a la formulación o a la reformulación: Jacobo de Junta, *el de las leyes*, Fernando Martínez de Zamora, fray Pedro Gallego, Roldán, etc.

La tradición manuscrita de las *Siete Partidas* consta de ciento diecisiete *items*, según una descripción que se ha llevado a cabo, lo que subraya su importancia.

Sus fuentes son múltiples. Merecerían, ellas solas, un estudio más profundo. Citemos a: Aristóteles, Cicerón, Plutarco, Vegecio; el Antiguo y el Nuevo Testamento; san Agustín, san Jerónimo, san Isidoro de Sevilla; los Padres de la Iglesia; Boecio, Pedro Alfonso, *Disciplina clericalis*; *Poridat de poridades*; el *Corpus iuris* de Justiniano y las obras de los glosadores; Graciano; diferentes *summas*; los textos jurídicos castellanos (fueros, etc.); Jacobo de la Junta, *el de las leyes*, etc.

El texto presenta alrededor de dos mil quinientas leyes y los temas que se abordan, en las siete partes, son: 1. Fuentes del derecho; derecho canónico; 2. Derecho público: emperadores, reyes y señores; pueblo; ejército; enseñanza; 3. Organización judicial; 4. Derecho civil: casamientos, familia, problemas feudales; 5. Derecho civil: contratos; compras, ventas y cambios; 6. Derecho de sucesión: testamentos y herencias; 7. Derecho penal.

Vasta síntesis teórica de principios jurídicos y religiosos, filosóficos y morales, las *Siete Partidas* constituyen un magnífico libro doctrinal en el que el desarrollo de las ideas sigue una argumentación rigurosa que confiere plena belleza a la escritura, edificante y cautivadora a la vez. Es un verdadero y gran placer leerla. Este placer, me parece, es heredado, pero se trata de una herencia mejorada gracias a las cualidades de una prosa naciente y joven, de una gran agilidad; se debe, en parte, a la introducción penetrante y original, en este texto del siglo XIII, de la retórica característica de la cultura clásica. Las *Siete Partidas*, o la quintaesencia del arte de persuadir y de convencer.

La astronomía y la astrología ocupan un lugar muy importante dentro de los textos científicos, y se pasa de una a otra de manera fácil y sin fallos. Una preocupación constante de la época, a la que Alfonso X era muy sensible, consistía en tratar de comprender el papel de los astros, de la influencia de la conjunción de los planetas en la conducta de los seres humanos. La producción textual, rica en este campo y fruto del inmenso taller alfonsí de escritura, de reescrituras y de traducciones, convierte a la España del siglo XIII en uno de los países más importantes en el desarrollo de esas ciencias en Europa.

El «Lapidario»

Este *Lapidario* versa sobre el poder y las virtudes mágicas de las piedras en armonía con el signo del Zodiaco bajo el que se encuentran.

En realidad, se trata de varios lapidarios reunidos en dos manuscritos de contenidos diferentes, pero con letra de la misma época (segunda mitad - último tercio del siglo XIII), y conservados ambos en la biblioteca de El Escorial: h.I.15, traducido en 1250; h.I.16, traducido unos veinticinco años después. Una copia fragmentaria del siglo XVI se encuentra en la Biblioteca Nacional de Madrid (ms. 1197).

Las condiciones en las que se descubrió la versión árabe se narran de la siguiente manera en el prólogo:

> Et despues que el murio fico como perdudo este libro muy grand tiempo, de guisa que los quel auien nol entendien bien, nin sabien obrar del assi commo conuinie. Fasta que quiso Dios que uiniesse a manos del noble rey don Alfonso [...]. Et fallo en, seyendo jnfante, en uida de su padre, en el anno que gano el regno de Murcia [...].
>
> Et ouol en Toledo, de un iudio quel tenie ascondido, que se non querie aprouechar del, nin que a otro touiesse pro. Et de que este libro touo en su poder, fizo lo leer a otro su judio, que era su fisico et dizien le Yhuda Mosca [...].

> (*Lapidario* [según el manuscrito escurialense H.I.15], ed. de S. Rodríguez M. Montalvo, Madrid, Gredos, 1981, pp. 18 y 19.)

Yhuda Mosca, versado en el arte de la astronomía y que entendía el árabe y el latín, se percató del interés que presentaba la obra. Ayudado por Garci Pérez hizo una traducción de ello, que acabó en 1250 (primera época de las traducciones alfonsíes).

Bajo el título de *Lapidario* se agrupan varias partes que exponen las propiedades, benéficas o perjudiciales, de las piedras que están bajo la influencia de los signos de Zodiaco, de los planetas, de las constelaciones y de la posición de las estrellas. El manuscrito h.I.15 reúne cuatro. La primera y más importante (92 folios) trata de las piedras preciosas según los signos de Zodiaco; se divide en doce capítulos, que corresponden a los doce signos del Zodiaco, y cada una presenta la descripción de treinta piedras. En realidad, sólo aparecen descritas trescientas piedras, debido a la pérdida de algunos pliegos. La segunda parte (siete folios) trata de las piedras según las fases de los signos del Zodiaco; la tercera (nueve folios), según las plantas; la cuarta cataloga las piedras por orden alfabético: «Azintaz dizen en griego ala quarta piedra de la a [...] Axuçarifez ha nombre en griego la quinta piedra de la a [...] Ametitez llaman en griego ala sesta piedra de la a [...]» (p. 214).

Las piedras, raras o fabulosas, de las que se comentan las propiedades, son unos complementos vitales muy apreciados, respetados por su acción eficaz, maravillosa, sobre el ser humano. Algunos ejemplos: la piedra llamada *de Cin* tiene tres virtudes diferentes: cura las anginas o la inflamación de las amígdalas, espanta a las moscas y, metida en aceite de oliva, se funde inmediatamente y se incorpora al aceite (p. 28); la piedra llamada *abietityz*, envuelta en piel de ciervo y sujeta al muslo izquierdo de una mujer encinta, le permite parir fácilmente y sin peligro (p. 35); la piedra llamada *quedoritoz* tiene como propiedad la de atraer a los gusanos: el que la lleva en la cintura puede estar seguro de no tener gusanos en el cuerpo (p. 66); la piedra llamada *siphe*, colocada encima del estómago o sobre el intestino, cura al que padece de estos órganos (pp. 66 y 67); la piedra llamada *gaciegaleytiz* impide enamorarse al que la lleva (p. 87); la piedra denominada *yaymeni* sirve para pulimentar el mármol y otras piedras; en forma de polvo, si se frotan los dientes con ella, los vuelve blancos y bellos (p. 168).

La descripción de las piedras está sometida a un orden riguroso, que se sigue con regularidad: *a*) indicación del grado de los signos del Zodiaco al que corresponde la piedra; *b*) referencia al lugar de procedencia; *c*) descripción de la piedra (color, peso, naturaleza); *d*) propiedad(es); *e*) momento de mayor influencia de la piedra según la posición de la estrella.

Es interesante observar el sistema de designación de las⁴ piedras. *a)* Se afirma que la piedra tiene un nombre: «Dela piedra aque llaman *açufaratiz*» (p. 34). *b)* Se indica el nombre de la piedra en varias lenguas, por ejemplo en caldeo y en árabe, en latín, en castellano: «De la piedra aque llaman *magnitat* en caldeo et en arauigo, et en latín *magnetes*, et en lenguage castellano *aymant*» (p. 20). *c)* La denominación se explica a menudo por medio de una perífrasis: «[...] la piedra aque dizen *çurudica, que quiere dezir desfazedor del fígado*» (p. 21). *d)* Una perífrasis designa la piedra: «Dela piedra que fuye dela leche» (p. 25). *e)* A veces se dan y se explican varias designaciones: «[...] la piedra aque dizen *beruth*; et a otro nombre, quel llaman *açin* porque la fallan en un monte que a en tierra de Egipto aque dizen desta guisa [...]» (p. 28). *f)* Se designa a la piedra con un término genérico (*açufaratiz*), que engloba cuatro variedades, debidamente explicadas: *lyemeni, kabroci, lubi, antoqui* (p. 34).

La prosa científica del *Lapidario*, a menudo poética, está inmersa en una magia que sitúa inmediatamente al lector y al libro dentro de un hechizo, tanto más cuanto que las pequeñeces de la vida terrenal están siempre presentes, como señales que nos hacen guiños: amuletos, heridas, dentífrico, ginecología, insomnios, melancolía, migrañas, estimulantes, vinos, virginidad...

El «Libro de las cruzes»

Al igual que la obra precedente, el *Libro de las cruzes* se inscribe en una tradición astrológica muy viva, de origen oriental, aunque, en este caso, el libro se refiere a los aspectos de la vida de las estrellas directamente relacionados con la vida del rey y los problemas de su reinado, como lo indican estos dos títulos de capítulos tomados del prólogo: «El capitulo viii: fabla en las costellationes, de los accaecementos que accaeçen entre los reyes et de sus enemigos [...]» (p. 2).

«El capitulo xxix: fabla en los grandes accaecementos de los reys et de sus uassallos quel accaeçen de partes de sus enemigos, et en los dannos de sus uillas [...]» (p. 3).

En el prólogo (p. 1) se dice claramente que «Hyuhda fy de Mosse al-Choen Mosca» (11.22-23) hizo la traducción del árabe al castellano; le ayudó en su tarea Johan d'Aspa (p. 168, 11.1-3 b). La división en capítulos no estaba indicada: fue «maestre Johan» (prólogo, p. 1.30 b) quien se encargó de hacerla, por orden de Alfonso X.

La obra se acabó el 26 de febrero de 1259. Está contenida en dos manuscritos: uno proviene del *scriptorium* alfonsí (*cf.* p. 122), el de la Biblioteca Nacional de Madrid (ms. 9294; 201 folios); el otro es más bien un resumen del texto, escrito en el siglo XVI: se encuentra en la biblioteca de la
Real Academia de la Historia (123 folios).

El «*Libro conplido en los iudizios de las estrellas*»

Una prueba más del vivo interés de Alfonso X por la astrología es la
versión castellana del manual clásico de Aly Aben Ragel, originario del
Magreb, y del que se han conservado numerosos manuscritos árabes; se
trata de una obra de madurez, concluida hacia el 1050, y que es una síntesis de la astrología judicial greco-árabe, presentada de la siguiente manera
al principio de la traducción: «*Este es el Libro conplido en los iudizios de
las estrellas, el que compuso Alih Aben Ragel, el notario*».

La traducción del árabe al castellano se empezó el 12 de marzo de 1254,
a la hora más propicia —6h 30 de la mañana—, detalle muy revelador de la
importancia que se daba a la astrología; fue realizada por Yĕhudá b. Mošé
ha-Kohén. La versión latina se debe a Egidius de Thebaldis y a Petrus de
Regio.

El texto nos ha llegado en cuatro manuscritos redactados en español:

a) El ms. 3065 de la Biblioteca Nacional de Madrid, en el que Gerold Hilty ha basado su edición; se trata de un original del siglo XIII, procedente del *scriptorium* alfonsí, que sólo contiene cinco de las ocho partes
de que constaba: «E este libro es partido en VIII libros» (p. 3a, 11.33-34).
El índice indica el contenido de los libros que faltan: «E en el secto libro
fabla en las reuoluciones de las nacencias. E en el septimo libro fabla de
las electiones. E en el ochauo libro fabla de las reuoluciones de los annos
del mundo. E aqui.s acaba el Libro conplido en los iudizios de las estrellas» (p.3 b, 11.3-8).

b) El ms. 981 de la Biblioteca de Cataluña, de Barcelona; copia directa
del anterior, pero todavía más incompleto. Esta versión, obra de cuatro manos, data de la segunda mitad del siglo XV.

c) El ms. 253 de la Biblioteca de Santa Cruz de Valladolid sólo consta
de las partes 5 y 6, y tiene numerosas lagunas.

d) El ms. 115 de Segovia (Archivos de la Catedral) sí incluye el libro
VII; se puede datar hacia 1430.

Libros del saber de astronomia. Tablas alfonsíes

Los *Libros del saber de astronomia* (1276-1277) son al mismo tiempo una suma de los conocimientos de astronomía en el siglo XIII (tanto en lo que se refiere a datos exactos o científicos, como a astrológicos) y el reflejo de la imagen que el hombre medieval tenía del mundo. Permiten hacerse una idea del estado de la ciencia de la astronomía y de la astrología en aquella época, y proporcionan también datos muy valiosos sobre los conocimientos mecánicos y sobre los instrumentos de medida.

La mayoría de los tratados son traducciones del árabe; algunos son producciones originales de Alfonso X y de sus colaboradores. Constan de dieciséis partes, en las que se tratan temas que van desde la esfera o el astrolabio universal, hasta los diferentes tipos de relojes.

Las *Tablas alfonsíes* versan sobre el movimiento de los planetas, la medida del tiempo y los eclipses, y dejan constancia de observaciones, debidamente programadas, que se llevaron a cabo en Toledo, durante un período de diez años, de 1263 a 1272, dirigidas por Ishaq Ibn Cid y Yēhudá Ben Mošé.

El programa consistió sobre todo en observar: *a*) el sol durante un año, siguiendo el método de Ptolomeo y el que inventaron, hacia el 830, los astrónomos del califa al-Mamún; *b*) los eclipses solares y lunares entre 1263 y 1266; *c*) las conjunciones de los planetas con algunas estrellas fijas.

No podemos acabar sin mencionar *Los Cánones de Albateni*, traducción de los *Kitāb al-zīǧ al-ṣābi* de al-Battānī.

Los textos jurídicos y científicos, astronómicos y astrológicos que acabamos de describir son sólo testimonio de un momento importante, de una intensa producción-acumulación (y síntesis), que seguirá profundizándose, escribiéndose de nuevo, repitiéndose también, pero junto a la que se situarán otros textos, otras tradiciones manuscritas, al mismo tiempo o en otro momento: tratados de caza (*Libro que es fecho de las animalias que caçan, Libro de la montería...*), tratados de medicina, de veterinaria o de hipiatría o también de armas.

La literatura ejemplar

1. LA LITERATURA GNÓMICA

Antes de Alfonso X, los prosistas se venían inspirando en el saber oriental para presentarlo en romance en forma de sentencias o «proverbios». Es la llamada literatura gnómica.

El *Diálogo o disputa del cristiano y del judío* data de principios del siglo XIII. Es probablemente la obra más antigua en lengua española. Emplea un tono cruel. El autor debe estar influido por Pedro Alfonso, autor de la *Disciplina clericalis* y de los *Dialogi contra Judaeos*, que escribió después de su conversión.

Los *Diez mandamientos* son obra de un monje navarro y estaban dirigidos a los confesores (primera mitad del siglo XIII).

El *Libro de los doze sabios* o *Tratado de la nobleza o lealtad* (1237) reúne consejos morales y políticos destinados a un joven infante. Es uno de los argumentos que más abundan en estos escritos de sapiencia.

El *Libro de los cien capítulos* consta, en realidad, de cincuenta. Compuesto esencialmente por máximas, incluye por primera vez en español *exempla* o apólogos. Esta obra influirá en las *Flores de Filosofía*, escritas bajo Alfonso X, así como en el libro tercero del *Libro del caballero Zifar*.

Algunos textos tendrán gran resonancia. Bastante parecidos en cuanto al contenido, retoman, en particular, la tradición de los consejos que Alejandro Magno habría recibido de Aristóteles, su preceptor.

El *Libro de los buenos proverbios*, atribuidos éstos a filósofos griegos, latinos y árabes, es una traducción de la obra de un escritor sirio instalado en Bagdad en el siglo IX, Hunain Ibn Ishaq. Comienza con un *exemplum* y a continuación presenta listas de sentencias, agrupadas en diferentes colecciones.

Bonium o *Bocados de oro* es otra colección de sentencias, muy leída y utilizada por don Juan Manuel: Europa estaba entonces sedienta de sabiduría oriental. En el siglo XV, la versión francesa de Guillaume de Thignonville la hizo todavía más famosa (*Les Dits et Faitz des philosophes*).

El *Secreto de los secretos* se conoce en la Edad Media por tres textos. El primero (siglo XII), escrito en latín, es obra de Johannes Hispalensis. El segundo (*Poridat de poridades*) es una versión española, editada por Kasten. Por último, Felipe de Trípoli tradujo al latín otra versión (*Secretum secretorum*) que se difundirá por toda Europa. La versión española (*Poridat...*) consta de ocho partes, una de ellas un interesante lapidario.

Para apreciar el parecido de estas obras gnómicas, hay que señalar que la *General Estoria* del rey Alfonso X incorpora un *Libro de las enseñanzas que Aristóteles envió a Alejandro*, llamado también *Secreto de los secretos*. En realidad, este texto no es otro que el *Libro de los buenos proverbios*.

El *Libro del consejo* data de principios del siglo XIV. Deriva, y ésta es su originalidad, no de una fuente árabe, sino del *Liber consolationum et consilii*, de Albertano de Brescia (1246). Está, sin embargo, muy relacionado con los demás títulos de la serie.

Esta sabiduría se inspira poco en la Biblia. A menudo, es un calco del pensamiento árabe, heredero de la filosofía griega. Sin embargo, López de Baeza adaptó a la moral cristiana las *Flores de Filosofía* en su libro *Dichos de Santos Padres*.

En la *Historia de la doncella Teodor*, la esclava Teodor salva su honor y el de su dueño, arruinado, al contestar de manera pertinente a las preguntas y a los enigmas de los tres sabios. Las respuestas de Teodor son un resumen del saber medieval, en los campos del derecho, de la medicina, de la religión (el texto español adapta el Corán a la fe cristiana). El carácter lúdico de los diálogos hace que el texto sea animado y vivo. Este cuento figura también en las *Mil y una noches* (la historia de la esclava *Tawaddud*). El texto español, del que se conocen numerosas versiones, fue muy popular.

El *Lucidario* recoge las respuestas de un maestro a las preguntas de su discípulo. Está inspirado en el *Elucidarium* de Honorius de Autun (hacia 1095), y es un texto bastante tardío (1400). Se atribuyó al rey Sancho IV. Toma las lecciones de Anselmo de Canterbury, de san Agustín y de los doctores de la Iglesia. No excluye la herencia de Aristóteles y de Averroes, pero refuta algunos aspectos condenados.

Aunque no se trate del mismo tipo de sabiduría, las traducciones de la Biblia al romance muestran idéntico empeño en educar al pueblo. Sin embargo, los *exempla* no bíblicos no abundan en los sermones de los predicadores, lo que demuestra la prevención de la Iglesia hacia esa práctica, y su preocupación por conservar la Escritura en la forma sagrada de la Vulgata en latín. En 1233, el Concilio de Zaragoza se opone a las traducciones bíblicas en lengua vulgar. España se distingue, a pesar de todo, por la *Biblia romançada*, anterior incluso a las numerosas traducciones del Antiguo Testamento que se hicieron en *ladino* (la lengua judeo-española calcada del hebreo).

La *Semejanza del mundo* es un interesante tratado de geografía, inspirado en las *Etimologías* de san Isidoro de Sevilla y en el *Imago mundi* de Honorius Inclusus (hacia 1100). Escrita en 1222, esta obra presenta bestiarios, lapidarios y notas sobre las propiedades de las cosas.

2.   EL *EXEMPLUM*

La tradición del *exemplum*, común a todo el mundo, conoció un importante auge en España, suscitado en parte por el interés que Alfonso X manifestó por él en su juventud.

Se puede retener la definición —argumentada y completa— que de este género propone Jacques Le Goff: «Relato breve, presentado como verídico y destinado a ser incluido en un discurso (generalmente un sermón) con el fin de convencer al auditorio por medio de una lección saludable».

Es cierto que en los siglos XIII y XIV constituía el *exemplum* un instrumento insuperable para los predicadores, franciscanos y dominicos sobre todo. Se opone, a menudo, a la *similitudo,* subrayando su carácter particular, basado en un personaje conocido o, en cualquier caso, singular. La *similitudo,* por el contrario, se refiere a una propiedad general de la especie. Por otro lado, los *exempla* constituyen un *corpus* relativamente limitado de cuentos relacionados con los bestiarios, con el folclore y con la historia. Tiene prohibidos muchos campos: los textos bíblicos, la mayoría de las veces. Su carácter sagrado impedía probablemente al predicador orientar libremente el significado del hecho que relataba.

En el prólogo del *Tractatus de diversis materiis praedicabilibus,* Etienne de Bourbon (fallecido en 1261) distingue entre *auctoritates* (tomadas de la Biblia, de la patrística, de las hagiografías), *rationes* y *exempla.* Sigue la línea marcada por Aristóteles, quien, en el arte de convencer, diferenciaba el *argumento* (o demostración lógica) del *ejemplo* (o ilustración): *enthymema* y *paradeigma.* En la sucesión lineal de la escritura, el ejemplo expone dos propósitos paradigmáticos, el cuento y su lección. La yuxtaposición (así...así) indica la relación que los une.

El relato y su lección están, a menudo, ligados por una relación de similitud (de tipo metafórico). De esta manera, el ejemplo 5 del *Libro de los gatos* cuenta cómo el quebrantahuesos rompe los huesos demasiado duros de su presa, dejándolos caer desde una altura elevada, con el fin de comerse la médula. *Del mismo modo,* el diablo vence al cristiano honrado halagando su orgullo con alguna prebenda, y consiguiendo así que peque para arrojarlo al infierno: los comportamientos son idénticos. Hacen posible unir, *analógicamente,* las dos entidades (el quebrantahuesos y el diablo).

La otra relación es de metonimia: se narra un hecho de la sociedad humana, reteniendo el ejemplo de un hombre, santo o pecador, que ilustra una verdad útil para todos (*ab uno disce omnes*). El ejemplo del blasfemo herético del *Libro de los gatos* (n.º 6) basta para describir el procedimiento. En este tipo, más que en el anterior, el autor se ve obligado a garantizar la autenticidad de la narración por medio de una fórmula introductoria: hemos oído que..., hemos leído que...

Uno de los rasgos del ejemplo medieval, señalado por Le Goff, es que se aplica de manera universal a la humanidad. Insisten en ello los predicadores. Don Juan Manuel, sobre el que hablaremos después, destaca también esta finalidad aunque, en el fondo, los cuentos de Patronio de los que es autor intentan presentar la imagen de un aristócrata devoto y acaudalado. En su estudio del *exemplum* (París y Toulouse, 1927), el padre J. Th. Welter describe 46 compilaciones en Europa. De ellas, las tres quintas partes son anónimas. Españolas sólo aparecen el *Libro de los enxemplos* y el *Libro de los gatos*, lo que demuestra que el inventario no es exhaustivo.

Las compilaciones de ejemplos se rigen por tres formas de clasificación: 1) disposición sin orden temático ni alfabético (como en el *Conde Lucanor*, cuya arquitectura es de otro tipo: del cuento a la sentencia); 2) disposición alfabética, siguiendo el modelo del *Liber exemplorum ad usum praedicandum*, compuesto en 1250 (un ejemplo es el *Libro de los enxemplos por ABC*); 3) disposición temática, como en el *Ci nous dit* francés (las verdades, la moral, la conversión), bastante rara en España.

Las colecciones españolas de «exempla»

España ocupa un lugar original. Es el país de origen de Pedro Alfonso (nacido hacia 1062), autor de la *Disciplina clericalis*: es, asimismo, el espacio en el que convergen las tradiciones orientales y las corrientes europeas.

Judío convertido en 1106, Pedro Alfonso fue astrónomo y médico del rey Enrique I de Inglaterra. Su *Disciplina clericalis* es la primera compilación occidental de cuentos. Todos están traducidos del árabe. Son numerosas las traducciones de este texto escrito en latín, pero no se ha conservado ninguna traducción castellana completa. Se encuentran fragmentos en el *Libro de los enxemplos*, en el *Espéculo de los legos* y en el *Ysopet*.

En el prólogo, Pedro Alfonso presenta un contenido que, sin temor, puede hacerse extensivo a las obras posteriores: «Por ello compuse yo este pequeño libro tomándolo en parte de los proverbios de los filósofos y de sus correcciones, en parte de proverbios y ejemplos de los árabes, de fábulas y versos, y finalmente de semejanzas de animales y de aves.»

Esta *Disciplina* inaugura en España una larga tradición misógina de la que hablaremos más adelante.

Barlaam e Josafat. La vida de Josafat (adaptación cristiana de Buda) y de su maestro Barlaam se evocan en la *Leyenda Áurea* de Jacobo de Vorá-

gine (siglo XIII). El texto griego (siglo X) se tradujo al latín (1048). Tres manuscritos relatan la leyenda en español. Uno (S) está influido por Vicente
de Beauvais (*Speculum historiale*) y debió ser utilizado por don Juan Manuel en su *Libro de los estados*. El texto de Jacobo de Vorágine inspirará
más tarde la *Flos sanctorum* de Villegas (1588) y la de Rivadeneyra (1601).
Calila e Dimna. Es la versión castellana de las fábulas de Bidpai, tra-
ducidas del árabe en 1251 por orden, parece ser, del futuro rey Alfonso X.

   La obra original sánscrita se ha perdido. Se conoce una refundición, el
   Panchatantra. Una versión posterior en lengua persa (*pehlvi*), compuesta
   para el rey Cosroes I el Grande (571-579), fue a su vez traducida al sirio, y
   más tarde al árabe. El autor de esta traducción, Ibn al-Muqaffa, añadió una
   introducción en la que incluía cinco ejemplos y que fue retomada en dos de
   los tres manuscritos españoles. El texto castellano será traducido después al
   latín por Raymond de Béziers (1313). Otra versión latina, obra de Juan de
   Capua (1270), está tomada de un texto hebreo del siglo XIII.

   La introducción de Ibn al-Muqaffa, como también numerosos desarrollos del texto, permiten deducir la utilidad del *exemplum*: el que lee el
cuento debe seguir el recto camino para poder recoger el fruto.

   El libro toma el título del cuento principal: Calila y Dimna son dos lobos que viven en la corte del león. Dimna tiene envidia del buey Senceba y
   consigue que el león le mate. Es desenmascarado por el leopardo, que sorprende su conversación, y condenado a muerte a su vez. A lo largo de estas
   peripecias, los animales van dialogando, instruyéndose con ejemplos
   —ejemplos de animales, ejemplos de personas—. Las aventuras las narra un
   filósofo que está educando a su rey. Esta estructura compleja de ejemplos
   engastados unos en otros es uno de los atractivos de la obra.

   El *Libro de los engaños e asayamientos de las mugeres* o *Sendebar* es
también de origen indio y siguió el mismo itinerario. La versión española
fue compuesta hacia 1253 para (o por) el infante don Fadrique, hermano de
Alfonso X.

   El libro narra la historia de un príncipe instruido por el sabio Cendubete.
   El joven rechaza los requerimientos de la concubina de su padre el rey. Es
   injustamente calumniado por ella (como José por la mujer de Putifar: Génesis, 39). Condenado a muerte, no puede defenderse, ya que durante siete días
   tiene que guardar silencio (se encuentra este mismo motivo en las *Mil y una*

noches). Durante este tiempo, el rey duda en aplicar la sentencia. Los cuentos de la concubina le empujan a ello, los de los siete sabios de la corte le retienen. La verdad sale por fin a la luz, al cabo de siete días, para desgracia de la mujer infame. Es patente el tono misógino, ya presente en la *Disciplina clericalis*: «Plogo e tovo por bien que aqueste libro fuese trasladado de aravigo en castellano para aperçebir a los engañados e los asayamientos de las mugeres.»

El texto de don Fadrique es el testimonio más antiguo de la corriente oriental (árabe) de esta tradición de los siete sabios. Las demás versiones españolas proceden de una corriente occidental.

La más famosa, en la Edad Media, es la versión griega del siglo XI, el *Syntipas* de Michael Andreopoulos. En el siglo XV, una «novella» de Diego de Cañizares es la traducción de un texto latino de Jean Gobi, tomado de la *Scala coeli* (1322-1330). En 1530, Marcos Pérez publica el *Libro de los siete sabios de Roma*. Por último, Pedro Hurtado de Mendoza saca a la luz la *Historia lastimera del príncipe Erasto*, traducida de un texto italiano.

Los *Castigos e documentos por bien vivir ordenados* han sido atribuidos a Sancho IV (1258-1295), hijo menor (y rival) de Alfonso X. Esta autoría no es segura. La edición de Agapito Rey tiene el mérito de reducir el texto a los únicos ejemplos indiscutiblemente auténticos. El marco narrativo, muy ligero, lo forman los consejos del rey a su hijo (argumento muy común). Los ejemplos son de origen oriental o europeo.

El *Libro de los enxemplos por ABC* expone los ejemplos recogidos por orden alfabético, siguiendo el modelo del *Alphabetum narrationum* de Arnoldo de Lieja, predicador dominico de principios del siglo XIV, o de la *Scala coeli* de Jean Gobi, compilador dominico provenzal. La primera palabra de un título expresado en latín determina el orden alfabético de los ejemplos. Después de los estudios de Alfred Morel-Fatio, se atribuye la autoría de esta obra a Clemente Sánchez de Vercial, canónigo de la catedral de León. Enorme compilación de quinientos cincuenta ejemplos, no tiene ninguna estructura narrativa común. Debió de componerse entre 1400 y 1421. Su autor escribió también un devocionario, el *Sacramental*.

El *Libro de los gatos* es una obra del siglo XIV, contenida en un manuscrito único del siglo XV. Este manuscrito incluye también el *Libro de los enxemplos*, sesenta y seis cuentos inspirados en las *Fabulae* del clérigo inglés Odo de Cheriton (siglo XIII). Los textos están reunidos en desorden y habría que preguntarse por qué los gatos dan nombre a la obra. Bien es verdad que aparece un gato en algunos cuentos, pero su función no es claramente uniforme. El texto es a menudo vivo y ameno (a semejanza de la fuente latina). El autor español ha querido aplicar a la sociedad de su tiempo y de su país el ejemplo que tenía obligación de traducir. Esto explica que, a veces, las moralejas sean tan extensas.

Todos los ejemplos proceden de la tradición europea. Sólo uno, el cuento de los dos compañeros (n.º 28), no figura completo en la obra de Odo. De este cuento existen múltiples versiones en todo el mundo (índice Aarne-Thompson, n.º 613).

El *Espéculo de los legos*, obra anónima del siglo XV, es la colección de ejemplos (583) más amplia en español. Desde la abstinencia hasta la usura, aparecen todos clasificados por orden alfabético. Se trata de una traducción del *Speculum laicorum*, escrito a finales del siglo anterior por un franciscano inglés.

En el siglo XV, junto con la «novella» de Cañizares sobre los siete sabios, tenemos también el *Ysopet historiado* (Juan Hurus, Zaragoza, 1489): fábulas de Esopo, presentes en muchas colecciones medievales.

Hemos mencionado las colecciones de cuentos más importantes (del siglo XIII al siglo XV). Otros muchos ejemplos se encuentran dispersos en la literatura (*Caballero Zifar*, *Libro de buen amor*). Sin embargo, este género debe sus cartas de nobleza a una figura insigne de la España medieval, don Juan Manuel.

3. DON JUAN MANUEL

Don Juan Manuel (1282-1348) es nieto de Fernando III, rey de Castilla. Su padre, don Manuel, era el séptimo hijo, el pequeño, del rey santo, y hermano, por lo tanto, de Alfonso X. Don Juan Manuel era, pues, primo hermano del rey Sancho IV. Nacido en 1282, toma parte ya en 1294 en una expedición de castigo contra los moros de Granada, que habían invadido el reino de Murcia. Implicado desde muy joven en las intrigas políticas de su época, representante del rey («adelantado mayor») en Murcia, ve cómo este territorio es cedido al rey de Aragón por Alfonso de la Cerda, nieto de Alfonso X, que se consideraba rey de Castilla en detrimento de Sancho, hijo menor de Alfonso. Don Juan Manuel no dudó, por lo tanto, en apoyar a Sancho IV y a su hijo en la lucha de sucesión. Con el fin de reconciliarse con Jaime II de Aragón, don Juan Manuel, viudo desde 1301, le pide la mano de su hija Constanza, con la que se casa en 1313. Su vida fue una serie de aventuras, marcadas por sus veleidades, sus desavenencias con Fernando IV, y, más tarde, y sobre todo a partir de 1325, con Alfonso XI, de quien había sido regente. Un reflejo de esta existencia aparece en boca del conde Lucanor (ejemplo n.º 3): «[...] desde que fuy nasçido fasta agora, que siempre me crié et visqué en muy grandes guerras a veces con cristianos et a vezes con moros, et lo demás siempre lo hobe con reys, mis señores et mis vezinos». El rey Alfonso, después de haber pedido la mano de Constanza, hija de don Juan Manuel, renunció a ella e hizo encarcelar a la joven en Toro. Don Juan Manuel rompió entonces con el rey y consiguió para su hija en 1340 el matrimonio con dom Pedro, heredero de la corona portuguesa. La boda no llegó a celebrarse: en el séquito de Constanza iba Inés de Castro, cuyo trágico destino han exaltado Camões, Vélez de Guevara y Montherlant.

Don Juan Manuel reunió sus libros en un solo volumen. Así lo explica en el prólogo que redactó para ello:

> Et recelando yo, don Iohan, que por razon que non se podra escusar, que los libros que yo he fechos non se ayan de trasladar muchas vezes; et por que yo he visto que en el transladar acaeçe muchas vezes [...] que en transladando el libro porna vna razon por otra, en guisa que muda toda la entençion y toda la sentençia et sera traydo el que la fizo non aviendo y culpa; et por guardar esto quanto yo pudiere, fizi fazer este uolumen en que estan sriptos todos los libros que yo fasta aqui he fechos, et son doze. El primero tracta de la razon por que fueron dadas al infante don Manuel, mio padre, estas armas, que son alas et leones, et por que yo et mio fijo, legitimo heredero, et los herederos del mi linage podemos fazer caualleros non lo seyendo nos, et de la fabla que fizo conmigo el rey don Sancho en Madrit, ante de su muerte. Et el otro, de castigos et de consejos que do a mi fijo don Fernando, et son todas cosas que yo proue; [et] el otro libro es de los estados; et el otro es el libro del cauallero et del escudero; et el otro, [el] libro de la caualleria; et el otro, de la cronica abreui[a]da; et el otro, la cronica conplida; [et] el otro el libro de los egennos; et el otro, el libro de la caça; et el otro, el libro de las cantigas que yo fiz; et el otro, de las reglas commo se deue trobar.

> (*Obras completas*, I, pp. 32 y 33)

El grueso manuscrito original, entregado para su custodia a los dominicos de Peñafiel, desapareció en un incendio. La mayoría de las obras pudieron ser encontradas en otro códice, pero algunas se han perdido: la *Crónica conplida* (¿existió en realidad?), el *Libro de las cantigas*, las *Reglas de trovar*.

Excepto la *Crónica abreviada*, todos los demás textos conocidos de don Juan Manuel están reunidos en un manuscrito del siglo XV.

Según Giménez Soler, la cronología de las obras conservadas es la siguiente: *Libro de la cavallería*, anterior a 1325; *Libro del caballero et del escudero*, 1326; *Libro de los estados*, 1327-1332; *Libro de los enxienplos* (*Conde Lucanor*), 1330-1335; *Crónica abreviada*, posterior a 1337; Prólogo del *Conde Lucanor*, 1340; *Libro de los castigos*, 1342-1344; *Libro de las armas*, 1342; *Prólogo general*, 1342; *Tratado de beatitud* (*Tratado de la Asunción*), posterior a 1342.

El *Libro del caballero et del escudero* es un texto lleno de lagunas. Dos copias del siglo XVI completan el manuscrito general, pero no corrigen todos los errores. Imitando una obra del catalán Ramón Llull (siglo XIII), el texto agrupa los consejos de un viejo caballero retirado en una ermita: reglas de vida, teoría de los estados y de la caballería. Como en otros casos, el autor adorna con un discurso atractivo (la «fabliella») un contenido didáctico fundamental (el «meollo»). Más adelante, el caballero da explicaciones sobre el universo, los planetas, la caza.

El *Libro de las armas*, se llama también *Libro de las tres razones*.

> [...] Et las tres cosas son: [por que fueron dadas] estas mis armas al infante don Manuel, mio padre, et son alas et leones; la otra, por que podemos fazer caualleros yo et mios fijos legitimos non seyendo nos caualleros, lo que non fazen ningunos fijos nin nietos de infantes; la otra, commo passo la fabla que fizo comigo el rey don Sancho en Madrit, ante que finase, seyendo ya çierto que non podria guaresçer de aquella enfermedat nin beuir luenga [mente].
>
> (*Obras completas*, I, p. 121)

El texto presenta una serie de ataques contra la dinastía reinante en Castilla y pone en boca del propio rey don Sancho un insistente elogio de los descendientes de don Manuel.

El *Libro de los castigos o consejos, por otro nombre el libro enfenido* reúne los consejos de don Juan Manuel a su hijo don Fernando, inspirados en la tradición gnómica y en su propia experiencia. Es una obra breve (un prólogo y veintiséis capítulos), que quedó sin acabar.

El *Libro de los estados* corresponde, quizá, al *Libro del infante* y al *Libro de los sabios*, del que se habla en el prólogo. Consta de dos libros. El primero (diez capítulos) trata de los *estados* de los laicos: desde el emperador hasta el más humilde. El segundo (cincuenta y un capítulos) se refiere a los clérigos, desde el Papa hasta los frailes predicadores dominicos.

El texto es rico y atractivo. El autor, *don Iohan*, aparece más de una vez, como modelo. Se trata del señor de Castilla, de quien antaño fue maestro Iulio, el filósofo.

> Yo so natural de vna tierra que es muy alongada desta vuestra, et aquella tierra a nonbre Castiella, et seyendo yo y mas mançebo que agora, acaesçio que nasçio vn fijo a.vn infante que avia no[n]bre don Manuel, et fue su madre donna Beatriz, condesa de Saboya, muger del dicho infante, [et] pusieron no[n]bre don Iohan, et luego que el ninno nasçio, tomele por criado et en mi guarda.
>
> (Obras completas, I, p. 232)

Ingeniosa ficción por medio de la cual el autor simula haber sido educado por el personaje de uno de sus libros.

El *Libro de los estados* es un tratado de política: presenta un arte de la guerra, un tratado de la constitución del Sacro Imperio Romano Germánico (el imperio que el tío del autor, Alfonso X, había codiciado en vano) y, por último, naturalmente, una descripción de los estados de la sociedad.

La obra es también un tratado de doctrina religiosa, inspirado en la leyenda de Barlaam y de Josafat, ya citada. Iulio es un filósofo llegado de Castilla a las tierras —lejanas— del rey Morován. Éste tiene un hijo, Iohas. El rey encarga al preceptor Turín que lo proteja de la desgracia, de la visión del mal y, sobre todo, de la muerte. Sin embargo, un día, el príncipe ve a un difunto. Acosa a preguntas a Turín, que decide entonces recurrir a Iulio.

En el *Libro de Barlaam y Josafat*, el infante se encuentra con un ciego, un leproso y un viejo. El contenido ascético ha variado algo. Se trata, sobre todo, en la obra de don Juan Manuel, de llevar una vida discreta, sin querer situarse por encima de su estado.

Las enseñanzas de Iulio son, en primer lugar, religiosas. Iohas, Morován y Turín aceptan el bautismo. Se trata extensamente el tema de las ventajas de la religión cristiana frente a las otras, en un pasaje que se puede relacionar con la parte quinta de *El conde Lucanor*.

El *Tratado de la Asunción* es interesante desde el punto de vista escolástico. El manuscrito del *Libro de la caza*, al estar incompleto, no fue editado por Gayangos (BAE, t. 51). En esta obra, inspirada en los textos de Alfonso X, don Juan Manuel ensalza su habilidad y la de su padre como cazadores. La afición a la caza es uno de los rasgos tópicos de la mentalidad de un príncipe.

La *Crónica abreviada* es la única que ha llegado hasta nosotros. La crónica llamada «completa» no ha dejado rastro. Es posible preguntarse, como sugiere Alberto Blecua, si esa crónica completa no es, en realidad, la *Historia de España* de Alfonso X, resumida por don Juan Manuel.

El *Libro de los enxienplos del conde Lucanor y de Patronio* no fue publicado hasta finales del siglo XVI, por Argote de Molina, con el título de *El conde Lucanor*. La obra consta de cinco partes. La primera (casi las tres cuartas partes del total), es una recopilación de 51 ejemplos expuestos por Patronio. Las tres partes siguientes presentan sentencias cada vez más oscuras. La quinta parte, la conclusión, trata de la vida cristiana. Al principio de la cuarta parte, Patronio manifiesta la unidad de la obra:

> Et assi, con los enxienplos et con los prouerbios, he vos puesto en este libro dozientos entre prouerbios et enxiemplos, et mas: ca en los çinquenta enxiemplos primeros, en contando el enxienplo, fallaredes en muchos lugares algunos prouerbios tan buenos et tan prouechosos commo en las otras partes deste libro en que son todos prouerbios. Et bien vos digo que qual quier omne que todos estos prouerbios et enxienplos sopiesse, et los guardasse et se aprovechasse dellos, quel cunplirian assaz para saluar el alma et guardar su fazienda et su fama et su onra et su estado.

(Obras completas, II, p. 461)

Los ejemplos de la primera parte constituyen, sin embargo, lo esencial. El arte del narrador alcanza la perfección, tanto por la calidad de la escritura, como por la variedad de los temas, tomados de numerosas tradiciones culturales.

Todos los ejemplos presentan una estructura uniforme: Lucanor expone a su consejero un problema que le preocupa. Patronio contesta por medio de un ejemplo cuya lección se puede aplicar a la vida del aristócrata castellano:

> Vn dia fablaua el conde Lucanor con Patronio, su consegero, et contaual su fazienda en esta manera:
> «Patronio [...]
> Sennor conde Lucanor —dixo Patronio—, para que vos fagades en este fecho lo que vos mas cunple, plazer me ya mucho que sopiesedes [...].»

(Obras completas, II, p. 67)

Los ejemplos provienen a menudo de la tradición oriental, es decir, del *Panchatantra* sánscrito, a través de *Calila et Dimna* (n.º 7, 19, 21), de la *Disciplina clericalis* (10, 46, 48), del *Sendebar* (o de su versión griega, el

Syntipas; 24, 29, 48, 50), del *Barlaam et Josafat* (1, 49). Otros proceden de Esopo, por medio de Fedro y de su versión medieval, el *Romulus* (2, 5, 6, 48). Algunos parecen directamente tomados de las predicaciones de los dominicos, ya que don Juan Manuel tenía mucho contacto con la orden de los frailes predicadores (14, 31, 42). Muchos de estos ejemplos aparecen en otras recopilaciones, anteriores o contemporáneas al autor: *Gesta Romanorum* (8, 9, 30, 49, 51), Jean Hérolt (*Promptuarium exemplorum*), Vincent de Beauvais (*Speculum morale*), Jean Gobi (*Scala coeli*), sin olvidar *Bonium*, que ya hemos mencionado.

Don Juan Manuel evoca a personajes históricos: Ricardo Corazón de León (3), don Enrique, hermano del rey Alfonso (9), Fernán González, conde de Castilla (16, 37), Alvar Fáñez (27), Almutamid de Sevilla (30), el infante don Manuel, padre del autor (33), etc. En realidad, la mayoría de sus relatos se basan en motivos folclóricos.

Así, en el ejemplo 11, el conde Lucanor se queja a Patronio de que un hombre responde mal a sus favores. Patronio le cuenta entonces la historia de don Yllán. El deán de Santiago había venido a Toledo para que don Yllán le instruyera en la nigromancia. Poco después, fue nombrado arzobispo, más tarde cardenal, y, finalmente, llegó a ser Papa. En todas las ocasiones niega cualquier favor a don Yllán. Y, cuando ya ha sido elegido Papa, le expulsa, sin el menor miramiento... El origen de este ejemplo, según Claude Bremond (*Prêcher d'exemples*, p. 163), podría ser la leyenda árabe del mago Schahabedin quien, metiéndole al sultán la cabeza debajo del agua, le hizo vivir siete años de sufrimientos en una fracción de segundo. De igual modo, Don Juan Manuel utiliza el motivo tradicional n.º 555 de Aarne-Thompson, en el que un personaje ambicioso consigue satisfacer todos sus deseos gracias a los favores de un mago que le devuelve más tarde a su desgracia inicial. Don Juan Manuel consigue, de esta manera, aunar dos tradiciones.

Otro de los atractivos de la obra es el retrato que don Juan Manuel hace de sí mismo, en la persona del conde: el autor y su personaje comparten las mismas inquietudes religiosas, políticas, económicas (el alma, la fama, el estado). Para convencerse de ello, basta con leer la introducción del ejemplo 9:

> Patronio, grand tienpo ha que yo he vn enemigo de que me vino mucho mal, et esso mismo ha el de mi, en guisa que, por las obras et por las voluntades, estamos muy mal en vno. Et agora acaesçio assi: que otro omne muy mas poderoso que nos entramos va començando algunas cosas de que cada

vno de nos reçela quel puede venir muy grand danno. Et agora aquel mio enemigo envio me dezir que nos aviniessemos en vno para nos defender daquel
otro que quiere ser contra nos; ca si amos fueremos ayuntados, es çierto que
nos podremos defender; et si el vno de nos se desuaria del otro, es çierto que
qual quier de nos que quiere estroyr aquel de que nos reçelamos, que lo puede
fazer ligera mente.

(Obras completas, II, p. 88)

El autor hace alusión aquí a los acontecimientos que tuvieron lugar en
los años que van de 1331 a 1333. En esa época, el rey Alfonso XI quiso llegar a un acuerdo con don Juan Manuel, su vasallo, y mantuvo conversaciones con él en dos ocasiones (Villaumbrales, Peñafiel). El otro protagonista
«mucho más poderoso» debe ser Abumelic, que tenía puesto cerco a Gibraltar y que era hijo del rey de Marruecos, Abulhasan. En 1333, sin embargo, Alfonso XI, decepcionado, se vio obligado a firmar una tregua de
cuatro años, renunciando de ese modo a Gibraltar.

El conde Lucanor, escrito trece años antes que el *Decamerón*, ha sido
siempre conocido y apreciado, tanto por la riqueza de las tradiciones que
reúne, como por su prosa clara y amena. En el Siglo de Oro era una de las
raras obras medievales que se leían y utilizaban. Los románticos también la
apreciaron, como lo demuestra la traducción alemana de Eichendorf. Hoy
en día, la abundancia de estudios sobre esta obra es reflejo del interés que
despierta.

BERNARD DARBORD
MICHEL GARCIA
JEAN ROUDIL*

---

* Bernard Darbord es autor de la introducción y de la parte titulada «La literatura ejemplar»;
dentro de la parte titulada «La prosa culta», Michel Garcia es autor de «Las traducciones» y de «Las
crónicas», y Jean Roudil de «Los tratados jurídicos y científicos».

CAPÍTULO VI

LA POESÍA EN TIEMPOS DE JUAN RUIZ

El *Libro de buen amor*

El *Libro de buen amor* aparece en el siglo XIV y es la culminación de la literatura clerical en lengua castellana. Su extensión (más de siete mil versos), su métrica (*cuaderna vía*, estrofa monorrima de cuatro versos que oscilan entre catorce y dieciséis sílabas), el carácter culto y latino de gran parte de sus referencias, lo sitúan dentro de ese grupo de obras que, sin llegar a constituir un género, se consideran fruto del «mester de clerecía».[1] Esta clasificación no sirve, sin embargo, para mostrar el carácter excepcional del *Libro de buen amor*, comparado con otros textos de índole clerical. La obra parece en cierto modo atípica debido a la hibridación y estilización de elementos escogidos en el fondo común. Porque ninguna de las partes del *Libro* puede considerarse «original»: la obra medieval no se preocupa por la originalidad, y sus combinaciones se basan en otros principios.

Actualmente se conocen tres manuscritos principales del *Libro*. El más completo es la copia más tardía, del siglo XV. Se descubrió en Salamanca (manuscrito S), y se conserva actualmente en la biblioteca de la vieja Universidad. Los otros dos manuscritos son copias de finales del siglo XIV. El manuscrito T (Toledo) se encuentra en la Biblioteca Nacional de Madrid, y el manuscrito G (Gayoso) en la Biblioteca de la Real Academia.

---

1. Francisco López Estrada, *Introducción a la literatura medieval española*, 5.ª ed., Madrid, Gredos, 1983, XIII, pp. 367-379.

1. EL TEXTO Y EL AUTOR

Aparte de estos tres manuscritos, existen otros testimonios que prueban la difusión del *Libro* durante la Edad Media. Fragmentos manuscritos, versos citados por otros autores manifiestan que figuró lo mismo en una biblioteca real de Portugal, que en el repertorio de un juglar «cazurro».[2] Hay que atribuir, sin duda, al desuso en que cayó el arte clerical escrito en *cuaderna vía*, desde finales del siglo XIV, el olvido posterior de este *Libro* que, durante un siglo por lo menos, había pasado de mano en mano y se había recitado una y otra vez, siguiendo los deseos de su autor. A este respecto hay que señalar que los diferentes modos de transmisión de la literatura vernácula aparecen mentados en el *Libro*. «Oir» y «dezir» designan generalmente la emisión-recepción de la obra que, de este modo, se relaciona con la poética de los juglares:[3]

Por vos dar solaz a todos, fablévos en juglaría.

Esta transmisión de tipo oral coexiste en el siglo XIV con la de la lectura, reservada a un público culto. Al referirse a ese segundo caso, el libro realza su materialidad: es como una pelota, que pasa de mano en mano, y puede prestarse (estrofas 1629-1630). Hacia finales del siglo XV esta cadena se rompe, y no habrá edición del *Libro* hasta 1790.

Los manuscritos del *Libro* plantean un doble problema: el de su filiación y el de la fecha de composición de la obra.

G y T hacen pensar en un sub-arquetipo común, mientras que S pertenece a una rama diferente. ¿Sería esto suficiente para explicar por qué T y S proponen dos fechas de composición distintas? Según T, el libro se terminó en 1330, mientras que, según S, el «romançe» se compuso en 1343. Se ha discutido mucho sobre esta divergencia que, para gran parte de los críticos indica que existieron dos redacciones del texto. Alberto Blecua repasa el estado de la cuestión y concluye que, a pesar de todo, la comparación de los manuscritos, con sus variantes (añadidos o supresiones) y sus errores comunes, no permite deducir que existieron dos redacciones de la obra. Su análisis de los añadidos en S concuerda con las conclusiones de la crítica textual sobre la probabilidad de una única redacción.

---

2. Edición sinóptica del *Libro de buen amor*, ed. de Manuel Criado de Val y Eric W. Naylor, Madrid, CSIC, 1965.
3. Citas según el texto de Alberto Blecua, Madrid, Cátedra, 1992.

El interés de esta diferencia de fecha es, en cualquier caso, el de obligar a reflexionar sobre el proceso de creación (versiones sucesivas, correcciones realizadas por otras manos), como también sobre el carácter incierto de las huellas de la literatura medieval. La crítica actual tiende a considerar el texto en las diferentes versiones que se conocen. Manuel Criado de Val y Eric W. Naylor eran ya partidarios de esta postura, subrayando en la introducción a su edición sinóptica de 1965, que «no puede ser criterio válido volver el texto a un primitivo borrador, ni restituir a un supuesto arquetipo lo que es evidente ha seguido un largo, accidentado y quizá multitudinario proceso creador». Al final del libro, el propio poeta invita al lector sagaz a que participe en el juego:

> *Qualquier omne que l'oya, si bien trobar supiere,*
> *más á ý [a] añadir e emendar, si quisiere;*

El autor no posee el sentido de la propiedad literaria que le llevaría a preocuparse por la integridad de la obra durante el proceso de transmisión. Sin embargo, su despego no le impide manifestar en el texto su conciencia de autor. No hay que basar esta noción en el empleo de fórmulas tópicas, frecuentes en el mester de clerecía como también en el de juglaría (estrofas 14 y 15), y que aparecen, por ejemplo, en el *Libro de Alexandre*, a pesar de que su autor se sitúa totalmente en segundo plano. En el *Libro de buen amor*, se discurre abundantemente sobre la misma obra, bien para definirla (estrofas 1631 y 1632), bien porque el poeta, de antemano, defiende su libro del juicio del lector. Entre sus intenciones (y el hecho de que las presente detalladamente en el prólogo en prosa es ya notable en esa época) aparece el acto poético como un motor de la escritura, junto a los motivos didácticos: «E conpóselo otrosí á dar algunos lección e muestra de metrificar e rrimar e de trobar: ca trobas e notas é rimas e ditados e versos fiz, conplidamente, segund que esta çiençia requiere».

Arte consciente de sí mismo, y reivindicación de una maestria particular que se reitera en la estrofa 65:

> *que saber bien e mal, dezir encobierto e doñeguil*
> *tú non fallarás uno de trobadores mill.*
> .

El orgullo del posesivo («este *mi* libro», «*mi* librete») atraviesa la coraza de humildad que la retórica impone al poeta en otros casos.

¿Es el autor, efectivamente, «Juan Ruiz, arcipreste de Hita», como se indica en la estrofa 19? Es ésta una pregunta forzosa, aunque la autoría está reivindicada: «[...] yo, Juan Royz, Açipreste de Fita, della primero fiz' cantar [...]». El hecho de que no existe documentación sobre ningún Juan Ruiz, arcipreste del pueblo de Hita, en el segundo cuarto del siglo XIV, ha favorecido las interpretaciones que sostienen que se trata de una declaración de identidad puramente literaria.[4] El texto fomenta esta hipótesis al proponer, por ejemplo, una recurrencia de *hita* en sentido erótico. Tanto en lo que se refiere al autor como al título, el *Libro* actúa a su manera, sembrando dudas y jugando con el sentido. Véase con el título: se alude a él dos veces, en la estrofa 13 y en la 933. La segunda alusión aparece al final de un pasaje en el que se enumeran los apodos de la alcahueta. Asociados bajo el mismo nombre de «buen amor», el *Libro* y la vieja *Trotaconventos* se identifican de manera sorprendente, incluso si la duplicidad del texto permite justificar de forma diferente esa denominación, según se refiera a uno o a otra. Esto ilustra bien, para empezar, la sutileza riqueza de Juan Ruiz.

2. ESTRUCTURA Y COMPOSICIÓN

Un arcipreste narra en pasado una serie de aventuras amorosas que se atribuye a sí mismo. Haciendo constar, aquí y allá, su habilidad y su talento como versificador, construye el itinerario que le lleva de una mujer a otra, valiéndose del fondo literario y mítico de la cultura medieval. Se enamora primero de una panadera y medita sobre la influencia de los astros y sobre su destino. Utiliza los diálogos de sus fábulas para conquistar a una mujer o discutir con el Amor. Seduce a una viuda joven y rica tomando el aspecto de un caballero joven. La muerte de una amante todavía más joven, le lanza por los caminos. Se encuentra con cuatro fantasiosas serranas, cuenta cómo se pasa de Carnaval a Cuaresma. Después llega la Pascua y triunfan el amor y la buena mesa. El arcipreste, huyendo de la soledad, corteja a una monja, con el consejo de la alcahueta. La muerte de ésta le hunde en la desesperación. Don Hurón, llamado para sustituirla, no le consigue ninguna presa. El libro acaba con una alabanza de la mujer pequeña y de las obras que terminan antes de cansar al lector.

4. Luis Beltrán, *Razones de buen amor*, Madrid, Castalia, 1977.

Desde el principio hasta el final, el *Libro* está dicho y escrito en primera persona. El «yo» hablante asume varias funciones en el relato, puesto que el narrador se presenta como autor-poeta. «Fazer», «rimar», «trovar» expresan su relación con el texto. Se atribuye también la función de protagonista de las aventuras (estrofa 950):

Fui a provar la sierra e fiz loca demanda.

Esta triple función del «yo» se puede relacionar con la técnica de los juglares, que a menudo imprimían más actualidad a sus relatos fingiendo haberlos vivido ellos mismos.

Por lo tanto, esta primera persona se define esencialmente como categoría de la narración, siendo como ha señalado Jacques Joset, «lo ficticio» lo que rige la progresión del libro, por oposición a un «yo» histórico, que podría también expresarse bajo la identidad de Juan Ruiz. En realidad, el «yo» es hasta tal punto una categoría de escritura, que en la estrofa 70 el propio libro dice «yo»:

De todos instrumentos yo, libro, só pariente:
bien o mal, qual puntares, tal diré çiertamente;

El libro emplea el «yo», porque, en última instancia, es él quien narra, y se relaciona directamente con el lector. Así pues, si se confunde el narrador con el texto, no puede haber otra estructura más unitaria y a la vez más abierta.

La presencia del «yo» a lo largo del *Libro* es, en realidad, la marca de un proyecto narrativo que puede describirse fácilmente: se distingue, por un lado, una narración en primera persona que sirve de marco y que, haciendo pasar al protagonista de una conquista femenina a otra, integra diversas aventuras o circunstancias, aun cuando tiene que usar a veces diálogos referidos. Éstas son las aventuras amorosas, la disputa de don Amor con el arcipreste, el episodio de doña Endrina y de don Melón (traducido de la comedia latina *Pamphilus*), el viaje a la Sierra, la batalla de don Carnal y doña Cuaresma, y los textos en torno a la muerte de Trotaconventos. Por otro lado, se observa un procedimiento de engarce textual. Once piezas líricas, con formas métricas variables, se introducen en el poema narrativo en *cuaderna vía* (¿podría ser por influencia de las *maqāma* o de las *risāla* árabes?). Un anuncio hace de transición, como en esta canción de serrana:

De quanto que pasó fize un cantar serrano,
éste deyuso escripto, que tienes so la mano.

También aparecen engarzados los numerosos apólogos que recoge el *Libro*. En este caso, la técnica utilizada es diferente, ya que la fábula tiene, la mayoría de las veces, un papel argumentativo de *exemplum* que sirve la discusión entre dos personajes. Estos apólogos están agrupados, principalmente, en dos series: en la disputa de don Amor y del arcipreste y en la conversación entre Trotaconventos y doña Garoça.

Además de esta descripción del procedimiento narrativo, hay que señalar una dualidad fundamental en la organización del *Libro*: la sucesión y la repetición son dos formas de desarrollo textual.

1) Ley de sucesión. Está en relación con el propio aspecto narrativo del texto, con su pretensión de trazar un itinerario significativo desde un punto de salida hasta otro de llegada:

> *E porque de todo bien es comienço e raíz*
> *la Virgen Santa María, por ende yo, Joan Royz,*
> *Açipreste de Hita, d'ella primero fiz*
> *cantar de los sus gozos siete, que ansí diz:*

(Estrofa 19)

> *Porque Santa María, segund que dicho he,*
> *es comienço e fin del bien, tal es mi fe,*
> *fizle quatro cantares, e con tanto faré*
> *punto a mi librete, mas non lo cerraré.*

(Estrofa 1626)

Esta misma ley ordena la serie de aventuras amorosas.

Porque se encuentra solo, después de su primer fracaso amoroso, el protagonista se siente atraído por Cruz, la panadera, y como tampoco tiene éxito, se vuelve hacia otra mujer, etc. Del mismo modo, se suceden tres personajes en la función de alcahuetes. El excesivo ardor de Ferrand Garçía hacia Cruz incita al arcipreste a utilizar los servicios de una vieja, Trotaconventos. La muerte de esta «leal amiga» le obliga a recurrir, más tarde, al final del relato, a don Hurón, tan poco discreto que su torpeza provoca el final del itinerario amoroso.

2) Ley de repetición. Se debe evidentemente al carácter poético del texto. En el *Libro*, parece tener más fuerza que la ley de sucesión.

Las dos estrofas que acabamos de citar muestran la dominación del procedimiento de repetición sobre el desarrollo sucesivo: el *Libro* no puede cerrarse sino con los mismos elementos que lo introducían. Los «gozos» de la Virgen María se repiten, en dos poemas cada vez, al principio y al final del relato. En realidad, las piezas líricas se repiten sistemáticamente, con excepción de la «troba cazurra» de Cruz: hay dos «Pasiones» de Cristo, cuatro canciones de serranas.

Repetición, asimismo, en las canciones, que vuelven a presentar en forma lírica el relato del encuentro que se ha narrado antes en *cuaderna vía*. Inversamente, en el episodio de Cruz, las dos estrofas finales en *cuaderna vía* dicen otra vez la historia narrada en el estrambote...

Se impone esta ley de composición incluso en lo que, lógicamente, debería estar fuera de su alcance: el tiempo.

3. EL TIEMPO

La primera mitad del *Libro* se desarrolla sin ninguna precisión temporal explícita, salvo la del día en que doña Endrina abre la puerta a don Melón (el arcipreste). Pero a partir de la estrofa 945, aparece una serie de indicaciones que confieren un orden temporal a los episodios del viaje a la Sierra, de la batalla de don Carnal y doña Cuaresma y de las aventuras amorosas que vienen después.

La abundancia de indicaciones temporales ha llamado la atención de la crítica, intrigada, sobre todo, por la incompatibilidad de las precisiones que el texto proporciona con tanto cuidado. Algunos autores han llegado a la conclusión de que esta cronología tiene un valor afectivo y que su finalidad es, simplemente, la de ir anunciando la llegada de una estación, la primavera. Un estudio más reciente[5] ha demostrado que, lejos de ser incoherentes, las indicaciones cronológicas perfilan dos veces el mismo marco temporal, de Carnaval a mayo. El episodio del viaje a la Sierra y el de don Carnal y doña Cuaresma no están concatenados por una lógica de sucesión, sino que se inscriben dentro del dicho marco temporal siguiendo un orden de repetición. Desde el día de «San Meder», el tres de marzo, fecha de la salida hacia la sierra, hasta la celebración del Sábado Santo, señalado a la vez por la palabra «*vigilia*» (oficio de la víspera de Pascua) y por las dos Pasiones, el período de

5. Monique De Lope, *Traditions populaires et textualité dans le «Libro de buen amor»*, Montpellier, CERS, 1984.

Carnaval a Pascua se narra una primera vez, incluyendo los encuentros con las *serranas*. A continuación vuelve a narrarse este período, desde el banquete de *Jueves Lardero* (el jueves que precede al Martes de Carnaval), hasta la vuelta triunfal de don Carnal y don Amor, «abril çerca pasado», el día de Pascua.

De esta manera, el tiempo de la sucesión pasa a un segundo plano en el *Libro*, impregnado del tiempo ritual y mítico del eterno retorno. ¿Juego poético, o vivencia popular? Sólo la primavera, precisamente en la forma popular que le hace abarcar desde febrero hasta mayo, sitúa las aventuras del *Libro* de manera característica. Empezando por la de Cruz, casi al comienzo: la adoración de la Cruz y la imagen del palo de cucaña refieren, por connotación, a Pascua y a mayo. Y cuando, al final del relato, don Hurón sustituye a Trotaconventos, comienza de nuevo el ciclo: «Salida de febrero e entrada de março [...].»

La muerte desemboca en el renacimiento. Esta concepción del tiempo convierte el *Libro* en un texto festivo. Recuerda que tanto la vida como el amor son transitorios, pero que se renuevan eternamente.[6]

4. EL AMOR

El *Libro* parece así glosar el tópico que hace converger el amor y la primavera. A finales de abril, don Amor instala su tienda, en la que están pintados los meses y sus trabajos, en el jardín del arcipreste. La primavera resume el año entero, el amor, las actividades humanas, en una alegoría no declarada.

El amor se inscribe en el *Libro* de manera redundante. Buen amor, loco amor, amor cortés, amor moro, erotismo, todos los tipos de amor aparecen no solamente ilustrados uno al lado de otro, sino que las diferentes formas reaccionan con el contacto, y tienden a ofrecer una representación totalizadora del amor, por interferencia más que por adición.[7]

El prólogo en prosa presenta la oposición entre buen amor y loco amor, tan indisociable como contradictoria. El prólogo advierte, también, que el libro describirá lo que no hay que hacer si se busca la salvación: proyecto de buen amor. Pero añade: puesto que se describe el loco amor, el libro

6. James Burke, «Juan Ruiz, the *serranas* and the rites of spring», *Journal of Medieval and Renacentist Studies*, n.° 5, I, 1975, p. 14; Luis Beltrán, *op. cit.*, pp. 263 y 264.

7. N. Álvarez, «Loco amor, goliardismo, amor cortés y buen amor: el desenlace amoroso en el episodio de Doña Garoça en el *Libro de buen amor*», *Journal of Hispanic Philology*, n.° 7, 1982-1983, pp. 107-119.

puede servir de guía para los que elijan este camino. Concebida como una contradicción, esta doble perspectiva que el *Libro* ofrece ha dado lugar al planteamiento de una de las cuestiones más importantes sobre la que los críticos de Juan Ruiz están divididos: la de la intención moralizadora o la inmoralidad del *Libro de buen amor*. El texto proporciona a todos sólidos argumentos, y que nadie, en este debate, puede salir victorioso. Será mejor considerar de otro modo el deseo del *Libro* de ser útil en cualquiera de los dos caminos, para el buen amor o para el amor loco. Al renunciar a proponer, de entrada, una solución moral, es decir, susceptible de influir en el comportamiento del lector, el texto se sitúa fuera de la acción. Elude un compromiso del que sólo el lector es responsable. Instrumento de música el libro no tiene por qué dirigir el baile: «bien o mal, qual puntares, tal diré çiertamente» (estrofa 70).

Así el libro queda abierto a todas las posibles formulaciones del amor. *Buen amor y loco amor* dan lugar, alternativamente, a desarrollos teóricos que parten de tópicos medievales, la mayoría de las veces tomados del discurso clerical. Así, habrá que atribuir al buen amor el sermón sobre la confesión que se incluye entre el tiempo de Carnestolendas (reinado de don Carnal) y el de Cuaresma (estrofas 1130-1160), como también el que, en veintisiete estrofas, enumera las armas del cristiano (estrofas 1579-1605). El santo sacramento del matrimonio se propone como arma contra la lujuria: Dios lo ha establecido en el Paraíso, y el amor humano se une en él con la caridad en el sentido de «buen amor», de amor divino. Sin embargo, este «santo sacramento que Dios fizo en Parayso» ha justificado, con anterioridad, las intenciones del arcipreste para con la molinera Cruz, en uno de los pasajes del *Libro* más densos de erotismo:

> *Si Dios, quando formó el omne, entendiera*
> *que era mala cosa la muger, non la diera*
> *al omne por conpaña nin d'él non la feziera.*

En el matrimonio, ilustrado por la pareja primitiva, se cruza la doble perspectiva que hemos señalado antes.

Ésta aparece, estructurada como debate escolástico, en la disputa del arcipreste con don Amor (estrofas 181-575). El arcipreste ataca al amor, fuente de todos los pecados capitales. Don Amor insinúa los beneficios que puede proporcionar la maestría en el arte de amar, inspirándose directamente en Ovidio. A pesar de todo, la oposición ideológica no es tan drástica: la diatriba del arcipreste contra el amor da lugar, en seguida, a una parodia de las horas canónicas. De igual modo, el juego erótico se introduce, en latín, en el discurso clerical dirigido contra él. Cuando se sitúa en una perspectiva pragmática y moral, el narrador sostiene que para poder elegir, es necesario examinarlo todo antes (estrofa 76):

> *Provar omne las cosas non es por ende peor,*
> *e saber bien e mal, e usar lo mejor.*

Es la utilización que hacían los goliardos de un consejo de san Pablo, basada en el doble sentido del verbo latino *probare*, examinar y poner en práctica.

El amor es, por lo tanto, el vasto campo de la experiencia. El libro lo recorre en una sucesión de aventuras amorosas en las que la mediación del alcahuete, la fuerza de convicción de la poesía y el secreto amoroso son elementos obligados y determinantes de las conquistas del arcipreste. Sus aventuras con las serranas, narradas de una forma cercana a la pastorela, no siguen el mismo esquema, aunque hay en ellas una clara referencia al código cortés, con una inversión de valores.

Vemos, por ejemplo, cómo fracasa el lenguaje cortés empleado por el protagonista en el segundo encuentro. La respuesta de la serrana da ese uso por mal empleado (estrofa 990):

> *Dixo: «¿Non sabes el uso*
> *cómo·s doma la res muda?*
> *Quiçá el pecado te puso*
> *esa lengua tan aguda.*
> *¡Si la cayada te enbío...!»*

Este pasaje es una buena muestra de la complejidad del sentido. Por un lado, el lenguaje cortés del protagonista masculino se califica de diabólico, lo que podría implicar una perspectiva ideológica clerical. Por otro, si esta introducción cortés se descalifica («Non sabes el uso»), es para sugerir una práctica amorosa más directa, evocada por el doble sentido erótico de la respuesta de la *serrana*: «domar la res muda» significa acceder al sexo femenino.

El erotismo es importante en el *Libro de buen amor*. Varios trabajos se han dedicado, estos últimos años, a estudiar sus manifestaciones textuales. Los resultados muestran, en general de manera convincente, que no se trata de casos circunstanciales, sino de una verdadera corriente de fondo. Si ha pasado desapercibido y ha sido preciso recurrir a verdaderas elucidaciones, es porque el erotismo no se expresa por medio de un léxico particular. Desvía de su uso propio isotopías léxicas completas, siguiendo una tradición conocida por todos y que se marginará debido a la moralización del lenguaje que se produce en el siglo XVII. El lenguaje erótico, de todas formas, se enmascara y esconde en el doble sentido. La sutileza escolástica de la «sentencia» que hay que descubrir bajo la «letra» encuentra aquí una aplicación divertida. Pensemos en el consejo que Juan Ruiz da a sus lectores (estrofa 65):

> *La burla que oyeres non la tengas en vil;*
> *la manera del libro entiéndela sotil;*

En la batalla de don Carnal y doña Cuaresma, este segundo personaje es constantemente el blanco del doble sentido. En la estrofa 1090, la liebre viene a ofrecer sus servicios a don Carnal, en contra de doña Cuaresma:

> *Vino presta e ligera al alarde la liebre:*
> *«Señor», diz, «a la dueña yo le metré la fiebre,*
> *dalle he sarna e diviesos, que de lidiar no·l mienbre».*

Sabiendo que, en sentido erótico, la liebre es el sexo de la mujer, el sentido denotado tiene, paralelamente, otra interpretación. La enfermedad que la liebre puede transmitir a doña Cuaresma aparece como una enfermedad venérea, a la que remiten, siguiendo la patología, «la sarna e diviesos». Afectada por esa enfermedad, doña Cuaresma no estará en condiciones de «lidiar» en torneos amorosos, verbo con el que se connotan tradicionalmente esos juegos. Pero, sobre todo, esta doña Cuaresma con una enfermedad sexual prefigura el personaje de François Rabelais, Quaresmeprenant (*Quart Livre*, cap. XXIX), según una tradición más popular que clerical, puesto que es un rasgo que no aparece en las demás «batallas» medievales sobre este tema.

Como vemos, el erotismo no se limita a los relatos de las aventuras amorosas. En el *Libro* no sólo está ligado al amor sensual, sino que es, en cierto modo, autónomo, se desarrolla fuera de las circunstancias narradas en las que parecería pertinente. Su función es, quizá, la de dar a la representación del amor una dimensión lingüística, junto a la representación ética (buen amor *vs* loco amor) y a su implicación narrativa («autobiografía amorosa ficticia»). Conviene retener que la función lingüística del erotismo es la de debilitar la unicidad del sentido, la de revelar la capacidad de distanciamiento del lenguaje. Por último, orienta el texto hacia el juego, hacia la risa, de la que incluso los sabios, según el arcipreste, no pueden prescindir.

5. SENTIDO Y ALEGORÍA

Se ha dicho que, al incluir referencias a todas las formas de amor, el texto se sitúa fuera de cualquier opción moral, de la que hace responsable al lector. Esto no quiere decir que el *Libro* renuncie a opinar. Al contrario, lo hace de manera redundante, manteniéndose en la ambigüedad y en la polisemia. ¿Qué se puede pensar, entonces, de su relación con la realidad? Una corriente de la crítica del *Libro de buen amor* ha subrayado el «realismo» de la obra. La materia poética, que no parecía directamente ligada a ninguna tradición literaria conocida, ha sido interpretada, con facilidad, en ese sentido. E incluso en los casos en que Juan Ruiz reescribe textos que circulaban en la Europa medieval, se considera que al tratarlos les imprime un baño de realidad.

El episodio del viaje a la Sierra constituye un terreno propicio para la interpretación realista. El trayecto seguido por el protagonista aparece marcado con precisiones espaciales que permiten al lector reconocer la geografía de la Sierra de Guadarrama, pues si en el texto la montaña no tiene nombre, sí aparecen los de varios pueblos o puertos. El lector puede encontrar, en el relato de los encuentros con las cuatro serranas, el eco de una sexualidad rústica exteriorizada en un recodo del camino, en algún lugar entre Lozoya y La Tablada. Sin embargo, estos datos referenciales están integrados en un contexto literario y mítico a la vez, que pone en guardia al lector desconfiado para que no tome, ingenuamente, como ciertas las experiencias de un arcipreste perdido en las montañas. Los ecos literarios de las canciones de serranas se han subrayado hace tiempo, así como la aureola mítica que rodea a los personajes.

Pierre Le Gentil ha estudiado la relación entre las canciones de serranas del *Libro* y las pastorelas.[8] Señala tres puntos de coincidencia: el tema del

---

8. Pierre Le Gentil, *La poésie lyrique espagnole et portugaise à la fin du Moyen Âge,* Rennes, 1949, I, p. 543; «A propos des *Cánticas de serrana* de l'archiprête de Hita», *Wort und Text - Festschrift für Schalk,* pp. 133-141.

encuentro, el contraste entre un personaje femenino y un personaje masculino, y el desenlace erótico completo o incompleto. En tres puntos, sin embargo, las canciones de serranas difieren de la pastorela: el tiempo, invernal en el *Libro* (en sentido climatológico, puesto que la estación en la que se sitúa es la primavera), el escenario montañoso, y el nombre de *serrana*, en lugar del tradicional de «pastora». Partiendo de esta base, se han interpretado las serranas del *Libro* como parodias de las pastorelas. A pesar de ello, las conclusiones del propio Pierre Le Gentil se acercan a las de Ramón Menéndez Pidal, a propósito del carácter auténticamente español de estos personajes y de estas canciones. Menéndez Pidal consideraba que el motivo de la *serrana*, en el que veía la influencia de la lírica popular castellana (cantar de caminantes), podía estar inspirado, además, en la realidad campesina.[9] En el polo opuesto se sitúa la opinión de Leo Spitzer, cuyos trabajos sobre el *Libro de buen amor* son todavía vigentes.[10] Este autor encuentra una relación entre la *serrana* y el personaje mítico y folclórico de la mujer salvaje, presente en toda la Europa medieval. Le parece que la *serrana* de Juan Ruiz se parece mucho a los personajes de «cuentos de hadas»: «demonio de la vegetación o de la fecundidad», representante de las «fuerzas infernales, vitales, de una naturaleza espantosa».

En el mismo sentido, la comparación sistemática llevada a cabo por Monique De Lope entre la *serrana*, la mujer salvaje y la bruja de los cuentos de hadas muestra numerosos puntos comunes: se trata de seres selváticos que poseen un gran ascendiente sobre los animales salvajes (la serrana de Juan Ruiz tiene aspecto de «cazadora»); su aspecto físico denota un zoomorfismo muy pronunciado, su color es el negro, están caracterizadas por el gigantismo, especialmente el de los senos, que la cuarta *serrana* tiene que llevar doblados para evitar que bailen demasiado. Su agresividad es casi mortífera, tan desarrollada como su erotismo. Robadoras de hombres, son también maestras en el arte de hacerlos pasar al otro mundo. Estas convergencias ponen en evidencia el fondo mítico en el que están arraigadas las *serranas*. Las descripciones que de ellas hace Juan Ruiz parecen estar lejos, al mismo tiempo, de la realidad campesina y de la parodia de la feminidad, como se ha sugerido también. De hecho, el texto sobre la cuarta serrana (estrofa 1011) se relaciona con las visiones del Apocalipsis.

Los lugares recorridos por el protagonista parecen, por el contrario, bien situados en la realidad, puesto que es posible indicar en un mapa los pueblos y los puertos de la sierra por los que pasa el viajero y seguir la ruta

9. Ramón Menéndez Pidal, «La primitiva poesía lírica española», *Estudios literarios*, Buenos Aires, 1942.
10. Leo Spitzer, *Lingüística e historia literaria*, Madrid, Gredos, 1955.

de su itinerario. Todos los topónimos centran el viaje en una geografía real. Incluso si aparece un monstruo en un recodo del camino, la senda existe y fue abierta por unos muleros (probablemente los que se encargaban del transporte de mercancías entre las dos Castillas). La modestia de este detalle y su referencia económica garantizan, en cierto modo, la materialidad del camino. ¿Acaso podría pensarse que el protagonista que se pasea por un espacio tan concreto tiene la candidez de creer en seres fabulosos que se aparecen en las montañas, y que el *Libro* se burlaría, de este modo, de ciertas creencias populares poco cristianas? Ésta es la interpretación de Julio Caro Baroja,[11] que extrae así del texto una información antropológica.

Así y todo, parece inevitable tener en cuenta la dimensión alegórica del texto. Todo lleva a creer que en el *Libro de buen amor*, como en todas las grandes obras medievales que tratan el tema del viaje, éste no es nunca casual ni gratuito. Siempre tiene algún papel que desempeñan, algún valor particular: la geografía que recorre es, por lo menos, un «paisaje del corazón», a menudo la figura alegórica de un recorrido espiritual (de una peregrinación). En ese caso, los topónimos de la *sierra* servirían para introducir en el texto algo más que la realidad castellana, como han sugerido diversos críticos.

«*Fuentfría*», la fuente fría, es una imagen tópica de la gracia divina: el viajero del *Libro* trata de dirigirse hacia allí, pero ignora el camino. ¿No será que está demasiado ocupado en su itinerario erótico? Se podrá leer, entonces, el relato del viaje por la sierra como una alegoría, sin perder de vista que los niveles de significado, en el *Libro*, son múltiples, y que la lectura alegórica, aunque sea indispensable, no es la única. La primera parte del viaje lleva al protagonista a Segovia, donde visita la reliquia de un dragón serpiente. Esta peregrinación erótica y fantástica (encuentro con las *serranas*) resulta decepcionante:

> Estude en esa cibdat e espendí mi cabdal:
> non fallé pozo dulçe nin fuente perhenal;

La segunda parte del viaje tiene como destino Santa María del Vado, donde la Virgen puede servir de mediadora para la salvación que promete la Crucifixión. Aspecto negativo en Segovia, aspecto positivo en Santa María del Vado, para esa doble peregrinación del deseo, en busca de la eterna juventud o de la vida eterna.

---

11. Julio Caro Baroja, *Ritos y mitos equívocos*, Madrid, Istmo, 1974, p. 295.

Esto es un ejemplo de cómo la alegoría estructura el texto en el *Libro*, sin que el significado de la obra dependa exclusivamente de ella. Quizá la sutileza de este trabajo, su carácter no ostentoso, flexible, lleven al lector a prescindir de las advertencias de Juan Ruiz sobre la concepción alegórica del *Libro*. Sin embargo, según Francisco López Estrada, el esfuerzo del lector para comprender el significado velado constituye uno de los objetivos de la expresión literaria en la Edad Media. Una vez más se impone la idea de que el lector es el único responsable del texto. Ésta es, entre otras cosas, una de las aportaciones mayores del *Libro de buen amor* a la poética medieval. En una época en la que la imprenta no podía fijar de manera indeleble la forma de un texto, se reconocía la importancia del lector. El *Libro de buen amor* utiliza el «yo», pero también el «tú», cuando se dirige al lector, numerosas veces. Esta situación de diálogo podría resumir por sí sola todo el *Libro*. Es la garantía de los infinitos sentidos que sus sutilezas quieren provocar, hace que se oigan en él todas las voces posibles. Íntimamente unidos por una estrecha comunicación, la del tú y la del yo, el trabajo y el placer estéticos aparecen, como mediadores, quizá, de la eternidad: el libro también tutea a Dios.

Pedro López de Ayala y el *Rimado de palacio*

La obra de Pedro López de Ayala comprende, además de las cuatro crónicas y de las traducciones ya mencionadas, un volumen de más de ocho mil versos, conocido tradicionalmente con el título de *Rimado de palacio*. Se trata, en realidad, de varios fragmentos, reunidos por el poeta al final de su vida, para que formaran un conjunto homogéneo por medio de transiciones añadidas.

Las setecientas veintiocho primeras estrofas están compuestas por cuartetos monorrimos, característicos del mester de clerecía. Presentan una confesión general del poeta (1 a 190), un fragmento sobre el cisma de Occidente (191 a 233), seguido de consideraciones diversas sobre el gobierno de la república (234 a 297), y de un repertorio de los diferentes grupos de personas que frecuentan la corte (298 a 371). El poeta vuelve de nuevo al tema de la confesión y da algunos consejos a sus lectores para que puedan alcanzar el auténtico arrepentimiento (372 a 422). El pasaje que viene a continuación, conocido como «Los fechos de palacio», es uno de los más brillantes y al mismo tiempo el más famoso: se trata de un relato, en primera persona, de las vicisitudes padecidas por un caballero que solicita que se le pague lo que se le debe por haber participado, junto con sus vasallos, en una campaña de guerra (423 a 535). Las estrofas siguientes tratan de ciertas normas de comportamiento para los súbditos y para los gobernantes (536 a 639) y se terminan con dos fragmentos dedicados a los consejeros del rey (640 a 728).

Las estrofas 729 a 919 forman un conjunto aparte, aunque se haya tenido el cuidado de asegurar una transición con lo que precede. El poeta agrupa aquí una serie de poemas que presentan la particularidad de no seguir la estructura del cuarteto monorrimo, que se reserva para las estrofas de transición. Se trata de poemas líricos de inspiración religiosa, o de octavas reales sobre el tema del cisma.

Lo que se suele conocer como la segunda parte del *Rimado* y que consta, en el estado actual de reconstrucción, de alrededor de mil doscientos cuartetos, conservados de forma desigual en dos manuscritos principales, está dedicada a una adaptación de las *Moralia* de san Gregorio sobre el libro de Job. Dentro de esta parte, hay que distinguir un conjunto (920-1529) —común a los dos manuscritos— que se presenta como una obra acabada. Empieza por una adaptación de los primeros capítulos del libro de Job, hace alternar a continuación el libro bíblico con las *Moralia*, se centra más tarde exclusivamente en las *Moralia,* y concluye con el capítulo 35 y último de la obra del Papa.

Esta composición compleja hace del *Rimado* una suma, y no tanto una obra propiamente dicha. Pero, más que una manifestación de originalidad por parte de Pedro López de Ayala, hay que ver en ella un rasgo específico de la poesía culta del siglo XIV. El libro del Arcipreste de Hita contiene también la adaptación en cuartetos monorrimos de una obra latina (el *Pamphilus*), un cancionero de inspiración sobre todo mariana, un relato en primera persona y el testimonio de la sociedad de su época. El tono de las dos obras es, de todas formas, demasiado diferente para hacer suponer que Pedro López haya imitado a su ilustre predecesor. El mester de clerecía sigue siendo un modelo muy útil para los escritores cultos, pero ya no sirve para cubrir las necesidades de otros que —aunque se llamen arciprestes— quieren alejarse de la inspiración clerical y desean tratar temas no exclusivamente religosos o morales.

El *Rimado* es, además, fruto de las circunstancias en las que fue escrito.

En el cancionero de las estrofas 729 a 919, el poeta menciona varias veces el cautiverio que ha sufrido en Obidos, en Portugal, como consecuencia de la derrota infligida por los portugueses a los castellanos en Aljubarrota, en 1385. En esa época, Pedro López tenía cerca de cincuenta y cinco años y ocupaba cargos importantes en la corte. Acababa de librarse por poco de la muerte que sufrieron, en la batalla, la mayoría de los jefes de las familias nobles castellanas. Se le condena a pagar un importante rescate para poder recuperar la libertad. Es su mayor deseo, puesto que acaba de enterarse de que su padre ha muerto y de que su esposa se enfrenta a una sublevación armada en sus tierras de Álava. Se da cuenta, también, de que Castilla vive momentos trágicos. El rey está enfermo y el fracaso de su tentativa por ocupar el trono de Portugal ha agravado aún más su estado. Por último, el país se encuentra bajo una doble amenaza de invasión, por parte de los portugueses y por parte de los ingleses.

Ante esta situación, que le atañe como persona y como miembro de una comunidad, Ayala reacciona como intelectual y como poeta al mismo tiempo. Intenta analizar las causas de tantas desgracias y reacciona desde un punto de vista cristiano. Su confesión es, en primer lugar, el balance de una vida ya larga y bastante agitada. No se trata a sí mismo con indulgencia, y se acusa de todos los pecados, de haber faltado a todos los preceptos de la religión. Se vuelve a continuación hacia la sociedad y presenta una visión crítica de todos los males que la afectan. Denuncia el más llamativo de todos: el afán de lucro. La codicia es la que ha provocado el cisma que, desde 1378, destroza a toda la comunidad cristiana. De igual modo, el afán de lucro es el que guía todo el sistema social y político, desde el favorito del rey hasta el mercader, pasando por el caballero, el diputado villano, el recaudador de impuestos, el prestamista judío o el hombre de leyes. Éste es el mal profundo que, según Ayala, padece Castilla y, en sentido más amplio, todas las sociedades de su tiempo. El tono que emplea para denunciarlo no admite complacencias, ni hacia sí mismo ni hacia sus contemporáneos. Se expresa con vehemencia y, en general, con dramatismo. Sin embargo, da también muestras de su sentido del humor cuando, en los *Fechos de palacio*, cuenta una aventura que podría haberle ocurrido, y en la que se deleita en llevar hasta el absurdo las aberrantes normas de funcionamiento del aparato administrativo de una sociedad que sólo funciona por dinero.

¿Cuál es la solución que propone? Para sí mismo, un sincero arrepentimiento: desde este punto de vista, el *Rimado* se asemeja de lo que sería un testamento. En cuanto a la sociedad, propone volver al ideal agustino de un cuerpo armonioso en el que todos los miembros, empezando por la cabeza (es decir, el rey), contribuyan, desde el lugar que les ha sido asignado, al bienestar de todos. En realidad, Pedro López piensa en un modelo más cercano, el de la sociedad feudal, en donde los miembros de su grupo, la nobleza, disfrutaban de un status privilegiado del que la complejidad de la nueva sociedad tiende a despojarlos: control de la administración por el hecho de pertenecer al Consejo del rey; autoridad no compartida en sus propiedades, protegidas del poder central por el derecho consuetudinario. Esto equivale a decir que su discurso es sobre todo nostálgico y que no abre perspectivas para el futuro de Castilla.

Dentro de este contexto es donde hay que situar la adaptación del libro de Job y de las *Moralia* de san Gregorio, que ocupan la segunda parte. Esta última obra acompañó a Pedro López a lo largo de toda su vida. La mandó traducir y realizó tres adaptaciones de ella: además de la del *Rimado*, un *compendium* (fragmentos escogidos) y una compilación de sentencias y de fórmulas. Unos meses antes de su muerte, todavía la cita como una de las obras de las que no se separa nunca. ¿Qué hay, en el tema de Job, que pueda fascinar de esa manera a un noble castellano de mediados del siglo XIV? Los tiempos difíciles —peste negra, guerras civiles y extranjeras— no podían sino incitar a considerar la precariedad de los bienes de este mundo; el más poderoso podía, como el patriarca bíblico, verse solo y abandonado por todos en el estercolero. Sin embargo, también se puede pensar que Pedro López, más que por Job, se sentía atraído por san Gregorio. La lectura asidua de su obra le familiarizó con una forma de pensamiento y con una capacidad para comentar de las que quiso ser imitador. Para un hombre de la Edad Media, a quien la distancia de siglos no impide considerarse como contemporáneo de un hombre de la Antigüedad, san Gregorio podía ser un modelo intelectual, y su discurso podía aplicarse a una situación vivida casi ocho siglos después de la composición de su obra. Desde este punto de vista, la adaptación del libro de Job y de las *Moralia* coincide perfectamente con las intenciones del autor de la primera parte del *Rimado*.

Para poetas como el Arcipreste de Hita y Pedro López de Ayala, la fidelidad al modelo y la expresión personal ligada a la actualidad histórica son dos exigencias que todavía se pueden conciliar, como lo demuestra el empleo que hacen de técnicas de escritura heredadas de la tradición. Pero da la impresión de que han llegado lo más lejos que se podía llegar en esa dirección. Los creadores del siglo XV que seguirán a Ayala tendrán que alejarse de los principios y de las formas del mester de clerecía, y se volcarán en los modelos provenzales o franceses. En algunos círculos, el mester de clerecía conservará aún, por algún tiempo, cierto vigor.

Otras obras

Además del *Libro de buen amor* y del *Rimado de palacio*, se han conservado tres obras importantes del mester de clerecía. El *Poema de Yúçuf* narra la historia de José, vendido por sus hermanos. La gran originalidad de este texto es que se ha conservado en *aljamiado*, es decir, en romance transcrito en caracteres árabes. Es obra de un morisco y, originariamente, una leyenda que circuló en las comunidades de musulmanes convertidos al cristianismo y que vivían en los estados cristianos de la Península. Las fuentes del texto son orientales: además de la Biblia y del Corán, otros textos utilizados por los musulmanes, como el *Libro del Justo*. Resulta significativo que esta romanización de una leyenda oriental para uso de los nuevos cristianos haya utilizado el molde del mester de clerecía. A principios del siglo XIV éste se imponía como la forma literaria más adecuada para hacer llegar las fuentes cultas a un público que no sabía latín y pertenecía a las capas populares.

Otro tanto sucede con la leyenda hagiográfica de san Ildefonso. El concilio de Peñafiel de 1303 instituyó la festividad de ese santo, arzobispo de Toledo en el siglo VII y gran promotor del culto mariano. Con ese motivo se redactó un relato en latín —la *Legenda asturicense*— que recogía todos los elementos de la leyenda del santo, en particular el más conocido, la entrega que hizo la Virgen de su casulla al nuevo metropolitano. La adaptación castellana de esta leyenda se debe a un beneficiado anónimo de Úbeda. Éste debió componer su obra probablemente entre 1303 y 1309, en una época en la que los moros de Granada amenazaban el reino de Jaén, al que pertenecía Úbeda. La adaptación sigue fielmente la leyenda latina, completándola, a veces, con detalles tomados de otras tradiciones. Su técnica no puede compararse con la de Berceo, que dedica uno de sus *Milagros de Nuestra Señora* a la casulla de san Ildefonso.

El *De contemptu mundi* del papa Inocencio III —que convocó el Concilio de Letrán en 1215— inspiró a otro autor, anónimo también, que realizó una adaptación de esta obra con el título de *Libro de miseria de omne*.

La obra debió de componerse, según su más reciente editor, a principios del siglo XIV. El *De contemptu mundi* fue redactado por Inocencio III en una época que se caracterizó por una actualización del dogma y por una vuelta a la simplicidad evangélica, ilustrada en particular por la fundación de las órdenes mendicantes. El adaptador del siglo XIV sólo ha retenido la lección de profundo pesimismo sobre la naturaleza del hombre y sobre su condición.

Ningún aspecto de la vida complace al autor. El libro no es sino una serie de lugares comunes, ilustrados con los habituales ejemplos tomados de los textos sagrados. El adaptador, sin duda un religioso de cultura mediocre, no intenta nunca variar el tono, ni adular al auditorio, como conviene hacerlo cuando se quiere que el mensaje sea eficaz.

Al contrario de las obras de Hita y de Ayala, ninguna de las tres obras citadas intenta renovar el género. Esto contribuyó probablemente más a su desaparición que las innovaciones de los dos grandes poetas del siglo XIV. Por otra parte, se conserva el testimonio de la existencia de algunas otras obras del *mester de clerecía*, hoy desaparecidas: *Los votos del pavón*, una *Vida de Magdalena* del beneficiado de Úbeda. Se conservan también algunos fragmentos dispersos, como los *Proverbios de Salomón*.

Las otras dos obras poéticas importantes escritas en el siglo XIV no pertenecen al mester de clerecía, aunque se relacionan, también, con la creación culta y toman de ella algunas características formales. Así, el *Poema de Alfonso XI* es una adaptación de la *Gran Crónica de Alfonso XI*, que es a su vez, como se ha señalado anteriormente, una amplificación de la crónica de este rey.

Su autor, Ruy Yáñez, es contemporáneo del monarca y escribe en vida de éste, en 1348. La forma que utiliza, cuartetos octosílabos de dos rimas, parece tomada del *Poema de Alfonso IV*, del portugués Afonso Giraldes, que se refiere a la misma época, pero que sólo nos ha llegado de manera muy fragmentaria. El *Poema* es una alabanza del rey de Castilla. No carece de cualidades literarias, aunque la estrofa utilizada, más apta para expresar sentencias que para dar énfasis a una epopeya, le confiere un ritmo entrecortado y fatigoso. Contiene algunas referencias literarias: pasajes imitados del *Libro de Alexandre* —un poema de mayo, entre otros— (estrofas 411-413) y ecos de la leyenda de Merlín.

El rabino de Carrión, Shem Tob Ibn Ardutiel Ben Isaac, cuyo nombre ha sido castellanizado como Santob (1290?-1360), escribió unos *Proverbios morales* que ocupan un lugar aparte en la producción literaria de la Península. Presentan, en cuartetos hexasilábicos de dos rimas, líricos y expresivos, una filosofía completa de la vida, en la que se intenta conciliar la norma cristiana dominante y los valores de la cultura judía que está viviendo sus últimos tiempos de paz relativa en Castilla, antes de las matanzas de finales del siglo XIV, de las conversiones forzosas del siglo XV y de la expulsión de los últimos irreductibles (1492). El autor tiene una forma de matizar que ha obligado a menudo a los críticos a preguntarse cuáles son sus verdaderas intenciones. Santob posee un carácter especulativo que le obliga a concebir las cosas en continua evolución. Desconoce la idea de un mundo definitivamente establecido. Su reflexión se deja guiar por la búsqueda permanente de un equilibrio entre términos que no se oponen unos a otros sino de forma relativa. Este antidogmatismo se acerca a la postura que prevalecerá en tiempos modernos y ofrece una visión positiva de la coexistencia de varias culturas en la España medieval. Por otro lado, Santob es un excelente poeta, que consigue dominar con agilidad el molde rígido del cuarteto hexasilábico que utiliza. Las imágenes cultas alternan con otras populares, produciendo un magnífico efecto. Es una poesía concebida también para ser memorizada, y existen varios testimonios posteriores que indican que, en este caso también, alcanzó su objetivo.

MONIQUE DE LOPE
MICHEL GARCIA*

---

* La parte titulada «El *Libro de buen amor*» ha sido escrita por Monique De Lope, las otras dos partes por Michel Garcia.

CAPÍTULO VII

NUEVAS FACETAS DE LA PROSA

Nuevos territorios

Durante los siglos anteriores, la prosa se había inspirado en fuentes árabes, y más todavía en las europeas. En el siglo XV, se pasa a imitar a los autores latinos de la Antigüedad. En contacto con ellos, el castellano enriquece su vocabulario y su sintaxis. Dos figuras dominan: Enrique de Villena, abierto a todas las corrientes, y Alfonso Martínez de Toledo, arcipreste de Talavera, cuya prosa recoge con acierto la expresividad de la lengua popular. Estudiaremos primero los libros de viajes, que ponen al lector en contacto con Oriente, y las biografías, en donde aparecen nuevas formas de ver la historia.

1. LIBROS DE VIAJE

La división del Imperio Romano, como consecuencia de las invasiones bárbaras, mantuvo encerrados a los hombres, durante siglos, dentro de límites regionales. A partir del siglo XI, las cruzadas les llevaron a recorrer toda la superficie del mundo antiguo, desde Santiago de Compostela hasta Tierra Santa. La primera literatura de viajes está destinada a los peregrinos: el *Codex Calixtinus*, en latín antes de 1139, para los que van a Santiago; la *Fazienda de Ultramar*, traducción, sin duda, de una compilación latina, que data de principios del siglo XIII. Contiene fragmentos traducidos de la Biblia, así como una descripción de Tierra Santa, para los peregrinos del Santo Sepulcro.

El *Libro del conoscimiento de todos los reinos e tierras e señorios que son por el mundo*, compuesto hacia 1350-1360, es obra de un franciscano español anónimo. A finales del siglo XIV, se traduce al aragonés el *Libro de las maravillas del mundo*, atribuido a un inglés, Jean de Mandeville, que se supone vivió en Lieja. Más que su propia experiencia, ambos autores utilizan un conocimiento libresco que se puede identificar.

Diferente es el caso de la *Embajada a Tamorlán*, de Ruy González de Clavijo, que realizó un viaje a Samarcanda entre 1403 y 1406, en calidad de embajador del rey Enrique II de Castilla. El autor describe con precisión, inspirándose en su diario de viaje, las diferentes etapas de su periplo. Su gusto por el exotismo le induce a relatar minuciosamente las costumbres de las poblaciones que va encontrando, lo que acentúa todavía más la dimensión personal y auténtica de su testimonio.

Entre 1436 y 1439, Pedro Tafur hace un viaje de placer alrededor del Mediterráneo, por Europa central y Flandes. Varios años después, redacta un relato brillante, en el que la imaginación es tan importante como las notas de viaje tomadas *in situ*. Este relato despertó, naturalmente, el interés de los lectores habituados al exotismo convencional de las novelas de caballería, que estaban de moda en aquella época.

2. BIOGRAFÍAS

Pedro López de Ayala había incluido en sus crónicas un breve retrato del rey, al final de cada reinado. Su sobrino, Fernán Pérez de Guzmán (1376-1460?), recoge esta técnica y la sistematiza. Presenta una galería de retratos de los personajes importantes de su época en sus *Generaciones y semblanzas*, obra para la que pretende haberse inspirado en la *Historia de Troya*, de Guido delle Colonne. Adopta un estricto esquema formal. Después de precisar el status del personaje y de sus antepasados inmediatos, presenta una breve descripción física de éste. Se detiene un poco más en la descripción moral, no dudando en incluir consideraciones generales sobre sus vicios y sus virtudes, y, a continuación, explica las actividades del personaje, antes de precisar las circunstancias de su muerte. Los retratos de Fernán Pérez dejan traslucir el rencor de un hombre que, obligado a retirarse de la vida pública, juzga a sus contemporáneos. A pesar de todo, su pasión por su patria castellana le impedirá caer en la amargura.

Unos treinta años más tarde, el cronista Fernando del Pulgar (alrededor de 1425-después de 1490), gran admirador de Fernán Pérez de Guzmán, realiza, a su vez, retratos de los personajes importantes del controvertido reinado de Enrique IV. Sigue de cerca el esquema fijado por su predecesor, pero su intención es otra: más que censurar, se propone elaborar una guía destinada a sus contemporáneos, los súbditos de los Reyes Católicos, con el fin de incitarlos a que se unan en torno a sus soberanos, en el momento en que va a empezar la campaña que acabará con la toma de Granada.

Hasta principios del siglo XV, la crónica real constituye el marco obligado para relatar los hechos históricos, y la figura del rey ocupa un lugar central. A partir del siglo XV, se producen numerosos cambios, que contribuyen a trastocar esta concepción. La organización social pasa a ser más compleja y ello hace que se destaquen personajes cuya imagen sustituye, a menudo, a la del rey: es la época de los validos. Por otro lado, la literatura caballeresca tiende a presentar como ejemplar la figura de algunos súbditos de elite, que aluden a otros valores que no son la fidelidad al monarca: fidelidad a la dama, a un código del honor. Estas nuevas circunstancias traen consigo un nuevo enfoque literario del individuo y de su historia, del que la literatura castellana presenta varios ejemplos.

El condestable Álvaro de Luna (1390?-1453) fue el valido de Juan II. Hombre de fuerte personalidad y con un gran sentido político, consiguió acaparar un poder y una riqueza tan importantes como los de su soberano. Cayó varias veces en desgracia y se recuperó, pero acabó siendo condenado y decapitado. La crónica que le dedicó uno de sus antiguos servidores, quizá Gonzalo Chacón, intenta restablecer la imagen de un valido que la historiografía oficial ha tratado con dureza. Esta obra entronca, en muchos aspectos, con la crónica real, pero el talento de su autor no fue tan grande como para conseguir rehabilitar la memoria de un personaje tan controvertido.

El condestable Miguel Lucas de Iranzo tuvo una carrera fulgurante en la corte de Enrique IV. Cayó en desgracia y se alejó en 1459, retirándose a su ciudad de Jaén, donde fue asesinado en 1473, durante las matanzas que ensangrentaron Andalucía en aquella época. Los *Hechos del condestable*, que no van más allá del año 1471, se escribieron sin duda por petición del propio Miguel Lucas. Aparece como un señor ejemplar y como un modelo de virtudes. El autor facilita numerosos detalles de la vida cotidiana del héroe, lo que convierte este texto en una importante fuente de información sobre la vida pública y privada en una corte de provincias en la segunda mitad del siglo XV.

El *Victorial* o *Crónica de don Pero Niño* fue compuesto, entre 1435 y 1448, por su abanderado Gutierre Díez de Games (1378-1450). Este texto es mucho más original que las crónicas de Álvaro de Luna o que la de Miguel Lucas, ya que no intenta imitar la crónica real. El autor no tiene demasiado respeto por la cronología, e introduce, cuando le parece oportuno, algunos documentos, como un relato de la guerra civil que enfrentó a los hijos de Alfonso XI, la copia de un pasaje del *Libro de Alexandre*, poema del siglo XIII, o consideraciones sobre el carácter del pueblo inglés. El héroe vive aventuras guerreras y galantes muy agitadas, por lo que el lector tiene a veces la impresión de estar leyendo una biografía en forma de novela de caballería, de la misma manera que, tres siglos más tarde, se podrán leer biografías en forma de novelas picarescas. El *Victorial* merece ser considerado como una de las obras maestras de la literatura medieval castellana.

3. Enrique de Villena

Enrique de Villena (1384-1434) era un espítitu curioso. Hijo de un noble aragonés y de una hija bastarda del rey Enrique II de Castilla, fue Maestre de Calatrava. A pesar de sus esfuerzos, no consiguió llegar a ser marqués de Villena. Huérfano, fue educado por su abuelo, Alfonso, quien, en contra de su voluntad, quería que se dedicase al oficio de las armas. Sus deseos de conocimiento no le apartaron de las intrigas políticas, sin que sacara de ellas el más mínimo provecho. Muy interesado por el esoterismo, por la magia y la astrología, circuló el rumor de que había hecho un pacto con el demonio. Éste es el personaje que harán revivir Quevedo, Ruiz de Alarcón, Rojas Zorrilla y, en el siglo XIX, Hartzenbusch. Se cuenta que, a su muerte, Juan II ordenó que se quemaran sus libros, lo que el confesor del rey, Lope de Barrientos, hizo sólo en parte. A menudo temido y despreciado por sus contemporáneos, recibió, sin embargo, como sabio y como poeta, calurosos elogios, sobre todo por parte del Marqués de Santillana.

Entre las obras que se conservan de Villena, hay que destacar los *Doce trabajos de Hércules*, escritos primero en catalán y más tarde traducidos al castellano, antes de 1417. Se trata de una mitología medieval: los hechos de la Antigüedad se encuentran todavía lejos de los mitos que conocemos. Se ven como una gesta épica. Sometidos a una cuádruple exégesis (como si de textos bíblicos se tratara), se convierten en una alegoría de la sociedad medieval jerarquizada. La mitología sirve, en este caso, de pretexto para defender la sociedad medieval.

El *Tratado del arte del cortar del cuchillo o Arte cisoria* es el primer tratado de este tipo en lengua española (1423). Se trata de un libro de recetas culinarias, pintoresco y muy conocido. El *Libro de aojamiento o fascinología* es contemporáneo del anterior. Villena creía en el mal de ojo. Quizá Lope de Barrientos creyera a su vez en él, puesto que no destruyó este libro de astrología que expone los medios para librarse de los maleficios.

Los poemas de Villena se han perdido. Afortunadamente se han conservado fragmentos del *Arte de trovar*, conjunto de preceptos poéticos, muy valiosos para hacernos una idea de las formas y de los géneros que se cultivaban en esa época, de la influencia de la lírica provenzal, del lugar que ocupaba el castellano y de su defensa. Villena debió de ser muy famoso, y el aprecio que le tenía Santillana es muestra de ello. Polígrafo y poeta, Villena fue también traductor. A él se deben las primeras traducciones al castellano de la *Eneida* y de la *Divina Comedia*. La interpretación de los textos es a veces vacilante, pero se trataba de una empresa pionera.

4. EL ARCIPRESTE DE TALAVERA

No conocemos bien la vida de este autor. Nació en 1398 y murió hacia 1470. Vivió en Toledo y, más tarde, en tierras de la corona de Aragón (Valencia, Barcelona, Tortosa), antes de llegar a ser arcipreste de Talavera, en Castilla la Nueva, como también capellán de Juan II.

Alfonso Martínez de Toledo nos ha legado una crónica, *Atalaya de crónicas*, escrita en 1443, que reconstruye la historia de España desde el reinado de Valia, rey visigodo del siglo v, hasta el de Juan I de Castilla. El manuscrito de esta obra conservado en el British Museum incluye una continuación que llega hasta el reinado de Enrique IV, pero es posible que sea obra de otra pluma. Para muchos, el arcipreste es también autor de una biografía de san Ildefonso y de san Isidoro (*Vida de san Ildefonso y san Isidoro*). La obra está editada como suya en la colección de «Clásicos Castellanos». No obstante, el estilo es tan particular, que algunos especialistas, como Michael Gerli y Ralph de Gorog, se niegan a atribuir a Talavera este texto hagiográfico.

La obra maestra de Martínez de Toledo se conoció muy pronto con el título de *Corbacho o reprobación del amor mundano*. Se quiso, de esta manera, poner de relieve su deuda para con Boccaccio, su misoginia, el carácter escabroso de las peripecias que presenta. Sin embargo, la voluntad del autor era que el libro «Sin bautismo sea por nombre llamado Arcipreste de Talavera donde quier que fuere levado». Acabado en 1438, consta de cuatro partes: 1) un «tratado de lujuria»; 2) «escrito contra las mujeres perversas»; 3) otro sobre «las complisiones de los hombres» (los cuatro humores, el lenguaje del cuerpo, bien estudiado por Marcella Ciceri); 4) un tratado sobre las supersticiones y sobre la astrología.

El libro es una sátira mordaz, muy concreta, salpicada de anécdotas y de proverbios, marcada por un interés por lo cotidiano, en el que Menéndez Pelayo creyó descubrir lo que más tarde sería uno de los rasgos de la «novela» picaresca. El arcipreste describe también con precisión y estilo acertado a las mujeres, sus adornos, sus maquillajes y sus modas. Es un eslabón más de la tradición misógina, que está presente en los sermones por medio del *exemplum*, abundante en la obra del arcipreste de Talavera. Martínez de Toledo debió de inspirarse en la *Disciplina clericalis*, en el *Sendebar*, en la obra del catalán Francesc Eiximenis y, naturalmente, en el *De amore* de Andreas Capellanus.

Conocía también el *Libro de buen amor*, del otro arcipreste. Se impone una analogía entre los dos libros, con la diferencia que el de Juan Ruiz es festivo, mientras que el otro es rígido y severo. Reflejo de la época, en el fondo, de ese siglo XV en el que los sermonarios un poco tristes eran muy apreciados: Alonso Núñez de Toledo no tardará en escribir, para su esposa Leonor de Ayala, un *Vençimiento del mundo*, destinado a su edificación moral (1481).

El texto es una magnífica simbiosis del habla popular y de una retórica muy elaborada: diálogos rápidos, interjecciones, proverbios, pero asimismo, neologismos, préstamos cultos, quiasmos, paralelismos, epanalepsis, antítesis, hipérboles. Como vemos, el arcipreste influyó en gran medida en *La Celestina*, de Fernando de Rojas. Aquí se esboza ya el diálogo de *La Celestina* y, probablemente también, como afirmaron Ramón Menéndez Pidal y Dámaso Alonso, la novela moderna.

5. LOS COMIENZOS DEL HUMANISMO

En el siglo XV, el libro tiene ya una difusión mayor. Los inventarios de bibliotecas, sobre todo de las de los nobles, muestran que, no solamente en los círculos aristocráticos, sino también en los ambientes acomodados se compraban libros: primero manuscritos y más tarde, a finales de siglo, incunables. Se desarrolla la traducción de las obras clásicas. Los escritores son, naturalmente, más numerosos; sus escritos se conservan mejor (incluso algunas correspondencias privadas), y es evidente que en este apartado no podemos presentar más que una visión muy parcial de esa producción. Juan de Mena (1411-1456), el gran poeta de la corte de Juan II, gozó de un innegable prestigio como prosista. A él le atribuye Fernando de Rojas la autoría del *auto I* de la *Celestina* («Cota o Mena, con su gran saber»). Es autor de un *Omero romançado*. Escribió el prólogo del *Libro de las virtuosas y claras mujeres*, de don Álvaro de Luna. También se debe a él, por último, el *Comentario* a su poema *La Coronación*.

Su prosa está marcada por el deseo de enriquecer la lengua castellana y de elevarla al nivel sublime del texto latino. Son numerosos los prosistas del siglo XV que le han seguido en este camino.

En la Edad Media, unas veces se alaba a la mujer y otras se la condena: la matrona de Éfeso, que se consuela pronto de la muerte de su esposo, aparece al lado de la doncella Teodor, virtuosa y culta. Esta doble corriente está presente en el siglo XV. En la primera vertiente, junto al arcipreste de Talavera, se sitúa Luis de Lucena, autor de *Repetiçión de amores* (hacia 1497). Frente a ellos, citaremos a Diego de Valera, con su *Defensa de virtuosas mujeres*, así como a Álvaro de Luna, condestable de Castilla (1390?-1453), autor del *Libro de las virtuosas y claras mujeres*.

Mencionaremos, también, a Alfonso Fernández de Madrigal, *el Tostado* (1400-1455), obispo de Ávila y autor de una obra considerable, escrita en latín y en español. Se le atribuyó, con demasiada premura, el *Tratado cómo al ome es necesario amar*. Es una reflexión sobre el matrimonio, en forma de parodia. De este autor citaremos, igualmente, el *Confesional*, el *Tratado sobre la misa*, las *Catorce questiones*, así como el *Breviloquio de amor e amiçicia*, obra de juventud (1437) empapada de cultura universitaria y muy influida por Aristóteles (la «filosofía natural»).

Alfonso de Cartagena (1384-1456), *converso*, fue obispo de Burgos. Era hijo del gran rabino de Burgos (Salomón Ha Leví), que había recibido el bautismo en 1390. Cartagena es autor del *Doctrinal de caballeros*, de la *Glosa a san Juan Crisóstomo*, del *Oracional*. Tradujo, además, a Séneca (*De senectute*). Al igual que Cartagena, Rodrigo Sánchez de Arévalo fue cronista y escritor político. Sus dos tratados más conocidos en español son la *Suma de la política* y el *Vergel de príncipes*. Vivió en Roma, en contacto con los humanistas más famosos. En 1448, el nuevo papa Nicolás V le nombra camarero. Más tarde, vivió también junto a Pío II (Eneas Silvio Piccolomini).

Fray Hernando de Talavera (1428-1507), a quien debemos la *Breve e muy provechosa doctrina de lo que debe saber todo christiano*, así como una *Glosa sobre el Ave María*, fue el primer obispo de Granada después de que ésta fuera reconquistada. En el *Tractado de lo que significan las ceri-monias de la misa* defiende la igualdad entre cristianos viejos y *conversos*. La descripción enciclopédica del saber es la actividad primordial del prosista. Hemos visto con anterioridad cómo se introduce en el cuento en el siglo XIII (*La doncella Teodor*). Hacia 1440, la *Visión deleitable*, de Al-fonso de la Torre integra el saber enciclopédico medieval (fuertemente mar-cado por la huella de san Isidoro de Sevilla) en un marco alegórico, inspi-rado, sin duda, en Alain de Lille. La obra será muy conocida en siglos posteriores.

Una corriente enciclopédica más marcadamente eclesiástica está repre-sentada por Alfonso de Toledo (*El invencionario*) y Juan de Lucena, cuyo *Li-bro de la vida beata* (1463) es un diálogo imaginario que reúne a Alfonso de Cartagena, a Juan de Mena y al Marqués de Santillana. En esta adaptación del diálogo humanístico *De vitae felicitate*, 1445, de Bartolomé Facio, se habla de la vida devota. Juan de Lucena interviene al final para defender a los *con-versos*. Su principal mérito es el de haber elevado a su punto más alto, como bien ha observado Margherita Morreale, la «relatinización» del español.

La lengua castellana ha ido reforzando poco a poco su prestigio, gracias a la pluma de grandes escritores. Llegará a ser uno de los ideales de la ex-pansión de España. Esta ambición justifica la empresa de Antonio de Ne-brija, autor de la primera gramática de una lengua románica nacional (*Gra-mática de la lengua castellana*, 1492). Nebrija es también autor de las *Institutiones latinae* (que se tradujeron más tarde del latín al español), de un léxico bilingüe latín-castellano y de un vocabulario castellano-latín.

En 1490, el historiador Alonso de Palencia, autor en latín de las *Deca-dae*, publicará, con esa misma ambición, el *Universal vocabulario en latín y romance*. Su obra *De sinonimis elegantibus liber* (Sevilla, 1491) merece una edición moderna. Palencia es, por otro lado, autor de dos tratados, es-critos primero en latín y luego traducidos al español: la *Batalla campal de los lobos contra los perros*, y el *Tratado de la perfección del triunfo militar*.

Eclosión de la novela *

La eclosión del género novelesco en España se fue produciendo lenta-mente, durante los doscientos últimos años de la Edad Media, a la sombra

---

* Traducción que la autora ha dado al término *roman*, tan conflictivo para la versión española. (R. N.)

y al arrimo de modelos extranjeros. Las obras de ficción más antiguas, en la Península, surgen durante el siglo XIV y se sitúan inmediatamente en la corriente del relato de aventuras francés, que tenía ya una tradición de más de cien años. Hacen suya su materia y, al igual que en él, se organizan en torno a dos temas principales: la celebración de las proezas caballerescas y la representación idealizada del mundo feudal. Esta herencia tuvo un peso decisivo en la posterior evolución de la novela hispánica, que preservará fielmente ambos elementos, les proporcionará un éxito duradero y tenderá a perpetuarlos mucho más allá de la época medieval.

En la segunda mitad del siglo XV, algunos escritores se separan, sin embargo, de los modelos novelísticos importados del otro lado de los Pirineos, que consideran anticuados, y siguen otro rumbo, el de la ficción sentimental. Utilizan, en parte, los elementos de la tradición italiana de la novela corta. Ésta les proporciona una forma narrativa breve, pero muy apropiada para describir grandes pasiones trágicas, al estilo de la que Boccaccio había analizado en su *Fiammetta* cien años antes. Partiendo de estos elementos, que adaptan a su uso, los autores de novelas sentimentales construyen historias de amor cortas, en las que abundan los personajes dolorosos que su destino conduce a la soledad o a la muerte.

Estos relatos, que tanto por sus dimensiones reducidas, como por su contenido y estilo, se oponen claramente a la novela de caballerías, se proponían, hasta cierto punto, rivalizar con ella. Sin embargo, no consiguieron que el prestigio de ésta decayera y tampoco lograron desplazarla en la aceptación del público. Las dos formas de novela coexistieron durante algún tiempo, manteniendo ambas su fisonomía particular y siguiendo sus propias normas. Más tarde acabaron fusionándose: el relato sentimental transmitió algunos de sus rasgos a la vieja temática caballeresca que, más vigorosa, consiguió renovarse y suplantar a su rival, invadiendo durante las primeras décadas del siglo XVI casi todo el campo de la novela.

1. LOS MODELOS FRANCESES Y SUS IMITACIONES ESPAÑOLAS

Surgido en el norte de Francia a finales del siglo XII, el *roman* fue inicialmente un relato en verso, para pasar más tarde, de manera progresiva pero definitiva, a utilizar la prosa. A pesar de esta importante modificación formal, había conservado los mismos contenidos que utilizaba cuando nació, y que provenían de dos fuentes de inspiración principales, enraizadas ambas en un lejano pasado histórico y literario: por un lado, la «materia de

Bretaña», conjunto de fábulas impregnadas de folclore celta y asociadas, más o menos directamente, a la figura mítica del rey Arturo; y, por otro lado, las importantes leyendas clásicas, sobre todo la de Troya, tal como la percibían, a través de textos en latín tardío, los hombres de la Edad Media.

Como ocurrió en el resto de Europa, España se familiarizó rápidamente con estas dos corrientes del *roman* francés, que fueron bien acogidas. La mayoría de los textos artúricos y de las narraciones troyanas están representadas por traducciones hispánicas, lo que demuestra su difusión y su popularidad en la Península. Sin embargo, en conjunto, estas versiones no presentan apenas innovación alguna, y no se alejan prácticamente, ni por su mentalidad ni por su forma, de las fuentes francesas. Es necesario, por lo tanto, referirse detalladamente a ellas, si se quiere comprender verdaderamente lo que fue y lo que siguió siendo, durante más de dos siglos, la novela en los países ibéricos.

La «materia de Bretaña»

Dadas a conocer por los recitadores galeses o bretones, las leyendas celtas no eran, al principio, más que un material disperso y más bien rudimentario. La literatura escrita lo ordenó, lo modernizó y, poco a poco, fue relacionando a unos héroes con otros, imprimiendo de este modo a su fisonomía y a sus aventuras un sentido más rico y más complejo.

La primera etapa de ese proceso fue llevada a cabo por dos clérigos, el obispo Godofredo de Monmouth, autor de una *Historia regum Britanniae* en latín (hacia 1135), y el poeta Wace, autor, a su vez, de una adaptación de la *Historia* en versos anglo-normandos, el *Roman de Brut* (hacia 1155). Incorporaron a la historia de la Gran Bretaña los acontecimientos fabulosos del reino de Arturo e incluyeron también a Merlín, figura misteriosa de la primitiva poesía galesa.

En torno a Tristán había surgido una serie de leyendas de orígenes diversos. Entre 1155 y 1180, este material antiguo fue remodelado por diversos poetas —entre ellos dos franceses, Béroul y Thomas— que lo utilizaron para narrar los amores culpables del héroe y de Iseo, mujer del rey Marcos de Cornualles.

De la imaginación de un escritor con talento como Chrétien de Troyes nacieron entonces relatos novelescos, en que actúan diferentes héroes artúricos: Yvain, el *Chevalier au lion* (hacia 1177); Lanzarote, el *Chevalier de la charrette* (hacia 1181), unido por un amor adúltero con la reina Ginebra, esposa de Arturo; y Perceval le Gallois, primer caballero a quien le es permitido contemplar los misterios del Santo Grial (*Conte du Graal*, hacia 1190).

De esta manera se constituye una reserva de personajes y de motivos novelescos que seguirá ampliándose y que se transformará, en menos de medio siglo, en amplios ciclos anónimos en prosa, leídos y admirados en toda Europa: el *Lancelot-Graal* o ciclo de la Vulgata (1210-1230); el de la Post-Vulgata, llamado «Roman du Graal» (1230-1240); el *Tristan*, empezado ya antes de 1230 y concluido, después de varias redacciones sucesivas, hacia 1250; y el *Palamède* (hacia 1240) que, por medio de sus últimas transformaciones enlaza con el *Perceforest*, escrito después de 1307.

El *Lancelot-Graal* abarca toda la historia de la caballería artúrica, desde sus comienzos hasta su destrucción final. Orígenes cristianos del Grial, vida de Merlín, amores y hazañas de Lanzarote, búsqueda del Santo Grial, muerte de Arturo (o Artús): su materia se divide en cinco partes diferenciadas, compuestas en fechas diferentes, pero reunidas en un conjunto unitario que forma una amplia red de aventuras entrelazadas.

Derivado del ciclo precedente, el «Roman du Graal» es un ambicioso conjunto, del que no quedan en francés más que algunos fragmentos; otras partes de la obra subsisten, sin embargo, en versiones hispánicas, lo que permite, por medio de hipótesis diversas, reconstruir sus características generales, muy diferentes, parece ser, de las del *Lancelot*. Una de estas características sería la de retroceder al pasado y explicar los sucesos que ocurrieron durante el reinado de Arturo como producto de una misteriosa «mala ventura», ligada, entre otras cosas, al pecado de incesto que, sin saberlo, el propio Arturo había cometido con su hermana. Otro rasgo de este ciclo consistiría en haber omitido, por razones morales, la parte central de la Vulgata, que describe los amores ilícitos de Lanzarote y de Ginebra. Por otro lado, los últimos episodios del libro, que presentan la invasión de las tierras devastadas de Arturo por el rey Marcos de Cornualles, introducen una importante innovación: unen la leyenda de Tristán con la de Arturo.

Esta fusión de dos mundos novelescos surgidos de la tradición celta y hasta entonces separados entre sí, se llevó a cabo en el ciclo siguiente, el *Tristan en prose* o *Tristan de Leonois*. Comienza con una genealogía del héroe, seguida del relato de sus «infancias», protegidas por Merlín. Desarrolla, después, partiendo de antiguos poemas del siglo XII, la historia de su pasión por Iseo, dándole a Tristán un rival, el sarraceno Palamedes, y un compañero, Dinadán, siempre dispuesto a burlarse de los excesos caballerescos. Pero, sobre todo, lo transforma en caballero de la Tabla Redonda, lo pone en contacto con las más importantes figuras de la corte de Arturo, donde sus amores son paralelos a los de Lanzarote y Ginebra y, más tarde, inspirándose unas veces en la Vulgata y otras en la Post-Vulgata, lo relaciona con la búsqueda del Santo Grial, antes de contar su muerte a traición a manos del propio rey Marcos.

En cuanto al *Palamède*, su acción se sitúa mucho antes que la de los ciclos precedentes y, a pesar de su título, sólo alude esporádicamente al rival de Tristán. En realidad, pone en escena a una generación de caballeros anterior a los de la Tabla Redonda, e introduce un nuevo personaje, modelo de coraje y cortesía, Guiron le Courtois, supuesto descendiente de Clodoveo.

Para terminar, el último eco de las leyendas del rey Arturo, el tardío *Perceforest*, retrocede todavía más en el tiempo. Asocia a su protagonista, primer monarca de Gran Bretaña y pariente lejano de Arturo, con la figura de Alejandro Magno, supuestamente venido a Inglaterra para instaurar la caballería y fundar la dinastía real.

Las versiones españolas del ciclo artúrico

Es difícil precisar en qué fecha y por qué vías los diferentes reinos peninsulares entraron en contacto con toda esta producción novelesca. De lo único que se dispone es de algunos indicios que muestran que en círculos cultos y aristocráticos se interesaron muy pronto por ella.

En la segunda mitad del siglo XII, algunos de sus héroes, entre ellos Arturo y Tristán, aparecen ya en el «ensenhamen» o lección poética del trovador catalán Guerau de Cabrera. A finales del siglo siguiente, las *Cantigas* de Alfonso el Sabio aluden más de una vez a la materia de Bretaña y, en los cancioneros galaico-portugueses se recogen cinco piezas líricas, los *«Lais de Bretanha»*, que tratan de diferentes episodios del *Lancelot* y del *Tristan en prosa*.

Sin embargo, es probable que la leyenda del rey Arturo se extendiera primero por España en la forma pseudo-histórica que le habían dado Godofredo de Monmouth y luego Wace. Se incorporó a bastantes obras de cronistas que, desde principios del siglo XIII hasta finales del siglo XV, la presentaron como verídica.

En los capítulos que dedica a la historia de los orígenes de la Gran Bretaña, la *General Estoria* de Alfonso el Sabio (hacia 1280) utiliza muchos elementos de la *Historia regum Britanniae*, combinándolos con otros del *Roman de Brut*. La propia *General Estoria*, en la versión inconclusa que nos ha llegado, no incluye el reinado de Arturo, pero éste aparece en otras varias crónicas hispánicas que, antes y después de aquélla, se han inspirado en las mismas fuentes, completándolas con préstamos de los ciclos de la Vulgata y, sobre todo, de la Post-Vulgata. Éste es, en particular, el caso de un *Liber regum* navarro (refundido constantemente entre 1210 y 1300), del *Livro das Linhagens* portugués, redactado por un nieto del rey Alfonso, Pedro de Barcelos (hacia 1325) y, mucho más tarde, del *Libro de las bienandanzas y fortunas*, amplia compilación histórica escrita por un hidalgo vasco, Lope García de Salazar (1471-1476).

Al mismo tiempo que las leyendas del rey Arturo se introducían así en los libros de historia, que les conferían mayor autoridad, se llevaba a cabo un continuo trabajo de traducción de los textos franceses que, durante el siglo XIV, sirvió para que los lectores de la Península se iniciasen en la novela. Tal como han llegado hasta nosotros, las traducciones hispánicas forman un conjunto heteróclito y lleno de lagunas, del que probablemente se ha perdido una gran parte. Por ello, la cronología y la filiación de las diferentes versiones peninsulares siguen siendo inciertas y han dado lugar a multitud de hipótesis contradictorias. En particular, la prioridad eventual de algunos conjuntos sobre otros es objeto de una polémica entre Portugal y España, y está lejos de poder zanjarse.

A pesar de estos aspectos confusos, está claro que España incorporó todas las grandes obras del ciclo artúrico escritas más allá de los Pirineos. Dejó únicamente de lado las más antiguas, es decir, las ficciones en verso. No se puede asegurar que las conociera, ya que en la literatura medieval española no existen huellas de los antiguos poemas de Chrétien de Troyes y de sus continuadores, ni de Béroul y Thomas en lo que a Tristán se refiere. Únicamente Cataluña hace una excepción al introducir un *roman* provenzal escrito entre 1170 y 1225, el *Jaufre*, cuya popularidad en la Península se prolongó hasta el Siglo de Oro.

La dedicatoria del libro a un rey de Aragón contribuyó mucho, sin duda, al éxito que alcanzó entre los lectores españoles. Las hazañas de Jofre, junto con numerosos héroes artúricos, fueron bastante conocidas en Cataluña, tanto como para merecer que aluda a ellas, en el siglo XIV, el cronista Muntaner y para que aparezcan pintadas en un fresco de una sala del palacio real de la Aljafería, en Zaragoza. En Castilla, esta narración fue objeto, un poco más tarde, de una adaptación muy libre, titulada *Crónica de los muy notables cavalleros Tablante de Ricamonte y Jofre*, impresa en 1513.

Aunque, exceptuando esta muestra aislada, parece que las traducciones peninsulares ignoraron el *roman* en verso de los primeros tiempos, no sucede lo mismo con los ciclos en prosa del período siguiente. La mayoría de ellos están representados, aunque sólo sea parcialmente, por medio de una o, a veces, varias versiones, lo que demuestra que, a finales del siglo XIV, estaban difundidos por toda España.

De las cinco partes del ciclo de la Vulgata francesa, por lo menos tres, las más importantes, dieron lugar a adaptaciones hispánicas: la parte central, el *Lancelot*, fue retomada en un *Lançarote de Lago* castellano, que abrevia el texto original y lo relaciona con la materia del *Tristán*; la parte siguiente, la *Queste del Saint Graal*, en una versión catalana, muy fiel y completa, titulada *Storia del Sant Grasal*; y, por último, su epílogo, la *Mort Artu*, en una *Tragèdia de Lançalot*, catalana también, compuesta como una novela sentimental y conservada en un incunable barcelonés de 1496.

El ciclo posterior o «Roman du Graal» está representado por dos conjuntos de traducciones paralelas, portuguesas las unas, castellanas las otras. Como ya hemos visto, plantean un problema particular, puesto que constituyen los únicos restos de una gran parte del ciclo original francés, sobre cuyo contenido sólo se pueden hacer conjeturas. Todas estas versiones hispánicas, tanto castellanas como portuguesas, proceden, se supone, de una traducción anterior perdida, cuya autoría se disputan Castilla y Portugal. Acabada en 1313, o quizá incluso antes, por un monje llamado Juan Vivas, esta traducción original constituía, probablemente, una trilogía que debía constar de: una historia primitiva del Santo Grial y de su depositario, José de Arimatea; un «Merlín», que narraba la pasión nefasta del mago por la joven Viviana, cuyos sortilegios consiguen encerrarlo para siempre en una tumba; y, por último, una «demanda del Grial» y una «muerte de Arturo», ampliadas con nuevos episodios. La rama de los textos castellanos nos ha legado fragmentos de este tríptico en un manuscrito que incluye un *Libro de Josep Abarimatia*, una *Estoria de Merlin* y, con el título de *Lançarote*, una «muerte de Arturo» muy abreviada. Las dos últimas partes han dado lugar, además, a versiones impresas más completas —el *Baladro del sabio Merlín* (1498) y la *Demanda del Santo Grial* (1515 y 1535)—. Por su parte, la rama portuguesa, de la que está ausente la parte relativa a Merlín, consta de dos manuscritos (*Livro de Josep Abarimatia* y *Demanda do Santo Graal*).

Del *Tristan en prose* quedan restos manuscritos de traducciones catalanas, galaico-portuguesas y castellanas, que datan, en general, de la segunda mitad del siglo XIV. Hay que añadir una versión, quizá de origen aragonés, aproximadamente de la misma época y que se conserva casi completa, el *Cuento de Tristán de Leonís*. Sin embargo, la traducción más representativa del ciclo francés es un texto castellano impreso, el *Libro del esforçado ca-*

vallero don Tristán de Leonís. Se publicó por primera vez en 1501, y fue re-editado varias veces durante el siglo XVI. Retoma la biografía completa del héroe, desde su nacimiento hasta su muerte.

El *Palamède*, también conocido con el título de *Guiron le Courtois*, parece ser el único de los grandes *romans* artúricos en prosa por el que no se interesaron los traductores peninsulares. A pesar de su popularidad en el resto de Europa, no se ha conservado ninguna versión de él en España. Sin embargo, esta ausencia no quiere decir que su materia haya sido totalmente desconocida. Quizá algún día se encuentre algún fragmento no identificado hasta ahora.

En efecto, esto es lo que ha sucedido con el *Perceforest*. Hasta hace poco, se pensaba que no se había introducido en España. Sin embargo, en 1971, se descubrieron, con el título de *Antigua y moral historia del noble rey Persefores*, los dos manuscritos de fines del siglo XVI que contienen la adaptación castellana.

Gracias a este enorme y paciente trabajo de traducción, el *roman* artúrico iba a ocupar un lugar preferente en las lecturas de españoles. En Cataluña, desde el siglo XIV, sus grandes figuras son evocadas con admiración por Muntaner en su crónica, y, con malicia, por el poeta Torroella en su *Faula*. En Castilla, en el siglo siguiente, está de moda en los círculos cultos, como lo prueban toda clase de indicios: la frecuente aparición de los héroes de la Tabla Redonda en las poesías de los *cancioneros*; la existencia de *romances viejos* que tratan de Lanzarote y de Tristán; la presencia de obras artúricas en las bibliotecas de los nobles y de los príncipes, en particular en la de Isabel la Católica; y, por último, la alusión reiterada a la «materia de Bretaña» en las primeras ficciones hispánicas originales, el *Curial e Güelfa* y el *Tirant lo Blanc* catalanas, el *Zifar* y el *Amadís* castellanos.

Esta moda irá declinando y acabará por desaparecer a finales de la Edad Media. Pero ello no quiere decir que se olviden todas las leyendas artúricas: algunas de sus traducciones hispánicas recibieron, como hemos podido ver, los honores de la incipiente imprenta y, gracias a ella, pudieron llegar a las manos de los lectores españoles del Renacimiento.

La materia clásica

Al lado de la «materia de Bretaña» y aproximadamente al mismo tiempo, es decir, entre 1150 y 1165, diversas leyendas tomadas de la mitología pagana habían proporcionado también a los primeros creadores de *romans* temas para sus relatos. Esta materia clásica, que la Edad Media designó con el nombre de «materia de Roma», se desarrolló en torno a tres grandes temas ligados al recuerdo de tres ciudades ilustres: las desgracias de Tebas, escenario de la rivalidad fratricida de los dos hijos de Edipo; el destino de Troya, cercada y luego destruida por el ejército griego, y las peregrinaciones de Eneas hasta que se estableció en Italia, preludio de la futura fundación de Roma. Esto hizo que apareciera una tríada llamada clásica —*Roman de Thèbes, Roman d'Eneas, Roman de Troie*— que, con otras obras de análoga inspiración, como el *Roman d'Alexandre* y el *Apollonius de Tyr*, constituyeron un amplio conjunto narrativo basado en la imitación de los modelos antiguos o considerados como tales.

Sin embargo, al contrario de lo que sucedía con los que procedían de la materia de Bretaña, los temas antiguos formaban parte de la cultura clásica y, además, estaban estrechamente relacionados con los del antiguo género épico. Por ello, los novelistas se vieron obligados a modificarlos profundamente, con el fin de adaptarlos a las exigencias del nuevo género que cultivaban. Sus relatos se enriquecieron con una gran cantidad de invenciones y de episodios que no procedían de las fuentes latinas, pero que se adaptaban a las exigencias del nuevo género que estaba naciendo: decorados suntuosos, exotismo oriental, digresiones geográficas, apariciones maravillosas o monstruosas, largos comentarios morales; e incluyeron sobre todo, ocupando un lugar destacado dentro de este mosaico de motivos, muchas intrigas sentimentales que servían para describir la pasión y la inconstancia del amor. Todas estas amplificaciones contribuyeron a que las ficciones llamadas antiguas alcanzaran a veces unas dimensiones enormes. A principios del siglo XIII, algunos de estos textos, como tantos otros de tipo novelesco, fueron pasados de verso a prosa y, en esta refundición, se aligeraron muchos de los motivos ornamentales. Fue esta forma prosificada y condensada la que, a menudo, se conoció fuera de Francia.

El *Roman de Thèbes*, anónimo, es probablemente el texto más antiguo de los que constituyen el ciclo clásico. Toma explícitamente como modelo a la *Tebaida* de Estacio, pero la adorna a su manera, introduciendo toda clase de elementos pintorescos: juicios o embajadas feudales, repertorio variado de personajes femeninos, escenas de amor de carácter cortés.

Viene, a continuación, el *Roman d'Eneas* cuyo autor, desconocido también, dice inspirarse en la *Eneida*. En realidad sigue la trama virgiliana de manera muy libre y, para adaptar la obra al gusto de la época, incorpora largos episodios sentimentales entre el héroe y Dido, y entre éste y su futura esposa Lavinia.

La última, aunque, al mismo tiempo, la más importante de todas las ficciones antiguas es el *Roman de Troie*, del clérigo Benoît de Sainte-More. Rechaza la autoridad de Homero, mal conocido y poco apreciado por el público medieval, y se inspira en dos resúmenes mediocres de la leyenda troyana, escritos en latín y que en la Edad Media se consideraban como contemporáneos de los sucesos narrados, aunque, en realidad, habían sido redactados en una época muy tardía y atribuidos de manera muy fantasiosa a unos supuestos testigos de los combates relatados por Homero: Dares el Frigio, supuesto redactor de una *Historia de excidio Trojae*, partidario de los troyanos, y Dictys de Creta, hipotético autor de una *Ephemeris belli Trojani* que, al contrario, toma partido por los griegos. En realidad, el contenido de estos textos apócrifos, muy secos y pobres, no proporciona a la novela más que un marco general. Renovando completamente sus fuentes, el prolífico relato de Benoît —más de treinta mil versos— se remonta hasta los orígenes de Troya y hasta la expedición de los Argonautas y concluye después de la muerte de Ulises. Añade, además, a este amplio fondo legendario gran cantidad de episodios con el fin de modernizarlo: un largo *excursus* sobre las curiosidades de Oriente, una descripción detallada del aposento mágico en el que Héctor sana de sus heridas, y la emotiva aparición, entre una gran cantidad de parejas célebres, de Troilo y Briseida despidiéndose en medio de los combates.

Desarrollada y rejuvenecida de esta manera, la rama troyana del ciclo clásico gozó de un prestigio duradero. A finales del siglo XIII, la obra de Benoît, abreviada, refundida y adornada con referencias eruditas, fue traducida al latín por un jurista italiano, Guido delle Colonne, con el título de *Historia destructionis Trojae*. Bajo esta nueva forma, que le daba el aspecto de una crónica y, por tanto, una apariencia de autenticidad, se difundió por todas partes en Europa.

El ciclo clásico en España

La recepción del ciclo clásico en España es similar en todo a la de la materia artúrica. Sus personajes se conocieron también muy pronto y se mencionan, primero, en poemas dirigidos a un público culto.

Desde finales del siglo XI, sus nombres figuran ya, junto con los del monarca difunto, en los epitafios latinos grabados en algunas tumbas reales. Vuelven a aparecer en el siglo siguiente en el «ensenhamen», ya citado, de Guerau de Cabrera y, muy a principios del siglo XIII, en el de Guiraut de Calanson, trovador de las cortes de Aragón y de Castilla, que aconseja a los juglares que introduzcan en su repertorio una serie de héroes tebanos y, sobre todo, troyanos. Más tarde, hacia 1250, entre los escribas de Alfonso el Sa-

bio se menciona a un «Domingo de Troya», probablemente un aficionado a
la materia clásica y que quizá la compilara por encargo del rey.

En este caso, también, es la historiografía la primera en utilizar la ficción novelesca. Los cronistas recogen los relatos clásicos, que quedan de
este modo avalados, y los difunden. Sin embargo, no los consignan todos,
por lo que los textos franceses aparecen reunidos en las recopilaciones españolas de manera muy desigual.

Junto a algunos episodios tomados aquí y allá de las diferentes redacciones del *Roman d'Alexandre*, la *General estoria* recoge todas las leyendas
tebanas y troyanas: la traducción del *Roman de Thèbes* ocupa alrededor de
cien capítulos, agrupados con el título de «Estoria de Tebas e del so des-
troymiento», mientras que el *Roman de Troie* está reproducido en fragmentos separados, situados cada uno de ellos en la sección cronológica que le
corresponde; se reserva para la parte central —el cerco y la caída de
Troya— el título de «Estoria de Troya».

Por el contrario, el *Roman d'Eneas*, desplazado por textos más prestigiosos, no parece interesar a los colaboradores de Alfonso el Sabio; éstos recurren a Virgilio, revisado y corregido por Ovidio, para describir, en la *Primera crónica general*, el encuentro de Dido y Eneas.

En definitiva, de toda la materia clásica que aparece en las obras de historia de finales del siglo XIII, sólo el asunto troyano fue verdaderamente retomado y utilizado por los escritores de épocas posteriores. Basándose unas
veces directamente en el mismo *Roman de Troie*, otras en la traducción latina de Guido delle Colonne, y a veces combinando incluso los dos, los
autores hispánicos realizaron diferentes versiones sucesivas, cada una de
ellas con características propias.

Del *Roman* en verso de Benoît, o de su posterior prosificación, deriva,
en primer lugar, una *Historia troyana* llamada *polimétrica*, compuesta quizá
a finales del siglo XIII. Tal como ha llegado hasta nosotros, esta versión castellana narra los hechos desde el embarque de los griegos, hasta la partida
de Héctor para su último combate. Corresponde, por lo tanto, a la parte central, es decir, aproximadamente un tercio, del texto francés, al que sigue, en
general, muy de cerca. Sin embargo, se aparta de él, a veces, renovando con
hondo dramatismo algunas escenas especialmente patéticas, como la separación de Troilo y de Briseida, o las vanas súplicas de Hécuba para impedir
que su hijo salga al combate. Pero su verdadera originalidad consiste en
mezclar verso y prosa y, sobre todo, en utilizar con soltura varios tipos de

combinaciones métricas, evitando de ese modo la monotonía del octosílabo pareado, propio del *roman* francés.

Más tarde, la obra de Benoît fue objeto de una segunda traducción castellana, en prosa toda ella, encargada por Alfonso XI y que fue, a su vez, traducida después al galaico-portugués. Conservada en un lujoso manuscrito adornado con magníficas iluminaciones y con fecha de 1350, esta *Crónica troyana*, denominada hoy en día «Versión de Alfonso XI», transmite fielmente el *roman* completo, si exceptuamos alguna que otra supresión.

En cuanto a la *Historia* latina de Guido, fue traducida varias veces entre finales del siglo XIV y mediados del siglo XV. Existe una versión catalana, otra aragonesa y dos castellanas. Pero ya con anterioridad se había incluido, mezclada con la materia troyana de la *General estoria*, con varios capítulos de la *Primera crónica general*, y con algunos episodios tomados directamente de Benoît, en una amplia compilación castellana en prosa, titulada *Sumas de historia troyana*. Elaboradas probablemente en el primer tercio del siglo XIV, estas *Sumas* se amparan en la autoridad de «Leomarte» (o «Leonardo»), misterioso cronista al que presentan como garante de su contenido y al que recurren cuando existen divergencias en las fuentes. Sin embargo, hoy en día no se sabe nada de ese personaje fantasma, que bien podría ser una invención del compilador medieval, con el fin de asentar el prestigio de su obra. Objetivo que consiguió plenamente: de todas las adaptaciones hispánicas de la materia troyana, la suya es la que se impuso durante más largo tiempo.

La leyenda troyana, preferida frente a las otras ramas del ciclo clásico y puesta al alcance del público, gracias a una serie ininterrumpida de traducciones, tuvo por sí sola, en la España del siglo XV, una resonancia comparable a la de la materia artúrica. Al igual que ésta, hizo soñar a los poetas de los cancioneros, inspiró una parte importante del romancero viejo, dejó su huella en el *Amadís*, que la imita a veces, y fue celebrada por el autor catalán del *Curial*, gran admirador de Héctor y de Aquiles. Asimismo, dio lugar a una nueva adaptación en prosa, el *Omero romançado*, de Juan de Mena, que enlaza con Homero siguiendo de cerca una antigua versión abreviada de la *Ilíada* en hexámetros latinos, la *Ilias latina*.

Por último, gracias a la imprenta, la leyenda emprendió también una nueva carrera. Un editor castellano se apresuró a encargar que se refundiera y se modernizara el antiguo texto de las *Sumas* de «Leomarte», con el fin de lanzarlo al mercado, en 1490, con el título de *Crónica troyana*. Reeditado unas quince veces durante el siglo XVI, esta obra contribuyó no poco a que, en pleno Renacimiento, se conservara la versión de la tragedia tro-

yana que habían acreditado los novelistas de la Edad Media. Únicamente
unos cuantos humanistas se volvieron a inspirar en los textos de Homero,
descubiertos de nuevo hacía poco, y supieron apreciarlos en su justo valor;
pero la mayoría de los lectores españoles siguieron mostrando mayor apego
a la imagen de Troya que les proporcionaba la tradición medieval.

Otros temas novelescos

Las narraciones artúricas y las ficciones clásicas no son, ni mucho menos, la totalidad del *roman* francés de los siglos XII y XIII. A estos dos sectores principales hay que añadir multitud de relatos independientes, que
proceden de diversas fuentes y que ofrecen una gran variedad de contenidos: leyendas épicas, cuentos piadosos, historias de amor, aventuras caballerescas o de otro tipo. Como es lógico, en algún momento, durante los siglos XIV o XV, los de más fama fueron traducidos en la Península, bien sea
directamente de los viejos poemas originales, o bien partiendo de prosifi-
caciones posteriores, a veces bastante tardías.

En su mayoría castellanas, pero también catalanas y, a veces, portuguesas, estas versiones hispánicas constituyen un conjunto de unas
veinte novelitas cortas, de valor desigual, que se pueden clasificar en varias categorías según su procedencia o sus características generales. Uno
de los grupos está formado por un ciclo llamado «carolingio», que reúne
varios relatos relacionados con textos épicos inspirados en la leyenda de
Carlomagno.

El *Cuento del emperador Carlos Maynes*, tomado de una *Chanson de la
reine Sebile*, narra la historia de la esposa del emperador, injustamente acu-
sada de adulterio y que se reconcilia, finalmente, con su augusto marido gracias a la intervención del Papa —tema que encontramos, desarrollado de diferente manera, en una *Historia de la reyna Sebilla*, editada en el siglo XVI.
Por otro lado, la *Historia de Enrique fi de Oliva*, transposición de la gesta
de *Doon de la Roche*, relata cómo el héroe se venga de quien ha calumniado
a su madre, un cierto «conde Tomillas», a quien Cervantes recordará en el
Quijote. Por último, la *Historia de Carlomagno y los doce pares de Francia*
se relaciona con la epopeya de *Fierabras*, nombre de un temible guerrero sarraceno, convertido al cristianismo y poseedor del bálsamo maravilloso que
se utilizó para ungir el cuerpo de Jesús: «ese extremado licor» del que Sancho Panza quisiera conocer la receta para poder venderlo, pues calcula «que
valdrá la onza adondequiera más de a dos reales».

Formando un conjunto más heterogéneo, pero de clara inspiración devota, otros relatos desarrollan una serie de motivos relacionados con la tradición hagiográfica o con la predicación. Milagros, actos de caridad, conversiones de infieles, gracias concedidas a pecadores arrepentidos —toda una serie de temas típicamente clericales aparece en estos relatos que se sitúan entre el género novelesco y la literatura edificante.

De las diversas versiones francesas en prosa y en verso de la leyenda de san Eustacio derivan tres textos españoles diferentes entre sí: una simple biografía del santo, titulada *De un cavallero Plácidas que fue después cristiano*, y dos relatos de tipo más novelesco, inspirados en el *Guillaume d'Angleterre* atribuido a Chrétien de Troyes, la *Estoria del rey Guillelme* y la *Crónica del rey don Guillermo de Ynglaterra*. Con la leyenda oriental de la emperatriz Crescencia se relacionan, por otro lado, dos novelas cortas de características bastante diferentes: el *Fermoso cuento de una santa emperatriz que ovo en Roma*, adaptación de un milagro de Gautier de Coincy, y el *Cuento del emperador don Otas*, que tiene como modelo la gesta de *Florence de Rome* y como tema las tribulaciones sin fin de una princesa perseguida. Del mismo tipo es la *Ystoria del noble Vespesiano*, que entronca con el poema de la *Vengeance de Notre Seigneur* y que se apoya en diferentes leyendas apócrifas relacionadas con los Evangelios; se trata de la historia fabulosa de Vespasiano, quien, curado de la lepra gracias al Santo Sudario, va a destruir Jerusalén para obligar a los judíos a expiar la muerte de Jesús, tema que parece haber cobrado nueva vigencia con la propaganda antisemita, en el momento de la expulsión de los judíos de la Península, a finales del siglo XV. Dos obras completan esta serie de novelas: *La vida de Roberto el Diablo*, basada en un antiguo cuento francés en verso, con el mismo título, que relata los crímenes abominables y la redención ejemplar de un barón normando, y *La historia de Oliveros de Castilla y Artús de Algarbe*, traducción de un libro tardío que se inspira en fuentes diversas y ensalza la amistad de dos príncipes dispuestos a sacrificarse el uno por el otro.

Queda un tercer grupo de relatos cuyas características esenciales son el amor y la aventura. La mayoría sigue el mismo modelo y narra la historia de una pareja obligada a separarse por circunstancias adversas, pero que el destino vuelve a reunir, recompensándola con la felicidad del matrimonio. Dentro de este marco narrativo convencional, cada una de estas novelitas desarrolla motivos particulares —disensiones familiares, conflictos feudales, rupturas amorosas, raptos, naufragios, escenas maravillosas— dispuestos y combinados con más o menos originalidad y gracia.

El *Libro del esforçado cavallero Partinuples* deriva del *Partenopeus de Blois*, amena narración en verso, que actualiza con fantasía la antigua fábula de Amor y Psiquis, de la que es en este caso protagonista un joven conde francés amado por la emperatriz de Constantinopla. La tierna *Historia de los dos enamorados Flores y Blancaflor*, tomada del viejo poema *Floire et Blanchefleur*, narra las desgracias de un príncipe sarraceno y de una cautiva cristiana, enamorados uno del otro desde la infancia. Por otro lado, en cuatro relatos se escenifica, de diferente manera, la historia de los amantes que huyen juntos para librarse de la hostilidad de la familia: *París y Viana* y *Pierres de Provenza y la linda Magalona*, traducciones ambos de obras francesas tardías; un breve libro de caballerías de origen desconocido, la *Historia del rey Canamor y del infante Turián su hijo*; y una obra que deriva, muy de lejos, del *Roman de Cleomadès*, la *Historia de Clamades y Claramonda*, que se hizo famosa por la fantástica montura de su protagonista, un caballo de madera que volverá a aparecer de manera burlesca en el *Quijote*, con el nombre de Clavileño, y que Sancho y su amo utilizarán en sus desplazamientos imaginarios por los aires.

Por último, diferente de todos estos relatos por sus elementos y por su intriga, la *Historia de la linda Melosina, mujer de Remondín*, se inspira en una singular leyenda, que fue aprovechada en el siglo XIV por Jean d'Arras en su *Livre de Mélusine*, y que se relaciona con los orígenes míticos de la poderosa familia de Lusignan. Elementos folclóricos, supersticiones locales y ficciones genealógicas se entremezclan con el fin de evocar la triste historia de la fundadora del linaje: Melusina es un hada condenada a transformarse secretamente en serpiente una vez por semana; y, al ser descubierta y expulsada por su marido, vuelve a aparecer con esta forma y lanzando gritos estremecedores cada vez que su descendencia sufre alguna desgracia.

El éxito de este conjunto heteróclito de novelas fue considerable y duradero. Tanto los relatos carolingios como los cuentos edificantes o los libros de aventuras se imprimieron casi todos muy pronto y, más tarde, se reeditaron de manera prácticamente ininterrumpida hasta principios del siglo XX, pues los libros de cordel los fueron recogiendo y difundiendo, no solamente en España, sino en toda Hispanoamérica también.

Merece un lugar aparte, dentro de esta producción importada de Francia, una obra que está a medio camino de la crónica y del *roman*: *La gran conquista de ultramar*. Se trata de un extenso relato sobre las cruzadas, que sigue con exactitud la cronología de los hechos, desde el principio de la primera expedición a Tierra Santa, en 1095, hasta la octava y última campaña de Oriente, que concluye en 1270 con la muerte de san Luis. Sin embargo, en esta exposición de los acontecimientos históricos, se intercalan también pasajes legendarios que la relacionan, en algunos aspectos, con los relatos épicos o caballerescos: *La gran conquista* atribuye a menudo a sus personajes, además de acciones auténticas, hazañas comparables a las de Roldán o Lanzarote; narra una larga serie de aventuras imaginarias atribuidas a oscuros caballeros franceses que un caudillo musulmán retiene en cautividad, entre otras una fantástica batalla entre Beaudouin de Beauvais y una monstruosa serpiente que se alimenta de carne humana; y, sobre todo, a propósito de los cruzados más ilustres, incluye varios relatos poéticos sobre el origen legendario de sus familias, como, por ejemplo, el cuento carolingio de «Berta la de los grandes pies» o la historia maravillosa del «Caballero del Cisne».

Hoy en día se cree que la redacción de *La gran conquista*, aunque su fecha es incierta, fue empezada por los colaboradores de Alfonso el Sabio, y concluida a principios del siglo XIV. Se conserva en cuatro manuscritos fragmentarios y en una edición completa de 1503, dividida en cuatro libros que forman un total de más de mil capítulos. La variedad de temas se debe a que reúne, traduciéndolas sin grandes modificaciones, una serie de obras francesas de índole muy diversa: por un lado, una compilación histórica de finales del siglo XIII, la *Estoire de Eracles et la conqueste de la terre d'outre-mer*, que procede a su vez de la crónica latina de Guillaume de Tyr y que narra con fidelidad todo el desarrollo de las cruzadas; y, por otro lado, una serie de poemas que datan de la segunda mitad del siglo XII, agrupados más tarde en un amplio ciclo dedicado a la primera cruzada y a su principal protagonista, Godofredo de Bouillon (*Chevalier au cygne, Enfances de Godefroi, Chanson d'Antioche, Roman des Chétifs*, y *Chanson de Jérusalem*). Del primero de estos poemas, el libro I de *La gran conquista* toma la hermosa leyenda del antepasado de Godofredo, un joven príncipe cuyos hermanos han sido transformados en cisnes y cuyo destino es viajar en un barco arrastrado por el único de ellos que no ha podido recuperar la forma humana. Por otro lado, al contenido de los *Chétifs*, o «Cautivos» corresponden los capítulos legendarios que el libro II dedica a los caballeros franceses presos en tierras musulmanas y, en particular, al memorable combate de Beaudouin con la serpiente.

Admirable por la diversidad de elementos que la componen, *La gran conquista* sigue, sin embargo, muy de cerca las fuentes francesas, por lo que no puede considerarse como una obra original. A pesar de todo, hay que reconocerle el mérito de ser un ejemplo muy expresivo de cómo la historiografía medieval utiliza elementos de ficción e, inversamente, de cómo la ficción se infiltra en las obras de historia hasta convertirlas, en casos extremos, en verdaderas narraciones novelescas. Bien se percataron de ello los primeros novelistas peninsulares. Como buen lector que era de *La gran conquista*, y aunque su héroe luche con un monstruo parecido a la serpiente de Beaudouin, el autor del *Amadís* señala la inverosimilitud de las hazañas que *La gran conquista* atribuye a Godofredo de Bouillon: «semejantes golpes que éstos —apunta en su prólogo— atribuyámoslos más a los escriptores, como ya dixe, que aver en efecto de verdad passados».

2. LAS CREACIONES ESPAÑOLAS: EL *CABALLERO ZIFAR*
    Y EL *AMADÍS DE GAULA*

En las primeras décadas del siglo XIV, gracias al enorme esfuerzo de los traductores peninsulares, la mayor parte de la producción novelística francesa —como hemos visto— está ya aclimatada en España: la materia artúrica, el ciclo clásico, el de las cruzadas, todos ellos están representados por una o varias versiones fieles, que han implantado al sur de los Pirineos el género de la novela. Es entonces cuando aparecen, influidas por estas ficciones prestigiosas, pero sin depender de ellas, las primeras obras originales españolas, el *Libro del Caballero Zifar* y el *Amadís de Gaula*.

El «Caballero Zifar»

La «Historia del Cavallero de Dios que avía por nombre Cifar, el qual por sus virtuosas obras e hazañosas cosas fue rey de Mentón», como se la llama en su propio prólogo, no es una narración caballeresca de tipo común. Es, al mismo tiempo, un libro de aventuras, un manual de educación de príncipes, una colección de episodios edificantes y una compilación de cuentos morales.

El texto, conservado en dos manuscritos de principios del siglo XV —uno de ellos, adornado con numerosas y pintorescas miniaturas— data, con toda probabilidad, de los primeros años del siglo XIV. En efecto, está precedido de un prólogo que alude, con todo lujo de detalles, a diferentes sucesos ocurridos en 1300, entre ellos al jubileo celebrado en Roma y al que Dante hace referencia, también, en la *Divina Comedia*. En cuanto al autor —probablemente un clérigo de Toledo, a juzgar por sus conocimientos y por su apego a la iglesia local—, su nombre no aparece indicado, y su identidad sigue siendo incierta. Generalmente se cree que es el arcediano Ferrand Martínez, personaje al que se nombra repetidamente en el prólogo y que era miembro, además, de la cancillería real de Alfonso X.

El libro de aventuras describe, de manera clásica, la vida de un héroe noble destinado a desempeñar cargos importantes. La vida de Zifar ocupa la primera mitad de la obra, y a continuación se narra la de su hijo Roboán, que ocupa la parte final.

A pesar de su aparente simetría y de estar situadas las dos en lejanos países de Oriente, las dos biografías son muy diferentes tanto por su contenido, como por sus peripecias. La primera, más austera, está bastante cerca de las realidades de la vida feudal, cuyos valores ilustra detalladamente: debido a una extraña maldición, Zifar se ha visto obligado a exiliarse de su tierra natal, junto con su mujer y sus hijos, de quienes se verá más tarde separado por una serie de calamidades; propone sus servicios a algunos monarcas que tienen dificultades, guerrea a su lado con éxito y les ayuda con sus consejos; de esta manera consigue ganarse la confianza del rey de Mentón, quien a su muerte le hace heredero de su trono, y acaba reuniéndose con su mujer y con sus hijos, a los que ha logrado encontrar de manera providencial. En las aventuras de Roboán, por el contrario, el amor y los episodios maravillosos ocupan un lugar destacado: el joven príncipe parte en busca de fortuna a tierras extranjeras; se enamora de él una infanta, cuyo reino ha conseguido salvar; acaba dejándola para irse a los confines de Asia, donde se convierte en el valido de un emperador que nunca se ríe; se marcha a unas islas de ensueño, donde seduce a la soberana que le concede todo lo que desea; pero, engañado por el diablo, se ve obligado a volver con el emperador, que ha sufrido también las mismas desgracias y que le nombra sucesor.

Entre estos dos relatos caballerescos se incluye un amplio tratado de educación nobiliaria y de gobierno feudal. Está estructurado en una larga serie de *castigos* o de recomendaciones teóricas y prácticas, que Zifar da a sus dos hijos, Garfín, el mayor, que será el heredero de la corona de su padre, y Roboán, que, como segundón que es, deberá hacerse caballero errante.

Esta sección del *Zifar*, la cuarta parte del libro aproximadamente, está compuesta por fragmentos tomados de diferentes obras didácticas muy conocidas, como las *Flores de Filosofía*, las *Partidas* de Alfonso el Sabio y los *Castigos e documentos*. Empieza con unas consideraciones espirituales y morales sobre la sumisión a la voluntad de Dios, sobre el buen uso del libre albedrío y sobre la práctica de las principales virtudes cristianas. La segunda parte trata de la conducta de los vasallos para con sus señores, basada en la obediencia, en el amor y en la lealtad. Los últimos preceptos de Zifar se refieren a las cualidades que debe reunir el rey para ejercer su gobierno —justicia, respeto por las leyes, benevolencia, generosidad—, y sobre las medidas concretas que se deben tomar para repartir mejor el botín de guerra, los impuestos y los cargos reales.

Por otro lado, la obra está impregnada de religiosidad y tiene a veces el aspecto de un relato piadoso: como caballero elegido de Dios, Zifar atribuye constantemente a sus hazañas un carácter providencial, y, gracias a la intervención milagrosa de la Virgen y del Niño Jesús, su esposa Grima logra superar horribles pruebas y fundar un convento de monjas benedictinas. Este aspecto de la novela proviene, en gran parte, de las fuentes hagiográficas en que se inspira: la historia de Zifar es una transposición apenas disimulada de la leyenda de san Eustacio, mencionada explícitamente en el texto y que, como ya hemos visto, otros autores peninsulares de relatos edificantes ya habían utilizado ampliamente. Otro tanto sucede con las desgracias de Grima, en las que encontramos motivos derivados de la gesta de *Florence de Rome*, otra ficción piadosa muy apreciada, como ya hemos indicado, por los narradores hispánicos.

Una última característica del *Caballero Zifar* consiste en presentar, tanto en las partes narrativas como en el apartado didáctico, un gran número de historias cortas que los personajes se cuentan unos a otros como si se tratara de lecciones, de advertencias o de fábulas amenas. Estos *enxemplos*, tomados de colecciones de apólogos muy conocidas, como la *Disciplina clericalis*, o el *Barlaam e Josafat*, tratan de todo tipo de temas, concordes con el pasaje del *Zifar* en el que están intercalados: por ejemplo, los deberes de la amistad verdadera, la fuerza del destino, la venalidad de los jueces, las consecuencias de la injusticia real. Todavía abundan más en el texto los proverbios y los aforismos, que aportan, a su vez, una nota de sabiduría o de humor popular. Son varios centenares de refranes los que están puestos en boca de Zifar o de personajes próximos a él, en particular de su escudero, el Ribaldo, gracioso personaje que se caracteriza por un enérgico sentido común y una fidelidad sin quiebra a su señor. Se ha creído ver en este «ribaldo» pródigo en dichos un lejano antecesor de Sancho Panza y quizá, incluso, su modelo directo. Esta hipótesis es problemática, ya que en la obra de Cervantes no se hace alusión al *Caballero Zifar*, ni se le menciona explícitamente.

Debido a su estructura múltiple y a la gran variedad de sus fuentes, que a veces reproduce literalmente, el *Zifar* puede dar la impresión de una obra híbrida. Sin embargo, quizá tenga una cierta unidad, relacionada, según la crítica actual, con su posible significado alegórico. Se han señalado, también, sus resonancias orientales, así como su semejanza con un cuento de las *Mil y una noches*, y el origen probablemente árabe de algunos nombres de lugar o de persona, e, incluso, de algunos rasgos estilísticos.

En cualquier caso, y aunque hoy en día plantea numerosos problemas de interpretación, esta mezcla de ficción novelesca y de elementos adventicios tomados de otros géneros literarios no desagradó, según parece, a los lectores de su época. Hacia 1350 aparece citada junto a novelas tan prestigiosas como el *Amadís* y el *Tristán*, y en 1361, Pedro IV de Aragón encargó urgentemente un ejemplar a uno de sus copistas. Más difícil de evaluar es, sin embargo, la acogida que tuvo en los siglos siguientes. Por lo que parece, el éxito del *Zifar* después de la Edad Media debió de ser muy limitado: se editó en 1512, con un prólogo que declara que su estilo es ya anticuado; se volvió a reeditar por única vez, en 1529, y sólo dejó alguna que otra huella conjetural en los escritores del Siglo de Oro.

El «Amadís de Gaula»

Nada más lejos de la pesadez didáctica del *Zifar* que la fantasía rica y sutil que se desprende del *Amadís de Gaula*, primera novela peninsular digna de ese nombre. Verdadero iniciador de la literatura caballeresca en España, el libro tiene —como indica al barbero el cura del *Quijote*— un origen misterioso, y las circunstancias que rodearon su redacción o, mejor dicho, sus redacciones sucesivas, sólo se han podido esclarecer en parte. Se supone que la obra, muy conocida y apreciada en Castilla alrededor de 1350, debió de aparecer mucho antes, en el último tercio del siglo XIII o muy a principios del XIV. Sin embargo, no ha llegado hasta nosotros en su forma primitiva, sino únicamente por medio de una refundición tardía, elaborada a finales del siglo XV y conservada en una edición de 1508, que quizá no es la primera.

Al haber desaparecido la versión original del *Amadís*, tres literaturas —la francesa, la portuguesa y la castellana— se han disputado, durante mucho tiempo, su autoría. Las pretensiones francesas, poco sólidas, han dejado de tener validez hoy en día. Por el contrario, las de Portugal cuentan aún con algunos partidarios: están de acuerdo en datar la presunta versión portuguesa entre 1280 y 1325 y se basan, entre otros indicios, en que el relato recoge una pieza lírica tomada de los *cancioneiros* galaico-portugueses (la «Canción de Leonoreta», libro II, cap. LIV) e incluye un pasaje que recuerda el papel que desempeñó en la redacción del libro un infante portugués (el «ynfante Don Alfonso de Portugal», libro I, cap. XL). Hoy en día, sin embargo, la mayoría de los críticos se inclinan por la hipótesis castellana, apoyada por testimonios antiguos y por el reciente descubrimiento de algunos fragmentos manuscritos de un *Amadís* castellano, que podrían datar, parece ser, de principios del siglo XV. Entre las más antiguas alusiones a la obra, encontramos la que figura en la «Glosa castellana» al tratado *De regimine principum*, de Gilles de Rome, compuesta, según se cree, por el monje Juan García de Castrojeriz antes de 1350, y la que aparece en una estrofa del *Rimado de palacio*, escrita por el Canciller Ayala hacia 1378. En lo que se refiere a los reducidos restos manuscritos encontrados en 1957, que corresponden a pasajes del actual libro III, podrían fecharse hacia 1420, y constituyen hoy los únicos vestigios concretos de la existencia de un *Amadís* arcaico.

Algunas informaciones dispersas permiten, a pesar de todo, hacerse una idea del contenido del antiguo *Amadís*, tal como se presentaba a los lectores del siglo XIV. Un «dezir» de Pero Ferrús, de los años 1400, recogido en el *Cancionero de Baena*, indica que el libro, dividido en tres partes, concluía con la muerte del protagonista. Por su parte, Montalvo, adaptador de finales del siglo XV, explica que en este desenlace antiguo, que no es elde su versión, el héroe sucumbía a los golpes de su hijo Esplandián —epílogo probablemente tomado del combate entre Arthur y Mordret, que concluye el ciclo del *Lancelot-Graal*—. Señala igualmente que otro episodio —el de los enredos de Amadís con su admiradora Briolanja— había sido objeto de diversas variantes que precedieron a la suya y, antes de desautorizarlas, se toma la molestia de comentarlas. Por último, en un poema anterior a 1460 que figura en el *Cancionero de palacio*, Juan de Dueñas alude enigmáticamente a una aventura llamada de la «ínsola del Ploro», que no aparece en el *Amadís* impreso y que estaría influida por el *Tristan en prose*. Esto es todo lo que sabemos con certeza. Todo lo demás son conjeturas sobre el contenido del texto primitivo, como también sobre las modificaciones eventuales a que pudo verse sometido en los siglos XIV y XV, antes de que se llegara a la versión de que disponemos hoy en día.

Esta última redacción, que dio a la novela su aspecto definitivo, presenta menos incógnitas que la primera. Su autor, Garci Rodríguez de Montalvo, regidor de Medina del Campo, además de las huellas que ha dejado en documentos oficiales, facilita en su obra informaciones diversas sobre su persona y sobre el carácter de su empresa literaria.

Deja constancia, por ejemplo, de su afición a la caza, de su apego al oficio de las armas y de su admiración por los Reyes Católicos, de quienes fue contemporáneo. Sabemos también, gracias a algunas indicaciones suyas, que refundió el *Amadís* en vida de la reina Isabel, antes, por lo tanto, de 1504, y que tardó probablemente varias décadas en llevarla a cabo; la triste descripción en la que lamenta los desórdenes de su tiempo (libro IV, cap. CXXXIII) podría muy bien corresponder al reinado de Enrique IV, muerto en 1474, bajo el que había vivido en su juventud, mientras que sus alabanzas a la reconquista de Granada (prólogo de los libros I a III) o a la expulsión de los judíos (libro V, o *Sergas*, cap. II) se sitúan, evidentemente, después de 1492.

En lo que se refiere al trabajo de refundición y de innovación del que surgió el texto actual, disponemos, desgraciadamente, de menos información. El propio Montalvo alude a él con suma vaguedad, en un pasaje de su prólogo del que se desprende que ha desempeñado un papel de corrector, de continuador y de autor, y que ha llevado a cabo modificaciones de mayor o menor envergadura.

Por una parte, ha eliminado de la antigua versión en tres libros las confusiones que los copistas habían acumulado, y ha modernizado el estilo. Por otra parte, ha modificado el desenlace y los episodios del libro III, con el fin de poder añadir un libro IV que los desarrolla. Por último, ha completado el conjunto con un libro inventado por él, dedicado por entero al hijo del héroe y que tiene un título aparte: las *Sergas de Esplandián*.

El objetivo que Montalvo pretendía alcanzar al efectuar estos cambios es difícil de determinar. Se ha sugerido que existieron, antes que él, dos autores sucesivos de los que se separó bastante, condenando tanto los excesos del amor cortés, como la frivolidad de la caballería cortesana. Bien puede ser, ya que el libro de las *Sergas*, que es de él, defiende el casto amor y la guerra contra los infieles. Pero también es posible que estos elementos figurasen ya en el primitivo *Amadís* y que Montalvo se contentara con reforzarlos. La discusión sigue abierta, y su obra, que armoniza antiguas redacciones inasequibles, debe ser tomada tal como nos ha llegado.

A primera vista, parece que predomina en ella la imitación de los grandes relatos franceses del siglo XIII, del ciclo artúrico y del clásico. El *Amadís* no sólo ha tomado de ellos lo esencial del argumento, sino que imita secuencias completas de unos y otros, y llega incluso, a veces, a reproducir algunos detalles de su texto.

Como el *Tristan en prose*, «los quatro libros del valeroso y virtuoso cavallero Amadis de Gaula, fijo del rey Perion y de la reina Elisena, en que trata de sus proezas y grandes hechos de armas» comienzan con una evocación de los padres del héroe y de sus amores. Como en el *Lancelot*, se narra, a continuación, la vida de un príncipe criado lejos de su familia y que desconoce sus orígenes pero que, gracias a sus excepcionales cualidades, está llamado a convertirse en el «mejor cavallero del mundo». Siguiendo a sus dos modelos, que se mencionan, además, expresamente en las últimas páginas (libro IV, cap. CXXIX), la obra evoca la pasión, a menudo dolorosa, de su protagonista por una dama unas veces esquiva, otras complaciente, Oriana, hija del rey de Gran Bretaña, cuyos rasgos recuerdan indudablemente los de Iseo y los de Ginebra. Las reminiscencias de la «materia clásica» proceden principalmente del *Roman de Troie* (citado en el libro III, cap. LXVII): el *Amadís* ha tomado de él los nombres de numerosos personajes y, sobre todo, diferentes motivos ornamentales, fragmentos de discursos y escenas de combates que tienen prestigiosas resonancias clásicas.

Muchos otros aspectos de la novela española muestran la influencia de las fuentes francesas. Se mantuvo, por ejemplo, incluso en la versión tardía y modernizada de Montalvo, el léxico referente a la indumentaria y a la vida militar que se utilizaba en los textos artúricos, pero que había quedado anticuado desde hacía tiempo: anacronismo éste que permite mantener la acción, supuestamente desarrollada «no muchos años después de la passión de nuestro Redemptor y Salvador Jesuchristo», en una época remota y situarla, de esta manera, en un pasado venerable y grandioso. Persiste, también, el apego de los autores del *Amadís* a las técnicas narrativas de más allá de los Pirineos, en particular al «entrelazamiento», típico del ciclo artúrico. Este sistema, que se ha relacionado a menudo con el arte de la tapicería, permite al *Amadís* entretejer con habilidad «las maravillosas redes artúricas», antaño alabadas por Dante («pulcherrimi ambages Arturi», *De vulgari eloquentia*, I, 2). Éstas constituyen una amplia trama de aventuras engarzadas, que se interrumpen unas a otras y que se retoman más tarde, formando poco a poco toda una serie de ecos, de simetrías y de contrastes entre un suceso y otro: así, una hazaña de Amadís, por ejemplo, queda en suspenso porque se empieza a narrar una proeza de su hermano Galaor,

en la que se intercalan, a su vez, las hazañas sucesivas de su hermanastro Florestán, de su primo Agrajes, y de muchos otros caballeros, de manera que ninguno de estos episodios concluye ni alcanza un significado pleno sino mucho después del momento en que comenzó.

Estos préstamos de fondo y de forma tomados de la tradición narrativa francesa no significan que el *Amadís* la siga de manera servil. Al contrario: aunque la aprovecha ampliamente, sí es capaz de oponerse a ella y de modificar libremente algunos de sus elementos mayores. Así, cuando describe el amor, admite los pasajeros escarceos amorosos a los que se dejan arrastrar, por audaces damiselas, algunos caballeros jóvenes, fogosos y sin dama. Pero pone mucho empeño en excluir el elemento adúltero, que utilizaban los antiguos autores corteses para expresar su prejuicio contra el matrimonio. Al contrario de lo que sucede entre Ginebra y Lanzarote, o entre Iseo y Tristán, la pareja formada por Oriana y Amadís, como casi todas las que aparecen en el *Amadís*, se somete a las reglas sociales habituales. Aunque se dejan llevar por una pasión irresistible, será sólo por un tiempo limitado y después de un matrimonio secreto que, al final del libro, será confirmado por bodas solemnes y públicas.

Otra innovación decisiva del *Amadís*, ya no de fondo sino de forma, es el haber empleado, además del elaborado tejido de episodios y de temas que se entrecruzan, un tipo de narración más sencillo y más lineal. Dentro del conjunto de aventuras entrelazadas que la complican, la trayectoria del héroe se puede percibir en todo momento, y sigue una curva ascendente que conduce de la oscuridad a la gloria y de la pasión oculta a la felicidad conyugal, centrándose en algunos acontecimientos importantes: el nacimiento secreto de Amadís, lanzado a las aguas por su madre; el inicio de su amor por la jovencísima Oriana, de quien es paje; las hazañas que lleva a cabo para ella, protegido por la maga Urganda y hostigado por Arcalaus el encantador; la entrega que Oriana le hace de su persona en la espesura de un bosque; el descubrimiento de la Ínsula Firme, isla encantada de la que se convierte en señor; los celos injustificados de Oriana y la penitencia que se inflige, para complacerla, exiliándose en un lugar salvaje de la Peña Pobre bajo el nombre de Beltenebrós; el viaje a tierras lejanas, que le obliga a luchar, camino de Constantinopla, con el monstruoso Endriago; y por último, las guerras feroces con el emperador de Roma, al final de las cuales se casa oficialmente con su dama y gobierna en paz su reino, dejando que, en adelante, sea su hijo Esplandián quien viva las aventuras.

Combinando de manera atractiva lo antiguo y lo moderno, el *Amadís de Gaula* sobrepasó su larga existencia medieval y se impuso, sin dificultad, entre el público del Renacimiento, que se sentía todavía atraído por las antiguas novelas de siglos anteriores. Al igual que éstas, el *Amadís* proponía un largo viaje a través de una Europa llena de prodigios, una inagotable galería de retratos masculinos y femeninos, y el espectáculo estremecedor de la violencia de la guerra mezclada con los refinamientos de la vida cortesana. Además, satisfacía una nueva expectativa, puesto que presentaba las relaciones amorosas de manera libre pero no escandalosa ni trágica, y ofrecía una visión grave y severa, pero a pesar de todo optimista, del destino humano.

Su éxito, por lo tanto, fue enorme y tuvo una difusión universal. En España, Juan de Valdés lo admiró porque «unas vezes alça el estilo al cielo», según dice en el *Diálogo de la lengua*. Sirvió muy pronto de inspiración a los poetas del Romancero y de él tomó Gil Vicente el tema de una obra de teatro. Fue reeditado una veintena de veces durante el siglo XVI, dio lugar a nada menos que a siete «continuaciones», que prolongan, mucho más allá de Esplandián, la historia de los descendientes de Amadís y que elevan a doce, contando las *Sergas* de Montalvo, el número de «libros» de la serie. En Italia, Ariosto tomó de él varios detalles de su *Orlando furioso*, y fue también puesto en verso por el padre de Tasso, con el título de *Amadigi di Francia*; más tarde fue objeto de traducciones amplificadas, en las que el adaptador italiano añadió varias partes al texto de los diferentes «Amadises» españoles. En Francia, donde la novela se había traducido por iniciativa de Francisco I, se enriqueció con discursos emotivos y descripciones eróticas; además de las elegantes versiones de cada una de sus partes que circulaban en ediciones de lujo y de bolsillo, se extrajo del conjunto una colección de fragmentos escogidos —escenas galantes, cartas, desafíos, arengas— agrupadas con el título de *Trésor des douze livres d'Amadís* y que podían servir como manual de cortesía a la nobleza. En Holanda, en Inglaterra, en Alemania, las traducciones del *Amadís*, más tardías y derivadas de la francesa, influyeron también en la literatura y en las costumbres, sirviendo de modelo a los círculos cortesanos. Por último, en América, adonde los conquistadores y los primeros colonos lo llevaron consigo, se leyó durante mucho tiempo y permaneció hasta muy tarde en las listas de pedidos que se hacían a los libreros españoles.

La ficción sentimental

Poco tiempo antes de que Montalvo empezara a revisar el *Amadís* y a darle su nueva forma, había aparecido en la Península, inspirado en otras fuentes y con otras perspectivas, un tipo nuevo de relato al que la crítica moderna, a falta de otro mejor, ha dado el nombre de «novela sentimental» o, muy recientemente, de «libro de aventuras sentimentales». Se trata de un grupo pequeño de obras, escalonadas entre 1440 y 1550, que se parecen en sus rasgos generales, pero que son al mismo tiempo bastante diferentes entre sí, por lo que se duda en considerarlas como un conjunto de novelas, específico y coherente.

1. EL «GÉNERO»

Los relatos sentimentales que corresponden al período medieval se sitúan en la segunda mitad del siglo XV —llegando a veces hasta los primeros años del XVI— y son, en total, unos diez. Presentan similitudes evidentes, en el contenido y en la forma, que los distancian del conjunto compacto formado por los relatos caballerescos, y que les confieren una fisonomía común.

Los modelos literarios con los que se relacionan, aunque extremadamente variados y más o menos influyentes según los casos, se pueden reconocer con facilidad. Entre ellos están las *Heroidas* de Ovidio, de donde toman, directa o indirectamente, a través de otros textos influidos por Ovidio, la forma epistolar y el doliente dramatismo. También está la *Elegia di madonna Fiammetta* de Boccaccio, escrita en 1343 y conocida en España mucho antes de que se tradujera al catalán y al castellano a finales del siglo XV. De esta gran historia de amor desgraciado, narrada por la propia protagonista y dedicada por entero a describir las mudanzas del corazón, los autores de novelas sentimentales imitaron la brevedad, la forma autobiográfica, los refinamientos de la introspección psicológica y la utilización del monólogo adornado con referencias eruditas.

También se dejaron influir por una obra más cercana a ellos en el tiempo, la *Historia de duobus amantibus, Euryalo et Lucretia*, escrita en latín hacia 1444 por Eneas Silvio Piccolomini, el futuro papa Pío II, y traducida poco después al castellano. En este relato, el primero en desarrollar las posibilidades novelescas de la tradición basada en Ovidio y en Boccaccio juntamente, están ya presentes varios elementos típicos de la literatura sentimental: el intercambio de cartas, por medio del cual los protagonistas señalan y explican las diferentes fases de su relación amorosa (impaciencia, rechazo, exaltación, desesperación), la insistencia en los obstáculos que hacen su amor imposible e ineluctable la muerte de uno de ellos; en efecto, Lucrecia, que ha nacido y vive en Siena, está casada y languidece de tristeza cuando Euríalo se ve obligado a volver a Alemania siguiendo a su señor, el emperador Segismundo.

Muchas otras aportaciones, de índole menos específicamente novelesca, enriquecieron, por otro lado, la ficción sentimental. Sus autores, en su mayoría poetas además de novelistas, no se olvidaron de la técnica augurada por Dante en la *Vita Nova*: a imitación suya, incluyen a menudo en la prosa fragmentos en verso, que sirven para marcar las etapas de la narración y reforzar su sentido. Imitan, además, la representación del amor, determinada por inquebrantables convenciones líricas, que aparece en los cancioneros de la época: un amor sombrío, inquieto, continuamente expuesto a la angustia de la separación o del rechazo, casi siempre atormentado por pensamientos lúgubres, que profesa por la dama una veneración mística y que, aunque exige la felicidad, está condenado a permanecer insatisfecho. El lenguaje de este amor también se transmitió a la novela, confiriéndole un tono apesadumbrado y un estilo rebuscado y conceptista. Otro elemento que la materia novelesca recoge de los cancioneros es la utilización de la alegoría, fruto a la vez de la imitación de Dante y de la poesía francesa del siglo XIV, puesta de moda por algunos «decires» de Imperial y del Marqués de Santillana.

Por último, en la narración sentimental también ha influido la larga disputa medieval entre detractores y admiradores de la mujer, avivada de nuevo, en el siglo XV, por una serie de tratados misóginos o feministas. La novela reproduce los términos de la discusión, unas veces en forma de alegato en defensa de la mujer y otras como debate abierto a los argumentos de cada una de las partes, procedimientos ambos que la relacionan con la literatura didáctica e incluso, a veces, con la oratoria escolar.

A pesar de todas estas semejanzas de contenido y de forma, las novelas llamadas sentimentales son muy diferentes unas de otras, tanto en sus argumentos como en su estilo. Algunos autores introducen en la aventura de amor episodios caballerescos, otros no incluyen en la prosa ninguna composición poética, muchos evitan la alegoría o el debate feminista, unos cuantos prefieren describir las fiestas y los juegos cortesanos y no analizar los sentimientos, y algunos emplean la forma epistolar hasta el punto de convertirla en el único apoyo de la narración. Por eso, se ha planteado la cuestión —y se sigue planteando todavía hoy en día— de saber si todas estas obras constituyen verdaderamente un género, o si se trata de una serie de textos novelescos próximos unos de otros, pero menos relacionados entre sí de lo que supone la crítica tradicional. Las investigaciones actuales tienden, en todo caso, a establecer diferentes etapas en su evolución cronológica y reconocen unánimemente que las ficciones más antiguas sólo tienen en común con las más tardías unos cuantos rasgos específicos: la brevedad, el tema del amor imposible y, en menor medida, la inclusión de debates de casuística amorosa o moral.

2. PRIMERAS OBRAS. JUAN RODRÍGUEZ DEL PADRÓN

La muestra más antigua de relato sentimental es un texto corto y denso, titulado *Siervo libre de amor*. No sabemos mucho de su autor, Juan Rodríguez del Padrón (o de la Cámara), pero, además de esta novela breve y densa, nos ha legado una obra en verso y en prosa en la que se perfila con claridad su personalidad literaria.

Sólo nos consta que era un modesto hidalgo de Padrón, en Galicia, que entró al servicio de un prelado de la corte del rey Juan II y que asistió probablemente con él al Concilio de Basilea, a partir de 1434. Acompañó más tarde a su señor a Italia, donde ingresó en la orden de San Francisco y donde algunos suponen que conoció a Eneas Silvio, autor de la *Historia de duobus amantibus*. En 1441 hizo los votos perpetuos, antes de emprender un viaje a Tierra Santa, después del cual volvió probablemente a Galicia, donde acabó sus días en un monasterio, cerca de su ciudad natal.

En conjunto, sus escritos muestran una extraordinaria fidelidad a los valores del pasado y a la cultura medieval tradicional.

Su poesía sigue escrupulosamente la línea marcada por sus predecesores, en particular el gallego Macías, por quien Juan Rodríguez siente especial admiración. Debido a esto, aunque su obra lírica tiene un tono personal y apasionado, está compuesta esencialmente por poemas eróticos que siguen las normas de los cancioneros de la época. Seis de ellos aparecen intercalados en el *Siervo libre* y expresan, con ira o melancolía, los estados de ánimo del Amante. Además del *Siervo*, sus escritos en prosa comprenden tres obras: una traducción de las *Heroidas* titulada *Bursario*, en la que ha añadido a las epístolas de amor de Ovidio tres cartas más, compuestas probablemente por él, y, por otro lado, dos tratados, de los cuales uno —el *Triunfo de las donas*— es una larga argumentación razonada en favor de las mujeres, y el otro —la *Cadira del honor*— una reflexión sobre los diferentes tipos de nobleza, en la que llega a la conclusión de que la nobleza de cuna es superior a la de la virtud. Conocidos y admirados muy pronto en círculos literarios, todos estos textos tuvieron en seguida bastante influencia, en particular el *Bursario*, cuya huella se puede percibir hasta en las novelas de caballerías catalanas, como el *Curial e Güelfa* y el *Tirant lo Blanc*.

El *Siervo libre de amor* tiene un título ambiguo y deliberadamente enigmático que el contenido de la novela no permite esclarecer totalmente. Este aspecto misterioso sirvió sin duda para intrigar y seducir a los lectores del siglo XV. El misterio perdura hoy en día, y la incógnita, acrecentada por el tiempo y por el estado defectuoso en que nos ha llegado el texto, sigue siendo su principal atractivo.

No se conoce ninguna edición antigua del *Siervo*. Sólo existe una copia manuscrita de fines del siglo XV, llena de erratas, de expresiones indescifrables y de pasajes aparentemente truncados. La narración se termina, además, de manera tan abrupta que es imposible saber si la interrupción se debe a un copista o si Juan Rodríguez quiso dar deliberadamente a su relato un aspecto inconcluso. De cualquier modo, lo presenta como una especie de confidencia a su amigo Gonzalo de Medina, juez de una ciudad de su Galicia natal, y debió de componerlo hacia 1440, a juzgar por las alusiones a diferentes sucesos y personajes históricos contemporáneos que había tenido ocasión de conocer personalmente o de oídas, en sus viajes a Europa.

El relato narrado en el *Siervo* presenta dos formas diferentes y, a primera vista, difícilmente compatibles entre sí. La primera forma, muy medieval, es la de un tratado sobre el amor, dividido en tres partes, y la segunda, la de una confesión del autor, en la que evoca una experiencia amorosa personal. A estos dos tipos de narración, entre los que duda y cuyo contraste intenta armonizar, Juan Rodríguez añade otra, en forma de novela caballeresca corta, que sirve de contrapunto al resto del relato.

La división tripartita del *Siervo* se indica en un breve preámbulo didáctico. En él se explica que las tres partes de la obra corresponden a las tres formas posibles de relación sentimental —amor correspondido, amor sin esperanza, indiferencia mutua—, y luego se indica que cada una de ellas está simbolizada por un árbol (el arrayán, el álamo blanco y el olivo) y remite a los tres componentes del hombre (el corazón, el libre albedrío y el entendimiento). Después de esto, el propio Juan Rodríguez toma la palabra para narrar una historia que presenta como si fuera la suya y como si la hubiera vivido en un pasado relativamente reciente: la de sus amores con una dama de encumbrada condición, cuyo nombre tiene buen cuidado de no mencionar y que le ha otorgado sus favores; después de una época feliz, llega la ruptura, provocada por las oscuras intrigas de un amigo desleal, y se lanza a errar por selvas solitarias en donde la naturaleza comparte su desesperación y donde está a punto de suicidarse. Por último, apagada la pasión y recobrada la libertad sentimental, el autor se embarca en una nave negra conducida por Sindéresis, figura medieval que representa el arrepentimiento y la facultad de distinguir el Bien del Mal, y parte, sin más, hacia un destino desconocido. Dentro de este conjunto, y como si fuera el eco de las amargas desgracias de Juan Rodríguez, se interpola un relato caballeresco breve, titulado *Estoria de dos amadores, Ardanlier y Liessa*. Su acción se desarrolla unas veces en un lugar salvaje de Galicia (amores de los dos protagonistas) y otras en diferentes cortes europeas (hazañas militares del príncipe Ardanlier en Francia, en Alemania, en Polonia). Concluye con la trágica muerte de la heroína, con el suicidio del héroe, y con la construcción, allí donde se encuentran sus tumbas y a las puertas de la ciudad natal de Juan Rodríguez, de un monumento funerario, que se convierte en lugar de peregrinación para todos los enamorados del mundo.

Exposición didáctica, expansión íntima y relato caballeresco abreviado, el *Siervo libre* utiliza las posibilidades de varias tradiciones literarias anteriores. Las combina a veces con torpeza, pero a menudo también con mucha soltura.

Así, la historia de Ardanlier remite, más o menos directamente, a fuentes conocidas: el tema del retiro campestre de los amantes forma parte de la leyenda de Tristán e Iseo; el de la tumba que recuerda a una pareja perfecta aparece desarrollado en una de las versiones del *Merlín*, y la muerte de Liessa en manos de un suegro cruel tiene cierta analogía con la de una figura muy querida por los cronistas portugueses del siglo XV, Inés de Castro, que el rey de Portugal condenó al suplicio por haber seducido al príncipe heredero del trono. Sin embargo, junto a estos motivos librescos, Juan Rodríguez ha sabido introducir elementos más nuevos o más personales: por un lado, la expresión ingenua de su apego a su patria gallega, por otro, la descripción admirativa de los círculos aristocráticos europeos en los que se ha movido durante sus viajes.

Sin embargo, lo que constituye la novedad principal del *Siervo libre* es que el autor se haya descrito a sí mismo por medio de una aventura pasional que presenta como autobiográfica. Bien es cierto que esta aventura, muy estilizada, apenas si se aparta de los temas convencionales del amor cortés: dama de alto rango, importancia fundamental del secreto, indiscreciones de un amigo nefasto, exilio y dolor del amante caído en desgracia. La evocación es, además, lo suficientemente borrosa y oscura, como para que sea imposible saber si Juan Rodríguez ha conocido, en realidad, las buenas y malas fortunas sentimentales que describe, o si se las ha atribuido para cumplir con requisitos literarios. En cualquier caso, debieron de parecer bastante verosímiles, y hasta auténticas, a sus lectores, como para que se escribiera, en pleno siglo XVI, una *vida* anónima que convierte al modesto escritor gallego en el amante, nada menos, que de la reina de Castilla.

Aunque sea falsa, esta leyenda muestra el éxito alcanzado por la obra, así como el interés que suscitaron sus invenciones literarias. Para la época, la doble figura que aparece en el *Siervo*, la de un autor que es el héroe de su relato, y lo escribe en primera persona, representaba una importante innovación novelesca. Desconocido hasta entonces en la ficción medieval peninsular, el «narrador-protagonista» hace su aparición con los rasgos de Juan Rodríguez, una aparición tímida todavía, pero llena ya de una sutileza a la que sabrán sacar partido los autores de novelas sentimentales de la generación siguiente.

No fueron los únicos. Mucho antes, desde la época en que apareció el *Siervo libre*, surgen aquí y allá en España, entre 1450 y 1460, algunas obras que se le parecen o que se inspiran en él: en Castilla, un breve opúsculo didáctico, en el que figuran una serie de parejas condenadas a morir, el *Tratado e dispido a una dama de religión*, de Fernando de la Torre; redactada por un príncipe portugués, pero en castellano, una larga confidencia amorosa, la *Sátyra de felice e infelice vida*, del condestable Pedro de Portugal, que se lamenta de la cruel indiferencia de su dama; por último, en Cataluña, dos novelas cortas supuestamente autobiográficas, la *Tragèdia de Caldesa*, de Joan Roís de Corella, y la *Triste deleytaçión*, de autor desconocido.

Llegadas hasta nuestros días en forma de manuscritos y dejadas de lado, parece ser, por los editores antiguos, como también lo fue el *Siervo libre*, esas cuatro obras constituyen, junto con ésta, lo que se podría llamar el primer fondo de la materia sentimental: una serie de textos en realidad bastante heterogéneos, en los que cada autor aplica y dosifica de manera diferente los elementos novelescos recién estrenados por Juan Rodríguez; pero, al mismo tiempo, un conjunto de experiencias narrativas que indica que la novela se encuentra en proceso de renovación en España, en las últimas décadas del siglo XV.

3. JUAN DE FLORES

Mejor delimitada que antes, la gran época de la ficción sentimental parece situarse, según los últimos estudios, entre 1470 y 1490. Está ligada al nombre de dos escritores que seguramente conocían las obras de sus predecesores y que deseaban perfeccionar sus elementos: Juan de Flores y

Diego de San Pedro. Las circunstancias que rodearon sus vidas y la cronología de sus obras son muy inciertas, por lo que durante mucho tiempo se
ha creído que las novelas de Flores eran más tardías que las de San Pedro,
y se ha pensado que, en ambos casos, databan de los últimos años del siglo XV. Investigaciones recientes permiten, sin embargo, suponer que todas
las novelas fueron compuestas mucho antes, que los dos autores coincidie-
ron en el tiempo y que existió entre ellos una influencia recíproca.

Hasta hace poco no se sabía prácticamente nada de Juan de Flores.
Como mucho se le relacionaba con un amplio linaje en el que figuran varios
personajes con ese apellido que ocuparon diversos cargos en la corte de los
Reyes Católicos y que fueron recompensados por éstos. Nuevos datos permiten, hoy en día, perfilar la personalidad del novelista. Es posible que
perteneciera a la casa del duque de Alba y que combatiera a su lado para
apoyar, al comienzo de su reinado, la autoridad discutida de Fernando y de
Isabel. Parece ser, también, que ejerció junto a éstos las funciones de historiador oficial, distinción que confirma la imagen que se desprende de sus escritos: la de un cortesano culto y atento a las corrientes literarias de su
época.

Juan de Flores está considerado hoy en día como el autor de una *Crónica incompleta de los Reyes Católicos*, cuyo único manuscrito conocido
termina de forma abrupta a mediados del año 1477. Escrita con un estilo rebuscado, describe con todo detalle determinados acontecimientos aristocráticos, en particular las fiestas y los torneos que tuvieron lugar con motivo de
la subida al trono de la pareja real. También es de Flores un texto sentimental bastante singular y difícil de clasificar, el *Triunfo de amor*, perdido
durante mucho tiempo en dos manuscritos olvidados que volvieron a descu-
brirse hace unos quince años.

Pero sus obras más importantes son dos patéticas historias de amor y de
muerte, conocidas generalmente con el nombre de la pareja protagonista:
Grisel y Mirabella, por un lado, y *Grimalte y Gradissa*, por otro.

No se sabe muy bien cuándo fueron escritas estas novelas, ni en qué
orden. Las más antiguas ediciones de que disponemos, tanto de una como
de la otra, no llevan fecha, pero debieron publicarse ambas, muy probablemente, en 1495. Sin embargo, ciertos indicios permiten suponer que Flores
había acabado la redacción del *Grimalte* antes de 1486, y que la del *Grisel*
era anterior, incluso, a 1480, época en que estaba de moda en España la
disputa en pro y en contra de las mujeres. Del *Grisel* existe hoy en día una
serie de ediciones antiguas, pero no se dispone de ninguna copia manuscrita.

Por el contrario, en el caso del *Grimalte*, contamos con dos manuscritos, pero sólo se conserva una versión impresa.

Los dos relatos se basan en varios elementos comunes que reflejan las características del autor: un desenlace funesto al que conducen varios episodios particularmente brutales y violentos; un relato en el que la intriga, muy sencilla, ocupa poco espacio y está subordinada a largos razonamientos contradictorios entre los protagonistas; y, lo que es quizá el rasgo más original de Flores, la aparición, junto a los héroes, de personajes reales o de figuras tomadas de otras ficciones. Sin embargo, a pesar de estas convergencias de contenido y de composición, las dos novelas son diferentes, y en cada una de ellas las tristes aventuras amorosas imaginadas por Flores tienen un desarrollo y un sentido totalmente distintos. Además, hay un aspecto concreto en el que *Grisel* y *Grimalte* difieren claramente: la primera obra está escrita sólo en prosa, mientras que la segunda incluye más de veinte composiciones poéticas. Unas veces llevan el nombre de canciones y otras de coblas. No son de Flores, sino de Alonso de Córdoba, mencionado al final de la novela y autor de otros poemas recogidos en los cancioneros de la época.

La *Historia de Grisel y Mirabella* sigue el esquema de una novela corta de Boccaccio muy conocida y apreciada entre el público medieval: la historia patética de Guiscardo y Ghismunda (*Decamerón* IV, 1). La heroína de Flores es, como en la obra italiana, una princesa que ha sido encerrada por su padre en una torre, con el fin de protegerla de los hombres. Es sorprendida por éste en compañía de un joven caballero a quien concede sus favores. Mientras Boccaccio se contenta con terminar su relato evocando la ira del padre y la muerte de los culpables, Flores demora el desenlace introduciendo un extenso juicio que servirá para determinar cuál de los dos amantes es responsable del delito cometido por ambos. De la defensa de Mirabella se encarga una dama ingeniosa y aguda llamada Braçayda, copia de la Briseida de la materia troyana, y de la de Grisel, el caballero Torrellas, poeta catalán contemporáneo de Flores y autor de una célebre diatriba misógina. Al final de sus respectivos alegatos, que ocupan la mayor parte de la novela y reproducen los principales argumentos feministas o antifeministas de la época, Mirabella es condenada a la hoguera, según las leyes de su Escocia natal, «porque las leyes de la tierra eran: *quien por fuego de amor se vence en fuego de amor muera*». Las damas de la corte, indignadas, deciden entonces vengar su muerte despedazando a Torrellas con sus propias manos y repartiéndose sus cenizas: «de su ceniza guardando cada qual una buxeta por reliquias de su enemigo. E algunas ovo que por joyel en el cuello la traian, porque trayendo más a la memoria su venganza mayor plazer oviesen».

En el *Breve tratado de Grimalte y Gradissa*, que es en cierto modo una continuación de *Fiammetta*, Flores combina sutilmente el destino de sus personajes con el de los héroes de Boccaccio. El relato está narrado por el protagonista, que ha incitado a su dama, Gradissa, a leer «la famosa scriptura de Fiometa y Pamphilo». Gradissa le exige que emprenda, como prueba de amor, una singular misión: deberá buscar a la amante abandonada, ayudarla a conquistar de nuevo al olvidadizo seductor y demostrar con esto que, a veces, los hombres son dignos de que las mujeres depositen su confianza en ellos. Después de mucho peregrinar, Grimalte consigue encontrar a Fiammetta, y consolarla, y más tarde a Pánfilo, a quien reprende. Se dirige a ambos utilizando discursos compuestos según todas las leyes de la retórica, pero no consigue que se reconcilien. Al final, tiene que resignarse a enterrar a Fiammetta, que ha muerto de dolor, en una suntuosa sepultura, decorada con estatuas e inscripciones en verso. Marcha después a reunirse con Pánfilo que, atormentado por el remordimiento, ha jurado vivir como un salvaje en los confines del desierto de Asia, donde el fantasma de su amante se le aparece por las noches, perseguido por figuras infernales. Al haber fracasado en su empresa, Grimalte se ve obligado a su vez a hacer penitencia en esos lugares, no sin antes haber enviado su último adiós a Gradissa, escribiéndole: «de mi mismo tienes hecho un purgatorio segundo, cuyas ardores y llamas son fines de toda desesperacion de remedio».

Las novelas de Flores tuvieron un éxito considerable, debido a la mezcla de elementos tradicionales y modernos que presentan. Escudándose en la autoridad de Boccaccio, Flores retoca hábilmente sus modelos e introduce variantes que se adaptan a un público nuevo: el enfrentamiento cruel entre el hombre y la mujer, la visión terrible de los estragos del amor y, contrastando con las pasiones desatadas, una lengua controlada y que sabe manejar las sutilezas de la retórica.

El *Grisel* tuvo resonancia en toda Europa. Se reeditó cinco veces en España durante el primer tercio del siglo XVI, y fue muy imitado: primero, desde principios del siglo XV, por los autores de novelas sentimentales, en particular por Pedro Manuel Ximénez de Urrea, que copió el desenlace en su *Penitencia de amor*, publicada en 1514; luego, mucho más tarde, por Lope de Vega que, en *La ley ejecutada*, recoge el tema del *Grisel* y le da un final feliz. Fuera de España, el libro hizo también fortuna. Se tradujo al italiano, al francés, al inglés, al alemán e, incluso, al polaco. Hasta principios del siglo XVII se publicó en ediciones bilingües y cuatrilingües que servían de manuales para el aprendizaje de idiomas. Pero, sobre todo, dejó sus huellas en otras literaturas: Ariosto recuerda «la áspera ley de Escocia» en uno de los episodios de su *Orlando furioso*; en las novelas francesas del Renacimiento abundan los amantes torturados que se asemejan a Grisel y Mirabella, y, en Inglaterra, la voz de Flores parece escucharse a veces en las obras de teatro de la época isabelina.

La difusión del *Grimalte*, mucho más limitada, no debió trascender de un público de expertos, capaces de valorar la novedad y el interés literario de la obra de Flores. En la Península, donde no se conoce ninguna edición posterior a la de 1495, se fijaron en ella los autores de novelas caballerescas: al retocar y actualizar la versión castellana de la leyenda de Tristán que estaba preparando para la imprenta, el anónimo autor del *Tristán de Leonís* tomó varios fragmentos del *Grimalte*, en prosa y en verso. Su estilo patético y artificioso imprime al antiguo relato artúrico un tono sentimental sorprendente. En Francia, la novela de Flores fue traducida por Maurice Scève, e influyó también en su *Délie*; el poeta tituló su versión *La déplourable fin de Flamete*, y antepuso una «*epistre proemiale*» («carta prologal») en la que destaca el valor didáctico del libro y afirma que al presentarlo al lector espera que éste aprenda a «*cauteleusement aymer* […] *et saigement desaymer*» (a «amar con cautela […] y a dejar de amar con prudencia»).

4. DIEGO DE SAN PEDRO

Aunque haya quien prefiera las novelas sentimentales de Juan de Flores, se considera que las de Diego de San Pedro son las más importantes y las más logradas dentro del género. Traslucen, como toda su producción —puesto que San Pedro nos ha legado también una obra poética relativamente importante—, un verdadero temperamento de escritor.

Poco se sabe de su biografía, confusa, como en el caso de Flores, debido a que existen varios personajes homónimos con los que se le ha confundido a veces. Estuvo relacionado, como se desprende de las dedicatorias de sus obras, con dos familias aristocráticas importantes del entorno de los Reyes Católicos, cuyos miembros destacaron con brillantez durante las guerras de Granada, entre 1482 y 1492: los Fernández de Córdoba y, sobre todo, los Girón, protectores de San Pedro y a cuyo servicio estuvo durante muchos años. Debido a esto probablemente, vivió cerca de Peñafiel, donde los Girón poseían una fortaleza, asistió en parte a sus campañas militares y frecuentó asiduamente los círculos de la corte. Parece ser que gozaba de gran aceptación entre las damas de la reina y que debió de componer varias de sus obras para ellas, o a petición de ellas. Es posible, pero no está comprobado, que fuera de origen judío y que, en ese caso, su obra sea el reflejo de las actitudes políticas y de las inquietudes de los «cristianos nuevos» más destacados, en vísperas de la expulsión de los judíos de España. A juzgar por las confidencias que dirige a su señor, Juan Téllez Girón, al dedicarle su último poema, tuvo una vejez pobre y solitaria, y se ignora la fecha exacta de su muerte, que debe situarse probablemente en los primeros años del siglo XVI.

Su producción en verso, abundante y variada, consta de unas treinta obras, que compuso, con toda probabilidad, entre 1480 y 1492, cuando se relacionaba con la corte. La mayoría de estos poemas aparece en el *Cancionero general* de 1511 y en sus posteriores ediciones.

Se trata en muchos casos de poemas de amor en forma de romances, de villancicos y, sobre todo, de canciones, con un estilo a veces elíptico y afectado, que intentan expresar las contradicciones de los sentimientos por medio de conceptos artificiosos y de toda clase de paradojas ingeniosas. Las mismas características aparecen en una breve obra en prosa, un «arte de amar», escrito hacia 1485 dirigido a los «lastimados señores y desagradecidas señoras», y titulado maliciosamente *Sermón*. Es una parodia punzante de la predicación religiosa, en la que se glosa una cita bíblica falsa «escripta en el Libro de la Muerte a los siete capítulos de mi Deseo. Da testimonio dellas el Evangelista Afición», y se aconseja a los hombres que tengan paciencia y a las mujeres que sean más dóciles con sus pretendientes.

Más ambiciosos, los poemas de inspiración política o religiosa son al mismo tiempo más amplios. Incluido de manera bastante forzada en la novela *Arnalte y Lucenda*, el «panegírico» dedicado por San Pedro a la Reina Católica pertenece al género, bien conocido, de la alabanza o «laus», tal como lo definían los manuales de retórica tradicionales. Consta de veintiuna estrofas, en las que se adorna a Isabel con toda clase de virtudes, utilizando una serie de lugares comunes insípidos que se salvan sólo por su elegancia un poco amanerada. La *Pasión trobada*, que se data hoy en día hacia 1480 y que debe de ser, por lo tanto, una de las primeras obras de San Pedro, le fue encargada, según dice, por una monja por la que afirma sentir una pasión puramente humana. Es un relato de la vida de Cristo desde el momento de la Santa Cena hasta que es enterrado, tema tratado también, en esa misma época, por algunos otros poetas peninsulares. El texto, que consta de dos a tres mil versos, conservado en versiones manuscritas e impresas que presentan muchas diferencias, retoma y unifica los cuatro Evangelios a los que añade, siguiendo los preceptos de la meditación franciscana, una descripción minuciosa y sangrienta del martirio de Jesús. Las estrofas más bellas de la *Pasión trobada* aparecen de nuevo en otra composición más breve, impregnada de devoción mariana, *Las siete angustias de Nuestra Señora*, que San Pedro incluye en su novela *Arnalte y Lucenda* y pone en boca del protagonista, a modo de súplica que éste dirige a la Virgen pidiéndole que le alivie de sus males de amor.

Su última obra, el *Desprecio de la Fortuna*, escrita después de 1498, se inspira en diferentes diálogos de Séneca y en el *De consolatione philosophiae* de Boecio y trata un tema muy apreciado por los escritores medievales y en particular por los del siglo XV español: los caprichos de la fortuna, la fragilidad de los bienes de este mundo y el valor de la esperanza en Dios, única y verdadera fuente de felicidad. El *Desprecio* consta de unas cuarenta décimas, de las que únicamente las cuatro primeras tienen un tono personal: San Pedro se arrepiente de su anterior liviandad y condena la frivolidad de sus escritos juveniles haciendo una recapitulación sucinta de toda su obra, en la que incluye comentarios muy interesantes.

En este breve inventario figuran, en buen lugar, las dos novelas que le hicieron famoso: el *Tratado de amores de Arnalte y Lucenda*, del que sólo indica que está escrito en forma epistolar, y la *Cárcel de amor*, que desaprueba, pero cuyo éxito recuerda con orgullo.

Parece ser que en el *Desprecio* Diego de San Pedro enumera sus obras hacia atrás, invirtiendo el orden cronológico. El *Arnalte*, al que alude después de la *Cárcel*, es en realidad anterior a ésta, en cuyo prólogo está mencionado. Es probable que lo terminara hacia 1481, mientras que en la *Cárcel* alude a las guerras de Granada, lo que permite suponer que la redactó después de 1483. En lo que a las ediciones de estas novelas se refiere, las más antiguas de que disponemos hoy en día datan, respectivamente, de 1491 en el caso del *Tratado de amores de Arnalte y Lucenda* —del que existe, asimismo, una excelente versión manuscrita— y de 1492 en el caso de la *Cárcel de amor*.

En su dedicatoria de la *Cárcel*, San Pedro expresa su temor de que sus dos novelas se repitan en ciertos aspectos. En efecto, el *Tratado* y la *Cárcel* presentan algunos elementos similares que las relacionan estrechamente entre sí: un triángulo en que la protagonista es motivo de conflicto entre dos amantes que acabarán muriendo; un espacio en el que, bastante cerca del ambiente urbano reservado a las entrevistas amorosas, existe una región salvaje destinada a la aflicción y a la penitencia sentimental; y, por último, la actuación del propio San Pedro en la novela, junto con sus personajes. Por otro lado, en las dos obras se utiliza una prosa rebuscada que se presta a diferentes ejercicios de estilo y que se adapta a todo tipo de discurso, desde las cartas hasta las oraciones fúnebres, pasando por las arengas, los alegatos, los desafíos y las proclamas militares.

Pero a pesar de estas semejanzas y en contra de lo que temía el autor, cada una de estas obras tiene su propia fisonomía. El *Tratado*, más sobrio, narra una historia lineal sin muchas peripecias, interrumpida únicamente por los dos largos poemas —el panegírico de la reina Isabel y la invocación de la Virgen de los siete Dolores— que San Pedro ha creído oportuno insertar en la novela. Por el contrario, la *Cárcel* comienza con una alegoría, relata un juicio, evoca una guerra feudal y concluye con una larga arenga que demuestra, apoyándose en quince puntos y en veinte argumentos, las excelencias de la mujer. Por otro lado, el papel que San Pedro se ha atribuido en las dos novelas no es exactamente el mismo. En el *Tratado* es un simple confidente de los infortunios de su protagonista Arnalte, pues aparece sólo al principio para escuchar el relato, y toma la palabra al final para lamentarse de lo que acaba de oír y para prometer consignarlo por escrito. En la *Cárcel*, interviene en la vida de los personajes, Leriano y Laureola, y se convierte en su mensajero a la vez que consejero, participa en la acción de manera activa, intenta modificar su curso y sufre las consecuencias de su triste desenlace como si de una desgracia personal se tratara.

En el *Tratado de amores de Arnalte y Lucenda*, San Pedro se encuentra de viaje, perdido en medio de montañas deshabitadas y, de repente, descubre a lo lejos una rica mansión pintada de negro y dirige sus pasos hacia ella. Le recibe un tropel de criados enlutados cuyo señor, deseoso de conocer a la reina de Castilla, escucha con cortesía su panegírico y propone seguidamente a su visitante contarle la historia de su pasión por una dama llamada Lucenda. Nos enteramos así de que, después de una larga serie de cartas y de entrevistas, cuando Arnalte pensaba estar a punto de conquistarla, fue traicionado de manera imprevista por su amigo Elierso, que obtiene la mano de su amada. Arnalte le desafía en duelo y le mata, pero no consigue obtener el perdón de Lucenda que ingresa en un convento, después de colmarlo de reproches. Por todo esto, amparándose en la protección de la Virgen (a quien dedica el poema de los *Siete dolores de Nuestra Señora*), ha decidido acabar sus días en un refugio solitario y fúnebre, en consonancia con su estado de ánimo. Ahí es donde le ha encontrado San Pedro, que se despide de

él prometiéndole «recontar sus plagas a mugeres no menos sentidas que dis-
cretas... porque mugeres supiesen lo que muger le hizo».

En la *Cárcel de amor*, el autor vuelve de la guerra por los valles profundos de Sierra Morena, cuando ve salir a su encuentro a un hombre salvaje que dice llamarse Deseo y que arrastra a un mísero caballero cargado
de cadenas. San Pedro se desvía de su camino para seguirlos y llega hasta
un extraño edificio en cuya cima se alza una torre triangular: la «cárcel de
amor». En ella encuentra, entre llamas y sometido a todo tipo de torturas, al
caballero cautivo, Leriano, que arde en amores por la princesa Laureola.
Éste encarga a San Pedro que intervenga en su favor, misión que desempeña
con éxito en un primer momento: las cartas y los mensajes producen el
efecto deseado, y Leriano vuelve a la corte donde su dama se muestra propicia. Pero los amantes son calumniados por Persio, celoso rival con quien
Leriano debe librar un combate singular, mientras Laureola es condenada a
muerte por su padre. Aunque su pretendiente consigue rehabilitarla decla-
rando la guerra al soberano, Laureola rompe con Leriano, y, con el fin de
proteger su reputación, se niega a verlo para siempre. Hundido en el dolor,
Leriano decide dejarse morir de hambre y de sed, aunque antes de exhalar
el último suspiro, saca fuerzas para pronunciar un alegato en favor de las
mujeres. El autor, que le acompaña en sus últimos momentos, se marcha en-
tristecido: «con sospiros caminé; con lágrimas partí; con gemidos hablé; y
con tales pasatiempos llegué aquí a Peñafiel, donde quedo besando las manos de vuestra merced».

Es difícil explicar hoy en día el éxito que alcanzaron las obras de Diego
de San Pedro. Probablemente éste se debe, en parte, al certero instinto del
autor, que supo captar y expresar con talento lo que de duradero había, por
encima de las modas literarias, en algunos de los ideales y de los gustos de
la Edad Media, al tocar ésta a su fin.

Sus más difíciles y más artificiosos poemas de amor todavía coinciden,
siglo y medio más tarde, con las preocupaciones de Gracián, que escogió
dos de ellos para ilustrar lo que denomina, en su *Agudeza y arte de ingenio*,
«la disonancia paradoja». Por su estilo simple y directo, prevaleció la *Pasión
trobada* sobre unas treinta «pasiones» en verso compuestas más tarde, y
gozó durante más de cuatrocientos años de una impresionante popularidad.
La recogieron varios cancioneros, se editó numerosas veces en forma de
pliego suelto, la citó Quevedo en la *Visita de los chistes*, se utilizó en funciones de teatro popular, y su texto circulaba todavía en pliegos de cordel,
por los pueblos de España, a finales del siglo pasado.

En cuanto a sus novelas, fueron muy bien acogidas desde el primer momento y entusiasmaron, más tarde, a generaciones enteras de lectores.

Parece ser que *Arnalte y Lucenda* tuvo todavía más éxito en el extranjero que en España. En la Península sólo se reeditó tres veces durante el siglo XVI, mientras que su traducción francesa, que lleva el bonito título de
L'Amant maltraicté de s'amye, se imprimió alrededor de quince veces y se
editó también en ediciones bilingües al lado de la versión italiana. El *Tratado* estuvo, igualmente, muy de moda en Inglaterra, donde su traductor
transformó la novela en un manual de retórica inscribiendo en el margen del
texto, sobre todo junto a las cartas, los discursos y otros fragmentos de oratoria, gran cantidad de indicaciones técnicas para su utilización en las escuelas.

La *Cárcel de amor* alcanzó un éxito triunfal. En España, se leyó con
fruición y no tardó en ser imitada. El autor de *La Celestina* tomó de ella cantidad de conceptos e ideas variadas. El poeta Nicolás Núñez le añadió un
breve *Cumplimiento*, o «Continuación», que se publicó a partir de entonces
con la novela y que narraba la resurrección de Leriano, imaginando una última entrevista de reconciliación con Laureola, y suavizando de esta manera
el desenlace trágico propuesto por San Pedro. Más tarde se tradujo al catalán, y las reediciones castellanas, sólo en el siglo XVI, rondan la treintena, a
pesar de que el libro fue prohibido por la Inquisición en 1551. En el resto
de Europa, se tradujo al francés, al italiano, al inglés y al alemán, y se reim-
primió a menudo en cada una de estas lenguas llegando a convertirse en el
breviario de amor y de buen decir, no solamente en la corte, sino entre el
gran público también.

Aunque tardó en constituirse como forma independiente, la novela española parece haber nacido a finales de la Edad Media. El *Caballero Zifar*
y, más todavía, el *Amadís de Gaula* muestran que la Península, después de
haber imitado durante mucho tiempo a Francia, es capaz de elaborar con
originalidad sus propias ficciones caballerescas. Puede incluso, como lo demuestra el desarrollo del género sentimental, alejarse de los caminos tradicionales de la novela y emprender experiencias narrativas nuevas. A partir
de ese momento, es lógico que, al disponer ya de estos dos modelos novelescos —el libro de caballerías, bien asentado, y la novela sentimental, que
parecía prometedora—, a los escritores españoles se les haya ocurrido com-
binarlos uno con otro. Así, a finales del siglo XV, algunos autores del género caballeresco intentan rejuvenecer los viejos relatos artúricos dándoles
mayor importancia, como en el caso de la *Tragèdia de Lançalot* o del *Tristán de Leonís*, a las efusiones sentimentales o a la expresión retórica del

amor. Por su parte, los autores de novelas sentimentales, aunque se distancian de las «historias viejas», no dudan en incluir los motivos fundamentales de éstas, como lo demuestran las aventuras de Ardanlier y Liessa en el *Siervo libre*, o la presencia, en la *Cárcel de amor*, de episodios de guerra y de conflictos feudales.

A pesar de esto, la ficción sentimental y la novela de caballerías no llegarán a fusionarse, sino que conservará cada una su singularidad propia. Después de influirse mutuamente, seguirán caminos divergentes: la primera recurrirá a nuevas aportaciones, mientras que la segunda, al contrario, agotará al máximo sus recursos tradicionales.

BERNARD DARBORD
MICHEL GARCIA
SYLVIA ROUBAUD*

* En la parte «Nuevos territorios», Michel Garcia ha escrito «Libros de viajes» y «Biografías», y Bernard Darbord «Enrique de Villena», «El arcipreste de Talavera» y «Los comienzos del humanismo». Sylvia Roubaud es autora de las otras dos partes, «Eclosión de la novela» y «La ficción sentimental».

CAPÍTULO VIII

LA POESÍA A FINALES DE LA EDAD MEDIA

La poesía de los cancioneros

La poesía del siglo XV se caracteriza por el fenómeno *cancioneril*. Desde finales del siglo XIV (los primeros textos se recogen en el manuscrito de Baena) hasta el ambicioso *Cancionero general* de Hernando del Castillo, impreso en 1511, se fue reuniendo, con criterios diversos y a veces divergentes, el enorme *corpus* de la poesía (firmada o anónima) en lengua castellana: unos cuarenta manuscritos, obras de tipo y de orígenes variados. Se trata en su mayoría de antologías colectivas de poesía lírica, si bien algunos de estos cancioneros recogen la obra de un solo autor (*Cancionero* de Gómez Manrique, de Juan del Encina, de Garci Sánchez de Badajoz), o un único tema (el *Cancionero* religioso y didáctico de Ramón de Llavia).

¿Es lícito hablar de «poesía *cancioneril*»? Rompiendo con la tradición de presentar individualmente a los poetas (difíciles de diferenciar a veces), la crítica actual tiene en cuenta la coherencia del *corpus* poético tal como aparece en las recopilaciones: una misma temática, una expresión formal compartida, un universo mental y estético comunes, basados en el reconocimiento de la tradición, en la aceptación de un código poético y en el placer del juego compartido. Así es la poesía de los cancioneros de la corte en el siglo XV.

Nacidos en las cortes de los príncipes o de los reyes peninsulares, en las que todos son, en cierto modo, poetas, los cancioneros recogen los textos de aquellos para quienes la poesía y el amor son un juego cortesano, del mismo modo que la caza o los torneos son ejercicios y entrenamientos militares, sucedáneos de la guerra. Poetas aristócratas que toman el relevo de los antiguos trovadores y que, aunque hoy manejan «unas veces la pluma y otras la espada», no desdeñaron más tarde ofrecer su mecenazgo a otros recién llegados procedentes de la burguesía culta y viajera, que, en este caso, sí han hecho de la literatura un oficio.

1. LA TEORÍA POÉTICA EN EL SIGLO XV

En este contexto frívolo y de aficionados se produce, sin embargo, una interesante reflexión poética. Aparecen textos teóricos, obra de los propios poetas: introducciones y prólogos a sus obras. Reflexiones enriquecidas por la *praxis* poética, acompañadas e ilustradas por una teoría del discurso poético, y que permiten apreciar una evolución en las concepciones, en el oficio o en el arte del poeta.

Heredero del arte poético de la *gaya ciencia*, el *Arte de trovar* (1433), de Enrique de Aragón, marqués de Villena, que nos ha llegado incompleto, pretende adaptar tardíamente al castellano los usos trovadorescos (en particular el *Mirayll*, de Berenguer de Noya). Insiste en que se respete escrupulosamente la igualdad silábica y rítmica. Lamenta de que se haya perdido el *trovar* antiguo y propone un manual para uso de todos, «donde tomen lumbre, y doctrina todos los otros del Regno que se dizen trobadores, para que lo sean verdaderamente». El tratado de Villena parece mirar hacia el pasado. En su escuela se formó, sin embargo, el marqués de Santillana, quien sacó mucho provecho de ella en sus canciones líricas a la manera provenzal.

En el prólogo de su *Cancionero* (hacia 1450), Juan Alfonso de Baena pone de relieve la función social de la poesía y expone una teoría de la poesía cortesana, afirmando que «el arte de la poetrya e gaya çiençia es vna escryptura e conpusyçion muy sotil e byen graçiosa, e es dulçe e muy agradable a todos los oponientes e rrespondientes d'ella e conponedores e oyentes»: el público aparece como actor, la colectividad participa en la creación. No alude a la temática, pero esboza un retrato del perfecto poeta mostrándolo como la quintaesencia de las virtudes cortesanas, siempre y en todas partes enamorado, ya que el amor se identifica con la aptitud para la poesía. En el *Prohemio* (1449) que dirige, junto con sus *Canciones y Decires*, al condestable Pedro de Portugal, Íñigo López de Mendoza lleva a cabo, por vez primera, un análisis crítico de la literatura peninsular en el que, a través de sus preferencias personales, se percibe que es consciente de pertenecer a una comunidad cultural románica, y que se preocupa por impul-

sar la poesía en lengua vulgar: «¿E qué cosa es la *poesía* —que en el nuestro uulgar gaya sçiençia llamamos— sino un fingimiento de cosas útyles,
cubiertas o ueladas con muy fermosa cobertura, conpuestas, distinguidas e
scandidas por çierto cuento, peso e medida?» Apasionada defensa e ilustración de la poesía como medio de acceso al conocimiento, este breve *Prohemio* refleja, a través de la mentalidad abierta de su autor, la sensibilidad
artística de toda una época.

El *Arte de poesía castellana* de Juan del Encina (1496) se sitúa en el
umbral del Renacimiento. Breve reflexión teórica que sirve al mismo
tiempo de introducción al cancionero de sus propias poesías, el texto de
Encina, obra de un universitario y humanista, quiere dar un sentido a la lengua castellana, que puede ya compararse con el latín. Es interesante que el
autor, músico también, se preocupe de diferenciar poesía y música. Sin embargo, su compilación de «flores» del *trobar* pone de relieve el interés del
poeta por la materia sonora del lenguaje. Estos textos teóricos, de gran valor, puesto que provienen de los propios poetas que escriben poesía, indican claramente la transformación del «trovador» en «poeta».

2. EL POETA Y LA CORTE

La corte, centro de la poesía, impone que las efemérides de la vida de
palacio sean señaladas, conmemoradas por los poetas, en homenaje al príncipe, a los cortesanos y a los protegidos: fiestas destacadas de la vida cotidiana, bodas y nacimientos, oraciones fúnebres, victorias y llegadas del rey,
sucesos, acontecimientos, incidentes, todo lo que rodea a los Grandes, visto
por ellos mismos y por sus allegados.

En un *romance* de Carvajal, la «triste doña María», infanta de Castilla,
reina de Aragón, se lamenta de la ausencia de su real esposo, Alfonso, que
se ha marchado para siempre a sus tierras napolitanas. Lope de Stúñiga compone un dezir para conmemorar el heroísmo de los sitiados de Atienza, en
1455. Sin embargo, la poesía de circunstancias está representada, también,
por una larga lista de peticiones de subsidios por parte de pedigüeños y otros
parásitos, como Villasandino o Juan de Valladolid, cuyos elogios interesa-
dos ocupan demasiado espacio en el *Cancionero de Baena*.

Estos poemas-documentos, poemas anecdóticos, tienen para el historiador el valor de testimonios útiles que indican la relación entre el cortesano
y el poder. Son un eco de las inquietudes de los que rodeaban a los Gran-

des, de los que vivían de ellos (bufones, juglares) y empezaban a ser cons-
cientes de la evolución de las mentalidades y de los peligros que amenazaban su supervivencia. Reflejan, también, las luchas entre bandos, en esa mi-
litancia poética hecha pública y que explica con elocuencia la dureza del
combate por la hegemonía y el poder: *Dezir contra los aragoneses*, de Santillana, *Dezir sobre la justicia e pleytos*, de Gonzalo Martínez de Medina,
en el *Cancionero de Baena*. La poesía política utiliza a menudo la sátira
para hostigar el orgullo de los nobles y su cobardía, o la codicia de los ad-
venedizos. Instrumento de venganza, en esos casos, sirve también a menudo para saldar diferencias personales, como antiguamente el *sirventés* de
los trovadores. Éste es el caso de la *Disputa de los mariscales*, del *Cancionero de Baena*, o del *Doctrinal de privados*, de Santillana, contra Álvaro
de Luna, su enemigo de siempre, que debido a su encumbramiento fulgurante, a su muerte en el patíbulo y a su destino ejemplar sirvió de inspiración tanto a los aduladores, como a los envidiosos y a los censores.

Porque, de la poesía política a la poesía moral no hay más que un paso,
y más de un espectador se atreve a darlo, aprovechando el exilio o la caída
en desgracia (incluso la suya propia), o el privilegio de la edad.

Éste es el caso de Fernán Pérez de Guzmán, cortesano exiliado, convertido en señor de Batres, que se vuelca en la poesía doctrinal y religiosa; o
de Íñigo López de Mendoza, que escribe el *Diálogo de Bías contra Fortuna*,
inspirándose en el encarcelamiento injusto de su primo. Más que el orgullo
y la codicia de los Grandes, los poetas denuncian sobre todo la vanidad de
los bienes de este mundo, y critican a aquellos que los han disfrutado antaño
con delectación: *Coplas* de Gómez Manrique al contador Diego Arias de
Ávila; *Dezir de Gonzalo Martínez de Medina contra el mundo*. El *Cancionero de Ramón de Llavia* recoge esta temática.

Esta vertiente satírica o moralizadora no aparece sólo en las antologías. Las *Coplas de la panadera*, relato anónimo en octosílabos de la batalla de Olmedo (1445), poco gloriosa para el honor de la nobleza castellana, repiten su estribillo sarcástico, «¡Ay panadera!», al final de cada
estrofa. Algo más tarde, las *Coplas de Mingo Revulgo*, de nombre predes-
tinado, se imaginan el reino de Castilla como un pobre rebaño, conducido
por un pastor (Enrique IV), que abandona sus ovejas a los lobos. Por otro
lado, las *Coplas del provincial* narran la visita de un provincial a un monasterio de los más corruptos (el reino de Castilla, una vez más) y el terrible informe que ése redacta.[1]

---

1. K. Scholberg, *Sátira e invectiva en la España medieval*, Madrid, Gredos, BRH.

El contenido violentamente satírico de estas obras —en los dos últimos casos, diatriba implacable contra la corrupción de los gobernantes— explica su carácter anónimo. La presencia de textos poéticos agresivos no debe sorprender en estos cancioneros: esta es la herencia de los trovadores (y ha sido superada, además, por la diversidad, la violencia y el talento de las canciones de escarnio gallegas). Hay que señalar, sin embargo, que junto a la insolencia, se percibe, cada vez más, la inquietud, la amargura, y también que la poesía de acción va cediendo terreno ante la poesía de renuncia, con su temática religiosa y el *leitmotiv* de la muerte.

La intensidad de estos temas muestra el alcance de la crisis en un mundo cuyos valores se tambalean, pero indica, también, que las ideas bullen, que existen opciones contradictorias, que se está produciendo, en fin, el caos que normalmente anuncia la llegada de otros tiempos. Los poetas del siglo XV ven, de manera más o menos confusa, que ese momento se acerca y lo expresan con un lenguaje estilizado que indica, en primer, lugar la adhesión de esos hombres a *su* código, a veces sus convicciones entusiastas, otras su distanciamiento, pero siempre el convencimiento de pertenecer a un mundo privilegiado, plasmado en ese lenguaje poético que reivindican como suyo. Es, también, el lenguaje de un mundo que se complace en el juego, convencido de que por medio de él logrará que sus ideales sobrevivan.

3. EL JUEGO DEL AMOR

El amor es, naturalmente, el tema predilecto de la poesía cancioneril. «Amar, quiero decir hablar de amor» (*El cortesano*): se trata, en efecto, de *decir*. Se ha podido elaborar una teoría del *amor cancioneril*, una filosofía, una erótica. Se ha podido intentar establecer sus relaciones o diferencias con el amor cortés, evaluar su carácter platónico y espiritual o, por el contrario, su fundamento carnal y sexual. El amor aparece y se oculta al mismo tiempo en las convenciones léxicas, donde se produce la concentración sémica y, probablemente, el eufemismo también. ¿Lo esencial permanece disimulado? En este juego del escondite ¿no es precisamente el juego el que tiene la última palabra? No se deberá disociar nunca esta concepción del amor de su expresión poética colectiva y lúdica.

¿Decir o no decir? ¿Qué decir? Y, sobre todo, ¿cómo decir? El amor cancioneril también es una gramática.

La reflexión sobre el amor procede de la observación de sus efectos sobre el amante. A partir de aquí, esta poesía cerebral, más predispuesta al análisis que a la expansión íntima, intenta definir el amor.

Esto es lo que hace (entre otros muchos, menos elegantes) Jorge Manrique en *Diziendo qué cosa es amor*: poema de gran sutileza retórica. Recordando la teología medieval, los poetas se esfuerzan por indicar los efectos del amor. El amor como enfermedad (desde Ovidio) aparece descrito en los cancioneros, junto con sus síntomas: desazón, alucinaciones, letargo, incluso alienación y locura.

> El galán, flaco, amarillo
> ha de ser,
> y muy cortés.

Esto recomienda, en un malicioso poema, Suero de Ribera: el amarillo es el color del amante, el de la enfermedad, y simboliza, además, al amante traicionado.

La locura arrastra al poeta hacia esa dislocación de la personalidad, típica de la esquizofrenia, y hace que no se reconozca a sí mismo, «ajeno so, que no mío»: confiesa su alienación con esta expresión, fórmula-clave. Un fuerte sentido de culpabilidad se añade a la locura, porque el amor es pecado. Ha sido una interpretación errónea por parte de la crítica, hasta hace algunos años, creer que ese amor que se expresaba de manera púdica o codificada era un amor espiritual o «platónico». Está inspirado por el instinto sexual. El flechazo se produce, inexorablemente, al ver a la amada. Es posible preguntarse qué se entiende exactamente (es quizá un eufemismo) por «ver - no ver»: ¿sería tan importante la ausencia si la presencia fuera simplemente contemplativa, incluso muda, a veces? El poeta-amante de esta poesía en primera persona se complace en sentir en su propia carne los efectos perniciosos que una pasión unilateral produce en el amante indefenso, condenado por la fortuna a convertirse en mártir de amor. Amor desgraciado, tal como lo expresa el amante-poeta. «Con el signo más esquivo / con la más menguante luna / me fadaron en la cuna / para ser vuestro captivo», se lamenta Lope de Stúñiga. El más dócil, el más fiel: así se define el amante cancioneril, fascinado por el concepto feudal del cautiverio del enamorado-vasallo del enamorado. Sin embargo, no puede esperar ningún *galardón* de su dama, inexorablemente perfecta, para desgracia suya. El tema de la canción de alabanza, que era la exaltación del «*joy*» para el trovador, se ha convertido en una admiración por «*la belle dame sans merci*».

La hipérbole la define y la exalta: la más bella de todas, pero, ¿hasta dónde llega su implacable crueldad?

> Tenplo de mi solitud,
> e beldat superiora,
> de graçias e de virtud
> sin número tenedora
> no quisiera ser cabsadora
> de ser fecha tu belleza
> un cuchillo de crueza
> puesto en manos matadora.

(Lope de Stúñiga)

Se espera piedad. En el mejor de los casos, indiferencia. De aquí que el que ama, cubierto con el negro manto de la tristeza, se encuentre, necesariamente, en una situación sin salida. El enamorado se envuelve en un hábito negro. Amor desgraciado. La pasión que le mata le hace vivir también: vida que es en realidad una muerte lenta, que se teme y se desea al mismo tiempo. ¿Puede concebirse destino más absurdo?

4. EL IMPERIO DE LAS FORMAS

La alegoría es, sin duda, uno de los procedimientos esenciales del pensamiento medieval. En la temática del amor, este elemento, influido por la alegoría dantesca, hallará un eco particularmente favorable entre los poetas peninsulares.

Poco a poco, sobre todo a partir de Santillana, irán apareciendo en los cancioneros «visiones», «sueños», «infiernos» y demás «castillos de amor». En el *Cancionero de Stúñiga* encontramos la *Nao de amor*, de Juan de Dueñas, y un *Vergel de pensamiento* emplea la alegoría en un debate filosófico. Francisco Imperial había abierto el camino con su estilo dantesco en el *Dezir de las siete virtudes (Cancionero de Baena)*.

De igual modo, la Fortuna, tema que había inspirado ya a los poetas del *Cancionero de Baena* (fray Diego de Valencia, Villasandino, Imperial), atrae cada vez más. Fortuna-providencia, emanación de la voluntad divina, o diosa ciega y caprichosa: el debate está abierto (Juan de Andújar, Santillana, Lope de Stúñiga, Juan de Tapia, Diego del Castillo, etc.).[2]

---

2. Erna Ruth Bernt, *Amor, muerte y fortuna* en «La Celestina», Madrid, Gredos, BRH, 1963.

Sin embargo, enumerar los temas de los cancioneros del siglo xv o preguntarse el motivo de algunas ausencias (el mundo exterior, la naturaleza), sólo proporciona una visión imperfecta del fenómeno cancioneril, puesto que los cancioneros son, etimológicamente y desde el primer momento, repertorios de *canciones*, incluso si algunos compiladores las han transformado en antologías más abiertas.

La poesía cancioneril agrupa formas, es decir moldes en los que se vierte un contenido, y parece consistir, ante todo, en una aptitud formal, en una extraordinaria sensibilización por la forma.

Antaño, en las cortes, los poemas se cantaban o se salmodiaban con acompañamiento musical e instrumental. En el siglo xv, este lirismo se ve desplazado, poco a poco, por la lectura, todavía en voz alta (porque se sigue teniendo en cuenta el espectáculo). El poeta, principal actor, interpreta su propio canto, un «canto para varias voces», un «dezir», dirigido a un interlocutor, como lo demuestra la existencia de tantas composiciones dramáticas —debates reales o ficticios— en las *preguntas-respuestas* de las antiguas *tensons*. Tanto en los enfrentamientos de la casuística amorosa, como en las «disputas» de la retórica escolástica, cuando el debate roza la filosofía, se trata de mostrar quién es capaz de una mayor sutileza conceptual, de más inventiva, de un mayor refinamiento métrico: en los debates orales se rivaliza, las largas estrofas van alternándose y en ellas cuenta más la forma en que se dice, que lo que se dice. Si esto no fuera así, ¿cómo se podría explicar que Torrellas, famoso por un *Dezir contra las donas* totalmente misógino, aparezca, en el mismo cancionero de Herberay, como el paladín del feminismo, con un *Razonamiento en defenssión de las donas*? El poeta de la corte está siempre actuando. Cuentan mucho las fórmulas de cortesía (*topos* de modestia): Montoro, refiriéndose a Santillana exclama: «¡qué obra tan d'escusar / vender miel al colmenero!». Lo mismo sucede cuando se trata de polémicas agresivas, interpretadas ante el rey y la corte, que actuarán como mediadores y jueces. Cuanto más brillante sea la intervención, más contará con la aprobación de un público entendido, cada vez más exigente. Polémica entre Gómez Manrique y Juan Poeta: pregunta / respuesta; réplica / contra-réplica: se cierra el debate, de manera provisional. Los *decires* narrativos introducen al lector en un relato en el que las visiones y las representaciones mitológicas son interminables. Los textos son cada vez más largos.

Y más cortos también, porque la forma breve se va depurando, a su vez. De la *cantiga* (no necesariamente paralelística, a menudo de varias estrofas) que aparece en el *Cancionero de Baena*, se pasa a la *canción* de los cancioneros posteriores (a menudo de una sola estrofa) y al *villancico*. El tema se condensa en algunos términos clave, y se gana expresividad, a pesar de la brevedad, aunque se repita el estribillo, que sirve además para dosificar la intensidad. Así sucede cuando se improvisa una estrofa suelta (la *esparza*, por ejemplo), en los *motes* y en las *divisas*. El *Cancionero general* de Hernando del Castillo (1511) dedica un apartado a los «Motes y divisas de justadores», reducidos a cuartetos, tercetos, dísticos o a un simple verso (*Ni miento ni m'arrepiento*, divisa de Jorge Manrique). El impacto que produce la forma breve provoca admiración, mientras que la moda de las glosas (otro apartado del *Cancionero general* está dedicado a las *Glosas de motes*), infinitas variaciones sobre un mismo tema, intensifica de manera indirecta el tema inicial.

Así, a la *amplificatio* del decir o de la glosa se contrapone la *brevitas* de un «conceptismo» que alcanzará el delirio. Este término puede sorprender. Está justificado por la fascinación que los poetas del *Cancionero general* ejercieron sobre Gracián, en su *Agudeza y arte de ingenio*.[3]

La hipérbole que define a la dama («la más bella, la más perfecta, la más cruel») se transmite también al retrato del amante, y su martirio de amor alcanza lo indescriptible por medio del superlativo.

Los cancioneros han convertido los paralelismos y las correlaciones de oposiciones en algo más que una simple técnica poética. Los han transformado en una manera de pensar y de sentir, que se aplica, por ejemplo, en la antítesis que describe la inseguridad emocional del amante: «Quiero dezir mi dolor / ni sé ni puedo dezirlo; / si callo, duele ell amor / dezillo será peor» (Luis de Vivero).

El «retruécano», «esa palabra que anda hacia atrás» (Morier), es un elemento trivial en las improvisaciones ante la corte. El equívoco producido por la paronomasia, que permite disfrazar el sentido sirviéndose de las similitudes de sonido, provoca el efecto de un juego del escondite en el que el poeta se descubre a medias: «Por quereros es querida / mi vida con la qual muero, / por lo que la vida quiere / quiere la muerte mi vida, / mas amor y su porfía / me hazen que desespero / querer lo que no quería / por querer lo que yo quiero» (Luis de Vivero).

Ecos, concentración sémica, reiteraciones producidas por los polipotes, figuras etimológicas y de derivación, todos ellos constituyen una sutil gramática: «Tan gran bien es conoceros, / dama tan desconocida, / que no conozco por vida / la que he vivido sin veros».

---

3. Baltasar Gracián, *Agudeza y arte de ingenio*, ed. de Evaristo Correa Calderón, Madrid, Castalia, 1969.

Las uniones imposibles del oxímoron («dolorosos placeres» y «deleitosas penas») desembocan en la paradoja absurda, figura clave de la poesía amorosa cancioneril: «Yo ardo sin ser quemado / en biuas llamas de amor, / pero sin aver dolor» (Juan Rodríguez del Padrón). La densidad aumenta hasta lo imposible, hasta lo inconcebible.

Sin embargo, el «conceptismo» sirve, precisamente, para condensar las figuras. Gracián se entusiasmaba con estos versos: «*Mi vida vive muriendo; / si viviese moriría, / porque muriendo saldría / del mal que siente viviendo*».

La antítesis se une con la paradoja, se entremezclan para presentar la maravillosa imagen de una vida como colgada del rozamiento de las fricativas y de los diptongos que armonizan suavemente el cuarteto.

La antítesis es quizá el punto de partida de esta figura que concluye, curiosamente, con la estrofa: «solo el silencio testigo / ha de ser de mi tormento / y aun no cabe lo que siento / en todo lo que no digo». Sensación sutil de la amplitud del vacío, densidad de un silencio que colma y que desborda puesto que no se dice todo, desmesura del sentimiento que se expresa o, más bien, que no se puede expresar.

El «conceptismo» afina, condensa, abrevia, da consistencia a las palabras. Vanos ejercicios de retórica, formas vacías de contenido, decía antaño la crítica. Al codificar cada vez más la palabra, pero también al abrirla a la polisemia, y al enriquecer la propia figura retórica, los poetas cancioneriles rompen la estructura del lenguaje y rayan en el absurdo. Porque no hay duda de que el universo mental que han construido es absurdo y no tiene salida.

La palinodia.   Cambios bruscos, virajes: los poetas emplean también, a veces, cantan la palinodia. El amante más sumiso se rebela de repente y despide a su dama (Lope de Stúñiga: «*de mi tanto bien amada*»). Quema por un momento (o de manera definitiva) aquello que ha adorado. Suero de Ribera esboza, con humor, el retrato del perfecto galán. Pero a continuación, hace una transposición burlesca que provoca dudas en el lector. El «decir del marido» da la vuelta al sentido del vocabulario amoroso. Los excesos de esta lírica estaban fomentando su propia destrucción. Los poetas del siglo XV tenían quizá miedo de sus propias audacias en lo que a la ideología amorosa se refiere. Es probable que personalmente también se distanciaran, de manera elegante, de ella. Por todo ello, la palinodia es un elemento esencial en los cancioneros.

Las compilaciones

La más antigua de las numerosas antologías de poesía castellana es el *Cancionero de Baena*, recopilado por Juan Alfonso de Baena para el rey Juan II de Castilla, hacia 1450. Consta de quinientas setenta y seis composiciones y abarca más de medio siglo, por lo que permite seguir la trayectoria de la poesía castellana, desde la herencia de los trovadores en galaico-portugués, hasta la llegada de nuevas formas venidas de Italia, abundantes en este cancionero. Las introducciones de los poemas, a cargo del compilador, aportan valiosas informaciones sobre la evolución de la métrica y del gusto del público. En efecto, el *Cancionero de Baena* plasma las inquietudes y las aspiraciones de una generación de poetas implicados en una disputa entre los antiguos y los modernos, que refleja, al mismo tiempo, el clima social de ese microcosmos que es la corte. Del rechazo del trovador y del juglar, confundidos ambos en una misma desvalorización, se lamentan los poetas de la «vieja escuela» gallega: Pero Ferrús, el arcediano de Toro, y el prolijo Alfonso Álvarez de Villasandino, testigo lúcido y a menudo perspicaz de la evolución del antiguo *trobar*, del abandono de la técnica, demasiado exigente, de la *gaya ciencia* e, incluso de su lengua, influida todavía, en sus cantigas, por la canción de alabanza de los trovadores. La *cantiga* seguirá reglas musicales concretas y una métrica cada vez más rigurosa (un esquema tripartito compuesto por un estribillo inicial, una variación y una vuelta —total o parcial— al estribillo). Los versos cortos (octosílabos) sustituyen poco a poco a los largos de las *cantigas* anteriores, y la estrofa monorrima de la *cuaderna vía* desaparece.

En el *Cancionero de Baena* proliferan los debates sobre los temas más diversos. Aparece la casuística amorosa («¿Qual gentyl onbre farie mejor guisa, / quien su amiga touiere en camissa, / o toda desnuda en cuerpo muy lysa?», n.º 415), junto con temas más profundos, filosóficos o religiosos, o incluso literarios (la disputa sobre la predestinación y el libre albedrío, n.º 517, o sobre el carácter indivisible de la Trinidad, n.º 521), además de otros muchos debates sobre la propia poesía. La tradición provenzal de las *tensons* y de los *partimens* está todavía presente, incluso en los poetas «modernos» (Santillana y Mena). La introducción de la *recuesta* implica nuevas exigencias métricas al utilizar la *maestría mayor*. Los decires, narrativos o líricos, se conciben para ser leídos. Son los preferidos de los «modernos», que exponen en ellos extensas alegorías, en un espacio métrico amplio, a lo largo de numerosas octavas (sobre todo de tres rimas). El

verso largo, *de arte mayor*, compite con el octosílabo, aunque se verá desplazado más tarde por el «endecasílabo italiano», símbolo de las nuevas
formas. El genovés Francisco Imperial, sevillano de adopción, representa a
la nueva generación poética (Francisco Manuel de Lando, Garci Fernández
de Jerena, Sánchez Calavera), que procede de la burguesía culta y que contará ya con el mecenazgo de los Grandes. Su *Decir de las siete virtudes* introduce, al mismo tiempo que el endecasílabo, la influencia de Dante y un
nuevo concepto de la Fortuna. Recurre sistemáticamente a la erudición, medieval todavía, y su utilización de la alegoría alcanzará el éxito.

El *Cancionero de Stúñiga* debe su nombre a Lope de Stúñiga, por co-
menzar, de manera casual, con un poema suyo. Recoge las obras de los poetas «aragoneses» de la corte napolitana de Alfonso el Magnánimo y de su
sucesor Ferrante, aunque no se aprecia claramente en ellas la influencia del
Renacimiento. Al contrario, parece como si el alejamiento de la patria hubiera provocado en algunos de estos poetas cierta nostalgia «populari-
zante». ¿No sería muestra de ello el que Carvajal componga pastorelas y
romances (que figuran entre los primeros firmados por su autor)? En realidad, los aragoneses (Hugo de Urríes, Villalpando), no son los más numerosos, ni tampoco los catalanes (Torrellas), sino castellanos, aristócratas a
quienes las luchas nobiliarias han obligado a tomar partido por los «infantes de Aragón» (Alfonso Enríquez y Santillana, Lope de Stúñiga o Guevara) y, en algunos casos, a acompañar al rey Alfonso en su conquista del
Mediterráneo. También aparecen en este cancionero funcionarios y hombres de letras (Mena, Carvajal). De esta manera, la lengua castellana, que
antaño se codeaba con el galaico-portugués, fraterniza ahora con el catalán
(Torrellas) o incluso con el italiano (los textos bilingües de Carvajal).

Abundan los poemas de circunstancias, (auto)biográficos, favorecidos
quizá por el alejamiento de la patria. Los poetas, agrupados en torno a la persona del rey, cantan sus hechos y sus gestas: la personalidad de Alfonso, sus
hazañas militares, sus amores podían suscitar el elogio de los poetas. Curiosamente, este tipo de poemas se hace más abundante durante el reinado de
su sucesor. La hazaña heroica se presta al ditirambo: mientras Santillana in-
mortalizaba, en su *Comedieta de Ponza*, el desastre naval de 1435, Carvajal
glorifica en una elegía grandiosa (CXLVIII) a Jaumot Torres, alabardero del
rey, muerto en 1460. Otros se acuerdan de su patria lejana, o de la reina abandonada, olvidada por un rey que se entrega por completo a sus nuevas conquistas (*Romance de doña María* [CXIV], *Romance de la reina doña María
de Aragón* [CXIII]). A medio camino entre el elogio cortesano y la galantería, la canción de alabanza elogia a Lucrezia d'Alagno, favorita del rey (Juan

de Tapia, LVI), y a otras damas de la corte: Carvajal (CXIX), Juan de Andújar (LI) y, también, Juan de Tapia (LXV, LXVII).

En la lírica amorosa sigue aumentando la brevedad del conceptismo. El
doloroso refinamiento de Lope de Stúñiga merece algo más que la fama fortuita que le ha proporcionado el haber dado su nombre a un cancionero.
Su sensibilidad poética recuerda a Jorge Manrique y a Suero de Quiñones,
con quien defendió el *paso honroso*. Es precursor de Quirós, de Cartagena,
de Lope de Sosa, poetas del *Cancionero general*. En el de Stúñiga, el poeta
más representado es Carvajal, que canta el amor desgraciado, la ausencia,
la fatalidad. También se inspira en lo popular este poeta cortesano, vate de
la corte alfonsí, de cuya vida poco se sabe. En un curioso *decir* (de Mó-
xica), el poeta dialoga con una dama que está buscando a su galán.

También está presente Juan de Dueñas, castellano, amigo de Santillana,
hecho prisionero durante el cerco de Nápoles, en 1437, y que escribió a
continuación la alegórica *Nao de amor*. Este cancionero recoge asimismo
decires alegóricos de Santillana y poemas amorosos de Juan de Mena, que
armonizan perfectamente con el contenido erótico de este magnífico manuscrito, el más lujoso de todos. El compilador se preocupa menos de la
poesía moral. Aparece, también, alguna sátira (el famoso poema de Torrellas contra las mujeres, ya mencionado); la parodia sagrada está representada por los irreverentes *Siete gozos de amor*, de Rodríguez del Padrón
(XIII); y una mano virtuosa ha arrancado la *Misa de amores*, de Suero de
Ribera, liturgia muy particular.

Compuesto hacia 1463, quizá por mosén Hugo de Urríes, el *Cancionero de Herberay des Essarts* ilustra la corte literaria de Navarra, en torno
al rey Juan y a la regente Leonor, condesa de Foix. El *Abecedario de la
corte de Navarra* (CC), un juego trovado, nos facilita los nombres de los
invitados a las fiestas de la corte, de 1450 a 1462. Entre ellos figura Torrellas, escudero del príncipe de Viana, en 1438, de quien se recogen numerosas composiciones en castellano: además de las célebres *Coplas*, nueve
poemas que confirman que la misoginia es un juego cortesano, pero en los
que su autor se muestra también, a veces, como un ferviente enamorado.
El soneto (todavía en versos *de arte mayor*), es introducido por Juan de
Villalpando. El juglar Juan de Valladolid, víctima habitual de los poetas
(aquí se burlan de él porque fue apresado por los corsarios, durante un
viaje a Jerusalén), aparece junto a Alfonso Enríquez, persona importante
de la que habla Pérez de Guzmán en sus *Generaciones y semblanzas*. Está
recogida también una composición corta de Vayona, probablemente dama
de Leonor de Foix (II). Está presente la joven generación castellana del

bando aragonés: García de Padilla, poeta del amor elegíaco (CLXXXIV). Los grandes apellidos de la aristocracia castellana están representados aquí: Diego de Sandoval, Juan Pimentel, conde de Mayorga, muerto a los treinta y siete años de una lanzada, Juan de Maçuela, todos ellos poetas galantes. De Lope de Stúñiga se recogen siete decires amorosos, delicados y patéticos, que figuran también en otros cancioneros. Aparecen, asimismo, composiciones de los mejores poetas castellanos del siglo XV, Santillana, Mena, Juan Rodríguez del Padrón, admirados y recogidos por todos los compiladores.

La temática amorosa se perfecciona gracias a la estilización de las formas fijas. Predomina la *canción*, que narra el desamor de la dama y el martirio del amante: «tanto vos miro sin par / fermosa en extremo grado / que sin ser de vos amado / me plaze de vos amar» (Diego de Sevilla, VI).

Los temas populares se vuelven «mundanos». Así, por ejemplo, en esta canción de mal maridada del *Cancionero de palacio* (IX): «Soy garridilla y pierdo sazón / por mal maridada; / tengo marido en mi corazón, / que a mí agrada». Otro tanto sucede con muchos villancicos que se harán famosos, al igual que las glosas de romances populares (por ejemplo *Por aquella sierra muy alta*, de Diego de Sevilla, LXXXVIII).

Los decires se amplían y exponen las angustias del amor, o se complacen en la reflexión. El *Dezir de los galanes* (XLII) advierte, en una imprecación de doscientos noventa y cuatro octosílabos, de los peligros que acechan a los enamorados. El *Decir de los groseros* (XLIII), de Hugo de Urríes, de 230 versos, el *Decir de la dama* (XLIV), previsible modelo de perfección, el *Decir del casado* (XLV), poco lírico; todos ellos alargan la estrofa (de la octava, se pasa a la estrofa de doce versos) y todos se extienden en meditaciones cada vez menos líricas y cada vez más didácticas.

Por otro lado, aumenta el número de poemas dialogados: diálogos ficticios de las alegorías, *silvas, vergeles, visiones* y demás *infiernos de amor*, citas poéticas mezcladas (CV), o incluso ese *Razonamiento* (CVIII), en el que la casuística amorosa se expresa por medio de un diálogo rápido y vivo, al igual que en el CVIII *Debate entre Alegría y el triste amante*:

«No huys; en vuestra busca soy venida.
A mí dezís?» (CXXIII)

Por esas mismas fechas (1460), se recoge el primer *Cancionero de palacio* (ms. n.° 594). Se trata de una especie de síntesis natural de los anteriores, que permite darse cuenta de que existe una auténtica relación (biográfica, sociológica, poética) entre los poetas de la generación de esos «infantes de Aragón», infantes de Castilla en realidad, que por azares de la sucesión ocuparon los tronos de los tres reinos de la Península. Los aragoneses y los navarros aparecen, por tanto, junto a los castellanos en torno al monarca, contribuyendo de este modo a la unificación del gusto, de la moda, así como de los géneros literarios.

Pedro de Santa Fe ensalza la gesta de Alfonso V en Italia (n.º 267-273), Juan de Tapia relata su cautiverio en Génova (n.º 76), mientras que el rey Juan II de Castilla y Álvaro de Luna aparecen como poetas galantes (1, 3, 173, 194-204). Muestra de los juegos cortesanos son las ocho «respuestas» a un *mote* improvisado por Contreras (n.º 280 y ss.). La canción se hace más ligera, y son muchos los que cultivan este tipo de poema (Francisco Bocanegra, Suero de Quiñones, García de Pedraza, etc.). El conceptismo se perfecciona gracias a los poetas de la segunda generación (recogidos, sobre todo, en el ms. 593): Quirós, Cartagena (ms. n.º 593, n.º 135-165). Se acentúa el tono mórbido de los cancioneros italianos. Se vuelve a veces moralizador, con Pero Guillén (ms. n.º 593, n.º 16-22), o incluso grave, en el *Dezir a la muerte*, de Diego Palomeque (*ibid.*, n.º 192) o en el *lamento* de Juan Agraz por el conde de Mayorga (n.º 126).

Antón de Montoro es, sin duda, uno de los mejores poetas de esta compilación, unas veces galante, otras festivo o burlesco. El gusto por la parodia amorosa de temas religiosos se refleja en la selección llevada a cabo por el compilador, desde los *Siete gozos de amor* de Juan Rodríguez del Padrón (n.º 366), hasta *In excelsis Agnus*, de Suero de Ribera (n.º 356) o la *Misa* («Amores, amor, amores»), de Montoro (n.º 355), pasando por las *Lecciones de Job en caso de amor*, de Garci Sánchez de Badajoz (ms. n.º 593, n.º 84), etc.

Bajo el reinado de los Reyes Católicos, con el *Cancionero musical de palacio*, se perfila una evolución que invalidará la oposición entre poesía frívola o cortesana y poesía popular o tradicional. Se unen los temas y los géneros líricos por medio de la melodía y del acompañamiento musical, compuestos en la capilla real. Con ello se consigue que estas formas poéticas sobrevivan más allá de la Edad Media.

La riqueza y la variedad del *Cancionero musical de palacio*, repertorio musical y poético a la vez, lo convierten en un valioso documento, no sólo para conocer la poesía de finales de la Edad Media, sino también para comprender la poesía posterior. Junto a las canciones y villancicos amorosos aparecen ahora églogas y pastorelas: la inspiración pastoril es una novedad.

La gran actualidad del Romancero, bajo el reinado de Fernando y de Isabel, está probada por los numerosos romances, carolingios o novelescos, religiosos y, sobre todo, por los romances fronterizos que relatan los últimos años de la reconquista de Granada. En el cancionero aparecen también poesías religiosas, marianas o litúrgicas, e incluso un *contrefactum* (Juan Álvarez Gato, y un poeta prácticamente desconocido, Jorge del Mercado [n.º 284]).

En lo que a la poesía popular se refiere, esta antología tiene un valor incalculable. Acoge todos los temas de la poesía tradicional: canciones de danza y canciones de mayo, alboradas y canciones de mal maridadas o de romería. Música y letras que todo el mundo cantará y durante mucho tiempo: «De los álamos vengo, madre, / de ver cómo los menea el aire» (Juan Vázquez).

Entre los poetas, aparte de los que cultivan las formas breves en las otras compilaciones, figuran los grandes autores, como siempre, pero también aparecen otros nuevos: Lucas Fernández o Gabriel *el músico* (n.º 173) y, sobre todo, Juan del Encina. Poeta, músico, teórico de la poesía, Encina es uno de los autores que más han contribuido a divulgar la poesía castellana, a integrarla en el teatro profano en ciernes. El *Cancionero musical de palacio* recoge sesenta y una composiciones musicales suyas. La poesía italiana se introduce con Serafino dell'Aquila (n.º 105) y con Federico I, rey de Nápoles, y una curiosa parodia de la Pasión de Cristo (n.º 317).

La siguiente compilación importante, el *Cancionero general* de Hernando del Castillo (1511) es ya una obra impresa. Se estudiará en el capítulo II del siglo XVI).

Los poetas

Cabe preguntarse si esta coherencia colectiva de los cancioneros impide que surjan personalidades poéticas. Evidentemente, no. Santillana, Mena, los Manrique sólo se diferencian de los demás poetas por su talento.

Precisamente porque contaban con el reconocimiento unánime de sus contemporáneos figuran también en los cancioneros colectivos, aunque las obras suyas recogidas en éstos no sean siempre las que han pasado a la posteridad.

1. Íñigo López de Mendoza, marqués de Santillana (1398-1458)

Hijo de Diego Hurtado de Mendoza, el afortunado poeta autor de un famoso *cosante* del *Cancionero de palacio*, se formó en Aragón, junto a Enrique de Villena, teórico del arte poético, que le hizo descubrir a Dante y a Virgilio, y a los herederos de la *gaya ciencia*. En la corte de Alfonso el Magnánimo conoció a los catalanes Ausias March y Jordi de Sant Jordi, a quienes dedicó un poema. Su curiosidad intelectual, sus lecturas extranjeras (atestiguadas por su importante biblioteca) y, sobre todo, el sentimiento de pertenecer a una comunidad cultural románica, expresada por primera vez en su *Prohemio al condestable de Portugal* (1449), han inspirado su reflexión poética y nutrido su práctica.

Santillana pertenece a una generación que se preocupa por fomentar las letras, los intercambios, convencida como está de que, para un aristócrata, «la çiencia no embota el fierro de la lança». Hombre de acción, héroe de la Reconquista, triunfador en Huelma, en 1438, militante obstinado en las luchas nobiliarias, todas estas etapas de una vida agitada se perciben en su obra. En la cronología de sus *serranillas* (de 1423 a 1440) se puede seguir un itinerario autobiográfico y, sobre todo, poético: Santillana consigue hacer evolucionar progresivamente un género, lo estiliza al transformar las viejas *canticas de serrana*, de Juan Ruiz, al rejuvenecer las canciones galaico-portuguesas, al aclimatar definitivamente la pastorela aristocrática a un mundo deliberadamente hispánico.

Sus diecinueve canciones y decires líricos, que se escalonan sin duda dentro de un largo período, proceden de su interés por la *gaya ciencia*: homenaje a la belleza de la dama y utilización lúdicra de las formas, siguiendo la escuela de los trovadores. Sabe dar a esta poesía de larga tradición una frescura que muchos de sus contemporáneos le envidiarían.

Sus cuarenta y dos sonetos «al itálico modo», escritos a partir de 1438, se consideran como la primera adaptación peninsular del endecasílabo «toscano», que Santillana combina con el tradicional, llamado *de gaita gallega*.

La innovación poética se ejerce también en la poesía narrativa, otra vertiente de la poesía de su época que cultivó asiduamente, intentando adaptar, como se hacía entonces en Francia, la alegoría dantesca. Algunas citas trovadorescas imprimen ligereza al relato de la *Querella de amor*, uno de los primeros decires lírico-narrativos en octosílabos: los sufrimientos, en el silencio y en la soledad de la noche, de un amante herido por una flecha mortal. La *Visión*, elegía en la que la Fidelidad, la Lealtad y la Castidad se lamentan por haber desaparecido de España, le hacen adentrarse todavía más en el mundo de la alegoría narrativa en el que se mueve entonces. El *Planto de la reina Margarida* y la *Coronación de mosén Jordi* datan de 1430. En este planto y en este panegírico, la visión alegórica sirve para ensalzar. El *Triunfete de amor* (1430) es una adaptación, con un tono más modesto (que indica ya el diminutivo del título) de los *Trionfi* de Petrarca... La *Defunción de don Enrique de Villena* (planto en octavas de *arte mayor*) es un intento de ennoblecimiento pagano del planto da una muestra de la erudición clásica del marqués. En la *Comedieta de Ponza* (que poetiza el desastre naval que sufrió Alfonso V en 1435), la solemnidad del verso de *arte mayor* se presta también al despliegue de su cultura italiana (Boccaccio se expresa en italiano), confirmada más tarde por los poemas alegóricos de la madurez.

Dentro de la temática amorosa, el *Sueño* y el *Infierno de los enamorados* están marcados por las huellas de la *Fiammetta* de Boccaccio pero también por Dante («La mayor cuita que auer / puede ningún amador...») e incluso por Lucano.

En 1437 escribió, para la formación de un príncipe de doce años, sus *Proverbios*, una serie de octavas compuestas en octosílabos, alternando con versos cortos (*de pie quebrado*) para conseguir una mayor ligereza. En su época de madurez, se inclina hacia la reflexión filosófica y moral. Sus sonetos religiosos datan de este segundo período.

El *Diálogo de Bías contra Fortuna*, inspirado en 1448 por el encarcelamiento de su primo, el conde de Alba, por orden de Luna, es una reflexión profunda. Se da la palabra a Bías, uno de los siete sabios de la antigua Grecia. Hace referencia, como era de esperar, a la «autoridad» del saber libresco, utilizando las clásicas apariciones de personajes heroicos y legendarios, pero sorprende la agilidad del diálogo, que puede llegar a ser familiar incluso.

La caída y la ejecución de don Álvaro de Luna se plasman en una meditación moral, fruto de los acontecimientos políticos: el *Doctrinal de privados*. Trayectoria individual hacia la edad madura y la vejez, pero trayectoria poética también, orientada en tres direcciones: lírica y tradicional, alegórica y narrativa, moral y filosófica.

Santillana, hombre apegado a las tradiciones y al mismo tiempo abierto a las novedades, supo captar, por encima de las modas a las que sin duda debió ser sensible, dada su personalidad de ilustre aristócrata, las señales anunciadoras de un nuevo tipo de hombre que se convertirá pronto en modelo social: el cortesano. Poeta inspirado, Santillana es, sin lugar a dudas, la personalidad poética más rica, el más importante de su generación.

2. JUAN DE MENA

De origen más modesto, quizá de una familia de conversos, el cordobés Juan de Mena representa a una nueva generación de poetas: los primeros hombres de letras del Renacimiento. Fue primero estudiante en Salamanca, y más tarde en Roma y en Florencia, protegido por el cardenal A. de Torquemada. A su vuelta, fue nombrado por Juan II para el cargo de cronista y de secretario de letras latinas. A partir de ese momento, su vida estará siempre unida a la de la corte de Castilla. No perteneció al clan de los Grandes; fue cortesano, adepto incondicional de don Álvaro de Luna, de quien hace una apología en el *Laberinto de Fortuna*, dedicado a Juan II. Mena no era, sin embargo, el cortesano tradicional, sino un estudioso, un intelectual al que se presenta a menudo como taciturno, aunque sus poemas amorosos muestran que no carecía de humor. («Yo vos suplico e ruego / que me libréis desta pena, / que si muero en este fuego, / non fallaréis así luego, / cada día un Johan de Mena.»)

Sus poemas líricos, poco conocidos durante mucho tiempo, son elegantes, refinados; ligeros unos; otros más densos debido al conceptismo amoroso que encierran, y todos ellos se inscriben, perfectamente, dentro de la poesía cancioneril. Poesías de circunstancias, adivinanzas y juegos cortesanos, pero, asimismo, poesía amorosa de una ambigüedad sacro-profana, y también poesías políticas. ¿No fue a Mena a quien se atribuyeron, por error sin duda, las famosas *Coplas* satíricas de la *panadera*?

En la *Coronación del marqués de Santillana* (cincuenta y una décimas, en octosílabos), extensa alegoría que anticipa el *Laberinto*, canta a su amigo e introduce un lenguaje poético repleto de latinismos y de referencias eruditas.

Escribió, en prosa, *La Ilíada en romance*, dedicada a Juan II: traducción del latín al «rudo y desierto romance»; peligroso ejercicio cuya dificultad conocía el traductor. Redactó, también en prosa, un comentario de la *Coronación*, en el que, como buen latinista, cita a menudo a Ovidio, las *Metamorfosis*, expresa su admiración por Virgilio, «el más grande poeta» según él, y por su compatriota Lucano. En esta obra ambiciosa, que recuerda al *Omero romançado* por su retórica, se expresa como erudito, preocupado por la lengua castellana y por su desarrollo, como humanista también, incluyendo una reflexión sobre el estilo. En el *Laberinto de Fortuna*, o las *Trescientas* (trescientas estrofas *de arte mayor*), por el que ha pasado a la posteridad, afirma su ambición de elevar el castellano a la dignidad de lengua literaria. Escrito en 1444 y dedicado al rey, el *Laberinto* es un poema alegórico en tres partes. El poeta, guiado por la Providencia, es transportado al palacio de la Fortuna, donde encuentra tres ruedas que simbolizan el tiempo. En los siete círculos mágicos de éstas se entremezclan el pasado, el presente y el futuro, y el poeta puede prever el porvenir. La influencia de Dante es muy probable, pero se ha tendido, quizá, a exagerarla. La de Virgilio y Lucano es evidente (el *planh* de la madre de Lorenzo Dávalos está traducido de la *Eneida* y el famoso episodio de la maga Medea, adaptado de la *Farsalia*).

La epopeya que narra Juan de Mena no engloba todavía a España entera, pero exalta la Reconquista y las hazañas guerreras de los cristianos, hace clara alusión a las luchas intestinas castellanas, ensalza a la monarquía y presenta una apología de don Álvaro de Luna. La idea de la gloria y de la fama inspiran este poema, en el que destaca el tono épico. Cabe la duda de si Mena quiso escribir un gran poema nacional, patriótico. De cualquier modo, el *Laberinto* es, en primer lugar por su contenido, una obra elitista más que un poema abierto. Su forma denota la voluntad de crear un lenguaje poético noble que esté a la altura de la epopeya, una lengua aristocrática, suntuosa, culta. Abundan los neologismos. Algunos de ellos se asentaron definitivamente (*diáfano, nítido*); otros, pesados y excesivos por su acumulación, hacen todavía más difícil comprender una sintaxis que imita muy de cerca a la latina. Las formas léxicas y el ritmo del verso muestran que Mena era más sensible que la mayoría de sus contemporáneos a la sonoridad de la lengua.

La trayectoria poética de Mena concluye con la amarga reflexión moral de su *Razonamiento contra la muerte*, breve poema en octosílabos, y con las *Coplas contra los pecados mortales*, inconclusas, que expresan su desencanto. Este alto funcionario murió en 1456, poco tiempo después de que murieran el privado y el rey, que habían inspirado su obra comprometida.

Apreciado por sus contemporáneos, amigo de Santillana, Juan de Mena fue reeditado varias veces en el siglo XVI. Su lenguaje rebuscado (hipérbaton, perífrasis alusivas) fue calificado de poco natural por Juan de Valdés, en cambio Cervantes alude a Mena como «el gran poeta de Córdoba».

Al imitar al cordobés Lucano en su refinamiento lingüístico, Juan de Mena abre, asimismo, el camino a otro cordobés, Góngora, el más grande. Esto justifica, también, que haya pasado a la posteridad.

3. LOS MANRIQUE

Un solo poema bastó para que la posteridad retuviera el nombre de Jorge Manrique. Sin embargo, se formó en una dinastía familiar. Los Manrique simbolizan una manera de concebir la vida, la estirpe, la política, la poesía.

Heroísmo de las armas, honor y gloria en las luchas de la Reconquista contra los moros, vida cortesana, educación de caballeros, atracción por la creación escrita: ésta es la herencia que reciben los Manrique.

Emparentado con los Mendoza y los Trastámara, descendiente de los Lara, Rodrigo Manrique (1406-1476), condestable de Castilla, maestre de Santiago, es el protagonista de las *Coplas* que harán famoso a su hijo: héroe de la Reconquista, vasallo inquieto de Juan II, enemigo de Luna, partidario primero y luego enemigo de Enrique IV, participa en su destitución, y abraza más tarde la causa de los Reyes Católicos.

Esta misma política familiar seguirá Gómez Manrique (1412-¿1490?), su hermano. En particular, desempeñó un papel importante en el matrimonio de Fernando y de Isabel, a quienes apoyará en sus pretensiones al trono. Gómez Manrique sobrevivirá a su sobrino Jorge, fallecido en 1479. En Toledo, donde murió, deja una importante biblioteca.

La época de los Manrique es un período turbio y confuso, rico también, en el que se están fraguando ideas nuevas. Se conservan de Rodrigo algunos poemas en los que traslucen los ideales aristocráticos de entonces. Sus canciones y sus villancicos están inspirados por el desencanto. De Pedro destacan las sátiras agresivas contra el juglar Juan de Valladolid, víctima frecuente de las burlas cortesanas.

Gómez Manrique es, por el contrario, uno de los mejores poetas del siglo XV. Sus poesías líricas, breves composiciones eróticas y galantes (esparzas, estrenas, canciones), se inscriben dentro de la tradición cancioneril, con alguna tendencia, quizá, hacia la lírica de los «antiguos» poetas galaico-portugueses y provenzales. Es uno de los que más intervienen en los debates del *Cancionero de Baena*, midiendo sus fuerzas con los poetas más de moda, y con los demás también (Torrellas, pero igualmente Juan de Ludueña, Juan de Mazuela). Sus ataques personales (a Juan Poeta, a Montoro), nunca sin fundamento, le llevan a verdaderos enfrentamientos intelectuales y poéticos, en los que hace gala de un sentido literario extraordinario para su época.

Poeta de circunstancias, escribió unos *Momos*, en los que canta, por ejemplo, el nacimiento del infante don Alfonso. Su *Representación del nacimiento de Nuestro Señor* es una sugestiva serie de cuadros, ordenados como lo estaban los primitivos, que le convierte en uno de los fundadores del teatro español. Escribió, también, poesía burlesca, pero donde mejor se percibe su carácter es en la meditación filosófica. Compuso varias elegías:

la *Consolatoria* a doña Juana de Mendoza, su esposa, la *Defunción del noble caballero Garci Laso de la Vega* y el *Planto de las virtudes y poesía*, a la muerte de su tío, el marqués de Santillana, en 1458, donde muestra una mayor ambición literaria. Su utilización de la alegoría, las referencias literarias, las citas eruditas recuerdan los grandes decires del siglo XV. Por el auténtico sentimiento personal que provoca la muerte de un familiar admirado, este texto es obra de un verdadero poeta.

El *Regimiento de príncipes*, dedicado a los Reyes Católicos antes de que subieran al trono, presenta las reflexiones de un hombre del Renacimiento sobre el príncipe y el poder. La *Exclamación y querella de la gobernación* revela sus preferencias políticas. Las *Coplas al gran contador Diego Arias de Ávila*, funcionario de Enrique IV, nos transmiten las consideraciones del poeta sobre la fragilidad de la fortuna... La estrofa de *pie quebrado* que utiliza aquí inspirará a Jorge Manrique al escribir su famosa elegía.

Al igual que su tío Gómez, Jorge Manrique (1440-1479) fue tan conocido por sus poemas amorosos, incluso burlescos, como por sus reflexiones morales. Pero tampoco en este caso se pueden separar las dos formas de expresión, que se basan en la misma retórica.

La vida de Jorge Manrique (cuarto hijo de Rodrigo) transcurre, como la de toda la familia, en medio de las disputas dinásticas, de las luchas entre bandos y de las hazañas guerreras. No vivió muchos años (murió a los treinta y ocho, en el asalto a la fortaleza de Garci Muñoz), por lo que su obra es reducida. El ambiente de guerra que conoció en su adolescencia marcó definitivamente su poesía. Las metáforas militares usadas en los poemas eróticos de esa época adquieren en los decires alegóricos de Jorge Manrique un valor de realidad cotidiana (*Castillo de amor*, *Escala de amor*, *A la Fortuna*). No le incomoda tener que soportar el «cautiverio amoroso» y disfruta incluso con el placer de la derrota. Sus canciones, sus esparzas hacen del dolor de amar y de morir de amor su tema preferido. A pesar de que su vida fue corta, ningún otro poeta tuvo un contacto más frecuente con el peligro y la muerte.

En Toledo se educó como caballero y como poeta. Disfrutó, como todos los jóvenes de su época, con el juego del trobar, del que dejó un recuerdo imborrable y nostálgico: «Qué se hicieron las llamas / de los fuegos encendidos / de amadores? / Qué se hizo aquel trobar, / las músicas acordadas que tañían?» Se entretuvo con las divisas y se lució en las improvisaciones de los emblemas. Destacaba por su ingenio en las glosas que deleitaban a la corte. Hizo concesiones, como todos, al mal gusto (*Del convite que hizo a su madrastra).* Al analizar los sentimientos es, indudablemente, el mejor: «Amor es fuerza tan fuerte / que fuerza toda razón; / una fuerza de tal suerte / que todo seso convierte / en su fuerza y afición.» Se ha ironizado sobre esas increíbles repeticiones. Pero, ¿cómo se podría expresar mejor la fuerza del amor si no es con estas opresivas y pesadas figuras etimológicas?

Cuando expresa su timidez, y su silencio, cuando se muestra incapaz de «decir» (¿de confesar?, ¿de escribir?) su locura, se deja necesariamente arrastrar por figuras obsesivas: «Ni bien biuo, ni bien muero /ni soy ageno ni mío / ni me venço ni porfío / ni espero ni desespero». Bajo el juego de la antítesis se esconde la dificultad de ser, como en los *vivir-morir* de sus canciones, en esos innumerables infinitivos substantivados, cuya sutileza expresiva tan bien sabe utilizar para sugerir la fugacidad del tiempo.

Se ha afirmado durante mucho tiempo que Jorge Manrique cultivó la poesía amorosa por imposición social, como una concesión a la moda, pero que no se sentía cómodo en este terreno porque su carácter se inclinaba más bien por la meditación filosófica. Esto llevó a diferenciar en su obra las «poesías menores» de la poesía «mayor», las *Coplas a la muerte de su padre.* Sin embargo, separar sus poemas eróticos e incluso burlescos del resto de su obra nos parece artificial y engañoso. Sólo se diferencian por el contenido temático. Todos sus poemas se basan en la misma técnica retórica, indispensable para su expresividad y belleza, y todos muestran, sin lugar a dudas, la misma actitud vital.

Manrique era un cortesano y un guerrero más que un erudito, y muestra su «incultura» en la manera en que trata el tema de la muerte en su poesía. Se ha sugerido, a veces, que tenía una cultura de «oídas». ¿Quizá por eso la elegía que compuso a la muerte de su padre, en 1496, tiene una frescura y una intensidad únicas, dentro del marco rígido que impone la tradición de la muerte? (cf. más adelante).

El tema de la muerte

También en España, de manera cada vez más opresiva, los poetas de finales de la Edad Media se sienten angustiados por la muerte. Está presente en los lugares en los que menos se esperaría encontrarla: en los cancioneros de la corte, en los que los poetas están más preocupados por «morir de amor». Algunos manuscritos se especializan en la poesía de la muerte (*Cancionero de Ramón de Llavia*).

Ajena a la corriente cancioneril, la poesía doctrinal continúa la línea iniciada en el siglo anterior por Ayala o Santob, y proseguida por Pero de Veragüe (*Tractado de la doctrina*). *El tratado del cuerpo y de la ánima* se inspira en el debate de la *Disputa del alma y el cuerpo* (siglo XIII), y el *converso* Rodrigo Cota, asimismo poeta cancioneril, compone hacia finales de siglo el magnífico *Diálogo entre el Amor y un viejo*.

En el umbral del Renacimiento, el miedo a la muerte física se manifiesta de manera más aguda. En España también se escribió una *Danza general de la muerte* (finales del siglo XIV - principios del XV). Derivada sin duda de la *Danse macabre* francesa, es la expresión literaria de la inquietud que invade Europa al final de la Edad Media y que dejó, en algunos casos, testimonios artísticos punzantes. En su versión española, quizá menos marcada por el horrible espectáculo de la corrupción física, la *Danza* proclama la igualdad de todos ante la muerte y denuncia la injusticia y la desigualdad de los hombres durante la vida.

La reflexión sobre la muerte se basa también en la idea de la temporalidad, idea ésta que los poetas expresarán de forma individual por medio de la elegía fúnebre, género que abunda en los cancioneros. La meditación ascética, con sus tradicionales «lugares comunes» del *Ubi sunt* y del *De contemptu mundi*, se enriquece con nuevos horizontes que tienden hacia la erudición greco-latina y hacia la exaltación de las formas alegóricas. Esto perjudica, en algunos casos, a la expresión de emociones personales, sobre todo si se comparan los poemas con la obra maestra de la poesía castellana de finales de la Edad Media, las *Coplas* de Jorge Manrique.

Cuando empezó a componer, poco después de la muerte de su padre, en 1496, su elegía fúnebre, las *Coplas que fizo a la muerte de su padre*, Jorge Manrique tenía ante sí un modelo retórico impuesto: elogio del difunto, meditación sobre la muerte, consuelo (éstos son los elementos de que consta normalmente el género). Sin embargo, logró con un poema una obra maestra.

A lo largo de las cuarenta estrofas (sexteto doble *de pie quebrado*) se despliega una «constelación de temas». El poema se inicia («Despierte el alma dormida») exhortando a los hombres a que mediten sobre la fugacidad de las cosas de este mundo, poetizada por medio de la imagen bíblica de la vida como río que se desliza hacia el mar, que sería el «morir». La tradicional maquinaria de la ejemplaridad medieval, se reduce al mínimo, a la experiencia vivida y única, conmovedoramente frágil. La historia del ayer está tamizada por el recuerdo. El elogio del muerto, inventario de las excelencias del difunto, es muy concreto y aparece estilizado por la idea de la fama. Las referencias biográficas permiten evocar a un hombre que figuró, al mismo tiempo, entre los grandes de la tierra, entre los mejores y los más grandes, y a quien la muerte no viene a sorprender, sino que lo acoge. Se rechaza la tradición del terror, se estiliza un *ars moriendi* profundamente cristiano, en el que la muerte, además de traer consigo la «fama» perdurable, abre, sobre todo, el camino hacia el más allá. De esta manera, el muerto deja a los suyos, máximo consuelo, un recuerdo perceptible. La intuición profunda de la temporalidad, de la vitalidad «existencial», del poema de Manrique, bajo las formas de la poesía cotidiana, no ha sido jamás igualado en la poesía española.

Los temas religiosos de la poesía anterior cristalizan, en época de los Reyes Católicos, en la producción de tres poetas que vivieron junto a ellos.

Fray Íñigo de Mendoza (1425-¿1506?) disfrutó de los favores reales y de la vida en la corte, donde compuso poesías profanas, incluso amorosas. Como poeta religioso, influido por los franciscanos, destaca la importancia del Evangelio. Su largo poema, *Coplas de Vita Christi*, modelo en su género, lleva la huella de la poesía cortesana, pero también está influido por la creación popular. Retablo poético que presenta la Pasión de Cristo por medio de elementos casi teatrales, estas *Coplas* son, al mismo tiempo, un ejemplo que demuestra hasta dónde puede llegar la predicación ante un auditorio amplio. La décima de octosílabos, interrumpida por formas populares (canciones, villancicos) se convertirá en clásica dentro de la poesía evangélica castellana.

Otro franciscano, fray Ambrosio Montesino (¿1444?-1514), predicador de la corte, protegido también por los Reyes Católicos, mezcla, asimismo, la poesía cortesana y la popular. Unos años antes que él, Juan Álvarez Gato había compuesto glosas religiosas en versos profanos. Montesino puso de moda los poemas en forma popular, pero de contenido religioso, transposiciones *a lo divino* que compone por encargo, poemas ligeros y naturales, en octosílabos agrupados en décimas o en estrofas de siete versos, en forma de romances, de tradición popular y musical.

El sevillano Juan de Padilla, «el Cartujano» (1468-¿-?), utiliza en su *Retablo de la vida de Cristo*, la estrofa *de arte mayor* que, deseando evitar toda apariencia culta, considera como popular. Sigue a este poema su elogio de los doce fundadores de la Iglesia, *Los doce triunfos de los doce apóstoles*, extraña obra de inspiración dantesca.

La obra religiosa de Juan del Encina pertenece ya al siglo XVI.

JEANNE BATTESTI-PELEGRIN

CAPÍTULO IX

EN LOS ORÍGENES DEL TEATRO

El silencio medieval

«La historia del teatro en lengua española durante la Edad Media es la historia de una ausencia.» En estos términos se planteaba Lázaro Carreter, en 1958, la existencia de un teatro medieval castellano. ¿Ausencia o desaparición de los textos? Hasta aquel momento, la crítica sostenía que la tradición occidental avalaba la existencia de un teatro que, en Francia, en Inglaterra y en Alemania, había presentado diversas formas, litúrgicas o semilitúrgicas. Ese tipo de teatro, por lo tanto, tenía que haber existido en Castilla, debido a esa misma tradición. Se aludía a las dificultades de la Reconquista para explicar la ausencia de textos, aun cuando en la España oriental, en Cataluña sobre todo, sí se había conocido el desarrollo precoz y continuado de un teatro religioso cuyos textos han llegado hasta nosotros. A partir de las investigaciones de Lázaro Carreter, se piensa más bien en una transmisión oral del teatro religioso castellano, y se afirma que lo raro sería poder disponer hoy en día de obras tan alejadas en el tiempo. Sin embargo, se han conservado algunos textos, incluso si existe entre unos y otros un silencio de tres siglos. Aunque no sean numerosos, nos indican que hay que manejar las hipótesis con prudencia.

El primero de estos textos, descubierto en Toledo a finales del siglo XVIII, es el *Auto de los Reyes Magos*, de finales del siglo XII. El título data de 1900. Es un ejemplo, en castellano, del *Ordo stellae* que, junto con la *Visitatio Sepulcris* y el *Ordo prophetarum*, había desarrollado los tropos, frases musicales en un principio, más tarde textos o didascalias con que se acompañaba el oficio litúrgico. Estos tropos habían hecho posible pasar del teatro litúrgico primero y semilitúrgico después, al teatro profano en los países de rito romano, en Cataluña por lo tanto, pero no así (hasta finales del siglo XI) en los países de rito mozárabe, en el centro y en el oeste de la Península ibérica. En otras palabras, según R. Donovan, la *Déposition du Christ au Vendredi Saint*, base del teatro religioso, no podía concebirse en los países en que la liturgia mozárabe no permitía los tropos. De aquí el doble problema que plantea el *Auto de los Reyes Magos*: el de su carácter supuestamente fragmentario, por un lado, y el de la interpretación de sus ciento cuarenta y siete versos polimétricos, por otro. A esto hay que añadir, también, el problema de su origen.

Se diferencia del *Officium stellae* de Bielsen (Lieja) en que suprime el papel de los pastores y organiza un relato dramático equilibrado que demuestra que este texto, aunque muy breve, no deja por ello de ser una obra maestra. Las voces de los Reyes glosan el anuncio: «Ha nacido la estrella [...] ha nacido el Señor». En el segundo cuadro, al mismo tiempo que recuerdan el tema «ha nacido el Creador», dos de los Reyes sugieren seguir a la estrella, y Melchor pregunta si el rey es mortal, si es rey de la tierra o del cielo. Baltasar desvela la simbología de los dones: el oro corresponde a la tierra, la mirra a la muerte y el incienso al rey del cielo. En el cuadro tercero, Gaspar, que es quien suele hablar en nombre de todos, responde a las preguntas de Herodes. El rey cierra el cuadro haciendo unas promesas que quedan inmediatamente desmentidas en un monólogo de innegable carácter dramático. Herodes no reconoce a este nuevo rey y decide reunir a todos los sabios de la corte. Como sucede en todo el teatro religioso de carácter profano, el discurso se apoya en la referencia implícita a las Escrituras. Herodes pregunta «si está en algún escrito». De esta manera se justifica, sin solución de continuidad, la aparición de los rabinos en el cuadro cuarto, que nos ayuda a interpretar la obra.

Muchos críticos creen que este *Auto* es un fragmento de una obra en la que falta el establo de Belén y la adoración de los pastores. Podríamos pensar que el diálogo de los rabinos es la clave para comprender esta obra singular. En dos versos, el rabino primero niega la tradición profética. El segundo se lo reprocha con dureza: «No comprendes las profecías, / las que nos hizo Jeremías / ¿Por qué no estamos acordados, / por qué no decimos verdad?» Extraña paradoja la de este rabino que, muy a su pesar, acusa a los judíos de ceguera y de terquedad. Nos parece estar oyendo al judío incrédulo del *Jeu d'Adam* (siglo XII) cuando pregunta «si está escrito en un libro». Esto es, casi al pie de la letra, lo que dice Herodes en el texto español. El rabino segundo retoma la acusación de Isaías contra el judío que aparece en el texto francés: «Tu as le mal de félonie / et de ta vie tu n'en guériras» ("Estás enfermo de felonía / y no sanarás nunca de este mal"). Ésta es una interpretación que podría aclarar el origen del texto castellano. El análisis preciso de la obra que llevó a cabo Rafael Lapesa nos parece que sigue siendo válido, tanto desde un punto de vista filológico como histórico. En primer lugar, la presencia de rimas, que indican que se trata de un autor de lengua occitana, catalán, o más probablemente gascón, y, en segundo lugar, la presencia de los cluniacenses en el norte del Tajo, desde finales del siglo XI. Si bien es cierto que los cluniacenses no eran partidarios de que se dramatizara la liturgia, también había algunos de entre ellos, originarios de Aquitania o de Guyena, cuyas iglesias tenían contacto con los grandes monasterios catalanes de Ripoll y de Gerona: San Marcial de Limoges, donde se interpretaba una de las versiones más arcaicas del *Office des Mages*, Vic o Moissac. Los cluniacenses estaban presentes en Toledo, reconquistada por Alfonso VI (1085). Su primer obispo fue Bertrand d'Agen, a quien parece corresponder, en el *Poema de Mio Cid*, Jerôme de Périgueux, belicoso obispo de Valencia, también reconquistada. Siempre dentro del terreno de lo hipotético, las tensiones que existían en la ciudad de las tres religiones podrían servir para explicar, en parte, la finalidad antisemítica de este *Auto de los Reyes Magos* y para aceptar como definitiva su brevedad.

> Nada se puede decir, tampoco, del entorno de dos breves obras del siglo XIII: un *Officium pastorum*, glosa de una antífona, y un *Canto de la sibila*, especie de monólogo de carácter dramático, tomado de un sermón atribuido a san Agustín. De cualquier modo, no consiguen llenar el vacío en el que surgirá el teatro castellano a finales del siglo XV.

En segundo lugar, hay que hacer referencia a una serie de disposiciones legislativas. Siempre se ha recurrido a un texto de las *Siete Partidas* para afirmar que existía un teatro religioso en Castilla. Sin embargo, recientemente se ha cuestionado la validez de este testimonio tantas veces repetido. Se ha recordado que los redactores de este enorme *corpus* jurídico se inspiraban en fuentes extranjeras y se ha puesto en duda la interpretación optimista que de él se venía haciendo. En efecto, lo que este texto presenta, en realidad, es un testimonio concreto de los juegos profanos que juglares y saltimbanquis realizaban en las iglesias. Se ha pensado que era, al mismo tiempo, un testimonio de la existencia de un teatro litúrgico que se repre-

234

sentaba en las iglesias castellanas. Sin embargo, un análisis más detallado muestra que lo que el texto hace en realidad es un llamamiento para que se cree ese tipo de teatro. Esta idea está confirmada por disposiciones sinodales o conciliares: Valladolid (1285), Tarragona (1327), Toledo (1324), Urgel (1364), Aranda (1476). Las disposiciones coinciden, en lo esencial, con la ley de las *Partidas*. Esto quiere decir que durante dos siglos no había existido el tipo de teatro que tanto el legislador como el clero propugnaban, con el fin de evitar que, en las iglesias, se perturbase el recogimiento de los fieles.

Habrá que esperar hasta finales del siglo xv y hasta el descubrimiento reciente de un *Auto de la Pasión*, para volverse a plantear el problema de la tradición del teatro religioso en Castilla. La publicación, en 1977, de este *Auto* de Alfonso del Campo presenta, también, una lista de textos de la última década del siglo xv, con los títulos y sinopsis de su contenido, pero no se sabe nada de los textos en sí. Cabe preguntarse, dentro de una hipótesis plausible, si los antiguos *autos* que figuran en esta publicación, junto con informaciones muy útiles sobre los accesorios indispensables para la representación, no eran, en realidad, figuraciones plásticas («apariciones», como las define Covarrubias), escenificaciones mudas. En lo que al *Auto de la Pasión* se refiere, es difícil afirmar su carácter dramático. Alfonso del Campo se inspira, en efecto, en la *Pasión trobada*, de Diego de San Pedro (finales del siglo xv) y sólo conserva de ella el *pathos*, heredado de la iconografía italiana.

No solamente se inspira en ella, sino que copia cerca de la cuarta parte del texto, compuesto, en general, por largas exposiciones (si exceptuamos algunos diálogos ágiles entre san Pedro y la sirvienta, o entre Jesús y el Ángel), lo que equivale a ciento cuarenta y ocho versos de un total de quinientos noventa. De ahí proviene la actitud de los dos autores de la publicación, quienes, aunque por un lado siguen creyendo que existió un teatro religioso castellano anterior, por otro, se muestran a veces menos optimistas: afirmaciones y dudas que hacen que la publicación sea particularmente atractiva.

A finales del siglo xv se rompe el silencio medieval castellano con la aparición de un teatro basado en el Nuevo Testamento y que puede calificarse como primitivo. No es extenso, si se compara con las *passions* francesas, obras de teólogos que aludían a los Evangelios apócrifos, a san Buenaventura, a san Nicolás de Mira o a la *Leyenda dorada*, obras en las que, junto con el relato de la vida de Jesús y el drama de su Pasión, aparecían

personajes cómicos e incluso obscenos. No obstante, el teatro cómico francés de los siglos XIV y XV, sus farsas y sus *soties* no parecen estar relacionados con los *juegos de escarnio* a los que se refiere la ley de las *Partidas*,
que censura los diálogos bufos de los juglares y demás cómicos. El propio
nombre de «juegos de escarnio» implica una determinada forma y una finalidad. En lo que a esta última se refiere, nos recuerda el *Jeu de la feui-
llée* (siglo XIII), por medio del cual Adam de la Halle se burla de los habitantes de Arras. Pero sin una comparación concreta, sólo se pueden hacer
conjeturas. Otro tanto sucede con los festejos cortesanos denominados *momos*, una especie de bailes con danzantes disfrazados, de los que aparecen
algunos testimonios en las crónicas del siglo XV y que Diego de San Pedro
evoca brevemente en su primera novela sentimental. Todo esto muestra que
la noción de género no es fácil de determinar.

Las obras publicadas por Lázaro Carreter en su *Teatro medieval* (Castalia,1965) muestran que existió una doble influencia: la de la tradición en
la poesía y la de la poesía en el teatro religioso. La tradición es, en este
caso, la que aporta relatos, imágenes e incluso palabras, que incluirán en su
repertorio los poetas, futuros autores de un teatro que siempre se escribirá
en verso, cualquiera que sea su lengua. Nada más significativo, a este respecto, que el «teatro» de Gómez Manrique, cuyas obras más conocidas son
las *Coplas fechas para Semana Santa* y, sobre todo, la *Representación del
nacimiento de Nuestro Señor*. Aunque la primera sea una corta adaptación
del *Planctus Mariae*, pocos son los que no reconocen el carácter dramático
de la segunda. Nadie puede negar que la *Representación* es una «auténtica
obra de teatro». Aunque Lázaro Carreter, que es quien hace esta afirmación, no deja de señalar la ausencia de argumento lineal y de diálogo. Esto
le lleva a considerar que esta pieza es un «testimonio indirecto, pero claro,
del páramo teatral en que surge».

El comienzo de esta obra está relacionado con una larga tradición. En el
monólogo inicial de José, se hace una alusión discreta al Evangelio según
san Mateo. En un tono casi cómico, José expresa su turbación al ver a María encinta. Ésta no contesta (al contrario de lo que sucede en las *passions*
francesas). No hay, por lo tanto, diálogo. Pero, sin embargo, este personaje,
tanto si es cómico como si no lo es, se relaciona con la tradición de los más
antiguos misterios, como la *Passion* de Arnould Gréban, en la que san José,
después de haber deliberado en un largo monólogo, decide huir, aunque el
Ángel se lo impide. Tradición por ambos lados, lo que no quiere decir que
Manrique se haya inspirado en las obras francesas. Por una parte, un teatro
que dispone de medios, basado en una organización compleja; por otra, un

teatro rudimentario en el que, dentro de un espacio poético reducido, van apareciendo, sucesivamente, la adoración de los pastores, la alegoría de los instrumentos del suplicio, que alternan sus «voces» para recordar brevemente la Pasión de Cristo, y, por último, el lirismo, un poco afectado, de las monjas que cantan el villancico final. En realidad, el lugar (la capilla del convento de Calabazanos), la obra por encargo (de la hermana del poeta, vicario de un convento), la ausencia de decorados, de vestuario, el propio tema de la obra y su lirismo nos llevan a considerarla como un antecedente lejano del oratorio.

El *Diálogo entre el Amor y un viejo*, de Rodrigo Cota, obra del último tercio del siglo XV, está relacionada con otra tradición: con la de los *debates*, muy numerosos en la Edad Media, como lo prueban el debate entre el Alma y el Cuerpo, o entre el Vino y el Agua, o el que encontramos en los misterios y que sirve a menudo de inspiración a la poesía didáctica, el debate entre la Justicia y la Misericordia.

Junto a los elementos tradicionales, *pro et contra*, de la disputa, aparece en este diálogo la influencia del *Arte de amar* de Ovidio, a través de Andreas Capellanus (siglo XII) y, sobre todo, la de los artes de amar versificados del siglo XIII, en lengua vulgar. Hay que añadir, además, la tradición de la comedia elegíaca latina del siglo XII que, como es sabido, no se podía representar debido a los pasajes narrativos que comportaba. La más conocida es el *Pamphilus*, texto básico durante toda la Edad Media. El mérito de Juan Ruiz, arcipreste de Hita, en su *Libro de buen amor*, en el siglo XIV, consiste en haber trasladado esta historia de amor de tres personajes y en haberla utilizado para ilustrar una disputa entre el Amor (don Amor) y el arcipreste. Los temas de esta disputa aparecerán en los poetas del siglo XV, en particular en el diálogo de Cota, y en el teatro profano de Juan del Encina.

No se ha dudado en afirmar el carácter dramático de este diálogo, sobre todo después de que Moratín indicara que la obra consta de nudo y de desenlace. Se refirió, también, a la decoración escénica y a la «máquina», pero no se planteó nunca la cuestión del lugar en que se pudiera representar. Es más convincente el argumento según el cual el diálogo de Cota no presenta el mismo número de estrofas en cada serie de argumentos, a favor o en contra, como era de rigor en el debate. Hay que señalar, sin embargo, que a pesar de algunas réplicas cortas que interrumpen la unidad estrófica, el debate del arte de amar está compuesto de largas réplicas equilibradas, lo que hace difícil observar este aspecto. La doctrina, el contenido de estos «parlamentos» no es, ni mucho menos, nuevo. Cota se aleja del discurso del arte de amar gracias a su talento poético y consigue renovarlo introduciendo en él un humor áspero, incluso corrosivo a veces, como cuando rechaza, por ejemplo, la ilusión faustiana expresada por los símbolos poéticos del jardín de la vejez, «seco y salvaje», o la promesa falaz de una nueva juventud, que el Amor hace al viejo. A continuación, una vez que el viejo ha cedido, las burlas del Amor recuerdan la moraleja llamada *escarmiento*, lo que haría pensar que este diálogo se asemeja más a los decires.

De la *Égloga* de Francisco de Madrid se dice también que podía representarse, aunque tampoco en este caso se indica en qué condiciones.

Su autor, que pertenecía a la corte de los Reyes Católicos, es capaz de quebrar las octavas de la *copla de arte mayor* por medio de réplicas cortas. Tres pastores, Evandro, una especie de consejero áulico, persona importante sin duda, Peligro, Carlos VIII, y Fortunado, Fernando el Católico, son los personajes de este modesto panfleto político, que tuvo como réplica dos piezas que Carlos VIII mandó representar durante la campaña de Italia (1494-1495), contra el Papa y contra el rey de España, según consta en los anales de Robert Gaguin. Obra representable, sin duda, pero únicamente ante el público de la corte, capaz de comprender, bajo el camuflaje pastoril, determinadas alusiones a hechos concretos de la rivalidad franco-española en Italia.

Los panfletos políticos surgidos durante el reinado de Juan II eran, probablemente, más asequibles a un público amplio y diversificado, en particular las *Coplas de Mingo Revulgo*. Estas *Coplas* se relacionan con la *Égloga* de Francisco de Madrid, no solamente por su carácter polémico, sino también porque inician una vertiente pastoril de formas variadas, procedente de una corriente humanista y de Virgilio, leído asiduamente. La copla más antigua emplea el habla convencional de los pastores, el *sayagués*: dialecto de los campesinos de Sayago, en la provincia de Zamora, que se convertirá en el habla de los campesinos en el teatro español. La copla más reciente utiliza un lenguaje más académico por motivos de decoro, puesto que se trata de reyes.

En el último tercio del siglo XV, las formas dialogadas, tanto si están dramatizadas como si no lo están, se ven influidas constantemente por la literatura: por la novela sentimental y la poesía de los cancioneros. Al mismo tiempo, los debates de los milagros marianos, que enfrentan al demonio y a la Virgen, aparecen en el *Auto de acusación contra el género humano*, cuyo título indica su aspecto jurídico. Esta obra descubre nuevos horizontes por medio de un debate inicial entre Satanás y el humanístico Carón. La poesía religiosa de la *Pasión trobada* de Diego de San Pedro y de la *Vita Christi* de fray Íñigo de Mendoza inspira obras que se sitúan a medio camino entre la poesía edificante y el diálogo. Pero con ellas no se rompe el silencio medieval castellano. El mérito de esta poesía basada en el Nuevo Testamento es el de provocar la aparición de un teatro rudimentario y nuevo. El progreso de este teatro y sus continuas innovaciones desembocarán en las formas originales del teatro teológico español, precisamente cuando el teatro religioso francés, muy fecundo en la Edad Media, empieza a desaparecer progresivamente, después de ser prohibido en 1548 por el Parlamento de París. Al mismo tiempo, otra corriente fortalecerá poco a poco al teatro profano, cuya modernidad sólo puede comprenderse si se tiene en cuenta una doble tradición: la del arte de amar, enriquecida por Rodrigo Cota, y la de la historia de amor, enriquecida por el Quattrocento italiano, en el momento en que la novela sentimental en prosa y, sobre todo, *La Celestina* abrían nuevos horizontes.

La Celestina

1. INTRODUCCIÓN

Antes de estudiar esta obra maestra excepcional es necesario «comprender, lo mejor posible, la diversión que supuso para los contemporáneos del autor» (Marcel Bataillon), es decir, comprender el conjunto de ideas y de saber compartido por el autor y su público. Obra problemática por excelencia. Un autor, pudiera ser que dos o tres, y, por lo tanto, una obra abierta, que se prolonga en el tiempo, fiel a la tendencia medieval según la cual «la obra retomada, acabada, debe considerarse como una reutilización, como una nueva creación». Problema, también, en la interpretación del texto, espinosa porque trae consigo, no sólo una ambigüedad (que se referiría únicamente al sentido), sino varias ambigüedades sucesivas, producto de una interposición cultural de siglos. Sin embargo, cuando escribió su segundo prólogo de la *Celestina*, Fernando de Rojas no pensaba en los siglos venideros, sino en sus contemporáneos, a los que alude según su edad, su saber y su forma de leer y de interpretar un texto, lo que es un lugar común en los prólogos.

Este libro llamado *Celestina* fue primero la *Comedia de Calisto y Melibea*, publicada en Burgos en 1499. Se reeditará dos veces (Toledo, 1500 y

Sevilla, 1501), añadiéndose un prólogo en el que el autor, que no menciona su nombre, afirma haber encontrado un auto anónimo admirable, al que ha dado un «fin baxo» en quince actos. Después del prólogo se incluye un poema en acrósticos que, además del nombre del autor, nos revela que éste ha acabado la comedia y que nació en la Puebla de Montalbán. En unas coplas finales, el corrector Alonso de Proaza anima a los lectores a descifrar el acróstico, hace el elogio de la obra y describe una técnica de lectura a una sola voz imitando a todos los personajes, técnica que también aparece en los textos medievales franceses. La edición de Sevilla recuerda, en el propio título, los argumentos de los actos que un impresor había añadido a la edición de Toledo.

Seis ediciones que datan de 1502 (en realidad son posteriores) introducen importantes remodelaciones al principio y al final de la obra y en el propio texto. En el prólogo, el autor hacía referencia a una tradición oral que atribuía la autoría del acto I a Juan de Mena o a Rodrigo Cota. De aquí vienen las modificaciones aportadas a la poesía en acrósticos, la más importante de la cuales fue la de desplazar una invocación a Cristo a un poema al final. En un segundo prólogo, un texto en latín, inspirado en Petrarca, sobre la vida concebida como una batalla, el autor da idea de cómo imaginaba que iba a ser la vida de su obra. Este prólogo presenta asimismo una breve discusión sobre los títulos: tragedia, comedia, tragicomedia, título éste por el que Rojas opta, como una especie de homenaje al *Amphitryon* de Plauto. La modificación más importante consiste en intercalar cinco actos, entre el acto XIV y el acto XIX, y en incluir unas interpolaciones parciales que intentan armonizar el texto inicial con su redacción definitiva. Las ediciones, aunque numerosas en el siglo XVI, no han permitido fijar el texto en una edición crítica. Sin embargo, la traducción de *La Celestina* al italiano, por Alfonso Ordóñez, en 1506, y el descubrimiento reciente de una edición de Zaragoza (1507) atestiguan que existió una edición de 1502 y aclaran algunos puntos.

Se ha admitido durante mucho tiempo que existieron dos autores. En la dedicatoria de su *Selvagia*, Villegas, uno de los últimos imitadores de *La Celestina*, afirma que fue Cota quien comenzó la gran *Celestina* y que fue Rojas, al que no se alabará nunca lo bastante, quien la acabó. Antes que él, Juan de Valdés, en su *Diálogo de la lengua* (1535-1536), admitía ya las afirmaciones que figuran en los preliminares y establecía una sutil jerarquía de valores entre los dos autores. En el siglo XIX, la crítica, basándose en la unidad de la obra, llega incluso a negar la propia existencia de Rojas. En 1900, un crítico francés le excluye definitivamente. Sin embargo, dos años después, se encuentran sus huellas en un proceso de «limpieza de sangre», en el que se alude a él como «aquel que había compuesto *Melibea*».

Fernando de Rojas (¿1465?-¿1551?), nacido en Puebla de Montalbán, se enemistó con el señor de esa ciudad y se trasladó a Talavera de la Reina. Allí se casó y llegó a ser alcalde mayor. El documento que más datos aporta sobre Rojas es su testamento, publicado en 1929, que es un testimonio de su reconocimiento social. Presenta el inventario de una rica biblioteca de unos cien volúmenes, entre los cuales se incluyen los grandes clásicos latinos, los tratados en latín de Boccaccio y de Petrarca y las obras maestras del siglo XV, entre las que figuran la *Cárcel de amor* de Diego de San Pedro y la *Margarita poética*, de Albert de Eyb, ese libro universal de finales de la Edad Media que, entre otras obras, incluía fragmentos de comedias humanísticas, el *Philodoxius*, la *Polixena* y la *Philogenia*, de la que se percibe un eco en *La Celestina*. En la Universidad de Salamanca, Rojas tuvo ocasión de oír «leer» (es decir comentar) el *Philodoxius* y, probablemente también, la *Historia de dos amantes*, de Eneas Silvio Piccolomini, novela semi-epistolar traducida del latín en 1495. Formado en Salamanca, en una universidad con la aureola del prestigio de Antonio de Nebrija, Rojas, que además de jurista es hombre de letras, escribe una literatura culta. Este aspecto debe tenerse presente al enfocar su obra.

2. EL TEMA Y EL GÉNERO

El tema

El argumento de la tragicomedia de Calisto y Melibea (en la versión de veintiún actos) puede resumirse de la siguiente manera: «Calisto fue de noble linaje, de claro ingenio, de gentil disposición, de linda criança, dotado de muchas gracias, de estado mediano. Fue preso en el amor de Melibea, muger moça muy generosa, de alta y sereníssima sangre [...] una sola heredera a su padre Pleberio, y de su madre Alisa muy amada. Por solicitud del pungido Calisto, vencido el casto propósito della, entreviniendo Celestina, mala y astuta muger, con dos sirvientes del vencido Calisto, engañados y por ésta tornados desleales, presa su fidelidad con anzuelo de cobdicia y de deleyte, vinieron los amantes y los que los ministraron en amargo y desastrado fin. Para comienço de lo qual dispuso el adversa fortuna lugar oportuno, donde a la presencia de Calisto se presentó la deseada Melibea» (Argumento de *La Celestina*).

Por lugar se entiende, primero, el del rechazo de Melibea (acto I), pero, una vez que Celestina haya vencido su casto propósito (actos IV y X), en la propia casa de Pleberio que Alisa ha abierto a Celestina, el lugar será el de las citas nocturnas (actos XII, XIV y XIX). En este esquema se incluyen la conversión definitiva de Pármeno, un criado, adoctrinado por Areúsa (acto XII), así como el ajuste de cuentas entre Celestina y los dos criados a propósito de cien monedas y de una cadena de oro regaladas por Calisto. El acto XII termina con el asesinato de la vieja y con la ejecución pública de los dos criados. Éste es el punto de partida de los actos intercalados, en los que la venganza de las muchachas justifica un desenlace menos brusco que el de la comedia en dieciséis actos. En efecto, en ésta, después de la primera noche de amor con Melibea, Calisto se caía de la escala que había utilizado para saltar el muro del huerto. El desenlace de la tragicomedia aumenta el simbolismo de la caída (Calisto corre hacia la escala al oír el ruido que hacen en la calle los amigos de Centurio), pero añade, además, otro sentido simbólico puesto que el golpe de Calisto, aunque sea ridículo, tiene su origen en el mundo en el que había encontrado a Celestina. Después de que Melibea se haya tirado desde una torre, en el último acto, su padre, Pleberio, saca las conclusiones del drama, en un largo planto. A esto se añaden tres octavas finales (la primera de las cuales figuraba ya, salvo dos versos, en la poesía en acrósticos de las ediciones de 1500 y de 1501), que completan las últimas palabras del planto, enmarcándolo dentro de una perspectiva cristiana.

No se puede intentar definir este tema sin tener en cuenta el «carácter infinitesimal y continuo de la tradición medieval», aplicable a las historias de amor que asociaban en sus títulos los nombres de los dos amantes. ¡Cuántos nombres, desde Erec y Enide hasta Calisto y Melibea, pasando por los modelos establecidos de la literatura medieval, Hero y Leandro, Píramo y Tisbe! La historia de amor tenía unos esquemas, y reproducirlos era el primer deber del escritor. Los autores de *La Celestina* no han omitido este trámite. Sería absurdo pensar que Rojas había leído el *Roman de la rose*, de Jean de Meung porque Celestina emplee el mismo refrán: «*Dolente est la souris qui ne connaît qu'un pertuis...*» («...que el mur que no sabe sino un horado...». Los refranes pertenecen a todo el mundo, y es lógico pensar que los sentimientos misóginos de dos hombres de letras coincidan, a una distancia de dos siglos, en proclamar la generosidad de la naturaleza física de las mujeres; o, incluso, que las dos viejas, que convierten siempre la historia de amor en una historia triangular, hablen del tema y teoricen sobre él.

Las novelas sentimentales y la traducción de la *Historia de dos amantes* eran contemporáneas de Rojas, mientras que el *Pamphilus*, que establece el esquema de la historia de amor con tres personajes, era un texto lejano y cercano a la vez, puesto que, aunque data del siglo XII, se reproduce a lo largo de toda la Edad Media y se edita en España en 1494, para ser utilizado en la Universidad. En toda historia de amor hace falta un intermediario. En la época en que la literatura cortés tenía frescura y vigor, Galehaut fue el mediador entre Ginebra y Lanzarote. Nos lo recuerda Dante, y Cervantes lo convertirá en el prototipo de alcahuete. Lo que es, en realidad, todo autor de novelas sentimentales. Otro tipo de intermediario está constituido por la figura de una vieja. La Edad Media lo elaboró partiendo de tradiciones antiguas. Sin embargo, el personaje de la vieja pertenece a la literatura de los clérigos y con él se invierte la perspectiva. El aspecto moralizador se expresa por medio de la ironía, desde un punto de vista opuesto al de la novela cortesana. Así, el esquema va marcando puntos fuertes, dentro de lo que Rojas denomina la *historia toda*: un encuentro (acto I), la intervención de la vieja (*ibid.*), una gestión de la vieja (acto IV), un relato de lo sucedido (acto XI), otra gestión (acto X), un relato de lo sucedido (acto XI), el encuentro de los amantes (actos XII y XIV).

Rojas no tuvo, por lo tanto, que inventar nada para completar el esquema utilizado por el autor anónimo. En su adaptación del *Pamphilus*, el arcipreste de Hita aisló los tres personajes de la historia de amor. Venus, que reprendía a Pánfilo en la comedia elegíaca, hace lo mismo con el arcipreste, y sus palabras, nos recuerdan a las del criado Sempronio cuando critica, en el primer acto de *La Celestina*, las protestas fingidas de las vírgenes requeridas de amor. Nos preguntamos si Rojas conoció el *Libro de buen amor* del arcipreste, pero probablemente sería mejor plantearse la cuestión del inmutable sistema de imitación de la Edad Media. Éste se percibe también en la novela sentimental semi-espistolar de finales del siglo XV, en donde las cartas sustituyen a la vieja, como sugiere la alcahueta Marcela, en la *Florinea*, al referirse a las cartas alcahuetas que usurpan el amor.

Sin embargo, el discurso cambia en *La Celestina* (y más tarde en sus imitaciones también, como la *Florinea*), porque al realizarse la síntesis de un tema antiguo y de otro nuevo, el mundo social subyacente, y en este caso real, consigue modificar el discurso. Celestina no es ya la vieja del *Pamphilus*, ni siquiera la amable Trotaconventos del *Libro de buen amor*. Es la patrona de una casa de trato condenada por las leyes del reino, la que provoca el escándalo y la muerte de los hombres, a la que llevan por la calle a lomos de un asno y con la coroza puesta. Vive ahora en una mísera casa cerca de las tenerías, ella que antaño poseía una mansión y que dominaba su pequeño «ganado», al mismo tiempo que triunfaba en la catedral ante los benditos tonsurados. Su séquito se componía de criados convertidos en rufianes y de rameras. Estos serán los que hagan evolucionar las cosas y los que planteen un problema a menudo soslayado: el del gran contraste entre una historia de amor (que se ha creído idealizada y, además, cortés) y el mundo de la prostitución. De esta extraña síntesis de dos mundos antagonistas nace *La Celestina*. Los arquetipos antiguos nos proponían equivalencias constantes. El caballero era siempre mesurado, mientras que el villano era un libertino. Pero, en esta obra, ¿quién es el libertino? ¿El criado o el señor? ¿O el criado y el señor? La historia está bien definida en el argumento general de la obra, una historia de amor en la que intervendrán, directa o indirectamente, personajes de baja extracción. Su disputa modificará el desenlace brusco de la comedia y precisará el sentido, aunque sin influir en el simbolismo de las cuatro caídas: la de los dos criados, por una ventana; la de Calisto, de una escala; y la de Melibea, que se tira desde una torre, imitando el gesto de la legendaria Hero, sacerdotisa de Afrodita.

El género

Debemos a un oscuro crítico neoclásico, de Perrón de Castera, una definición muy controvertida. Sostiene que *La Celestina* es una «novela dialogada». Por su parte, Menéndez Pelayo la incluye en sus *Orígenes de la novela*. En realidad, la ambigüedad de *La Celestina*, en cuanto al género se refiere, se debe a que nos referimos a categorías formales desconocidas por sus autores.

Cualquier lector moderno que no esté bien informado, se asombraría al ver lo que los discípulos del traductor de Aristóteles en Francia, Nicole Oresme, o los del marqués de Santillana en España agrupan bajo el título de «comedia». En el segundo prólogo, Rojas toma del *Amphitryon* la palabra tragicomedia, pero ignora que Plauto respetaba, en los personajes de la tragedia y en los de la comedia, la jerarquía establecida por Aristóteles. Para distinguir los dos géneros, se basa, como Dante, en el desenlace y, al igual que Dante también, debe pensar que la comedia es «un determinado tipo de relato».

En realidad, *La Celestina* es, antes que nada, una comedia humanística, como ha demostrado María Rosa Lida de Malkiel. Rojas conocía el *Philodoxius*, la *Polixena*, y quizá la *Philogenia*, en la que las dos heroínas se rebelan, como lo hace Melibea en el monólogo del acto X. Sin embargo, su obra es la comedia humanística más hermosa y la primera, además, en lengua vulgar. Lo más importante es la construcción dramática, a la que vienen a añadirse técnicas teatrales. Sin embargo, si se analiza, aparecen algunos fallos que muestran la presencia latente y a veces manifiesta del relato.

El primero de ellos es la suspensión del tiempo de la acción. Aparece siempre asociada con el curioso papel que desempeñan las puertas en toda la obra. En el acto I, Celestina y Sempronio esperan, ante la puerta, a que Pármeno haya acabado el largo parlamento que dirige a Calisto. Es un discurso con niveles de lengua variados, que trata de la *puta vieja*, de las relaciones que tenía con ella cuando era pequeño, de su laboratorio, de los oficios, vedados o no, que ejerce, de sus prácticas de hechicería. En el acto IX, también ante la puerta, Lucrecia escucha las acusaciones de Areúsa contra las señoras. En ningún momento se han planteado los autores el problema de la verosimilitud dramática: sólo han querido advertir a Calisto o liberar a Lucrecia de su fidelidad a su señora.

El segundo fallo es la de la simultaneidad de dos acciones, que según la *Poética* de Aristóteles es característica del relato épico. El ejemplo más perfecto es el del acto XII, cuando Calisto está ensalzando el valor de sus criados en el momento en que éstos, en la calle, se disponen a huir. Para poder representar estas escenas simultáneas habría sido necesario un tipo de teatro que no existía todavía en España.

El tercer punto es la recurrencia. Claudina, la madre de Pármeno, no figura entre los personajes. Sin embargo, en los actos I y XII, Celestina hace dos descripciones sobrecogedoras de este personaje que forma parte de la narración de la *historia toda*. Otro tanto sucede con la ejecución de los criados, relatada por Sosia en el acto XIII. Nos encontramos ante una fórmula flexible que, utilizando la terminología de Etienne Souriau, depende, al mismo tiempo, de la dramaturgia de la esfera y de la del cubo. Cuando Pármeno evoca la casa de Celestina, cuando Sosia relata la ejecución de sus compañeros, cuando Melibea se exalta ante el jardín de la noche, nos encontramos dentro del mundo poético de la esfera. Al contrario, cuando estamos encerrados en la *sala* de Calisto, en casa de Celestina, en la habitación de Areúsa o en el huerto de Melibea, nos encontramos en el universo del cubo, que hace que el tiempo de la acción y el de la escena coincidan.

La libertad creadora de *La Celestina* es la misma que defenderá Lope de Vega en la *Dorotea*: la de una lectura activa. Se comprende, de este modo, que *La Celestina* haya influido en la novela y, de forma más evidente, en el teatro. No existen palabras para definir el mundo mítico de la *historia toda*, ni el de un teatro todavía por crear. Sólo a nosotros nos parece que *La Celestina* no se incluye en ningún género. En España, y úni-

camente en ella, formará, junto con sus imitaciones, lo que se denomina el
género celestinesco.

3. LA ACCIÓN

Al contrario de lo que sucede en el teatro primitivo o en la *comedia*,
donde se divide la acción en conjuntos autónomos, *La Celestina* asegura la
continuidad de la acción por medio del o de los personajes que pasan de un
acto a otro. Hasta el acto XII, la Celestina o los criados hacen posible, de
esta manera, que dos mundos antagónicos se comuniquen entre sí. Son raras las excepciones y están siempre provocadas por el punto de vista que
nos obliga a tomar el monólogo, rompiendo la continuidad de la acción.

> En el acto IV, Celestina se pregunta si irá o no irá a casa de Melibea. In-
> vita al lector a adoptar su punto de vista, lo mismo que hacía en el acto III,
> cuando explica su teoría de los rechazos femeninos. En el acto X, Melibea
> se lamenta de no haber accedido a la petición de Celestina, cuando vino a
> hablarle en nombre del señor que la había cautivado. Nos pide, por lo tanto,
> que la sigamos en su último combate, perdido de antemano.

También existe influencia «terenciana» en el tuteo general, como en latín, en el nombre de los personajes (Sempronio, Pármeno, Sosia, Traso), en
el juego onomástico: Melibea, dulce como la miel, Centurio, rufián de cien
mujeres, o incluso, como sugería Alejo Venegas, en *Scelestina*, maestra de
escelerados. Influencia, también, en el número reducido de personajes
(doce) y en la forma de hacer que aparezcan en el momento oportuno.

Existen, igualmente, otros procedimientos de tipo demostrativo. En primer lugar, el aparte, recurso del teatro posterior, que Terencio utilizaba con
discreción. Los autores de *La Celestina* han situado estas formas de «hablar entre dientes» en lugares estratégicos, como, por ejemplo, la crítica
violenta que el criado hace a su amo, con el fin de indicarle su error y ha-
cerle reflexionar. Esta «anatomía del engaño» es, al mismo tiempo, una crítica del criado que traiciona a su señor, como señalará la alcahueta de la
Florinea, una de las últimas imitaciones de *La Celestina*, al indicar que hablar entre dientes es una especie de traición, un síntoma de traición.

> Los apartes abundan y aparecen en lugares tan oportunos que no es posi-
> ble dudar del valor explicativo que les quieren dar los autores. Los más ex-

plícitos son los que condenan la herejía de Calisto, así el famoso: «¿Tú no eres christiano? / Yo melibeo soy y a Melibea adoro y en Melibea creo y a Melibea amo» que se relaciona con el aparte de Sempronio: «No basta loco sino ereje», aparte que aparece glosado en *La Celestina* y en sus imitaciones. Al final de la primera entrevista entre Melibea y Celestina, Lucrecia, la criada, resume con crudeza todo el acto: «¡Ya, ya, perdida es mi ama! ¿Secretamente quiere que venga Celestina? ¡Fraude ay!» La propia Lucrecia condena la imprudencia de Alisa, la madre, que ha dejado entrar a Celestina al principio del acto IV y que sólo desconfía al final, cuando la suerte ya está echada: «¡Tarde acuerda nuestra ama!» (acto X). Otros apartes, entre ellos el de Celestina, en el acto IV, sirven para prolongar un diálogo que resultaba corto. Apartes cómicos y variados, antecedentes lejanos del distanciamiento de Brecht.

Otro tanto se puede decir de los paralelismos, en este caso originales, que los autores de *La Celestina* utilizan también como demostración. Retrato de Celestina, en el acto I, retrato enigmático en el acto IV, ambos en boca del criado y de la criada, en los dos casos con carácter de advertencia. Sátira de los *señores* en el acto I, sátira de las *señoras* en el acto IV, con el fin de liberar a los dos criados de la fidelidad que deben a sus señores. Aparece también otro, que se ha mencionado pocas veces. Desde el romanticismo, se ha puesto de relieve la evocación que Melibea hace del jardín de las delicias: «Todo se goza este huerto con tu venida. Mira la luna quán clara se nos muestra; mira las nuves cómo huyen. Oye la corriente agua desta fontezica, quánto más suave murmurio lleva por entre las frescas yervas. Escucha los altos cipreses, cómo se dan paz unos ramos con otros [...]» Sin embargo, en el acto XV, también Elicia, la prostituta, evoca el jardín, en una especie de prolepsis funesta, pero cuyo valor poético iguala, como mínimo, al del acto XIX: «¡O Calisto y Melibea, causadores de tantas muertes! ¡Mal fin ayan vuestros amores, en mal sabor se conviertan vuestros dulzes plazeres! [...] Las yervas deleytosas donde tomáys los hurtados solazes se conviertan en culebras, los cantares os tornen lloro, los sombrosos árboles del huerto se sequen con vuestra vista, sus flores olorosas se tornen de negra color.» Este ejemplo muestra que el autor sabe utilizar los procedimientos literarios, e indica, al mismo tiempo, la modernidad de la obra.

El tiempo y el espacio

Estos aspectos se han debatido a menudo y han suscitado polémicas y análisis divergentes. «Consciencia existencial del tiempo», para unos, «consciencia excepcionalmente [...] inexplicable desde un punto de vista histórico [...] y en armonía con nuestra época», para otros. En realidad, el problema que plantea *La Celestina* a sus autores es la contradicción entre lo que los alemanes denominan el tiempo histórico y el tiempo del relato, el de la lectura activa, que aconseja Proaza al final de la obra. En lo que Rojas llama la *historia toda*, la distorsión entre esos dos tiempos se soluciona por medio de indicaciones temporales que asemejan el tiempo al de las novelas cortas italianas.

En el acto II, Sempronio decía a su señor: «Mas ¿cómo yré? Que, en viéndote solo, dizes desvaríos de hombre sin seso [...].» Sin embargo, el criado no se ha apartado de su señor más que para ir a buscar a Celestina. Lo mismo sucede con Pármeno, en el acto II: «Señor, porque perderse el otro día el neblí fue causa de tu entrada en la huerta de Melibea a le buscar; la entrada, causa de la ver y hablar; la habla engendró amor [...] Y lo que más dello siento es venir a manos de aquella trotaconventos, después de tres vezes emplumada.» Pármeno abre así una perspectiva temporal al relato, pero también a su ejemplaridad. Desde el comienzo de la historia, ha pasado ya un tiempo que el texto no ha reflejado. Por eso se ha pensado a veces que las interpolaciones eran torpes. En el acto XVII, Sosia señala ocho visitas nocturnas. En el acto XX, cuando está a punto de morir, Melibea habla de «casi un mes». Pero Sosia es un personaje que se equivoca constantemente, y Melibea, en sus últimas palabras a su padre, se deja llevar por una gran exaltación. Es probable que exista más verdad poética en esta indecisión de la que podría haber en un tiempo indicado con exactitud, desconocido además por los autores, puesto que no lo concebían como nosotros. Por el contrario, cuando la acción se complica, el tiempo se condensa, como en la novela corta italiana, y es fácil de identificar.

Los lugares, en *La Celestina*, son los mismos que en las obras de Terencio: la calle, las casas, la de Calisto, la de la Celestina, sobriamente descrita por Sempronio en el acto I: «Tiene esta buena dueña al cabo de la cibdad, allá cerca de las tenerías, en la cuesta del río, una casa apartada, medio cayda, pero compuesta y menos abastada»; la casa de Pleberio y su huerto, cuya realidad poética sigue representando el símbolo del «vergel» medieval, puesto que es al mismo tiempo el jardín del pecado. Las calles en las que los personajes se mueven tienen nombres tan corrientes que no indican una realidad concreta, puesto que pueden existir en cualquier ciudad castellana. Estos nombres plantearon un problema, mal resuelto porque se trata en realidad de un falso problema: el de la localización de la obra. Se han sugerido Salamanca, Sevilla, Toledo o Talavera de la Reina. Se ha querido

saber dónde estaban los barcos que menciona Pleberio en el planto del último acto. Si se quiere admitir que había un río, unos barcos, unas torres de
palacio, hay que aceptar la atractiva hipótesis de María Rosa Lida de Malkiel que veía en ellos el decorado de fondo de los cuadros primitivos his-
pano-flamencos y que sostenía que la ciudad de *La Celestina* era una imagen genérica de ciudad castellana, parecida a la ciudad de Atenas en las
comedias de Terencio.

4. LOS PERSONAJES

   La Celestina va más allá del esquema simplificador que consiste en
oponer al amor idealizado de los señores, el amor grosero de los personajes de baja extracción, y en ello consiste, también, su modernidad. La igualdad de todos ante los impulsos sexuales no debe hacernos perder de vista,
sin embargo, que Celestina, los criados y las criadas son, la mayoría de las
veces, simples ayudantes o adversarios en una historia que se centra en los
dos personajes que le dieron su primitivo título, Calisto y Melibea. Lope de
Vega hace una sugerencia que no es tan evidente como parece a primera
vista. En las *Fortunas de Diana* dice recordar las primeras réplicas de la famosa tragedia de Celestina, en las que Calisto afirma: «En esto veo, Melibea, la grandeza de Dios», a lo que ésta responde preguntando: «¿En qué,
Calisto?» Según Lope de Vega, espíritu sutil, si Melibea no hubiera hecho
esta pregunta, no habría existido la obra titulada *La Celestina*, ni tampoco
su amor. Todo dependía del silencio o de la palabra de Melibea y ésta tenía poder de decisión. Pero Melibea contestó, y hay que reconstruir el personaje partiendo de rasgos heredados de una larga tradición.

   El rechazo y el enfado de la joven requerida por el amante o por la vieja
están ya expresados en el *Pamphilus* y, más todavía, en el *Libro de buen
amor*, en los mismos términos en que los expone Sempronio en el acto I. Se
produce, a continuación, un silencio de tres actos, que corresponde al silencio de la dama en la novela sentimental: ésta no escribe hasta haber recibido
la segunda carta del amante, como Lucrecia en la *Historia de dos amantes*,
claro antecedente de Melibea. En el acto IV surge un mecanismo de admirable precisión. Pone en funcionamiento una serie de pequeños ardides (Melibea sabe, desde el principio del acto IV, quién es Celestina, aunque lo nie-
gue más adelante), también de amenazas que, por muy violentas que sean,
no interrumpen nunca el diálogo entre Melibea y Celestina. Magnífico acto
en el que el crescendo dramático se resuelve en un lento decrescendo, al fi-

nal del cual se llega a un acuerdo y Melibea entrega una prenda. Luego vendrán las confesiones, en el acto X, que explican el sentido del acto IV y lo concluyen,y que, más adelante, servirán para contrastar la doctrina del rechazo femenino que expresa Celestina en el acto III, porque ésta sabe que, como todas, Melibea, «aunque al presente la ruegue, al fin me ha de rogar». En un monólogo apasionado, Melibea reconoce la fragilidad de las mujeres, la dureza de la regla que les prohíbe toda iniciativa en la conquista amorosa y que ella está decidida a transgredir, rompiendo así los lazos que la unen con sus padres.

En el acto XII, éstos habían hecho ya una discreta aparición que había inquietado a Melibea. En el acto XVI quieren casar a su hija, en la que tienen puestas grandes esperanzas. Sin embargo, Melibea se exalta y su pasión la conduce al borde de la locura: «No tengo otra lástima sino por el tiempo que perdí de no gozarlo, de no conoscerlo, después que a mí me sé conoscer. No quiero marido, no quiero ensuziar los ñudos del matrimonio.» Para comprender el grito desesperado de Melibea, no hace falta remontarse a la primera carta de Eloísa a Abelardo, en la que ésta afirmaba que antes que verse casada con otro prefería ser su amante o su concubina. Basta con recordar el ambiente apasionado de la *Fiammetta* de Boccaccio, o la queja de Lucrecia, la heroína de la novela de Piccolomini, cuando afirma que los hombres tienen un corazón más fuerte, mientras que las mujeres se apasionan y no pueden vencer la llama del amor sino con la muerte. Lucrecia recuerda mucho a Melibea cuando confiesa a Eurialo que está vencida y le pide que haga con ella lo que quiera. Melibea declara, a su vez, en el acto XII: «Limpia, señor, tus ojos: ordena de mí a tu voluntad.»

En realidad, para los contemporáneos de Rojas, Melibea es un personaje claro, y la trilogía que sirvió para crearlo explica los tres grandes momentos de su derrota. En un tratado destinado a las jóvenes damas de la corte de Isabel la Católica, fray Martín de Córdoba, después de determinar la inferioridad básica de las mujeres, define las tres «condiciones» que dominan su mente y que determinan las etapas de la caída de Melibea: la condición *vergonzosa*, que se refiere al pudor y a la reserva; la condición *piadosa*, que se refiere a la piedad y a la sensibilidad (la que invoca de manera sistemática el amante de la novela sentimental y que denomina también «piedad natural»), y, por último, la condición *obsequiosa*, que la incita a consolar y, en el caso de la historia de amor, a entregarse.

Sin embargo, con el paso de los siglos, después de que el romanticismo impusiese la pasión incondicional, Melibea es, de todos los personajes de *La Celestina*, el que más se ha enriquecido. ¿Podría deberse esto a que es el único personaje que no posee ningún rasgo cómico?

Calisto, por el contrario, es un personaje al que sus criados ridiculizan a menudo. Es, sin duda, el heredero del loco enamorado criticado en el *Traicté Jehan Gerson contre le rouman de la rose* (siglo XIV), del que se burla también Diego de San Pedro en un *Sermón ordenado*, sugiriendo que, "cuando van a acostarse, preguntan si es de día y, cuando se levantan, preguntan si es de noche". Esto es lo que dirá, textualmente, Calisto, en los actos XI y XIII. También Celestina se burla de él, por ejemplo, en el acto IX. El problema que plantea este héroe singular es el de separar lo que proviene del amante cortés y lo que corresponde al loco enamorado. Es lo que hacen los autores al crear la heroína femenina, que sólo aparece como una *«belle dame sans merci»* en su primer rechazo, ilusorio. Hay una relación evidente entre el *incipit* y el acto I. Las primeras palabras de Calisto y la hipérbole blasfema que desarrolla en el primer parlamento enlazan con el *incipit*: « […comedia…] compuesta en reprehensión de los locos enamorados que, vencidos de su desordenado apetito, a sus amigas llaman y dizen ser su dios […]». Esta misma idea aparece también en uno de los textos más famosos de finales del siglo XV, la *Vita Christi*, de fray Íñigo de Mendoza. Hemos citado ya los apartes en los que los criados critican la herejía del loco enamorado. Ya en la primera escena de la obra, Calisto «prefiere» la presencia de Melibea a un lugar en el paraíso, por encima de los santos. A lo largo de todo el pasaje se percibe una fina parodia, a la que viene a añadirse la ironía mordaz de la respuesta de Melibea. Unos autores que pretendían condenar la religión del amor no podían reprobarlo y, al mismo tiempo, exaltarlo por medio del personaje de Calisto, concebido por algunos como un héroe cortés.

Sin embargo, en ningún caso puede tratarse de un héroe cortés, por numerosas razones. El amor cortés, codificado desde finales del siglo XI, obedecía ciertas reglas. La primera, que recuerda Diego de San Pedro en su *Sermón ordenado*, es el secreto. La segunda es el respeto devoto a la dama y la distancia que separa a ésta del amante. En este caso Calisto es todo lo contrario. Su obsesión es eliminar la distancia, suprimir la espera. Sigue siendo el loco enamorado de cuya impaciencia se burlan los moralistas de su época. Sempronio dice en el acto III: «[…] quemarnos con las centellas que resultan deste fuego de Calisto». Es tal su incredulidad, que en el acto XI no quiere creerse la buena noticia que le trae Celestina. Es posible que la magnífica meditación sobre el tiempo, en su monólogo del acto XIV, sea una variación sobre la impaciencia del loco enamorado. Por último, el rasgo más «anti-cortés» de Calisto es que olvida la devoción por la dama. En su primera cita con Melibea, utiliza por un momento un tono parecido al de la novela sentimental y Melibea contesta, a su vez, con el mismo tono (que no volverá a reaparecer en la obra). A pesar de ello, Calisto se muestra expeditivo en las escenas del huerto y poco delicado en la primera noche de amor (acto XIV), puesto que se siente orgulloso de haber contado con un testigo (Lucrecia) de lo que denomina «su gloria». Es grosero, más tarde, cuando responde a la emoción de Melibea en el huerto diciendo: «Señora, el que quiere comer el ave, quita primero las plumas», observación que algunos han calificado de tosca. Grosero, también, en el amor, cuando deja que sus manos «hablen», juego que aparece claramente en el *Pamphilus*, juego de villano, sin duda, que volveremos a encontrar en el Panurgo de Rabelais y en el Tartufo de Molière. Pero el rasgo más anticortés aparece en el primer acto, cuando Calisto reniega de su «católica nobleza», para humillarse a los pies de una prostituta. Dice Pármeno: «¡O Calisto, desaventurado, abatido, ciego! ¡Y en tierra está adorando a la más antigua y puta [vieja] que fregaron sus espaldas en todos los burdeles! ¡Deshecho es, vencido es, caydo es! No es capaz de ninguna redención, ni consejo, ni esfuerço.»

Después de la muerte de Celestina, Calisto debe elegir entre el honor de su familia y las noches en el huerto. Y elige estas últimas, mostrándose muy ingrato con Celestina y los criados. Huye del enfrentamiento con el fin de disfrutar mejor de las «delicias exquisitas» que le proporcionan sus amores. Es un obseso ridículo, un personaje cómico también, porque se equivoca a menudo. Justo en el momento en que sus criados van a emprender la huida, Calisto ensalza su valor ante Melibea (acto XII). Y al contrario, aunque no tiene confianza en sus otros dos criados, Sosia y Tristán, corre a la escala fatal con el fin de protegerlos, en el preciso momento en que ellos acaban de poner en fuga a una caterva ridícula que había venido a dar un «repiquete de broquel» para asustarle. Muerte poco gloriosa, pero que salva por un momento a Calisto, aplacado, bien es cierto, después de un mes de «visitas nocturnas». Curioso personaje inédito de una obra convincente que rechaza, como en este caso, al loco enamorado.

Los padres.   No participan en la acción. Se sitúan fuera de ella, por encima, como referencia a la norma. Sin embargo, Lucrecia critica la imprudencia de Alisa, la madre, que permite la primera visita de Celestina, en el acto IV, y que no desconfía de ella hasta el acto X, cuando ya es demasiado tarde. Madre ingenua, que se hace ilusiones vanas con su «guardada hija». A diferencia de Calisto, que vive de las rentas de sus tierras, Pleberio es un burgués rico y poderoso, un armador quizá, culto y conmovedor, a pesar de lo que se ha dicho sobre él. Los padres plantean el problema del matrimonio, que está fuera de lugar en *La Celestina*, cuyo objetivo es, precisamente, describir el amor fuera del matrimonio.

Los criados. La noción de contraste isomorfo puede aplicarse a las dos parejas de criados, Sempronio-Pármeno, Sosia-Tristán, a cada una de las parejas y a las dos parejas entre sí. La primera se deja arrastrar por la infidelidad, por las reivindicaciones y por una especie de desprecio hacia el señor, mientras que la segunda actúa con fidelidad y abnegación. Además de estar caracterizados psicológicamente de forma admirable, lo cual constituye una novedad (son lúcidos, han conocido la pobreza), los dos primeros personajes son diferentes porque, como sugiere el argumento general, Celestina los ha «tornado desleales».

Sempronio aparece ya como desleal en un monólogo, al principio del acto I, mientras que Pármeno se resiste y no llega a serlo hasta el acto XIII, después de una noche de amor con Areúsa, preparada por Celestina. El mismo indica lo que le enfrenta con Sempronio: «Él es desvariado, yo mal sofrido: conciértame essos amigos» (acto VII). Pármeno lleva el estigma de su madre, Claudina, de quien se vale Celestina para destrozar al hijo: aborrecible compañera de antaño, que le impedirá escapar del ambiente al que la otra vieja quiere que vuelva. En el acto II, sin embargo, había, sabido resistir a Calisto, cuya locura le llevaba al terreno de Celestina. Estos dos criados codiciosos se pueden considerar ya como criados de comedia, que se dejan dominar por la cobardía y el miedo.

La pareja formada por Sosia y Tristán es muy diferente. Sosia y su familia han trabajado siempre las tierras de Calisto. Es el mozo de caballerizas, con los zuecos siempre sucios de estiércol, al que engaña Areúsa para que le cuente los secretos de las citas nocturnas de su señor. Es el simple que se equivoca contínuamente. Tristán, joven paje muy agudo, le corrige. Sin embargo, el papel de estos dos criados es el mismo. Consiste en proyectar la imagen de Calisto hacia un público imaginario, por medio de rápidos apartes, o, en el caso de la primera pareja, por medio de sus diálogos con Celestina. La segunda pareja no se muestra más indulgente que la primera. Sosia se burla de los lamentos de Melibea después de su desfloración. Enlazando sus réplicas, Sosia recuerda que «dos moços entraron en la salsa destos amores», y Tristán que «¡Dexaos morir sirviendo a ruynes! ¡Hazed locuras en confiança de su defensión!» Y será éste el que emita el juicio más revelador sobre Calisto, que duda entre el deber y el placer: «[a Sosia:]...Assí que dos tan rezios contrarios verás qué tal pararán un flaco subjecto donde estuvieron aposentados» (acto XIV).

Se pueden explicar los motivos por los que estas dos parejas de criados son diferentes. Sempronio y Pármeno vienen de fuera. Han servido ya a varios señores y, en este aspecto, constituyen ya un primer esbozo del *Lazarillo de Tormes*. Están ligados a Calisto por un salario, tipo nuevo de relación, en época de *La Celestina*, y que, además, puede interrumpirse. Eso es lo que explicarán claramente en el acto XII, cuando se dejan llevar por el pánico. Los otros dos criados tienen con Calisto una relación que viene de antiguo, han crecido «alimentados» por su señor. Uno está ligado a las tierras y a la casa de Calisto desde hace generaciones; el otro, el paje, procede de otro estrato, lo que, en la ideología de aquella época, justifica que esté dotado de una inteligencia natural que no posee el campesino.

Estas diferencias dentro de un mismo «estado» muestran que existe un telón de fondo social que hay que tener en cuenta al analizar la obra. Como se puede ver en los apartes, significativos, de los actos IV y X, Lucrecia critica a Melibea y la aleja del modelo ideal, lo mismo que hacían los criados con Calisto. Testigo a la fuerza en el acto XIX, la joven abraza a Calisto, que no le pertenece. Se siente atraída por el retozar de los amantes y lamenta la falta de atrevimiento de los criados durante la escena del jardín. Este personaje no cae en las tentaciones a las que se ve sometido, y es fiel hasta el final. Cuando Calisto muere, le dice con dureza a Melibea: «Ten esfuerço para sofrir la pena, pues toviste osadía para el plazer» (acto XIX). Fiel, sin lugar a dudas, y su fidelidad es meritoria, puesto que en el acto IX nos enteramos de que su origen social es similar al de los dos primeros criados de Calisto. Siendo una criada, y prima, además, de Elicia, hubiera podido caer en el mundo de la prostitución. En la fiesta entre rufianes, en el acto IX, las dos jóvenes la provocan. Desde la puerta, donde se ha detenido, oye como censuran a las señoras y ensalzan la vida que Celestina llevaba con sus «pupilas». Esta vida la atrae, y lo dice, prueba de la riqueza y la complejidad de los personajes de *La Celestina*.

Los bajos fondos. En el mundo de los bajos fondos domina Celestina. Este personaje procede de fuentes antiguas y medievales, entre otras el *Phamphilus*, con su vieja anónima, y la Trotaconventos del *Libro de buen amor*, además de la vieja del *Roman de la rose* y todas las de los *fabliaux* franceses, de nombres pintorescos. Pero Celestina es, además, una alcahueta profesional, ligada al mundo de la prostitución. En España, las principales imitaciones del siglo XVI precisaron y ampliaron este tema inédito en la literatura que, más tarde, se convertirá en un asunto prácticamente tabú. La aparición de esta realidad, la complejidad del personaje y su éxito total tuvieron como consecuencia que Celestina borrara los modelos antiguos y se convirtiese, a su vez, en un arquetipo.

De los modelos antiguos conserva los oficios que le sirven de pretexto, como el de vendedora de hilos y de baratijas, gracias al cual puede entrar en casa de Pleberio. Es también partera y asistió al nacimiento de Calisto. Prepara todo tipo de afeites para las mujeres, en un laboratorio que Pármeno describe detalladamente en el acto I: «Hazía lexías para enrubiar», y «unos polvos para quitarte esse olor de la boca, que te huele un poco», que ofrece a Lucrecia, con el fin de ganársela, en el acto IV. Posee igualmente, como todas las viejas alcahuetas, una inclinación inmoderada por el vino, del que conoce bien la carta española. Pero estas actividades triviales le sirven de cobertura para otras. Es muy hábil reparando virgos y a un embajador francés le vendió una criada haciéndole creer que era virgen, cuando era ya la tercera vez que le restituía la virginidad. Conoce las prácticas habituales de la brujería, de las que Pármeno dice que no son sino «burla y mentira». Tuvo, antaño, un marido permisivo y un pasado borrascoso del que le queda un rasguño en la cara, la «señal del demonio», que un poema cómico francés del siglo XVI denomina «marca de alcahueta». Ha tenido problemas con la justicia y fue procesada por hechicería, junto con Claudina, la madre de Pármeno.

Sin embargo, la novedad del personaje hay que buscarla en la agudeza de «sus ojos intelectuales», que le permite penetrar en los seres y dominarlos. No tarda en calibrar a Calisto, sabe enfrentar a Claudina con la fidelidad de Pármeno, a quien convence, con discursos sencillos, invocando la autoridad de Séneca, lo mismo que a Melibea, que se queda admirada al oírla hablar del rico y del pobre, o de la vejez. Con Pármeno dialoga sobre cómo conquistar a las mujeres, sobre el amor compartido por medio de confidencias a un amigo, sobre lo que se supone que «mejor fazen los asnos en el prado». Esta magnífica lección (acto I) no debe hacernos olvidar que los discursos de Celestina o los de los dos primeros criados, «autorizados» por los clásicos, son absolutamente irrealistas. Sea cuál sea el discurso y sea cuál sea el personaje que habla, los autores de La Celestina recurren a las reglas establecidas, apoyándose implícita o explícitamente en Aristóteles, en Cicerón, en Séneca o en Plinio. No tienen la preocupación por lo verosímil que mostrará Torres Naharro, y que se plasmará en las diferencias de estilo.

Celestina plantea asimismo, como ya hemos visto, la cuestión, muy debatida, de la brujería y la de la alusión clásica a Plutón (ejercicio de estilo, también), al final del acto IV. No hay alternativa, sin embargo. O ha intervenido el demonio en el acto IV, y en ese caso Melibea es un personaje inconsistente, o bien es la propia Celestina quien, por medio de la mayéutica, consigue la confesión de Melibea, el personaje que más se acerca, probablemente, a la sensibilidad moderna. Se podría decir que gracias a Celestina se acepta unánimemente la pregunta que había formulado Américo Castro y su respuesta: «¿Qué libro en la Europa de 1500 es artísticamente comparable a nuestra tragicomedia? Ninguno, y ésta es la única respuesta.»

Las prostitutas. Elicia y Areúsa, al igual que los criados, presentan un contraste isomorfo y, además, si se puede hablar de jerarquía, Elicia está sometida a Celestina. Es la única que queda de todas las mujeres que trabajaron antaño para la alcahueta. Sempronio es su amante, de la misma manera que Pármeno lo será de Areúsa. Es la «mujer enamorada» de la que hablan los procesos franceses y españoles de los siglos XV y XVI, ya que trabaja de manera clandestina, a domicilio, recelando de los vecinos. Areúsa es decidida, vengativa, quiere convertirse en una nueva Celestina. Elicia, por el contrario, sigue viviendo modestamente en casa de Celestina, después de que ésta haya muerto. Su actitud con los clientes no justifica el «museo del lupanar» de que habla Aribau, expresión por otro lado, algo paradójica, por un texto en el que la institución tratándose de oficial no se nombra más que una vez, en boca de Celestina cuando, en la escena del arreglo de cuentas, pregunta a Sempronio: «¿Quitásteme de la putería?» (acto XII). La escena en la cama en casa de Areúsa (acto VII), la fiesta de rufianes en casa de Celestina (acto IX), las ocupaciones de la ramera que narra Elicia al principio del acto XVII (probablemente muy fieles a la realidad de la época) forman un conjunto original, incluso si, estilísticamente, están influidas, aunque sea poco, por el teatro latino y por el de Terencio en particular. En los actos IX y XVII, Elicia y Areúsa critican a los señores. El antagonismo se plantea ya en el acto IX. Las muchachas atacan a Melibea con tanta maldad que llegan a hacer de ella un retrato inverosímil: ¿debemos pensar, sin matices, como lo hacía Américo Castro, que los autores de *La Celestina* habían concebido la buena sociedad con «los arietes para destruirla»? En realidad, las cosas no son tan sencillas. Por un lado están los que tienen derecho a la literatura, y por otro los que acaban de acceder a ella. Sin embargo, en esta obra, no hay que olvidar quién habla y a quién. A las reivindicaciones ridículas de Areúsa, a sus pretensiones de suplantar a Melibea en el amor de Calisto, Sempronio contesta: «Y, aunque lo que dizes concediesse, Calisto es cavallero, Melibea fija dalgo; assí que los nacidos por linaje escogido búscanse unos a otros» (acto IX). Y, en este caso, habla el autor. Se puede objetar que son ellas quienes tienden la trampa en la que caerá Calisto, pero es una trampa tan ridícula que no es sino la causa indirecta de su muerte, y el símbolo de ese mundo marginado en el que Calisto había encontrado a Celestina.

Elicia y Areúsa no son las únicas que aparecen en los actos interpolados. Hay que tener también en cuenta a Centurio, que completa el «museo del lupanar». Areúsa hace de él una descripción elocuente: «Los cabellos crespos, la cara acuchillada, dos veces açotado, manco de la mano del espada [castigo que se infligía a los reincidentes], treynta mugeres en la putería» (acto XV). Él mismo afirma que su abuelo tenía cien, de donde le viene el nombre de Centurio. Esto es lo que justifica los argumentos de María Rosa Lida de Malkiel, que no acepta, con razón, que Centurio estuviera inspirado en el Pyrgopolinices del *Miles gloriosus*, de Plauto. Es el héroe cómico del *auto* que lleva su nombre, cinco actos interpolados, el primer modelo de rufián cobarde con setecientos golpes mortales en su repertorio, el hombre que abrirá el camino a los admirables juramentos que encontraremos en las imitaciones de *La Celestina*, y que Brantôme y Nicolás Beaudouin recogerán en parte. Es asimismo, al igual que las muchachas, el instrumento ciego del destino de los amantes. Finge asumir su venganza, y encarga de ella a Traso el cojo, cuyo nombre está tomado de un personaje del *Eunuchus* de Terencio.

5. LA FORMA Y EL ESTILO

El milagro de la *Celestina* es que, ni antes ni después de ella, no existe ninguna obra que se le parezca, ni en la lengua, ni en el estilo. Sus autores, por lo menos Rojas, conocían la comedia humanística. ¿Dominaban tanto el latín como para poder dar al castellano un desarrollo, un brillo y una agilidad desconocidos hasta entonces? Es más que probable.

A pesar de todo, tampoco podían eludir los diferentes códigos heredados: el estilo hiperbólico y blasfemo de Calisto; la técnica del retrato de Melibea, eterna e irrompible muñeca rubia medieval; la del elogio (el de Calisto en el acto VI y el de Melibea, en el acto V); la técnica, asimismo, de la censura de las mujeres que utiliza Sempronio en el primer acto, con esa acumulación léxica que criticaba Juan de Valdés. Este procedimiento resulta también eficaz en la *Lozana andaluza* y en Rabelais: rimas interiores de la prosa o «simili-cadencia»; la *concatenatio* que tendrá un gran desarrollo en la prosa del Siglo de Oro, pero que se utilizaba ya en la retórica segunda de la poesía de finales del siglo XV y que retoma Celestina en el acto IX: «[...] nascí para bivir, biví para crecer, crecí para envejecer, envejecí para morirme»; código, igualmente, en el planto de Pleberio, criticado a menudo pero, sin embargo, muy bien construido, elocuente e, incluso emotivo, con un final que respeta las intenciones indicadas en las composiciones preliminares y finales. Resumiendo, un conjunto amplio y variado de códigos, del que sólo hemos señalado algunos. Se utiliza, incluso, el «estilo oscuro», totalmente original, de la evocación de Claudina, que la transforma en un personaje de novela más que de teatro.

El funcionamiento del texto, para sus primeros destinatarios, se basaba, por un lado, en la organización y, por otro, en la referencia a las autoridades, algo inverosímil en boca de los personajes de baja extracción social, o en la referencia a los refranes, lo que es más verosímil. En un manuscrito anónimo del siglo XVI, el autor ha anotado en el margen el nombre de todas las autoridades, utilizadas o no de manera explícita. Esas autoridades antiguas o recientes, sagradas o jurídicas, nos permiten imaginar una complicidad entre los autores y el lector en la que no podemos participar. Eran muy numerosas, lo que convierte a *La Celestina* en un tesoro de sabiduría e incluso de moral mundana y popular, con alrededor de doscientos sesenta refranes. Algunos de ellos, alusivos, aparecen truncados, y su parte elidida era inmediatamente reconocida por el lector, lo que añadía una nota maliciosa y sugerente.

La mayor novedad de la lengua se presenta en los diálogos cortos, en los que las réplicas se encadenan a veces con una naturalidad que no ha sido nunca igualada, hasta el punto de que se ha creído reconocer en ella el habla de la calle. La *mímesis*, en el sentido estricto del término, se consigue aquí gracias a un arte prodigioso y siempre controlado, puesto que se trata siempre de una lengua pulida, incluso si aparecen, a veces, algunas alusiones obscenas. Esta increíble riqueza, esta corrección, no siempre han conseguido alcanzarla los imitadores. Ellos sí que han utilizado a veces una lengua vulgar y obscena. En sus obras, un personaje se encarga de presentar por medio de sermones lo que Celestina y, a veces, los criados introducían de manera tan natural en su discurso. De nuevo es Juan de Valdés quien pone de relieve una de las originalidades de *La Celestina*: «[...] soy de opinión que ningún libro ay escrito en castellano donde la lengua esté más natural, más propia ni más elegante» (*Diálogo de la lengua*).

6. La interpretación de la obra

Hasta el romanticismo, se estaba de acuerdo sobre el sentido moralizador de la obra y sobre su didactismo explícito. Desde Vives hasta Salas
Barbadillo, se tiene en cuenta su carácter ejemplar, aunque el primero la
condena, en 1520, en sus *De institutione feminae christianae*.

Entre los que censuran la novela de caballerías, la novela sentimental y,
en general, todas las ficciones engañosas, algunos, y no los menos importantes, han criticado *La Celestina*: Vives, fray Luis de León, Alarcón y el
padre Pineda. En lo que respecta a Vives, la condena porque prohíbe los libros peligrosos a la mujer cristiana, puesto que para él sigue siendo «un ani-
mal imperfecto por naturaleza», cuyo juicio «no es absolutamente seguro».
Sin embargo, en 1531, el propio Vives, desde otra perspectiva, anula su condena. Alaba, entonces, las cualidades literarias de la obra, así como su sentido moralizador. El caso de Villegas es diferente puesto que, en su vejez,
lamenta haber escrito una Celestina, la *Selvagia*. Recordemos que en una dedicatoria se había mostrado de acuerdo en atribuir *La Celestina* a Cota y a
Rojas, y había sostenido, asimismo, que un desenlace feliz no menoscababa
el carácter moralizador de las obras celestinescas. Renegó, sin embargo, de
su obra de juventud, después de una magnífica carrera eclesiástica y cuando
estaba ya bien acomodado en el conformismo moral que reinaba en España
después del Concilio de Trento. Por ironías del destino, no fueron expurga-
das *La Celestina* ni sus imitaciones, pero sí lo fue la tercera parte del *Flos
sanctorum*, del propio Villegas. Aunque Gracián critica la «grosería carnal»
de *La Celestina*, está por lo menos de acuerdo con uno de los aspectos esenciales del tema. Lo mismo sucede con Luis de Ulloa que, en 1674, condena
las hipérboles blasfemas de Calisto «el apasionado» y se alegra de la reciente expurgación de *La Celestina*, mantenida demasiado tiempo intacta,
según él, debido a que la moralidad disimulaba los delirios, y advertía del
peligro del amor que conduce a la locura. De cualquier modo, también él
tiene una visión acertada del tema, puesto que recoge el título de la obra.

En el siglo XVIII, la crítica en general intentó relacionar *La Celestina*
con el teatro, admitiendo, sin embargo, que la obra era demasiado larga
para ser representada, y que algunos de sus actos podían ser peligrosos en
escena. A pesar de algunas divergencias, todos los comentaristas han estado
de acuerdo sobre el lugar que debía ocupar en las letras españolas. Más
tarde, los románticos no se limitaron a seguir a Blanco White y a Moratín,
para quienes la obra forma un único conjunto, y por tanto es de un solo
autor. Se identificaron con la pasión de amor de Tristán e Isolda, con la de

EN LOS ORÍGENES DEL TEATRO

Calisto y Melibea, con la de Romeo y Julieta. Exaltaron, fuera de toda moral, ese apetito de amor y de muerte que domina a los protagonistas. A finales del siglo XIX, Menéndez Pelayo establecía sólidas bases para la crítica histórica pero, al igual que Juan Valera, hablaba de «amor del alma». En 1938, Ramiro de Maeztu encontraba similitudes entre *Don Quijote, Don Juan* y *La Celestina*. Y tenía razón.

Hasta finales de los años cincuenta no surge una gran número de interpretaciones, algunas de ellas divergentes. En *La Celestina como contienda literaria*, Américo Castro apoya sus teorías en la idea de que Rojas era *converso*. Rojas, judío converso, transmitía a su obra su propia «experiencia existencial y conflictiva», según Stephen Gilman. María Rosa Lida de Malkiel, en un libro que intentaba estudiar de manera exhaustiva todos los aspectos de la obra, la relacionaba con lo que llamó el «realismo psicológico». Marcel Bataillon intentó un nuevo estudio de la obra desde un punto de vista histórico y estético a la vez, volviendo a su sentido literal.

La línea que separa estas posiciones divergentes y sus partidarios lleva a establecer dos grupos. Por un lado, el de los que buscan el sentido literal de la obra. Por otro, el de los que intentan descubrir el significado que encierra. «Moralistas» contra «actualizadores». El debate sigue abierto.

La Celestina fue un *best-seller* durante todo el siglo XVI. Fue muy traducida en Francia, en Italia y en Inglaterra.

La primera traducción al italiano es la de Alfonso Ordóñez (1506), cuya importancia ya hemos señalado. La primera traducción francesa, anónima (París, 1527), se reedita varias veces hasta 1542. La de Jacques de Lavardin (1578) se convirtió en un modelo. Hacia 1530 aparece en Inglaterra un *Interlude*, de John Rastell, en verso y con un desenlace feliz y edificante. Aparecen a continuación algunas adaptaciones, antes de llegar a la traducción del hispanista inglés James Mabbe, en 1631. La famosa traducción alemana de Christof Wirsung, precedida de un diálogo moralizador, se edita dos veces, en 1520 y en 1534. Estas «Celestinas» que leían los lectores europeos provocaron las mismas interpretaciones divergentes que las que conoció en España su prestigioso modelo. Sin embargo, los traductores fueron unánimes en reconocer el valor moral de la obra y su didactismo inmanente.

Los personajes de la obra, citados también por autores franceses, Celestina sobre todo, han pasado a formar parte de la memoria colectiva de los españoles. *La Celestina* es citada constantemente, y desde muy pronto, por Lucas Fernández, por ejemplo, y por Pedro Manuel de Urrea, que versifica el primer acto y que se inspira en ella en su *Penitencia de amor*.

A lo largo del siglo XVI, adaptada en verso (por Juan de Sedeno, por ejemplo), o en un *romance* que la resume, inspira poemas burlescos, como un *Testamento de Celestina*. También la recuerdan los grandes autores. Cervantes la menciona en un dístico famoso, en un verso preliminar de la primera parte de *Don Quijote*: «Libro, en mi opinión, divi-, / si encubriera más lo huma-.» Lope de Vega, en lo que denomina «una acción en prosa», le rinde una especie de homenaje. Su *Dorotea*, obra maestra del diálogo, no narra la historia tradicional de una conquista, sino que es ya el relato, moderno, de una ruptura. Dos de sus comedias, *El Caballero de Olmedo* y *La bella malmaridada*, hacen aparecer en escena a dos viejas, pero la segunda, interpretada por un conde italiano, no es más que una imagen descolorida de la Celestina.

A pesar de sus censores, *La Celestina* dejó su huella en el teatro primitivo de principios del siglo XVI. En Francia, aunque, como hemos visto, los grandes autores la conocían, influyó poco en la tragicomedia. Hoy en día está traducida prácticamente a todas las lenguas europeas. Se han realizado adaptaciones escénicas y cinematográficas, generalmente exageradas y muy alejadas de la mentalidad de la obra original. El fenómeno más importante, prueba del éxito que alcanzó en España en la primera mitad del siglo XVI, son las continuaciones o imitaciones a que dio lugar y que constituyen, junto con ella, lo que Menéndez Pelayo denominó la «celestinesca».

PIERRE HEUGAS

CAPÍTULO X

EL ROMANCERO

Introducción

Resulta muy difícil presentar, en pocas palabras, el Romancero. En efecto, abarca varios siglos, se extiende por varias zonas culturales y funciona de diferentes maneras. Se puede afirmar, eso sí, que el término *Romancero* abarca el conjunto formado por todos los romances.

Los romances son poemas narrativos: incluso si son breves, relatan una historia. En esto se diferencian de las canciones líricas. Así, el *Romance del prisionero*, uno de los más conocidos y de los más traducidos, no expresa sólo el lamento del prisionero, sino que evoca la pérdida cruel del único lazo que le une con el exterior.

Estos poemas presentan una relativa homogeneidad formal: en general, se trata de versos octosílabos (según la métrica castellana, que se basa en el último acento tónico del verso y que, en este caso, debe recaer en la séptima sílaba), con rima asonante en los versos pares, aunque pueden darse otras modalidades. Por otro lado, son además formas cantadas, lo que ha facilitado su transmisión oral: algunos han llegado hasta nuestros días. Sin embargo, paralelamente a esta tradición oral, han existido, desde el siglo XV, romances escritos, bien sea transcritos de los que se cantaban, o bien compuestos o adaptados según las formas literarias de la época (y que entraban, a veces, más tarde, en el circuito oral). Estos romances han pasado de generación en generación. Se denominan «tradicionales», desde que Ramón Menéndez Pidal, autoridad en todo lo concerniente al Romancero, propusiera este calificativo, en lugar de la denominación de «populares», romántica y vaga. La característica esencial de estos romances es la fluctuación, la variabilidad de sus diferentes versiones: puede deberse a la fragilidad de la memoria, pero, más aún, a la reinterpretación, consciente o inconsciente a que han estado sometidos con el paso del tiempo.

Se han comparado, a veces, estos romances con las baladas de otros países. Sin embargo, su riqueza temática, su persistencia, y su influencia hacen que sean muy diferentes.

> Las baladas inglesas y escocesas, por muy bellas que sean, permanecen, aunque parezca increíble, al margen de la literatura inglesa culta, poética y dramática. En España y en el mundo hispánico, el romance ha ejercido una influencia mucho mayor. Los romances orales fueron imitados por los poetas cultos del siglo XVI y del XX también, y representados por algunos de los más ilustres dramaturgos españoles del Siglo de Oro. Y, por si fuera poco, a veces, algunas obras de los grandes poetas españoles han pasado a ser tradicionales y se han transmitido oralmente, como sucedía con los poemas más antiguos. Todo esto convierte al Romancero en un terreno homogéneo dentro de la literatura española, le «pertenece» más de lo que las baladas pertenecen a la literatura inglesa o escocesa.[1]

Estas afirmaciones del hispanista inglés Edward M. Wilson podrían aplicarse, *mutatis mutandis*, a las baladas francesas y a su relación con la literatura culta. Prueba de ello es que, dada la especificidad y la originalidad de las baladas peninsulares, se ha tomado en francés el término «romance», en masculino como en castellano, para designarlas, y la palabra «romancero» para referirse a una recopilación de romances y a veces incluso, por extensión, a una recopilación de baladas francesas.

La cita de E. M. Wilson resume muy bien, por otra parte, la complejidad de los problemas que plantean los romances, cultivados por «grandes poetas españoles» de todos los siglos y, al mismo tiempo, transmitidos en forma oral y cantada. Será imposible tratar aquí todos estos problemas, y detenerse en todos los siglos.

El primer problema que se plantea es el de relacionar el Romancero con la época en que se supone que nació, con la Edad Media.

En efecto, parece evidente que el Romancero pertenece a la Edad Media. Habría que preguntarse de dónde procede la idea, admitida generalmente, de que los romances surgen en el Medioevo. Existen razones fundadas y otras infundadas para creerlo.

---

1. Edward M. Wilson, «Temas trágicos en el romancero español», en *Entre las jarchas y Cernuda*, Barcelona, Ariel, 1977, p. 114.

Descartemos primero las razones infundadas, algunas de las cuales están, sin embargo, muy arraigadas y se basan en ideas preconcebidas. Así, por ejemplo, se piensa que al ser los temas y los héroes del Romancero, a menudo, medievales, pertenecen a un contexto histórico «medieval», aunque no se pueda precisar de qué siglo se trata. Hipótesis en gran parte errónea: por ejemplo, la figura del Cid visto como un héroe caballeresco, guerrero y enamorado a la vez, no se fijó hasta el siglo XVI.

En particular el público francés, que conoce al héroe por la obra de Corneille, podría pensar que los romances cidianos en los que se ha basado Guillén de Castro, en quien se inspira Corneille, son muy antiguos, cuando, en la mayoría de los casos, se trata de frutos tardíos de la leyenda del Cid. Lo mismo sucede con la mayor parte de los romances que entusiasmaron e inspiraron a los románticos franceses y que presentan una Edad Media ficticia. La temática medieval, por lo tanto, no implica automáticamente que el origen sea medieval.

Otra postura, bastante extendida entre los que piensan que el Romancero es una herencia de la Edad Media, consiste en creer que muchos de los textos que se conservan, editados en el siglo XVI, son una transcripción exacta de textos anteriores: esto no es cierto en el caso de todos los romances editados en el siglo XVI, algunos de los cuales fueron compuestos en ese mismo siglo, ni tampoco en lo que a los romances anteriores se refiere, ya que la edición de los textos tuvo a veces repercusiones en su forma.

¿Cómo son, pues, los romances que se relacionan con la Edad Media? La respuesta no es fácil ni definitiva: cada romance tiene su especificidad y su historia particular, en la que intervienen problemas de origen, de datación y de forma.

En una primera categoría se agrupa cierto número de textos poéticos en forma de romances que datan del siglo XV y que están conservados en los cancioneros manuscritos o incluidos en diferentes obras (crónicas históricas, por ejemplo). Son los únicos que, *stricto sensu*, deberían considerarse, sin lugar a dudas, medievales.

S. G. Morley ha elaborado una lista, con la cronología aproximada de la fecha de compilación o, incluso, de composición. En una obra reciente, Charles V. Aubrun recoge esta lista y la completa. Este autor sostiene con vehemencia que los romances conservados son obra de poetas cortesanos y que no representan sino una parte, limitada además, de la literatura culta desde mediados del siglo XV hasta principios del siglo XVI. Serían, por lo tanto, un adorno de la literatura cortés de finales del siglo XV.

En estas condiciones, ¿sería conveniente aislar el Romancero de la Edad Media? ¿No habría que considerarlo como un capítulo más de la poesía de los cancioneros, como una forma poética determinada, según se desprende del *Cancionero general* de Hernando del Castillo, de 1511, en el que los romances están agrupados aparte? ¿No valdría más considerar los romances, a pesar de sus diferencias, como una producción *sui generis* de la poesía del siglo XVI, en lugar de pensar que pertenecen al final de la Edad Media?

Conviene plantearse todas estas cuestiones, si se estima que los romances son obras de autor, poemas cerrados, de una perfección técnica y estética mejor o peor lograda.

Éste es el principal problema. No hay duda de que los grandes poetas, desde el siglo XV hasta el XX, han cultivado el género. Sin embargo, esta vena culta es secundaria, porque viene a inscribirse en un marco de romances anteriores cantados o contados, y porque se trata de romances «cultos», que se apartan de los demás adoptando y adaptando las formas literarias de cada época.

Por lo que al siglo XV se refiere, y limitándonos a los testimonios atestiguados, no hay duda de que existieron romances que se transmitían oralmente.

El gramático Nebrija no habría citado versos de romances como ejemplos para definir el ritmo y la rima, si el público no hubiera conocido perfectamente el texto de esos romances «viejos». Del mismo modo, los poetas cultos, o sus editores, indican, a menudo, que determinados textos no son sino nuevas formas de textos que ya existían. Así, Diego de San Pedro compone, por ejemplo, *Reniego de ti, Amor* y advierte que es una adaptación de *Reniego de ti, Mahoma*, verso tomado de un romance carolingio del que no nos ha llegado ninguna versión completa anterior al siglo XVI.

Estas alusiones dispersas —numerosas en el siglo XV— permiten afirmar que existían romances en aquella época, aun cuando los fragmentos de que disponemos se limiten a uno o dos versos. Está fuera de lugar intentar reconstruir el texto completo (por otro lado, ¿sería posible?) o tratar de asimilar estos romances a las versiones completas que aparecieron después, en las ediciones del siglo XVI, en el teatro del siglo XVII o incluso, algunos de ellos, en la tradición oral moderna.

De cualquier modo, los textos antiguos que se conservan no son sino la punta de un iceberg: el de la poesía transmitida —o incluso compuesta— por medio de la voz y del canto. Como afirma el medievalista Paul Zumthor:

De la misma manera que cuando se descubre un esqueleto fósil, es necesario eliminar los sedimentos que lo rodean, así la poesía medieval debe separarse de la época tardía en que la sitúa el manuscrito que se conserva: ahí es donde surge el prejuicio que convierte a la escritura en la forma preponderante —hegemónica— del lenguaje.[2]

Sin embargo, aun admitiendo la existencia, en la Edad Media, de romances transmitidos oralmente, cabe preguntarse cómo acceder a ellos. Es verdad que algunos aparecen de manera efímera y desaparecen luego definitivamente. Pero quizá se podría pensar en una forma de abordar estos textos diferente de la que se utiliza para estudiar las obras fijadas definitivamente por escrito. Paul Zumthor y Diego Catalán determinan en sus trabajos, de manera magistral, el camino a seguir para estudiar esta «literatura» oral.

Considerar los romances desde este punto de vista significa observar cómo se modifican en las diferentes y sucesivas «versiones», rastrear cuáles pueden haber sido los modelos previos en los que se inspiran (tanto en el relato, como en la forma) y que imitan, con mayor o menor perfección.

Un ejemplo: el primer romance conservado es «*La dama y el pastor*», de 1421. Parece que fue escrito en una especie de cuaderno escolar por Jaume de Olesa, un estudiante mallorquín que se encontraba, por aquel entonces, en Italia:

> *Gentil dona, gentil dona,*
> *dona de bell pareçer,*
> *los pies tingo en la verdura*
> *esperando este plazer.*
>
> *Por y passa ll'escudero*
> *mesurado e cortés.*
> *Las paraulas que me dixo*
> *todas eran d'amorés.*
>
> *—Thate, escudero, este cuerpo,*
> *este cuerpo a tu plazer,*
> *las tetillas agudillas*
> *qu'el brial quieren fender.*

---

2. Paul Zumthor, *La lettre et la voix*, París, Seuil, 1987, p. 17.

Alli dixo l'escudero:
No es hora de tender,
la muller tingo fermosa,
fijas he de mantener,

el ganado en la sierra
que se me va a perder,
els perros en las cadenas
que no tienen que comer.

—Allà vayas, mal villano,
Dios te quiera mal fazer,
por un poco de mal ganado
dexas cuerpo de plazer.

L'escorraguda es:

Mal me quiere mestre Gil
e fazelo con drecho.
Bien me quiere su muger
que'm echa en el son lecho.[3]

Este romance recuerda a las pastorelas de la literatura cortés (la dama y el escudero), pero los papeles están invertidos, puesto que aquí es la dama quien requiere al escudero-pastor, y éste quien la rechaza. Mezcla el catalán y el castellano y presenta varios problemas textuales. Por otro lado, la despedida final prueba que el romance circulaba, como burla, entre los estudiantes.

A pesar de su organización confusa, o precisamente debido a ella, esta versión constituye un buen ejemplo de la manera en que se difundían los romances: cada versión supone la actualización de un modelo preexistente.

Si comparamos este texto con las versiones posteriores, del siglo XVI, y con otras más modernas de la tradición *sefardí* (los judíos expulsados en 1492 y exiliados en torno al Mediterráneo, desde el Bósforo hasta el Magreb, conservan numerosos romances viejos), veremos que, para reconstruir el o los modelos en los que se ha inspirado, es necesario tener en cuenta todas las versiones conocidas.

Por ejemplo, se ha creído que la transformación del pastor en escudero se debía a un extraño arreglo realizado por Jaume de Olesa. Sin embargo, en versiones orientales modernas, aparece también un «caballero», calificado incluso de «cortés», y se alude, asimismo, a sus rebaños.

---

3. *La dama y el pastor (Romancero tradicional*, X), Madrid, 1977-1978, pp. 24 y 25.

Debieron existir dos ramas en la tradición de este romance: una, influida por la poesía cortés, en la que el protagonista masculino era un noble «escudero» y, más tarde, un «caballero», condición que no se refleja en los argumentos que emplea para rechazar a la dama; otra, en la que, desde el primer momento, la dama se dirige a un pastor. En estas mismas versiones, el pastor narra la historia en primera persona, desde los primeros versos. Un cruce con esta variante explicaría, quizá, la utilización de la primera persona («Las paraulas que me dixo»), que parece incongruente en la versión de Jaume de Olesa.

Esta versión conservada, afortunadamente, es ejemplar por varios motivos. Por un lado, muestra que no se debe estudiar una versión independientemente de las demás, y que las supuestas incoherencias se explican consultando versiones de diferentes épocas, incluso, a veces, versiones orales modernas. El análisis de los romances viejos atestiguados sólo puede llevarse a cabo de manera indirecta, teniendo en cuenta las reactualizaciones sucesivas que han llegado hasta nosotros.

Por otro lado, esta primera versión recoge variaciones humorísticas —como, por ejemplo, la despedida final— tomadas, a veces, de un patrimonio común.

Por último, desde principios del siglo xv, se regularizan las canciones de procedencias diversas (francesa, quizá, según Menéndez Pidal, en el caso de *La dama y el pastor*), en versos octosílabos con una misma rima (en este caso en -é).

Diferentes problemas se entrecruzan, por lo tanto: cronológicos, de variaciones formales, de utilizaciones específicas. Es curioso que en la primera versión conservada aparezcan todos juntos. Aunque sea difícil tratarlos por separado, intentaremos abordarlos de uno en uno.

Los orígenes

Los orígenes del Romancero, como todos los orígenes en general, son oscuros y han creado una historia mítica que ha ido variando según las épocas.

En efecto, mítica es la idea de que las cantilenas primitivas fueron creadas por el «pueblo», en contacto con los héroes y con sus hazañas, tal como lo imaginaban los románticos. Los críticos de finales del siglo xix (Milá y Fontanals, Menéndez Pelayo) y, más tarde, Menéndez Pidal en el siglo xx, destruyeron esta idea y contribuyeron a imponer otra visión, basada en la historia y en los textos: la de la disgregación de los cantares de gesta, que sobreviven por medio de fragmentos, en forma de poemas cortos. El problema de esta hipótesis podría ser que no existen textos sobre las gestas en sí, puesto que en España sólo se conservan el *Poema de Mio Cid*, del siglo XIII, *Las Mocedades del Cid*, del siglo XIV, y el breve fragmento de *Roncesvalles*. Bien es verdad que el descubrimiento casual de este último, así como las alusiones que se hacen en las crónicas históricas a los cantares en los que se inspiran y de los que se han encontrado, a veces, tiradas relativamente largas, con ritmo y rima, insertas en la prosa de las crónicas, constituyen argumentos de peso para sostener que existieron cantares que se han perdido. No vamos a entrar aquí en la polémica, todavía no resuelta, en torno a la poesía épica medieval en la Península, pero es inevitable aludir a ella al hablar del Romancero.

Es indudable que, si consideramos que el Romancero se relaciona en sus orígenes con los cantares de gesta, se convierte en una prueba de que éstos existieron. Por otro lado, la evolución del Romancero nos permite, a su vez, imaginar cómo pudo ser la de los cantares. Por el contrario, si aceptamos que la poesía épica es una literatura culta, los romances, aunque se inspiren en ella, no pueden ser sino un género diferente, lo mismo que las crónicas y, en ese caso, habría que buscar su origen en un fondo épico degradado en el que se habrían inspirado los juglares en el siglo XIV.

Sea como sea, de lo que casi nadie duda es de que, por lo menos en el siglo XIV, se recitaban y se cantaban romances épicos cuya forma exacta desconocemos, puesto que los textos que han llegado hasta nosotros se imprimieron en el siglo XVI y los editores los reestructuraron, a veces, y los adaptaron según sus propósitos.

Un ejemplo puede ser el romance cidiano que más se ha estudiado, el del *Rey moro que perdió a Valencia* («Helo, helo por do viene / el moro por la calzada [...]». Este romance recoge, sin lugar a dudas, un episodio del *Cantar de Mio Cid*, aunque truncado por una laguna del manuscrito. Menéndez Pidal cree que este romance no proviene del antiguo cantar, sino de una refundición de la gesta del Cid, del siglo XIV (perdida, según él), y piensa que «también es verosímil la intervención de un juglar de gesta, que a la vez que transmite la tradición épica, trabaja en simplificar los episodios más famosos, para hacerlos más conformes con el gusto épico-lírico triunfante».[4]

4. Ramón Menéndez Pidal, *Romancero hispánico (hispano-portugués, americano y sefardí)*. *Teoría e Historia*, 2 vols., Madrid, Espasa-Calpe, 1953, t. I, p. 229.

Diego Catalán,[5] heredero de la línea de Pidal, insiste en la relación con la epopeya, aunque matizándola. Esto muestra que, incluso los que aceptan esa hipótesis, no la aplican de manera mecánica: significa que hay que seleccionar y, al mismo tiempo, reestructurar y reelaborar los materiales de que se dispone.

No obstante, el Romancero no se inspira únicamente en la tradición épica. Algunos romances que no relatan hazañas de héroes parecen proceder de antiguas historias en las que aparecen mitos y ritos de otras épocas, probablemente ya olvidados en la Edad Media y fosilizados, sin que por ello dejen de ser sugestivos. Por otro lado, las canciones líricas, difíciles también de rastrear antes del siglo XV, pueden haber trasmitido sus temas y su forma musical.

Eugenio Asensio realiza, en este aspecto, un estudio ejemplar sobre la influencia de la canción de mayo en el romance de *Fonte frida*.

> *Fonte frida, Fonte frida,*
> *Fonte frida y con amor,*
> *do todas las avecicas*
> *van tomar consolación,*
> *si no es la tortolica,*
> *que está viuda y con dolor.*
> *Por allí fuera a pasar*
> *el traidor del ruiseñor;*
> *las palabras que le dice*
> *llenas son de traición:*
> *—Si tu quisieses, señora,*
> *yo sería tu servidor.*
> *—Vete de ahí, enemigo,*
> *malo, falso, engañador,*
> *que ni poso en ramo verde*
> *ni en prado que tenga flor;*
> *que si el agua hallo clara,*
> *turbia la bebía yo;*
> *que no quiero haber marido*
> *porque hijos no haya, no;*
> *no quiero placer con ellos,*

5. Diego Catalán, «*Helo, helo por do viene el moro por la calzada*. Vida tradicional de un episodio del *Mio Cid*», en *Siete siglos de romancero (Historia y poesía)*, Madrid, Gredos, 1969, p. 145.

ni menos consolación.
Déjame, triste enemigo,
malo, falso, mal traidor,
que no quiero ser tu amiga
ni casar contigo, no![6]

Asensio muestra, sobre todo, cómo el exordio está influido por la canción con su triple repetición. Un exordio que, por otro lado, aparece en muchos romances y que dramatiza el relato gracias al apóstrofe inicial («*Fonte frida, Fonte frida, / Fonte Frida y con amor*»).[7]

El romance, por lo tanto, basa su fuerza poética y muchas de las expresiones sugestivas que utiliza en el fondo inmemorial de la poesía lírica. Menéndez Pidal, cuyas teorías sobre el origen de los romances distaban mucho de ser simplistas, como algunos han pretendido, afirma la fusión de estas dos corrientes con el epíteto «épico-lírico», atribuido al Romancero.

Asensio señala, por su parte, otro aspecto importante: la heterogeneidad de los elementos que componen el romance. En *Fonte frida* se entremezclan ideas que provienen de la tradición clerical de los bestiarios medievales (la tórtola casta), con otras que proceden de la tradición pagana de las fiestas de mayo (el ruiseñor versátil y la fuente de amores).

Otro tanto se podría decir de muchos romances: a unos orígenes más o menos cultos han podido añadirse motivos de la canción popular, enraizados en un antiguo fondo de carácter casi mítico. ¿Quién sería capaz de extraer todas las posibilidades poéticas de este verso francés: «*C'est le mai, mois de mai / c'est le joli mois de mai*», réplica exacta del castellano: «*Que por mayo era, por mayo*», con el que comienzan varios romances modernos?

En cuanto a saber quién tiene la primacía, si los romances épicos, que podrían haber servido como modelo para fijar formalmente las canciones, o bien las canciones, cuyo lirismo podría haber impregnado los temas épicos, resulta imposible dar una respuesta unívoca. La interrelación de las corrientes épica y lírica es muy antigua. Francisco Rico ha estudiado y publicado una canción del siglo XII basada en el paralelismo y en el cambio de rima, forma tradicional de las canciones más antiguas, que evocan a los héroes de la gesta carolingia:

---

6. *Cancionero general* de Hernando del Castillo (1511), ed. A. Rodríguez Moñino, Madrid, 1958 (esta versión está tomada de una glosa del poeta Tapia).

7. Eugenio Asensio, «Fonte frida, romance y canción», en *Poética y realidad en el Cancionero peninsular de la Edad Media*, Madrid, Gredos, 1970, p. 254.

Cantan de Roldán
cantan de Olivero,
e non de Çorraquín Sancho,
que fue buen caballero.

Cantan de Olivero,
cantan de Roldán,
e non de Çorraquín Sancho,
que fue buen barragán.[8]

Los orígenes son múltiples, por lo tanto, y se entrecruzan. De este breve panorama se desprende que no se puede hablar de génesis, sino de poligénesis.

Cronología

Teniendo en cuenta el planteamiento de los orígenes, no resulta difícil comprender que la mayor o menor antigüedad que se atribuye a los romances depende de lo que se entiende por orígenes. A esto hay que añadir el problema que plantean los textos conservados.

Si se sacralizan estos textos, resulta relativamente fácil datarlos, puesto que se conoce la fecha de las compilaciones en que aparecen los romances, incluso, a veces, la fecha de composición. Por el contrario, si se acepta la existencia de romances anteriores a los restos escritos, la aparición más o menos tardía de textos conservados sólo significa que, en un determinado momento, se transcribió una versión, o que un poeta se la apropió y la remodeló a su manera. En este caso no se trataría del primer texto, noción que no es pertinente en el caso de los romances tradicionales.

En cualquier caso, existen dos maneras de fijar una cierta cronología: datando los textos escritos conservados, y datando, por otro lado, los sucesos narrados, cuando éstos pertenecen a la historia que no recogen los cantares de gesta (a partir del siglo XIV).

---

8. Francisco Rico, «Çorraquín Sancho, Roldán y Oliveros: un cantar paralelístico castellano del siglo XII», en *Homenaje a la memoria de don Antonio Rodríguez Moñino, 1910-1970*, Madrid, Castalia, 1975.

La datación de los textos

Los romances atestiguados del siglo XV han sido clasificados, como ya hemos indicado, por Morley y Aubrun y no tendría mucho interés reproducir aquí la lista completa. Sin embargo, sí conviene destacar algunos puntos relativos a la historia de la literatura.

En primer lugar, dejando a un lado el primer romance, de Jaume de Olesa (1421), los demás textos sólo aparecen recogidos, según los cancioneros, en la segunda mitad de siglo.

En esa época, los romances empiezan a ser cultivados por los poetas y se introducen en la corte de los reyes, parece ser que primero en la corte napolitana del rey de Aragón y después en la corte castellana. Siempre se alude a que Santillana criticaba, en 1449, los romances en «estilo bajo» (según las categorías retóricas de los tres estilos) que deleitaban a las gentes de condición baja y servil. No está probado en absoluto que Santillana se estuviera refiriendo a los poemas tradicionales que llamamos romances, sino más bien quizá a los largos romances compuestos por los juglares, que no seguían las reglas de la retórica. También Juan de Mena, al aludir al emplazamiento del rey Fernando IV, indica qué gente cantaba a este rey: los rústicos.

La aceptación del romance en círculos cultos debió verse favorecida por el hecho de que se asoció con el canto y la música. Era apreciado, sobre todo, como canción, y los músicos de la corte armonizaron para varias voces las antiguas melodías, o compusieron otras nuevas, que aparecen recogidas, por lo menos en parte, en el *Cancionero musical de palacio*, de la época de los Reyes Católicos (1496). Los romances estaban de moda en la corte de la reina Isabel, como lo muestran diversos testimonios. Este cambio cualitativo en la manera de considerarlos, desde mediados de siglo, trae consigo un cambio cualitativo en su producción. Los juglares anónimos dejan de ser los únicos que relatan, en romances y con acompañamiento musical, las proezas de personas más o menos importantes. A partir de entonces, los poetas más en boga (Diego de San Pedro, Juan del Encina, y muchos otros menos conocidos) cultivan los romances: componen otros nuevos, sobre sucesos históricos de actualidad, o sobre temas religiosos y, sobre todo, amorosos, con el tono cortés de esa época. Y, al igual que los músicos que hacían variaciones sobre viejas melodías, los poetas retoman romances tradicionales para lucir su destreza poética, glosando o reelaborando viejos textos conocidos por todos.

En las glosas, se parte de un romance cuyos versos se van tomando de dos en dos, integrándolos al final de cada estrofa de diez versos. Este sistema debió de obligar, a menudo, a acortar los textos, por lo que las versiones a las que se llega por medio de estas glosas están, frecuentemente, truncadas. Las reelaboraciones consistían en variar el tono (la mayoría de las veces de carácter amoroso) de modelos y versos ya existentes.

A finales del siglo XV comienza, por lo tanto, a perfilarse y a desarrollarse lo que constituirá uno de los rasgos característicos del Romancero: la coexistencia de textos antiguos (llamados «viejos»), que siguen difundiéndose oralmente —y en los que se basaban, también, en aquella época, los juegos literarios o musicales— y de textos nuevos, compuestos siguiendo el modelo de romances antiguos, incluso si los modifican (por ejemplo, a finales del siglo XV, los poetas cultos preferían, a menudo, la rima consonante a la asonante).

Otro aspecto importante en la historia del romancero es la aparición de la imprenta. Muchos textos de finales del siglo XV se conservan gracias a las ediciones y no dependen de la eventualidad de las recopilaciones manuscritas, como venía sucediendo hasta entonces. Éste es el caso del *Cancionero general* que Hernando del Castillo empezó a componer en 1490, pero que no editó hasta 1511.

Bien es cierto que en este cancionero no son muy numerosos los romances (48 únicamente, de un total de más de mil poemas) y que están considerados como un género aparte, puesto que se trata de glosas y de reelaboraciones, o porque presentan una despedida final, lo que indica que se trataba de juegos literarios y que no se intentaba recoger versiones tradicionales. Sin embargo, la presencia de estos textos demuestra que formaban parte de la literatura culta.

Por otro lado, esta recopilación no sólo señala el paso de un siglo a otro, sino que indica también un cambio en la manera de difundir la poesía. La imprenta significa una especie de revolución en la difusión e, incluso, en el carácter de la poesía, que hasta aquel momento se transmitía de forma privada, cuando se trataba de textos de autor, y de manera oral, en el caso de textos tradicionales.

No sólo se editan libros sino, desde los comienzos de la imprenta, pliegos sueltos, que constaban, a menudo, de un solo *pliego* doblado en cuatro. Los primeros que se conservan datan de los primeros años del siglo XVI, y este sistema se convertirá prioritariamente en el medio de difusión de los romances. El éxito editorial obligará a hacer numerosas reimpresiones y re-ediciones durante ese siglo. No ha llegado hasta nosotros sino un número muy limitado de ejemplares (en su mayoría conservados en bibliotecas extranjeras), ya que la fragilidad del documento y el público poco culto que lo adquiría han contribuido a su desaparición.

Hasta mediados del siglo XVI no se editan libros «de bolsillo» (así se denomina el primero: *de faltriquera*), que recogen romances que hasta entonces habían circulado únicamente en *pliegos sueltos*.

El primer cancionero, publicado en Amberes, sin fecha (y llamado por ese motivo *Cancionero sin año*) parece datar de 1547-1548 e inicia una se-rie de compilaciones que recogen exclusivamente romances, sin glosas ni despedidas, lo que indica que el género ha alcanzado plena autonomía. No podemos abordar aquí los problemas que plantea esta enorme producción impresa: identificación del lugar de impresión de los *pliegos sueltos*, data-ción, origen y filiación de los textos, es decir, todos los problemas relacio-nados con la época de Gutenberg. Podemos, sin embargo, señalar que el tí-tulo de las recopilaciones indica ya su filiación, según se denominen «cancioneros» o «silvas»: hasta principios del siglo XVI no se utilizará el tér-mino «romancero».

Este *corpus* impreso, aunque sea tardío, está vinculado por varios mo-tivos con el Romancero más antiguo, puesto que constituye su principal ar-chivo. En efecto, gracias a él se han podido conservar algunos de los ro-mances que se cantaban con anterioridad.

Las fronteras cronológicas tienden a borrarse: sea cual sea la fecha de impresión del pliego o de la compilación, puede darse el caso de que apa-rezca en ellos un romance «viejo» no recogido hasta entonces, o del que se han perdido las primeras ediciones. De esta manera, algunos romances sólo figuran en obras de finales del siglo XVI, como por ejemplo las *Rosas* de Ti-moneda (muy transformados, además). Se llega así a la paradoja de que la fecha en que aparecen los romances (más o menos avanzado el siglo XVI) no es pertinente para determinar su antigüedad.

Se han encontrado incluso, en la tradición oral moderna, romances de los que no aparece ningún rastro en las ediciones del siglo XVI, cuando, en realidad, por alusiones o citas fragmentarias, se sabe que existieron: este es el caso del romance *El veneno de Moriana*, en el que la heroína se venga de su amante infiel poniendo veneno en el vino. «¿Qué me has puesto, Moriana, / qué me has puesto en el vino?» son los únicos versos que se citan en el siglo XVI y que perduran en las versiones modernas completas. Como es lógico, no hay que asimilar estas versiones modernas a las versiones antiguas: es característico del Romancero tradicional que evolucione y que se adapte a los medios en los que circula. Lo que sí demuestra el Romancero oral moderno (en determinados casos, ya que todos los romances modernos no tienen orígenes medievales), es la persistencia ininterrumpida de la transmisión oral, independientemente de que aflore o no a la superficie del texto escrito en el siglo XVI.

Conviene, por lo tanto, señalar que la compilación del siglo XVI, por muy extensa y respetable que parezca, no constituye ni mucho menos el *corpus* completo de todos los romances tradicionales que existían en aquella época.

En primer lugar, probablemente se ha perdido un importante número de impresos, sobre todo de pliegos, y por lo tanto de romances. Pero ésta no es la única razón, ni quizá la más importante. Si se estudia el *corpus* conservado, es posible comprobar que los editores seleccionaban los textos siguiendo unos criterios que ignoramos en parte (descubrir cuáles eran está siendo objeto de estudio por parte de numerosos investigadores), probablemente según la demanda y la moda del momento. A principios del siglo XVI predominan los romances caballerescos y pseudo-caballerescos; a mediados de siglo se sustituyen por romances que se inspiran en la historia nacional (siguiendo el movimiento de exaltación de la monarquía); más tarde aparecen los romances moriscos. Esta diversidad pertenece más bien al campo de la historia literaria del siglo XVI. Sin embargo, muestra que los editores no se interesaron por todos los romances e indica, además, que parecen rechazar los que presentaban alternancia de rimas, que estaban más cerca de la tradición lírica (éste podría ser el caso de *El veneno de Moriana*, ya citado).

Por otro lado, este *corpus* no es más que un reflejo desfigurado del que podían constituir las diferentes versiones orales que circularan en aquel momento. En efecto, normalmente se editaba *una* única versión. Y a esta versión las reediciones en pliegos y en compilaciones han aportado, a veces, algunos matices (versos añadidos, suprimidos o remodelados), pero es esa versión la que se convierte en una especie de norma, la que impone una tradición escrita, sin duda más estable que la tradición oral correspondiente. Es raro que los descubrimientos bibliográficos saquen a la luz versiones impresas muy diferentes entre sí.

El Romancero impreso en el siglo XVI —huella visible del Romancero viejo, que estaría fuera de nuestro alcance de no ser por esta edición— presenta unas características que no son totalmente medievales. Plantea ya los problemas propios de la edad moderna, incluso si un análisis detallado permite detectar en las diferentes versiones algunas variantes que recuerdan la mutabilidad original.

La datación según los sucesos narrados

Sabemos que algunos romances relatan hechos históricos. Son, en cierto modo, crónicas de actualidad, función que han seguido conservando en el transcurso de los siglos. En el siglo XV, en 1462, el rey Enrique IV mandó componer y poner música a un romance para celebrar la llegada del condestable Miguel Lucas de Iranzo a tierras de Granada. Un siglo después, un romance relata el saqueo de Roma por los ejércitos del emperador. Lo mismo debía de suceder, probablemente, en el siglo XIV: las guerras fronterizas y la guerra fratricida entre Pedro el Cruel y Enrique de Trastámara eran temas de romance.

Los primeros sucesos históricos que se recogen en un romance conservado se remontan a principios del siglo XIV y se refieren a la muerte de Fernando IV, el Emplazado, en 1312. Según la leyenda, este rey murió emplazado ante la justicia divina en el plazo de treinta días por los hermanos Carvajales, a quienes había condenado de manera injusta.

De principios del siglo XIV (1328) data, también, la rebelión del prior de San Juan contra el valido del rey Alfonso XI, enemigo suyo. Diego Catalán ha demostrado que estos hechos históricos aparecen recogidos globalmente, incluso detallados, en un romance del que existen dos versiones del siglo XVI.

A partir de mediados del siglo XIV, los romances históricos se multiplican. Relatan las luchas entre el rey Pedro, llamado el Cruel, y su hermano Enrique: venció este último, por lo que sólo han sobrevivido los romances que apoyaban su causa, con excepción de algunos versos (conservados en una *comedia* del portugués Sa de Miranda) que aluden a una victoria de los *jaboneros* de Sevilla, partidarios del rey Pedro. Los romances empiezan, asimismo, a cantar las batallas y las escaramuzas contra los moros (el más antiguo narra el asalto de Baeza, en 1368): introducen el género de los romances «fronterizos», del que surgirán algunas de las piezas más famosas del Romancero, hasta la época de los Reyes Católicos y de la rendición de Granada.

Una de las numerosas polémicas que suscita el Romancero es la de determinar la fecha de aparición de los romances que relatan los sucesos más antiguos.

Éstos fijan indudablemente un *terminus a quo*, pero varios críticos ponen en duda la contemporaneidad aduciendo que los romances fueron reela-
borados, basándose en relatos tomados de las crónicas del siglo xv, en la
época en que los romances estaban en boga en los ambientes cultos. Los que
sostienen que son antiguos, como lo afirmaba Menéndez Pidal, han defen-
dido, de manera convincente también, la tesis opuesta. Así, al analizar el romance del *Prior de San Juan*, Diego Catalán sostiene que resulta inverosímil que un poeta del siglo xv relate un episodio intrascendente de la historia
pasada; por el contrario, el romance tendría razón de ser si fue compuesto
en el momento de la rebelión de 1328.[9]

Es evidente que la forma de los romances que han llegado hasta nosotros no nos permite afirmar cuál era su forma original, probablemente más
larga y más detallada que las versiones del siglo xvi, desgastadas por la tradición. Sin embargo, los romances de que disponemos constituyen un sólido argumento para afirmar que en el siglo xiv existieron poemas narrativos, compuestos probablemente por juglares, que cantaban y divulgaban
los sucesos, grandes y pequeños, de la época.

Los temas

De la lectura de los apartados anteriores se deduce que los temas presentan una gran variedad. No existe una tipología rigurosa que tenga en
cuenta la forma y la materia a la vez. Nos vemos, por tanto, obligados a utilizar las clasificaciones que se establecieron en el siglo xix, básicamente
iguales, y que cada investigador adapta a su punto de vista.
La primera categoría, la de los romances «épicos», agrupa todos los romances que tratan de los héroes y de hechos históricos antiguos transmitidos por los cantares de gesta.

Existen dos grupos. Por un lado, los romances que proceden de la gesta
hispánica y cuyas principales fuentes (supuestas o atestiguadas, en el caso
de los dos últimos títulos) son: *Fernán González, Los infantes de Lara, El
cerco de Zamora, Las mocedades del Cid* y el *Poema de Mio Cid*. Por otro
lado, los romances que provienen de la gesta carolingia, denominados «carolingios», de inspiración francesa: *Cantar de Roncesvalles*, así como *Ber-*

---

9. Diego Catalán, «El buen prior Hernán Rodríguez (1328)», en *Siete siglos de romancero (Historia y poesía), op. cit.*

nardo del Carpio, creación hispana cuyo héroe fue inventado para oponerlo a Roldán.

Otras canciones de gesta francesas han servido de inspiración a los romances pero no se sabe si, en ese caso, los romances proceden directamente de las fuentes francesas o si se trata de reelaboraciones hispánicas. A menudo aparecen agrupados con los que derivan de la leyenda artúrica (*Tristán* o *Lanzarote*), y se denominan romances «caballerescos». A éstos se añaden otros romances más tardíos, llamados «pseudo-caballerescos», ya que no se basan en episodios concretos, sino que recrean un mundo imaginario inspirándose en la caballería medieval. Éste es el caso, por ejemplo, del *Conde Dirlos*, el más largo de todos los romances viejos (seiscientos ochenta y tres versos), en el que se recrean las rivalidades de los doce pares en la corte de Carlomagno.

Dejando a un lado las controversias, a las que ya se ha aludido, sobre si existieron o no gestas hispánicas y sobre si se perpetuaron por medio del Romancero, todos estos romances, en las versiones del siglo XVI en que han llegado hasta nosotros, presentan varios rasgos comunes. Los episodios que relatan han sido seleccionados, a menudo, porque reúnen características de arquetipos, que siempre es posible reactualizar: pueden haber sido transformados por un autor experimentado, por la tradición, o por uno y otra, sucesivamente. Se han suprimido en ellos circunstancias y detalles secundarios y, además, se ha reestructurado la historia en torno a nuevos focos, enriqueciéndola, en muchos casos con motivos folclóricos, que podían estar presentes o no en la gesta anterior (por ejemplo, el motivo del caballo que habla, en el *Romance del rey moro que perdió a Valencia*.

Así, se destaca a menudo el enfrentamiento con el rey, como en el caso de Fernán González (*Castellanos y leoneses*), o en el de Bernardo del Carpio (*Entrevista de Bernardo con el rey*), o incluso en el del Cid (*Romance de Diego Laínez y Rodrigo*), donde la figura del rey queda maltrecha, como muestran los siguientes versos:

> *Por besar mano de rey*
> *no me tengo por honrado;*
> *porque la besó mi padre*
> *me tengo por afrentado.*[10]

10. *Cancionero de romances impreso en Amberes sin año*, ed. Menéndez Pidal, Madrid, 1945, fol. 155.

Las luchas entre bandos, con su implacable serie de asesinatos y de venganzas, constituyen el tema de la conmovedora historia de los *Infantes de Lara*, traicionados por su tío don Rodrigo, que los mandó ejecutar por los moros y cuya muerte vengará su hermano bastardo, Mudarra.

Los relatos carolingios, transformados por la tradición española, incluyen el extraordinario romance de don Beltrán, que volvió a buscar a su hijo perdido entre los cadáveres del ejército derrotado en Roncesvalles (*Por la matanza va el viejo*).

El segundo grupo está formado por los romances que tratan de hechos históricos: por su función, se denominan «noticieros». Sin embargo, una vez aislados de la actualidad inmediata, los romances de este tipo que se conservan se han ido acercando al estilo tradicional. Los más conocidos son los romances sobre las guerras fronterizas (romances «fronterizos»): más que los acontecimientos importantes de las guerras, describen las escaramuzas y las complejas relaciones entre el islam y la cristiandad, sin hacer concesiones a los cristianos, a expensas de los moros.

El famoso romance de *Abenámar* recoge el diálogo entre el rey Juan II y el moro Abenámar, ante las murallas de Granada, que el rey cristiano ansía conquistar:

> *Abenámar, Abenámar,*
> *moro de la morería,*
> *el día que tu naciste*
> *grandes señales había.*
> *Estaba la mar en calma,*
> *la luna estaba crecida;*
> *moro que en tal signo nace*
> *no debe decir mentira.*
> *Allí le responde el moro,*
> *bien oiréis lo que decía:*
> *—No te la diré, señor,*
> *aunque me cueste la vida,*
> *porque soy hijo de un moro*
> *y de una cristiana cautiva;*
> *siendo yo niño y muchacho*
> *mi madre me lo decía,*
> *que mentira no dijese,*
> *que era grande villanía;*
> *por tanto pregunta, Rey,*
> *que la verdad te diría.*

—Yo te agradezco, Abenámar,
aquesa tu cortesía:
¿qué castillos son aquéllos?
¡altos son y relucían!
—El Alhambra era, señor,
y la otra la Mezquita;
los otros los Alijares,
labrados a maravilla:
El moro que los labraba
cien doblas ganaba al día,
y el día que no los labra
otras tantas se perdía.
El otro el Generalife,
huerta que par no tenía;
el otro Torres Bermejas,
castillo de gran valía.»
Allí habló el rey don Juan,
bien oiréis lo que decía:
—Si tu quisieses, Granada,
contigo me casaría;
dar te he yo en arras y dote
a Córdoba y a Sevilla.
—Casada soy, rey don Juan,
casada soy que no viuda,
el moro que a mí me tiene
muy grande bien me quería.[11]

Lejos de restituir fielmente el suceso histórico al que alude, el romance recurre a expresiones y motivos preexistentes, que contribuyen a su estilización poética. Así, por ejemplo, la personificación de la ciudad como figura de la amada —quizá de origen árabe— es muy sugestiva.

Otro grupo está formado por los romances inspirados en fuentes localizables, como la Biblia (romances «bíblicos»), o las historias de la Antigüedad (romances «clásicos»). Algunos se conocen únicamente por la tradición moderna, como el romance bíblico de *Amnón y Tamar*. Los que se conservan en versiones antiguas aparecen más o menos alejados de sus fuentes, o de su primera redacción. En algunos casos, son muy detallados

11. Pérez de Hita, *Guerras civiles de Granada*, ed. Blanchard-Demouge, 2 vols., Madrid, 1913-1915, t. I, pp. 17 y 18.

y están cargados de erudición, mientras que en otros, al contrario, poseen la concisión característica de los romances tradicionales.

Por último, existe también un grupo en el que se inscriben todos los romances que no han podido ser clasificados en las otras categorías: los romances denominados «novelescos», que recogen temas y motivos de la balada europea en general. A veces están tomados de fuentes extranjeras (*Celinos y la mujer adúltera* está inspirado en *Beuve de Hanson*, *Don Bueso y su hermana cautiva* podría derivar del poema austríaco *Kudrun*), otras veces recogen temas internacionales, como la *malmaridada* o *la mujer adúltera*: en este caso, hay que señalar que sea cual sea la influencia extranjera, en los romances españoles el adulterio no se trata nunca a la ligera y que, a menudo, la mujer y el amante son castigados.

Así, por ejemplo, en el romance de *La Blancaniña o La esposa infiel*:

> *Blanca sois, señora mía,*
> *más que el rayo del sol,*
> *si la dormiré esta noche*
> *desarmado y sin pavor,*
> *que siete años había, siete,*
> *que no me desarmo no.*
> *Más negras tengo mis carnes*
> *que un tiznado carbón.*
> *—Dormilda, señor, dormilda,*
> *desarmado, sin temor,*
> *que el conde es ido a la caza*
> *a los montes de León.*
> *—Rabia le mate los perros*
> *y águilas el su halcón*
> *y del monte hasta casa*
> *a él arrastre el morón.*
> *Ellos en aquesto estando,*
> *su marido que llegó:*
> *—¿Qué hacéis la Blanca niña,*
> *hija de padre traidor?*
> *—Señor, peino mis cabellos,*
> *péinolos con gran dolor,*
> *que me dejéis a mí sola*
> *y a los montes os vais vos.*
> *—Esa palabra, la niña,*
> *no era sino traición.*

¿Cúyo es aquel caballo
que allá bajo relinchó?
—Señor, era de mi padre
y envió'slo para vos.
—¿Cúyas son aquellas armas
que están en el corredor?
—Señor, eran de mi hermano
y hoy os las envió.
—¿Cúya es aquella lanza?
Desde aquí la veo yo.
—Tomalda, conde, tomalda,
matadme con ella vos,
que aquesta muerte, buen conde,
bien os la merezco yo.[12]

En realidad, estas divisiones temáticas que tienen en cuenta supuestos orígenes son bastante engañosas.

En el Seminario Menéndez Pelayo, donde se conserva el *corpus* de los romances modernos basados en la tradición oral, que se recogen desde hace más de un siglo, se ha organizado otro sistema de clasificación partiendo del tipo de narración.

De este modo, aparecen categorías como: «Cautivos y prisioneros», «Vuelta del marido», «Amor fiel», «Incesto», «Mujeres seductoras», «Mujeres seducidas» (esta lista no es exhaustiva). Se observa que es posible incluir en estos grupos romances de cualquier origen: *Robo de Elena*, considerado como «clásico», podría pertenecer al grupo de «Mujeres seducidas», *Amnón y Tamar* al de «Incesto», mientras que el romance de *Gerineldo*, derivado probablemente de una leyenda medieval sobre los amores de la hija de Carlomagno con Eginardo, secretario del emperador, podría incluirse en «Mujeres seductoras» (puesto que es la infanta quien seduce a Gerineldo) o en la categoría «pseudo-caballeresca». Estos ejemplos indican, una vez más, la complejidad de los romances y las dificultades de clasificación.

Más que cualquier tipo de división, lo fundamental es distinguir entre romances compuestos recientemente y romances tradicionales. En efecto, al convertirse en tradicional, todo romance, cualquiera que sea su origen,

---

12. *Cancionero de romances* (Amberes, 1550), ed. A. Rodríguez Moñino, Madrid, 1967, p. 317.

tiende a adquirir rasgos novelescos, a cargarse del misterio que imprime lo que no se expresa y a alcanzar su fuerza de sugestión por medio de las fórmulas que utiliza.

El estilo

Hay que distinguir el estilo de los romances tradicionales del de aquellos que se han mantenido cercanos a su primera versión.

Éstos llevan marcas de escuela, que han variado según las épocas: por ejemplo, en el siglo XVI aparecen romances «eruditos» y, más tarde, romances «nuevos», obra de grandes poetas, como Góngora y Lope de Vega.

En el siglo XV, los romances cultos llamados «trovadorescos», tanto si son calcos de romances más antiguos como si se apartan de ellos, están muy influidos por la poesía cortés, en el léxico (tristeza, servidumbre de amor), en la retórica, en la sintaxis (una sola frase compuesta puede abarcar varios versos), y utilizan a menudo la rima consonante. En las obras de algunos poetas, sin embargo, trasluce la imitación del estilo tradicional, del que toman fórmulas características, como, por ejemplo, este inicio de romance de Juan del Encina:

> *Yo me estava reposando*
> *durmiendo como solía.*[13]

Por otro lado, estos romances están firmados, a menudo, por nombres conocidos, tanto si se trata de una creación del poeta, como si es una refundición o una glosa.

No sucede lo mismo en el caso de los romances «juglarescos», que son anónimos y no llevan fecha. No se recogieron hasta el siglo XVI: es decir, cuando muchos de ellos ya habían sido abreviados y limados por la tradición. No por ello dejan de ser reconocibles. Son obra de juglares, despreciados por los hombres cultos. Estos juglares versificaban los acontecimientos contemporáneos (romances «noticieros» y «fronterizos», sobre todo). Se inspiraban, también, en las crónicas: por ejemplo, a partir de la *Crónica sarracina* de Pedro del Corral se compuso, en el siglo XV, el ciclo de romances sobre don Rodrigo, el último rey godo. Otra fuente de inspiración eran las obras de ficción: a principios del siglo XVI, se utilizaron al-

---

13.   Juan del Encina, *Poesía lírica y cancionero musical*, Madrid, 1979, p. 96.

gunos libros de caballería, de la misma manera que éstos habían utilizado la materia de Bretaña o la del ciclo carolingio.

Resultaría, quizá, excesivo, hablar de «escuela» tratándose de juglares, pero es indudable que existe un tipo de hechura común, que permite identificar su producción. El relato detallado constituye la materia del episodio que se narra. Pero donde mejor se observa la finalidad inmediata de estos romances —su difusión oral— es, sobre todo, en la manera de interpelar al auditorio y de incitarle a que participe. No sólo se dirigen a él directamente, por medio de fórmulas como «bien oiréis lo que dirá», sino que, además, mantienen su atención despierta alternando el presente de narración, que permite seguir el discurso con facilidad, con los tiempos del pasado, que provocan un distanciamiento.

Esta mezcla sutil de los tiempos verbales se puede observar en el *Romance del rey moro que perdió a Valencia*, o en el de *Abenámar*, que aparece en las páginas 279-280. No se trata de impericia ni de incoherencia, como podría pensarse, por ejemplo, cuando Abenámar contesta al rey don Juan: «El Alhambra era, señor». Al introducir su voz en el discurso directo, el recitador está advirtiendo al público: esto sucedía hace tiempo, vosotros, aquí, estáis escuchando la historia que yo os cuento.

Otra marca de complicidad con el público son las fórmulas que van pasando de un romance a otro. Textualmente pueden ser casi idénticas o pueden, también, desarrollar representaciones idénticas.

Por ejemplo, el romance de Juan del Encina («Yo me estava reposando / durmiendo como solía [...]») se inicia con una fórmula frecuente en los exordios. Partiendo de la evocación de una situación estática, surge un suceso que rompe el equilibrio. La fórmula utilizada, verbo *estar* en imperfecto seguido del gerundio, resulta adecuada para expresar una tranquilidad precaria, que no va a durar.

Estas fórmulas (un verso, un par de versos) no suelen añadir nada nuevo a la historia narrada, pero sirven para caracterizar a un personaje, una acción o una situación: tienen, en cierto modo, un valor adjetival o adverbial, al que se suma otro simbólico, puesto que anuncian o comentan lo que sucede. Así, la precisión «era lunes» basta para connotar un suceso desdichado, ya que el lunes es un día nefasto en el mundo del romancero.

De esta manera se establece una sutil red de signos compartidos por el recitador y por el público —sistema que los juglares no inventaron, sin

duda, pero que supieron explotar al máximo, debido a la necesidad de ganarse al auditorio.

Estos romances «juglarescos» pueden ser más o menos largos, más o
menos detallados, según la mayor o menor distancia que los separe de sus
orígenes. Aunque *El conde Dirlos* o *El marqués de Mantua*, romances
pseudo-carolingios, constan de seiscientos ochenta y tres, y de seiscientos
sesenta y tres versos respectivamente, otros, que ya se habían repetido innumerables veces antes de ser recogidos en una edición, se abrevian y se
tradicionalizan.

Aquí surge la pregunta: ¿cuáles son, por lo tanto, las características del
romance tradicional? Antes que nada, recordemos una vez más que un romance no nace tradicional. Se convierte en tradicional con el paso del
tiempo, cuando ha sido memorizado y reproducido numerosas veces. Cada
uno de los que intervienen en este proceso habrá olvidado un detalle, interpretado otro de manera diferente, o lo habrá modificado poco o mucho.
Esto no significa que las personas que repiten el romance dispongan de una
libertad de creación absoluta. Si ello fuera así, el romance acabaría por de-
sintegrarse y dejaría de ser reconocible. Por el contrario, predomina la fidelidad al modelo, lo que explica la persistencia de arcaísmos incompren-
sibles, o su interpretación radical. La transformación del modelo narrativo
subyacente se va realizando poco a poco, por medio de modificaciones sucesivas: el problema es que nos faltan referencias para poder evaluarla. Lo
que nos falla, a menudo, es el primer eslabón, la creación del juglar o del
poeta que tampoco lo inventó todo, sino que se inspiró en modelos ya existentes. No disponemos, tampoco, de las versiones intermedias que se han
ido sucediendo a lo largo de los siglos. En la mayoría de los casos, sólo
quedan testimonios del siglo XVI, con sus desviaciones particulares, así
como otros, parciales, que nos llegan gracias al teatro del siglo XVII y, al final de la cadena, los romances transmitidos por la tradición oral moderna,
deformados a su vez por la interpretación que de ellos se hizo en los círculos en los que perduraron. A pesar de todo, la comparación y el cotejo
de estas diferentes versiones permite reconstruir el modelo virtual que sub-
yace en ellas, como hemos podido comprobar en *La Dama y el pastor*.

Otra pregunta: ¿de dónde proceden estos romances? De cualquier
fuente, más o menos culta. El interés que suscitaban, la música incorporada
a veces han bastado para que se difundieran. Han rebasado su contexto original para convertirse en tradicionales, tanto si se trata de romances de juglares como de poetas. Así, Diego Catalán ha demostrado la posterior tra-
dicionalización de un romance de Juan del Encina, *El enamorado y la*

muerte que, debido a las versiones modernas recogidas en Cataluña, se había considerado durante mucho tiempo de origen tradicional antes de que el poeta salmantino compusiera el suyo. Esto no significa que todos los romances se hayan convertido en tradicionales: algunos no rebasaron el círculo restringido para el que fueron compuestos o, por lo menos, no hay ningún rastro de que hayan sobrevivido.

Por lo tanto, cuando un romance se tradicionaliza, va más allá de la mera circunstancia concreta que lo motivó y pasa a representar situaciones arquetípicas susceptibles de reactualizarse en diferentes contextos (enfrentamientos de poderes, conflictos familiares, problemas ligados a las relaciones amorosas).

Éste es un factor esencial en la conservación de los romances, porque les permite adaptarse a las preocupaciones de un determinado medio social o de una época.

> El *Romance del rey moro que perdió a Valencia* se ha conservado en algunas regiones y en diferentes comunidades judías de la diáspora. El enfrentamiento entre dos caudillos rivales ha pasado a un segundo plano y ha adquirido más importancia el diálogo amoroso entre la muchacha y el moro, con diversas variantes según las tradiciones: a veces la muchacha es cómplice de su padre y retiene al moro con falsas declaraciones de amor, pero, en otros casos, le advierte, de forma más o menos velada, del peligro que corre, porque no quiere ser tachada de traidora. Como indica Paul Bénichou en su estudio sobre este romance, la actitud de la muchacha, que finge amor para ayudar a su padre, pudo haber parecido indecorosa y se transformó en un modelo más acorde con las normas: la muchacha a quien el padre obliga a actuar en su favor, pero que acaba enamorándose sinceramente.

Esto confirma que, según afirma Menéndez Pidal en una expresión que se repite a menudo, el romance tradicional «vive en variantes», en una combinación permanente de fidelidad al modelo y de innovación creadora.

Por ello, las características formales propias de los romances tradicionales no proceden de la voluntad artística, sea cual sea ésta: éstos las van adquiriendo poco a poco, en el curso de la transmisión, por medio de retoques sucesivos. Estos romances destacan sobre todo por su brevedad (es raro que tengan más de sesenta versos), consecuencia de supresiones sucesivas.

> Este proceso de reducción se puede observar al comparar versiones antiguas conservadas y versiones modernas de un mismo romance: el romance

del *Conde Alarcos* ha pasado de doscientos cuatro versos, a menos de cincuenta, y es de suponer que entre las versiones originales del siglo XIV o del XV y las que se fijaron en el siglo XVI, se produjo asimismo un proceso de condensación.

En tiempos en que la memoria era el único «banco de datos» de que disponían muchas personas (como ha seguido siéndolo hasta épocas recientes entre las clases semi-analfabetas, donde se han conservado los romances), no es de extrañar que los textos cortos se pudieran memorizar y reproducir, sobre todo apoyándose en la música. Por otro lado, la sintaxis yuxtapone los versos, que forman así unidades fáciles de retener. La sucesión de los versos y de los acontecimientos narrados sustituye a los conectores lógicos («porque, aunque...»), que se eliden (en caso de aparecer, son muestra, precisamente, del carácter no tradicional del romance).

El romance se considera, además, patrimonio común. Esto explica que el relato no se narre *in extenso*, ya que se supone que todos lo conocen, por lo que, a menudo, hay que reconstruirlo a partir de trazas más o menos difusas. No es raro que los romances tradicionales comiencen *in medias res*, con un diálogo, por ejemplo, sin que se precise la identidad de los interlocutores (así sucede en *Blancaniña*: al principio no se sabe que es el amante el que se dirige a la dama), y que terminen de forma abierta, dejando el campo libre a la interpretación.

Esto se puede ver en uno de los romances más famosos, más estudiados y más encomiados, el del *Conde Arnaldos* en su versión más depurada, la del *Cancionero sin año*. Cuando el conde pide al misterioso marinero que le cante la canción maravillosa, éste le contesta:

> *Yo no digo esta canción*
> *sino a quien conmigo va.*

Enigmática respuesta que ha dado lugar a páginas y páginas de comentarios.[14]

Se ha explicado, a veces, el carácter truncado de los romances viejos por necesidades de la edición, o por la reducción que provoca la glosa. Pero, de todas maneras, esta tendencia, que según Menéndez Pidal consiste en «saber callarse a tiempo», está demasiado extendida en el Romancero

---

14. *Cancionero de romances impreso en Amberes sin año, op. cit.*, fol. 193.

viejo como para considerar que obedece únicamente a imperativos técni-
cos: el misterio del final abierto permite numerosas interpretaciones, por lo
que no es extraño que sea el desenlace lo que más ha variado con el paso
del tiempo, debido al deseo de presentar una conclusión clara y conforme
con la moraleja que se quiere extraer de la narración.

Por ejemplo, en el *Romance del rey moro que perdió a Valencia*, el romancero viejo destacaba, sobre todo, la competición entre los dos caballos
(la yegua del moro y el hijo de ésta, Babieca, el caballo del Cid) y concluía
con la amenaza del Cid y el misterio de la lanza arrojada, mientras que los
romances modernos son más explícitos. Terminan, a menudo, con la muerte
del rey moro, castigado así por sus bravuconadas, a veces delante mismo de
la ventana de su amada, sin que medie ningún otro juicio.

Por lo que a la narración respecta, ésta se desarrolla en movimientos
bruscos, omitiendo etapas que es necesario reconstruir, pasando de un
lugar a otro, de una situación a otra, incluso de un interlocutor a otro sin
que medie ningún tipo de explicación. La figura que domina es la elip-
sis: podría tratarse de un olvido, pero parece ser más bien una especie de
complicidad con un auditorio que debe conocer el fondo común que sub-
yace en la narración y, al mismo tiempo, una manera de conseguir que
el público participe activamente llenando los huecos que aparecen en el
relato.

De esta forma se pone en práctica una técnica particular que requiere
continuamente la participación del receptor. Es de una gran eficacia para
memorizar y para variar el texto, una vez que se dispone de los medios ade-
cuados, entre otros la repetición y los paralelismos de todo tipo.

Mercedes Díaz Roig ha hecho el inventario de todos estos recursos. No
hay duda de que se trata de sistemas mnemotécnicos, pero además de este
valor funcional, los paralelismos y las repeticiones van acompasando el relato y organizan una temporalidad particular, dentro de la cual los mismos
esquemas volverán a aparecer, se repetirán continuamente y obligarán, al
mismo tiempo, a prestar atención para percibir las variaciones que permiti-
rán que la narración avance.

En el romance de *Blancaniña* aparece un ejemplo de este tipo de organización del relato, cuando el marido pregunta de dónde proceden los
diferentes elementos extraños. Debemos señalar que la versión antigua,
reproducida aquí, acorta la serie que, en otras versiones modernas aparece
ampliada repitiéndose la pregunta: «Cúyo es...». Se espera con atención la

respuesta astuta de la dama, hasta alcanzar el clímax en el que se ve obligada a confesar que esa inoportuna lanza representa su pecado y su castigo a la vez.

Otra particularidad de los romances tradicionales consiste en dramatizar y en multiplicar los diálogos sin especificar, a veces, quiénes son los interlocutores. Algunos romances no son más que un mero intercambio de palabras, como en el romance de *Abenámar*, o en el de la *Blancaniña*, donde la narración en sí sólo consta de dos versos: «Ellos en aquesto estando, / su marido que llegó». Es el público el que tiene que reconstruir, a menudo, la historia, por medio de estas indicaciones.

Las fórmulas y los motivos que ya hemos indicado a propósito de los romances de juglares ayudan, también, a la reconstrucción y requieren imaginación y participación por parte de los oyentes.

Por ejemplo, en el exordio del romance de don Rodrigo de Lara, «A cazar va Don Rodrigo / y aún don Rodrigo de Lara», el hecho de que pierda el halcón y de que no encuentre caza es un presagio del final·que le espera, ya que la caza infructuosa se relaciona con una situación crítica en la que merodea la muerte. A esta conclusión ha llegado Daniel Devoto en un artículo sobre «Le mauvais chasseur», en el que hace el inventario de las concordancias del tema. Varios romances comienzan de esta manera e introducen así la sensación de que una desgracia inminente se cierne sobre el cazador fracasado (la pérdida del amor, o la muerte).

Otro ejemplo aparece en dos versos del *Romance de don Beltrán*, que constituyen una variante de una fórmula muy corriente en el Romancero tradicional. Suele aparecer así: «*Al bajar de un monte / al subir de una cuesta*», o bien, «*A la entrada de.../ a la salida de...*». Esta forma está basada en el paralelismo y en la antítesis y no indica ninguna localización precisa (si se toma al pie de la letra, resulta a menudo incoherente), pero es un paso, una transición y, como tal, indica un cambio, un avance en la narración. Otro tanto sucede con la fórmula prototípica del Romancero, «De las siete a las ocho», con la que se introduce el simbolismo del siete como número mágico, número primo que indica que se cierra un círculo, por lo que al pasar a ocho se inicia una nueva situación. Con frecuencia, se rompe el equilibrio precedente y se·pasa a lo desconocido, cargado de misterios y de amenazas.

Los que dominan la lengua particular del Romancero comprenden inmediatamente el valor connotativo de todas estas fórmulas. Este conocimiento compartido permite a todo el mundo adueñarse del texto del romance y reproducirlo con variantes en torno a un núcleo común.

De esta forma ha vivido y sobrevivido el Romancero hispánico. Su vitalidad ha sido tan fuerte que abarca no sólo los dominios del castellano, peninsular y de América, sino que se ha extendido, además, a las otras lenguas peninsulares, catalana, gallega y portuguesa.

Conclusión

Volvemos a la cuestión inicial de saber hasta dónde llega la influencia medieval en el Romancero hispánico, que sobrepasa a sus homólogos europeos en cuanto a persistencia, influencia, diversidad y calidad. Esta influencia no se limita, aunque es evidente que existe, al tipo de héroe y a los temas, dicho de otro modo, a la superficie. Más importante es la fidelidad textual, que permite descubrir en algunas versiones modernas versos antiguos, a veces no atestiguados en el siglo XVI, como señala S. G. Armistead en sus estudios, bien documentados. La influencia medieval se manifiesta, además, en la forma de ser de los romances, en su carácter proteico, que les ha permitido sobrevivir.

Efectivamente, se pueden considerar como «medievales» varias características primordiales del Romancero, en particular su cualidad de texto abierto, nunca fijado de manera definitiva, que le permite introducirse y adaptarse a todos los ambientes. En segundo lugar, el anonimato, consustancial al texto tradicional, puesto que éste no es un único texto fundador que se vería adulterado por posteriores transformaciones: el texto tradicional se construye, precisamente, por medio de modificaciones y reajustes de todo tipo, dejando a un lado el respeto fetichista a lo escrito, producto de cinco siglos de civilización bajo el dominio de la imprenta. Por último, todas estas variaciones son posibles porque existen y se conocen los procedimientos derivados de un tipo de funcionamiento basado en la voz y en la escucha, más que en la letra y en la vista.

De todas formas, aunque la voz tiene más fuerza que la letra en el Romancero, no hay que mitificarlo como modelo de una oralidad perdida y de una Edad Media todavía viva. De la época en la que la oralidad estaba más extendida, en la alta Edad Media, no nos ha llegado ningún testimonio, en lo que a romances se refiere. Y los que se conservan han sobrevivido, precisamente, gracias a su transcripción, es decir, porque han entrado en el mundo de lo escrito.

El Romancero que nos ha legado la Edad Media tardía plantea, precisamente, el problema de la aparición de una tradición escrita. Cuando el romance se introduce en los medios cultos, desde el siglo XV, comienza ya el ocaso de una época en la que predominaba la voz, por lo que resulta paradójico que las huellas del Romancero aparezcan después de que haya perdido su cualidad de poesía viva, arraigada en una cultura común.

Efectivamente, a partir del siglo XVI, se acentúa la separación entre la tradición no escrita y la tradición escrita. La primera se irá marginalizando poco a poco y, con el tiempo, perdurará únicamente en los ambientes apartados del poder y del saber oficiales: en las comunidades rurales o excluidas, como es el caso de los judíos de la diáspora.

Si el Romancero ha tenido tanta influencia en la literatura hispánica es porque ha sido capaz de pasar de un círculo a otro y porque el mundo culto no ha tenido inconveniente en inspirarse en el patrimonio de la cultura oral. La tradición oral y la escrita aparecen muy unidas en el Romancero.

Por otra parte, los romances siguieron vivos en la tradición oral, aunque de manera diferente a como lo estaban en la Edad Media. Esto permitió que se conservaran restos textuales extraordinarios y, sobre todo, que persistiera un sistema de producción y de reproducción de la poesía que, más que un simple mecanismo de repetición, es un instrumento de creación poética.

MICHELLE DÉBAX

CRONOLOGÍA

	LITERATURA ESPAÑOLA	ACONTECIMIENTOS
711		Batalla de Guadalete: primera invasión musulmana en España.
722		Victoria de los cristianos en Covadonga. Pelayo, rey de Asturias.
732		En Poitou, Carlos Martel rechaza a los musulmanes.
756		Emirato independiente de Córdoba (omeyas).
778		Carlomagno fracasa frente a Zaragoza. Roncesvalles.
801		Los francos toman Barcelona.
¿900?	*Chronica Wisigothorum.*	
900	El cordobés Muqaddam al-Qabrí inventa la moaxaja.	Los documentos atestiguan la presencia del sepulcro de Santiago en Galicia.
Siglo x	Glosas de los monasterios de San Millán de la Cogolla y Santo Domingo de Silos.	
910		Fundación de la abadía de Cluny.
924		El papa Juan X reconoce el rito mazárabe.
929		Califato de Córdoba (omeyas).
961		Independencia del condado de Castilla (Fernán González).
994	Nacimiento de Muhammad Ibn Hazm, de Córdoba, autor de *El collar de la paloma.*	

¿1000? Crónica de Sampiro.

1027					Reinos de taifa en España.
1035					Fundación de Castilla.
1037					Muerte de Avicena.
1062	Nacimiento de Pedro Alfonso,
		autor de la *Disciplina clericalis*,
		recopilación de apólogos.
1065					Fernando I divide sus Estados
						(León, Castilla, Galicia).
1072					Muerte de Sancho II de Castilla
						durante el sitio de Zamora.
						Alfonso IV una Castilla y León.
¿1080? Nacimiento de Yehuda Halevi.
1085					Reconquista de Toledo por Al-
						fonso VI.
1086					Los almorávides en España.
¿1093? *Carmen Campidoctoris.*
1094					El Cid conquista Valencia (reto-
						mada en 1102 por los musulmanes.
¿1100? *Historia Roderici.*
1126	Raimundo, obispo de Toledo (fun-
		dación de la escuela de traductores).
1128					Decreto de expulsión de los mozá-
						rabes y de los judíos por los almo-
						rávides.
1160	*Crónica de Nájera.*
¿1190? *Crónicas navarras.*
1195					Uclés: derrota de Alfonso VIII por
						los almohades.
¿1195? *Disputa del Alma y el Cuerpo* y
		Auto de los Reyes Magos.
1198					Muerte de Averroes.
1207	*Cantar del mio Cid.*
1212					Las Navas de Tolosa: Alfonso IX
						derrota a los almohades.
1215					Fundación de la Universidad de
						Salamanca.
1216					Santo Domingo de Guzmán funda
						la orden de los dominicos.
1235					Nacimiento de Ramon Llull, escri-
						tor mallorquín.
1236	Lucas de Tuy: *Chronicon mundi.*
1237	*Libro de los doce sabios.*
1243	Rodrigo Jiménez de Rada, arzo-
		bispo de Toledo, *De rebus Hispa-
		niae.*

1245	*Ay Jherusalem.*	
1248		Reconquista de Sevilla.
¿1250?	*Poema de Fernán González.*	
	Libro de Apolonio.	
1251	Alfonso X, *Calila e Dimna.*	
1252	Berceo, *Milagros de Nuestra Se-*	Ascenso al trono de Alfonso el
	ñora.	Sabio.
1253	Infante Fadrique, *Sendebar.*	
1256	Alfonso X, *Siete partidas.*	
1270	*Historia troyana.*	
1275		Alfonso X renuncia al Imperio.
1289	Alfonso X, *Historia de España*	
	(póstuma).	
¿1290?	*Roncesvalles.*	
1300	*Libro del caballero Zifar.*	
1310	*La gran conquista de Ultramar.*	
1312	*Crónica de los reyes de Cas-*	
	tilla.	
1343	Juan Ruiz, arcipreste de Hita, *Li-*	
	bro de buen amor.	
1348	*Poema de Alfonso XI.*	Peste negra.
1350		Ascenso al trono de Pedro I el
		Cruel.
1353		Boccaccio, *El Decamerón.*
1354		Petrarca, *De vita solitaria.*
1360	*Crónica de veinte reyes.*	
1369		Batalla de Montiel: Enrique de Tras-
		támara funda una nueva dinastía.
1378		Comienzo del gran cisma de Occi-
		dente.
1379	*Crónica de Alfonso XI.*	
1385		Victoria de los portugueses sobre
		los castellanos en Aljubarrota.
		Portugal: dinastía de Avis. Encar-
		celamiento de Pero López de
		Ayala en Óbidos.
¿1395?	*Mocedades del Cid.*	
1400	*Danza general de la muerte.*	
1406		Subida al trono de Juan II de Cas-
		tilla.
1407	Muerte de Pero López de Ayala,	
	autor del *Rimado de palacio.*	
1412		Compromiso de Caspe: los Trastá-
		mara reinan también en Aragón.
1421	*La dama y. el pastor,* primer ro-	
	mance transcrito.	

1430	Pedro del Corral: *Crónica sarracina.*
1433	Enrique de Villena, *Arte de trobar.*
1440	Santillana, *Serranillas.*
1444	Juan de Mena, *Laberinto de Fortuna.*
1445	Comienzo de la composición del *Cancionero de Baena.* *Coplas de la panadera.*
1448	Gutierre Díez de Games, *El victorial.*
¿1450?	Fernán Pérez de Guzmán, *Generaciones y semblanzas.*
1453	Toma de Constantinopla.
1459	*Cancionero de Stúñiga.*
1460	*Cancionero de palacio.*
1469	Matrimonio de Fernando de Aragón e Isabel de Castilla, futuros Reyes Católicos.
1470	Diego de San pedro, *Pasión trobada.*
¿1470?	Rodrigo Cota, *Diálogo entre el Amor y un viejo.*
1476	Batalla de Toro.
1478	Fundación de la Inquisición en España.
1482	Fray Íñigo de Mendoza, *Vita Christi* (segunda versión).
1485	Pedro de Escavias, *Cancionero de Oñate y Castañeda.*
1491	Diego de San Pedro, *Tratado de amores de Arnalte y Lucenda.*
1492	Diego de San Pedro, *Cárcel de amor.*	Reconquista del reino de Granada. Expulsión de los judíos de España, Cristóbal Colón descubre América.

BIBLIOGRAFÍA

Esta bibliografía no pretende ser exhaustiva. Su primera ambición es aportar al lector las referencias esenciales de los títulos y trabajos fáciles de consultar. Es la razón por la cual de algunos textos se da la edición más corriente, aunque luego hayan sido objeto de reediciones a veces más satisfactorias, pero de acceso mucho más difícil.

Edad Media

Capítulo I

UNA EDAD MEDIA ESPAÑOLA

Castro, Américo, *La realidad histórica de España*, Madrid, Porrúa, 1954.
—, *España en su historia: cristianos, moros y judíos*, Barcelona, Crítica, 2.ª ed., 1983.
Chaytor, H. J., *From Script to Print: An Introduction to Medieval Literature*, Cambridge, Heffer, 1945.
Curtius, Ernst Robert, *Literatura europea y Edad Media latina*, México, Fondo de Cultura Económica, 1955.
Deyermond, Alan, «Edad Media», en Francisco Rico, *Historia y crítica de la literatura española*, I, Barcelona, Crítica, 1980; «Edad Media. Primer Suplemento», en F. Rico, *ibid.*, Barcelona, 1991.

Kohler, Eugène, *Antología de la literatura española de la Edad Media (1140-1500) / Anthologie de la littérature espagnole du Moyen Âge*, París, Klincksieck, 1957.

Lapesa, Rafael, *Historia de la lengua española*, Madrid, Gredos, 9.ª ed., 1981.

López Estrada, Francisco, *Introducción a la literatura medieval española*, Madrid, Gredos, 5.ª ed., 1983.

Menéndez Pidal, Ramón, *Crestomatía del español medieval*, I-II, Madrid, Gredos, 1971-1976.

—, *Orígenes del español. Estado lingüístico de la península ibérica hasta el siglo XI*, Madrid, Espasa-Calpe, 4.ª ed., 1956.

Nepaulsingh, Colbert, *Towards a History of Literary Composition in Medieval Spain*, Toronto University Press, 1986.

Sánchez-Albornoz, Claudio, *España, un enigma histórico*, Buenos Aires, Losada, 1948.

Valdeavellano, Luis García de, *Curso de historia de las instituciones españolas*, Madrid, Alianza Editorial, 2.ª ed., 1982.

Zamora Vicente, Alonso, *Dialectología española*, Madrid, Gredos, 2.ª ed., 1967.

CAPÍTULO II

LA LÍRICA PRIMITIVA

Textos

Alfonso X el Sabio, *Cantigas de Santa María*, ed. Walter Mettmann, Madrid, Castalia, 1986. Las miniaturas del manuscrito están reproducidas por M. López Serrano, *Cantigas de Santa María*, Madrid, Patrimonio Nacional, 1974.

Anónimo, «Disputa del Alma y el Cuerpo. Revelación del ermitaño», ed. R. Menéndez Pidal, *Revista de Archivos, Bibliotecas y Museos*, 4, 1900, pp. 449-453.

Anónimo, «Elena y María (Disputa del Clérigo y del Caballero), poesía leonesa inédita del siglo XIII», en R. Menéndez Pidal, *Tres poetas primitivos*, Madrid, Espasa-Calpe, col. Austral, 1948.

Anónimo, «Razón de Amor. Los Denuestos del Agua y del Vino», ed. R. Menéndez Pidal, Nueva York-París, *Revue hispanique*, 13, 1905, pp. 602-618.

Hazm de Córdoba, Ibn, *El collar de la paloma*, trad. E. García Gómez, Madrid, Sociedad de Estudios y Publicaciones, 1967.

Frenk Alatorre, Margit, *Lírica hispánica de tipo popular*, Madrid, Cátedra, 1983.

Estudios

Alvar, Carlos y Beltrán, Vicente, ed., *Antología de la poesía gallegaportuguesa*, Madrid, Alhambra, 1985.

Asensio, Eugenio, *Poética y realidad en el cancionero peninsular de la Edad Media*, Madrid, Gredos, 2.ª ed., 1970.

Bezzola, Reto, *Les Origines et la formation de la littérature courtoise en Occident (500-1200)*, París, Champion, 2 vols., 1960-1966.

García Gómez, Emilio, *Las jarchas romances de la serie árabe en su marco*, Barcelona, Seix Barral, 2.ª ed., 1975.

Jeanroy, Alfred, *La Poésie lyrique des troubadours*, París, Toulouse, 1888 y 1934, 2 vols.

Hitchcock, Richard, *The Kharjas: A Critical Bibliography*, Londres, Grant & Cutler, 1977.

Mitre, Emilio, *La España medieval. Sociedades, estados, culturas*, Madrid, Istmo, 1984.

Nykl, A. R., *Hispanic-Arabic Poetry and its Relations with the Old Provençal Troubadours*, Baltimore, 1946.

Menéndez Pidal, Ramón, *España, eslabón entre la cristiandad y el Islam*, Madrid, Espasa-Calpe, col. Austral, 1957.

—, *Poesía árabe y poesía europea*, Madrid, Espasa-Calpe, 6.ª ed.,

—, *Poesía juglaresca y orígenes de las literaturas románicas*, Madrid, Instituto de Estudios y Publicaciones, 6.ª ed., 1957.

—, «La primitiva lírica europea. Estado actual del problema», *Revista de Filología Española*, 43, 1969, pp. 279-354.

Sánchez Romeralo, Antonio, *El villancico (Estudios sobre la lírica popular en los siglos XV y XVI*, Madrid, Gredos, 1969.

Spitzer, Leo, *Lingüística e historia literaria*, Madrid, Gredos, 1955.

—, «Razón de amor», *Romania*, 71, 1960, pp. 145-165.

Stern, Samuel S., *Les Chansons mozarabes: les vers finaux (kharjas) en espagnol dans les muwashashas*, Oxford, 2.ª ed., 1964.

CAPÍTULO III

LA GESTA

Textos (todos anónimos)

Alvar, Manuel, *Épica española medieval*, Madrid, Editora Nacional, 1981.

Menéndez Pidal, Ramón, *Cantar de mio Cid. Texto, gramática y vocabulario*, Madrid, Espasa-Calpe, 3 vols., 1908-1911.

Michael, Ian, *Poema de mio Cid*, Madrid, Castalia, 1978.

Geary, John S., «*Historia del Conde Fernán González*»: *A Facsimile and Paleographic Edition*, Madison, Hispanic Seminary of Medieval Studies, 1987.

Poema de Fernán González, en Menéndez Pidal, Ramón, *Reliquias de la poesía épica española*, op. cit.

Victorio, Juan, *Poema de Fernán González*, Madrid, Cátedra, 1986.

Cantar de los Siete Infantes de Lara, en R. Menéndez Pidal, *Reliquias...*, op. cit.

Cantar de gesta de las Mocedades de Rodrigo, en R. Menéndez Pidal, *Reliquias...*, op. cit.

Victorio, Juan, *Mocedades de Rodrigo*, Madrid, Espasa-Calpe, 1982.

Cantar de Roncesvalles, en R. Menéndez Pidal, «Roncesvalles, un nuevo cantar español del siglo XIII», en *Revista de Filología Española*, 4, 1917, pp. 105-204; reproducido parcialmente en R. Menéndez Pidal, *Tres poetas primitivos*, Buenos Aires, 1948, pp. 49-79.

Estudios

Armistead, Samuel George, «A lost version of the *Cantar de gesta de las Mocedades de Rodrigo* reflected in the second redaction of Rodríguez de Almela's *Compendio historial*», Universidad de California, *Publications in Modern Philology*, 38, 1963, pp. 299-336.

—, «The structure of the *Refundición de las Mocedades de Rodrigo*», *Romance Philology*, 17, 1963-1964, pp. 338-345.

—, «The *Mocedades de Rodrigo* and neo-individualist theory», *Hispanic Review*, 46, 1978, pp. 316-320.

Capdebosco, Anne-Marie, «La trame juridique de la Légende des Infants de Lara: incidents et noces de Barbadillo», *Cahiers de linguistique hispanique médiévale*, 9, 1984, pp. 189-205.

Chalon, Louis, *L'Histoire et l'épopée castillane du Moyen Âge*, París, Honoré Champion, 1976.

Chasca, Edmund de, *El arte juglaresco en el Cantar de mio Cid*, Madrid, Gredos, 1967.

Cotrait, René, *Histoire et poésie. Le comte Fernán González: genèse de la légende*, Grenoble, 1977.

Deyermond, Alan D., *Epic Poetry and the Clergy: Studies on the Mocedades de Rodrigo*, Londres, Tamesis Books, 1969.

—, *El «Cantar de Mio Cid» y la épica medieval española*, Barcelona, Sirmio, 1987.

Entwistle, W. J., «The cantar de gesta of *Bernardo del Carpio*», *Modern Language Review*, 23, 1928, pp. 307-322 y 432-452.

Franklin, A. B., «A study of the origins of the Legend of Bernardo del Carpio», *Hispanic Review*, 5, 1937, pp. 286-303.

Horrent, Jules, *Historia y poesía en torno al «Cantar de mio Cid»*, Barcelona, Ariel, 1973.

Lacarra, María Eugenia, «El significado histórico del *Poema de Fernán González*», Milán, *Studi Ispanici*, 10, 1979, pp. 10-41.

—, *El «Poema de mio Cid». Realidad histórica e ideología*, Madrid, J. Porrúa Turanzas, 1980.

López Estrada, Francisco, *Panorama crítico del «Poema de mio Cid»*, Madrid, Castalia, 1982.

Martin, Georges, «Les juges de Castille. Mentalités et discours historique dans l'Espagne médiévale», *Annexes des Cahiers de linguistique hispanique médiévale*, 6, París, Klincksieck, 1992.

—, «Mio Cid el Batallador. Vers une lecture sociocritique du *Cantar de mio Cid*», Montpellier, *Imprévue*, 1-2, 1979, pp. 27-91.

—, «Le mot pour le dire. Sondage de l'amour comme valeur politique médiévale à travers son emploi dans le *Poema de mio Cid*», en *Le Discours amoureux*, Universidad de París III, pp. 17-59.

Menéndez Pidal, Ramón, *La leyenda de los infantes de Lara*, Madrid, 1896 (numerosas reediciones aumentadas a partir de 1934).

—, *L'Épopée castillane à travers la littérature espagnole*, París, Armand Colin, 1910 (edición revisada en español: *La epopeya castellana a través de la literatura española*, Buenos Aires, 1945, Madrid, Espasa-Calpe, 1959).

—, *Poesía juglaresca y juglares. Aspectos de la historia literaria y cultural de España*, Madrid, *Revista de Filología*, 1924.

—, *La España del Cid*, Madrid, Espasa-Calpe, 1929, 2 vols. (numerosas reediciones).

—, *Reliquias de la poesía épica española*, Madrid, Espasa-Calpe, 1951, 2.ª ed., Madrid, Gredos, 1980.

—, *En torno al poema del Cid*, Barcelona, Edhasa, 1963.

Molho, Maurice, «*El Cantar de mio Cid*, poema de fronteras», en *Homenaje a don José María Lacarra de Miguel en su jubilación del profesorado*, Zaragoza, 1977, 1, pp. 243-260.

—, «Inversión y engaste de inversión. Notas sobre la estructura del *Cantar de mio Cid*», en *Organizaciones textuales (textos hispánicos),* Universidad de Toulouse-Le Mirail, 1981, pp. 193-208.

Pellen, René, «*Cantares de mio Cid,* vocabulaires exclusifs (thématique et diachronie)», *Cahiers de linguistique hispanique médiévale,* 5, 1980, pp. 249-287; 6, 1981, pp. 219-317; 7, 1982, pp. 83-133; 8, 1983, pp. 5-155.

—, «Le modèle du vers épique espagnol, à partir de la formule cidienne "el que en buen hora..."» (Exploitation des concordances pour l'analyse des structures textuelles)», *Cahiers de linguistique hispanique médiévale,* 10, 1985, pp. 5-37 y 11, 1986, pp. 5-132.

Richthofen, Erich von, *Estudios épicos medievales,* Madrid, Gredos, 1954.

—, *Nuevos estudios épicos medievales,* Madrid, Gredos, 1970.

Smith, Colin, *The Making of the «Poema de mio Cid»,* Cambridge, University Press, 1983. Traducción española: *La creación del «Poema de mio Cid»,* Barcelona, Crítica, 1985.

Ubieto Arteta, Antonio, *El «Cantar de mio Cid» y algunos problemas históricos,* Valencia, Anúbar, 1973.

CAPÍTULO IV

EL MESTER DE CLERECÍA

Textos

La edición del *Libro de Alexandre* realizada por Dana Arthur Nelson constituye una hermosa reconstrucción crítica con el título inaceptable: Gonzalo de Berceo, *El Libro de Alixandre,* Madrid, Gredos, 1979. Otra edición: Jesús Cañas, Madrid, Cátedra, 1988. Además, Francisco Marcos Marín ha realizado un enfoque informatizado (Madrid, Alianza Editorial, 1987).

Berceo, Gonzalo de, *Obras completas,* ed. de Brian Dutton, Londres, Tamesis Books, 5 vols., desde 1967.

—, *Los Milagros de Nuestra Señora,* ed. de Claudio García Turza, Logroño, Colegio Universitario de la Rioja, 1984.

Devoto, Daniel, *Versión moderna y glosario de los Milagros de Nuestra Señora,* Valencia, Castalia (Odres Nuevos), 1957.

Manuel Alvar ha precisado su edición monumental del *Libro de Apolonio* (Madrid,

Castalia, 1976, 3 vols.) en 1984: Barcelona, Planeta. La edición de Carmen Monedero, Madrid, Castalia, 1987, le sirve de contrapunto.

Para el *Poema de Fernán González,* véanse las indicaciones del capítulo anterior.

Alvar, Manuel, ed., *Libro de la infancia y muerte de Cristo (Libre dels tres reys d'Orient),* Madrid, Consejo Superior de Investigaciones Científicas, col. Clásicos Hispánicos, 1965.
Alvar, Manuel, ed., *Poemas hagiográficos de carácter juglaresco,* Madrid, Alcalá, 1967.
Alvar, Manuel, ed., *Vida de Santa María Egipciaca,* Madrid, CSIC, 2 vols., 1970-1972.
Tesauro, Pompilio, ed., *Libro de miseria de omne,* Pisa, Giardini, 1983.

Estudios

Artiles, Joaquín, *Los recursos literarios de Berceo,* Madrid, Gredos, 1968.
Deyermond, Alan, «Berceo y la poesía del siglo XIII», en Francisco Rico, *Historia y crítica de la literatura española,* t. 1: Alan Deyermond, *Edad Media,* Barcelona, Crítica, 1980, pp. 127-140. T. 1.1. *Edad media. Primer suplemento,* 1991, pp. 88-108.
Gariano, Carmelo, *Análisis estilístico de los milagros de Nuestra Señora de Berceo,* Madrid, Gredos, 1971.
Guillén, Jorge, «Lenguaje y poesía», Madrid, *Revista de Occidente,* 1962 (capítulo 1).
Pellen, René, «De la perspective poétique et du traitement de l'histoire dans le *Poema de Fernán González»,* *Les Langues néo-latines,* n.º 223, 1977, pp. 4-17.
—, *«Los Milagros de Nuestra Señora». Index lemmatisé,* París, Klincksieck, 1989, 2 vols. Annexes des *Cahiers de linguistique hispanique médiévale.*
Rico, Francisco, «La clerecía del mester», *Hispanic Review,* 53, 1985, n.º 1, pp. 1-23.
Salvador Miguel, Nicasio, «Mester de Clerecía, marbete caracterizador de un género literario», en *Teoría de los géneros literarios,* Madrid, Arco Libros, 1988, pp. 343-371.
Saugnieux, Joël, Varaschin, Alain, «Ensayo de bibliografía berceana», en *Berceo,* n.º 104, 1983, pp. 103-119 (actualizada luego por el Instituto de Estudios Riojanos).

CAPÍTULO V

NACIMIENTO DE LA PROSA

INTRODUCCIÓN

Díaz y Díaz, M. C., *Las primeras glosas hispánicas*, Universidad Autónoma de Barcelona, 1978.

Menéndez Pidal, Ramón, *Orígenes del español. Estado lingüístico de la península ibérica hasta el siglo XI*, Madrid, Espasa-Calpe, 1956 (4.ª ed.).

LA PROSA CULTA

1. *La traducción*

Aly Aben Ragel, *El Libro conplido en los iudizios de las estrellas. Traducción hecha en la corte de Alfonso el Sabio*, Madrid, RAE, 1954. Véase la introducción de Gerold Hilty, pp. XI-LII.

Biblia medieval romanceada judía-cristiana. Versión del Antiguo Testamento en el siglo XIV, sobre los textos hebreo y latino, ed. e introducción del P. José Llamas. Vol. I: Génesis-Reyes, Madrid, CSIC, 1950.

García, Michel, «Las traducciones del Canciller Ayala», *Medieval and Renaissance Studies, en Honour of R. B. Tate*, Oxford, The Dolphin Book Co Ltd, 1986, pp. 13-25.

Morreale, Margherita, «Apuntes para la historia de la traducción en la Edad Media», *Revista de Literatura*, 15, 1959, pp. 3-10.

Russell, Peter, *Traducciones y traductores en la Península ibérica (1400-1550)*, Barcelona, Universidad Autónoma, 1985.

2. *Las crónicas*

Textos

Bernáldez, Andrés, *Memorias del reinado de los Reyes Católicos*, ed. M. Gómez Moreno y Juan de Mata Carriazo, Madrid, Espasa-Calpe, 1962.

Colección de Crónicas españolas, ed. Juan de Mata Carriazo, Madrid, Espasa-Calpe: IV, Diego de Valera, *Memorial de diversas hazañas. — V, Fernando*

del Pulgar, *Crónica de los Reyes Católicos.* — VI, *id., La guerra de Granada.*
— VIII, Pero Carrillo de Huete (Halconero de Juan II), *Crónica de Juan II.* —
IX, Lope de Barrientos, *Refundición del halconero* (refundición de la crónica
del halconero).

Crónica de 1344, ed. Diego Catalán y María Soledad de Andrés, Madrid, Seminario Menéndez Pidal y Gredos, 1971.

Crónicas de los Reyes de Castilla (Crónicas de Alfonso X, Sancho IV, Fernando IV, Alfonso XI, Pedro I, Enrique II, Juan I, Enrique III, Juan II, Enrique IV
y de los Reyes Católicos: BAE, tomos LXVI, LXVIII, LXX.

Crónica del Moro Rasis, ed. Diego Catalán y María Soledad de Andrés, Madrid,
Seminario Menéndez Pidal y Gredos, 1971.

Escavias, Pedro de, *Repertorio de príncipes de España,* ed. Michel Garcia, Jaén,
Instituto de Estudios Gienenses del CSIC, 1972.

General estoria I, ed. Antonio G. de Solalinde, Madrid, Centro de Estudios Históricos, 1930; *General estoria II,* ed. Solalinde Lloyd, A. Kasten y Victor R. B.
Oelschlager, Madrid, CSIC, 1957-1961, 2 vols.

Gran Crónica de Alfonso XI, ed. Diego Catalán, Madrid, Seminario Menéndez Pidal y Gredos, 1976, 2 vols.

López de Ayala, Pero, *Crónica del rey don Pedro,* ed. C. y H. Wilkins, Madison,
Hispanic Seminary of Medieval Studies, 1985.

Primera Crónica General de España, ed. de R. Menéndez Pidal, Madrid, Gredos,
1955, 2 vols. (reedición reciente).

Rodríguez de Cuenca, Juan, despensero de la reina Eleonor, *Sumario de los Reyes
de España,* reproducción en facsímil de la edición de 1781, Valencia, 1971.

Estudios

Catalán, Diego, *De Alfonso XI al conde de Barcelos,* Madrid, Gredos, 1962.

Fernández Ordóñez, Inés, «La *Estoria de Espanna,* la *General estoria* y los diferentes criterios compilatorios», *Revista de Literatura,* 50, 1988, pp. 15-35.

García, Michel, «L'historiographie et les groupes dominants en Castille. Le genre
chronistique d'Alphonse X au Chancelier Ayala», *Les Groupes dominants et
leur(s) discours,* París, Universidad de la Sorbonne nouvelle, 1984, *Cahiers de
l'UER d'Études ibériques,* 4, pp. 61-74.

—, «La crónica real castellana en el siglo XV», *Actas del II Congreso de la Asociación hispánica de literatura medieval, 1987,* Universidad de Alcalá de Henares, 1991, pp. 53-70.

Gómez Pérez, José, «Elaboración de la *Primera Crónica general* y su transmisión
manuscrita», *Scriptorium,* Amberes, 17, 1963, pp. 233-276.

Guenée, Bernard, *Le Métier d'historien au Moyen Âge*, París, Publications de la Sorbonne, 1977.

Jardin, Jean-Pierre, «Contribution à l'étude des résumés de chroniques castillanes au xvᵉ siècle», *Atalaya*, 1, 1991, pp. 117-126.

Orduña, Germán, «Nuevo registro de códices de las Crónicas del Canciller Ayala», *Cuadernos de Historia de España*, Buenos Aires, I, 63, 64, 1980, pp. 218-255; II, 65, 66, 1981, pp. 155-197.

Rico, Francisco, *Alfonso el Sabio y la General Estoria: tres lecciones*, Barcelona, Ariel, 2.ª ed., 1984.

Sánchez Alonso, Benito, *Historia de la historiografía española*, I, Madrid, CSIC, 1947.

Tate, Robert B., *Ensayos sobre la historiografía peninsular del siglo xv*, Madrid, Gredos, 1970.

—, «El cronista real castellano durante el siglo xv», *Homenaje a Pedro Sáinz Rodríguez*, t. III, Madrid, Fundación Universitaria Española, 1986, pp. 659-668.

3. *Los tratados jurídicos y científicos*

Kasten, Lloyd y John Nitti, eds., *Concordance and Texts of the Royal Scriptorium Manuscripts of Alfonso X, el Sabio*, Madison, *Hispanic Seminary of Medieval Studies*, 1978.

Cano Aguilar, Rafael, «¿Castellano drecho?», *Verba, Anuario Galego de Filoxofía*, 12, 1985, pp. 287-306.

Cardenas, Anthony J., «The literary prologue of Alfonso X: a nexus between chancery and scriptorium», *Thought*, 60, 1985, pp. 456-467.

Menéndez Pidal, Gonzalo, «Cómo trabajaron las escuelas alfonsíes», en *Nueva Revista de Filología Hispánica*, México, 5, 1951, pp. 363-380.

Noticiero Alfonsí. Bulletin d'information publié par Anthony J. Cardenas, The Wichita State University, vol. 1, 1982; vol. 6, 1987.

Junta, Jacobo de, «El de las Leyes», *Œuvres: I. Summa de los nueve tiempos de los pleitos*, édition et étude d'une variation sur un thème par Jean Roudil, *Annexes des Cahiers de linguistique hispanique médiévale*, 4, París, Klincksieck, 1986.

Roudil, Jean, «De la latence conceptuelle à l'expression discursive multiforme», *L'Activité paraphrastique en Espagne au Moyen Âge*, Actes du Colloque organisé par le Séminaire d'études médiévales hispaniques de l'Université de Paris XIII, nov. 1988, *Cahiers de linguistique hispanique médiévale*, 14-15, París, pp. 277-308.

a) *Textos jurídicos*

Ediciones

«Fuero Real del rey Don Alfonso el Sabio, copiado del códice del Escorial sennalado ij.z.8 y cotejado con varios códices de diferentes archivos por la Real Academia de la Historia», en *Opúsculos legales del rey Don Alfonso el Sabio*, Madrid, Imprenta real, 1836, t. II, pp. 1-169.

Leyes de Alfonso X. II. Fuero Real, edición y análisis crítico de Gonzalo Martínez Díez, con la colaboración de José Manuel Ruiz Asensio y César Hernández Alonso, Ávila, 1988.

Leyes de Alfonso X. I. Espéculo, edición y análisis crítico de Gonzalo Martínez Díez, con la colaboración de José Manuel Ruiz Asensio, Ávila, 1985.

Las Siete partidas del rey don Alfonso el Sabio, cotejadas con varios códices antiguos por la Real Academia de la Historia, 3 vols., Madrid, 1807.

Alfonso X el Sabio, *Primera partida* (Manuscrito Add.20.787 del British Museum), ed. de Juan Antonio Arias Bonet, Valladolid, 1975.

Alfonso X el Sabio, *Primera partida* (ms. HC. 397/573, Hispanic Society of America), ed. de Francisco Ramos Bossini, Granada, 1984.

Estudios

Craddock, Jerry R., *The Legislative Works of Alfonso X, el Sabio: A Critical Bibliography*, Londres, Grant & Cutler, 1986.

—, *La cronología de las obras legislativas de Alfonso X el Sabio*, Madrid, *Anuario de Historia del Derecho Español (AHDE)*, 1981, pp. 355-418.

Fernández Espinar, Ramón, *Las fuentes del derecho histórico español*, Madrid, Ceura, 2.ª ed., 1986.

García-Gallo, Alfonso, «El *Libro de las leyes* de Alfonso el Sabio. Del *Espéculo* a las *Partidas*», Madrid, *AHDE*, 21, 1951, pp. 345-528.

—, «Nuevas observaciones sobre la obra legislativa de Alfonso X», Madrid, *AHDE*, 46, 1976, pp. 609-670.

—, «La obra legislativa de Alfonso X. Hechos e hipótesis», Madrid, *AHDE*, 54, 1984, pp. 97-161.

García y García, Antonio, «La tradición manuscrita de las *Siete partidas*», en *España y Europa. Un pasado jurídico común*, Murcia, Instituto de Derecho Común, 1986, pp. 655-699.

Gibert, Rafael, «El derecho municipal de León y Castilla», Madrid, *AHDE,* 31, 1961, pp. 695-753.

Iglesia Ferreiros, Aquilino, «Alfonso X el Sabio y su obra legislativa: algunas reflexiones», Madrid, *AHDE,* 50, 1980, pp. 531-561.

—, «La labor legislativa de Alfonso X el Sabio», en *España y Europa. Un pasado jurídico común,* Murcia, Instituto de Derecho Común, 1986, pp. 275-599.

MacDonald, Robert A., «El Espéculo atribuido a Alfonso X. Su edición y problemas que plantea», en *España y Europa. Un pasado jurídico común,* Murcia, Instituto de Derecho Común, 1986, pp. 611-653.

Pérez Martín, Antonio, «El *Fuero Real* y Murcia», Madrid, *AHDE,* 54, 1984, pp. 55-96.

b) *Textos científicos*

Ediciones

Alfonso X el Sabio, *Lapidario,* ed. de Roderic C. Diman y Lynn W. Winget, Madison, HSMS, 1980.

Alfonso X, *Lapidario (según el manuscrito escurialense H.1.15),* introducción, edición, notas y léxico de Sagrario Rodríguez M. Montalvo. Prefacio de Rafael Lapesa, Madrid, Gredos, 1981 (edición de los cuatro lapidarios contenidos en el ms. H.I.15).

Alfonso el Sabio, *Libro de las cruzes,* ed. Lloyd A. Kasten y Lawrence B. Kiddle, Madrid-Madison, CSIC, 1961.

Aly Aben Ragel, *El libro conplido en los iudizios de las estrellas (Traducción hecha en la corte de Alfonso el Sabio),* introducción y edición por Gerold Hilty, Madrid, RAE, 1954.

Los Libros del Saber de astronomía, ed. de M. Rico y Sinobas, 5 vols., Madrid, 1863-1867.

Los Canones de Albateni; Herausgegeben sowie mit Einleitung, Anmerkungen un Glossar versehn von Georg Bossong, Tubinga, Max Niemeyer, 1978.

Estudios

Vernet, Juan, *Ce que la culture doit aux Arabes d'Espagne,* París, Sindbad, 1985.

Domínguez Rodríguez, Ana, *Astrología y arte en el «Lapidario» de Alfonso X el Sabio,* Madrid, Editora Internacional de Libros Antiguos, 1984.

Martinell, Emma, «Expresión lingüística del color en el "Lapidario" de Alfonso X», *Cahiers de linguistique hispanique médiévale,* t. XI, 1986, pp. 133-149.

Cano Aguilar, Rafael, «Américo Castro y la obra científica Alfonsí: algunas consideraciones en torno al *Libro de la Ochaua Espera*», en *Homenaje a Américo Castro*, Madrid, 1987, pp. 65-75.

Cardenas, Anthony J., «Hacia una edición crítica del *Libro del Saber de astrología* de Alfonso X: estudio codicológico actual de la obra regia (mutilaciones, fechas y motivos)», en *Homenaje a Pedro Sáinz Rodríguez*, Madrid, t. II, 1986, pp. 111-120.

De Astronomia Alphonsí Regis. Actas del Simposio sobre Astronomía Alfonsí celebrado en Berkeley (agosto de 1985) y otros trabajos sobre el mismo tema, Barcelona, Instituto Millás Vallicrosa, 1987.

Traducción castellana anónima de los *Cánones* de Juan de Sajonia. *Las tablas de los movimientos de los cuerpos celestiales del Iluxtrisimo Rey don Alonso de Castilla*, seguidas de su *Additio*. Estudio y edición de José Martínez Gázquez, Universidad de Murcia, 1989.

LA LITERATURA EJEMPLAR

1. La literatura gnómica

«Bocados de oro» Kritische Ausgabe des altspanischen. Textes, ed. Mechthild Crombach, Bonn, 1971.

«Diálogo o disputa del cristiano y del judío», ed. Américo Castro, *Revista de Filología Española*, 1, 1914, pp. 173-180.

«Dichos de santos padres», en Derek W. Lomax, *Miscelánea de Fuentes medievales*, I, Barcelona, CSIC, 1972, pp. 147-178.

«Los Diez Mandamientos», ed. Enzo Franchini, *Annexes des CLHM*, 8, París, Klincksieck, 1992.

La Historia de la doncella Teodor, ein spanisches Volksbuch arabischen Ursprungs, ed. Walter Mettmann, Mayence, Akademie der Wissenschaften und der Literatur, 1962.

Libro del consejo, ed. Agapito Rey, Biblioteca del Hispanista, 5, Zaragoza, 1962.

Libro de los cien capítulos, ed. Agapito Rey, Bloomington, Indiana University Studies, 44, 1960.

Libro de los doce sabios o Tratado de la nobleza o lealtad, ed. John K. Walsh, Madrid, RAE (anejo XXIX del *Boletín*), 1975.

Los «Lucidarios» españoles, ed. Richard P. Kinkade, Madrid, Gredos, 1968.

Seudo Aristóteles, Poridat de las Poridades, ed. Lloyd A. Kasten, Madrid, 1957.

The «Libro de los buenos proverbios». A Critical Edition, Harlan Sturm, Lexington, University Press of Kentucky, 1971.

Biblia medieval romanceada, según los manuscritos escurialenses I-j-3, I-j-8 e I-j-6: Pentateuco, ed. A. Castro, A. Millares Carlo, A. J. Battistesa, Buenos Aires, 1927.

Morreale, Margherita, «Apuntes bibliográficos para la iniciación al estudio de las traducciones bíblicas medievales en castellano», *Sefarad,* 20, 1960, pp. 66-109.

Sephiha, Haim Vidal, «Bibles judéo-espagnoles: littéralisme et commentateurs», Munich, *Ibéro-Romania,* 2, 1970, pp. 56-90.

Almerich, arcediano de Antiochia, La Fazienda de Ultramar. Biblia romanceada et itinéraire biblique du XIIᵉ siècle, ed. Moshé Lazar, Salamanca, 1965.

Semejança del mundo. A Medieval Description of the World, ed. William E. Bull y Harry F. Williams, Berkeley, *Modern Philology,* 1959.

2. *El* exemplum

Textos

Pedro Alfonso, *Disciplina Clericalis,* ed. Ángel González Palencia, Madrid y Granada, 1948.

—, *Disciplina clericalis,* ed. María Jesús Lacarra y Esperanza Ducay, Zaragoza, Guara, 1980.

Barlaam y Josafat, ed. crítica de J. E. Keller y R. W. Linker, Madrid, CSIC, 1979.

Calila e Dimna, ed. J. M. Cacho Blecua y M. J. Lacarra, Madrid, Castalia, 1984.

Castigos y documentos para vivir ordenados por el rey don Sancho IV, ed. Agapito Rey, Indiana University, Bloomington, 1952.

González Palencia, Ángel, *Versiones castellanas del «Sendebar»,* Madrid, CSIC, 1946.

Lacarra, María Jesús, *Cuentos de la Edad Media,* Madrid, Castalia, 1986.

Sendebar, ed. María Jesús Lacarra, Madrid, Cátedra, 1989.

Libro de los Enxemplos, ed. J. E. Keller, Madrid, CSIC, 1961.

Libro de los gatos, ed. de B. Darbord, París, Klincksieck *(Annexes des Cahiers de linguistique hispanique médiévale),* 3, 1984.

El espéculo de los legos, ed. de J. M. Mohedano Hernández, Madrid, CSIC, 1951.

BIBLIOGRAFÍA

Estudios

rBerlioz, Jacques y Polo de Beaulieu, Marie-Anne, *Les Exempla médiévaux. Introduction à la recherche, suivie des tables critiques de l'Index exemplorum de Frederic C. Tubach,* Carcassonne, Garae/Hésiode, 1992.
Bremond, Claude, Le Goff, Jacques y Schmitt, Jean-Claude, *L'Exemplum,* Turnhout, Brépols, 1982.
Darbord, Bernard, «Le roman des Sept Sages: étude d'une tradition en Espagne», *Cuento, novela y comedia,* París, Éditions de l'Espace européen, 1991, pp. 7-39.
Devoto, Daniel, *Introducción al estudio de don Juan Manuel y en particular de El Conde Lucanor: Una bibliografía,* Madrid, Castalia, 1972.
Tubach, Frederic C., *Index exemplorum. A Handbook of Medieval Religious Tales,* Helsinki, FF Communications, n.° 204, 1969.

3. *Don Juan Manuel*

Ayerbe-Chaux, Reinaldo, «*El conde Lucanor*»: *materia tradicional y originalidad creadora,* Madrid, Porrúa Turanzas, 1975.
Giménez Soler, Andrés, *Don J. M., biografía y estudio crítico,* Zaragoza, 1932.

Obras completas, I/II, ed. José Manuel Blecua, Madrid, Gredos, 1981.
Libro del Conde Lucanor, ed. Reinaldo Ayerbe-Chaux y Alan Deyermond, Madrid, Alhambra, 1985.

CAPÍTULO VI

LA POESÍA EN TIEMPOS DE JUAN RUIZ

Textos

Criado de Val, Manuel y Naylor, Eric W., Madrid, CSIC, 2.ª ed., 1972. Edición paleográfica de todos los manuscritos (S, T, G y fragmentos).
Gibbon-Monypenny, G. B., Madrid, Castalia, 1988.
Joset, Jacques, Madrid, Taurus, 1991.
Blecua, Alberto, Madrid, Cátedra, 1992.

López de Ayala, Pero, *Rimado de Palacio,*
— Ed. Jacques Joset, Madrid, Alhambra, 1978.

— Ed. Michel García, Madrid, Gredos, 1978.

— Ed. Germán Orduña, Madrid, Castalia, 1987.

Poema de Yúçuf, ed. R. Menéndez Pidal, Universidad de Granada, 1952.

Beneficiado de Úbeda, *Vida de San Ildefonso,* ed. Manuel Alvar Ezquerra, Bogotá, Instituto Caro y Cuervo, 1975.

Libro de miseria de omne, ed. Pompilio Tesauro, Pisa, Giardini, 1983.

Yáñez, Ruy, *Poema de Alfonso Onceno,* ed. Yo Ten Gate, Madrid, 1956.

Santob de Carrión, *Proverbios morales,* ed. Sanford Shepard, Madrid, Castalia, 1985.

Estudios

Bandera, Cesáreo, «De la apertura del Libro de Juan Ruiz a Derrida y viceversa», en *Dispositio,* 2, 1977.

Beltrán, Luis, *Razones de Buen Amor,* Madrid, Castalia, 1977.

Blecua, Alberto, «Los problemas filológicos del L.B.A.», *Ínsula,* 1987, pp. 488-489.

Castro, Américo, *Réalités de l'Espagne. Histoire et valeurs,* París, Klincksieck, 1963, XI, XII, XIII.

Criado de Val, Manuel, ed., *Actas del Primer Congreso Internacional de Hita,* Barcelona, Seresa, 1973.

Deyermond, Alan, «*Libro de Buen Amor.* Estado actual de la cuestion», *Ínsula,* 1987, pp. 488-489.

De Lope, Monique, *Traditions populaires et textualité dans le* Libro de Buen Amor, Montpellier, Centre d'études et de recherches sociocritiques, 1984.

—, «Le troisième homme», *Imprévue,* 1986.

Hart, Thomas, «La alegoría en el *Libro de Buen Amor*», Madrid, *Revista de Occidente,* 1959.

Joset, Jacques, «Amor loco, Amor lobo», en Jacques Joset, *Nuevas investigaciones sobre el «Libro de Buen Amor»,* Madrid, 1988, pp. 91-102.

L.B.A. Studies, Londres, Tamesis Books, 1970.

Lecoy, Félix, *Recherches sur le* Libro de buen amor, París, Droz, 1938, 2.ª ed. e Introd., A. Deyermond, Farnborough, Gregg International, 1974.

Myers, Oliver T., «Symmetry of form in the *Libro de buen amor*», *Philological Quarterly,* 51, 1972, pp. 74-84.

Reynal, V., *El lenguaje erótico medieval a través del Arcipreste de Hita,* Madrid, 1988.

Rico, Francisco, «Por aver mantenencia: el aristotelismo heterodoxo en el *Libro de Buen Amor*», reimpr. en *Homenaje a José Antonio Maravall,* Madrid, Centro de Investigaciones Sociológicas, Madrid, 1986, pp. 271-297.

Zahareas, Antony, *The Art of Juan Ruiz, Arcipreste de Hita,* Madrid, *Estudios de Literatura española,* 1965.

García, Michel, *Obra y personalidad del canciller Ayala,* Madrid, Alhambra, 1982.

Salvador Miguel, Nicasio, «Sobre la datación de la Vida de San Ildefonso del Beneficiado de Úbeda», *Digenda, Cuadernos de Filología Hispánica,* Madrid, 1982, pp. 109-121.

Tesauro, Pompilio, «Il *Libro de miseria de omne,* sermone in versi», *Studi ispanici,* 1984, pp. 9-19.

Catalán, Diego, *Un cronista anónimo del siglo XIV,* La Laguna, s.d.

—, *Poema de Alfonso XI: fuentes, dialecto, estilo,* Madrid, Gredos, 1953.

Joset, Jacques, «Opposition et réversibilité des valeurs dans les *Proverbios morales:* approches du système de pensée de Santob de Carrión», *Hommage au professeur Maurice Delbouille,* n.° especial de *Marche romane,* 1973, pp. 177-189.

—, «Pour une archéologie de l'autobiographie: de quelques modalités du *yo* dans les *Proverbios morales* de Santob de Carrión», *L'Autobiographie dans le monde hispanique,* Universidad de Aix-en-Provence, 1980, pp. 77-94.

Shepard, Sanford, *Shem Tov, his World and his Words,* Miami, Ediciones Universal, 1978.

Gómez Moreno, Ángel, «Nuevas reliquias de la cuaderna vía», *El Crotalón,* 3, 1986.

CAPÍTULO VII

NUEVAS FACETAS DE LA PROSA

NUEVOS TERRITORIOS

1. *Libros de viaje*

Almerich, Arcidiano de Antiochía, *La fazienda de Ultramar. Biblia romanceada et itinéraire biblique en prose castillane du XIIe siècle,* ed. Moshé Lazar, Salamanca, 1965.

Libro del conoscimiento de todos los reinos, ed. de Marcos Jiménez de la Espada, Madrid, 1877.

Mandevilla, Juan de, *Libro de las maravillas del reino* (versión en aragonés), ed. de Pilar Liria Montañés, Zaragoza, Biblioteca José Simués, 1979.

González de Clavijo, Ruy, *Embajada a Tamorlán,* ed. F. López Estrada, Madrid, Nueva Colección de Libros Raros o Curiosos, 1, 1943.

Tafur, Pedro, *Andanzas o viajes por diversas partes del mundo,* ed. Marcos Jiménez de la Espada, Madrid, Colección de Libros españoles Raros o Curiosos, 8, 2 vols., 1943.

—, *ibid.*, ed. José M. Ramos, Madrid, 1934.

2. Biografías

Textos

Pérez de Guzmán, Fernán, *Generaciones y semblanzas,* ed. R. B. Tate, Londres, Tamesis Books, 1965.

Pulgar, Fernando del, *Claros varones de Castilla,* ed. R. B. Tate, Oxford, Clarendon Press, 1971.

Díez de Games, Gutierre, *El Victorial,* ed. de Juan de Mata Carriazo, Madrid, Espasa-Calpe, Colección de Crónicas Españolas, I, 1940.

—, *ibid.,* traducido del español por el conde Albert de Circourt y el conde de Puymaigre, París, 1867.

Crónica de Álvaro de Luna, ed. J. de M. Carriazo, Madrid, Espasa-Calpe, Colección de Crónicas Españolas, II, 1940.

Hechos del Condestable Miguel Lucas de Iranzo, ed. J. de M. Carriazo, Espasa-Calpe, Colección de Crónicas Españolas, III, 1940.

Estudios

Round, Nicholas, *The Greatest Man Uncrowned. A Study of the Fall of don Álvaro de Luna,* Londres, Tamesis Books, 1986.

Aubrun, Charles V., «La chronique de Miguel Lucas de Iranzo», *Bulletin hispanique,* 44, 1942, I, pp. 40-60, II, pp. 81-95.

Garcia, Michel, «À propos de la chronique du connétable Miguel Lucas de Iranzo», *Bulletin hispanique,* 75, 1973, pp. 5-39.

Pardo, Madeleine, «Un épisode du *Victorial.* Biographie et élaboration romanesque», *Romania,* 85, 1964, pp. 269-292.

3. Enrique de Villena

Textos

Arte de trovar, ed. Sánchez Cantón, F. J., Madrid, 1923.

Doce trabajos de Hércules, ed. Margherita Morreale, Madrid, Real Academia Espanola, 1958.

Tratado de Aojamiento, ed. Ana María Gallina, Bari, Adriatica, 1978.
Tratado de astrología atribuido a Enrique de Villena, ed. Pedro Cátedra y Samsó Julio, Barcelona, Humanitas, 1983.
Tratado del Cortar del cuchillo o arte cisoria, ed. V. Brown Russell, Barcelona, Biblioteca Humanitas de Textos Inéditos, III, 1986.

Estudios

Cátedra, Pedro M., «Algunas obras perdidas de Enrique de Villena con consideraciones sobre su obra y su biblioteca», *Anuario de Filología Española,* 1985, pp. 53-75.
—, «Exégesis, ciencia, literatura: la *Exposición del salmo "Quoniam videbo"* de Enrique de Villena», Madrid, *El Crotalón* (Anejos de AFE, Textos, I), 1986.
—, *Enrique de Villena, Traducción y glosas a la «Eneida»,* Diputación de Salamanca, Biblioteca Española del siglo XV (Serie básica, 2 y 3), Salamanca, 1989.
Ciceri, Marcella, «Per Villena», Verona, *Quaderni di Lingue e Letterature,* 3, 4 (1978-1979), pp. 289-335. (NB. El artículo de Ciceri y el de Cátedra comprenden una edición de la *Exposición...* de Villena.)
Morreale, Margherita, «*Los doce trabajos de Hércules,* de Enrique de Villena. Un ensayo medieval de exégesis mitológica», *Revista de Literatura,* 5, 1954, pp. 21-34.

4. *El arcipreste de Talavera*

Textos

Alonso Núñez de Toledo, *Vençimiento del mundo,* ed. de Raúl A. del Piero y Philip O. Gericke, «El Vençimiento del mundo, tratado ascético del siglo XV: edición», *Hispanófila,* 21, 1964, pp. 1-29.

Obras de Alfonso Martínez de Toledo:

Arcipreste de Talavera, ed. Michael E. Gerli, Madrid, Cátedra, 1979.
Atalaya de las corónicas, ed. James B. Larkin, Madison, HSMS, 1983.
Vida de san Ildefonso y san Isidoro, ed., pres. y notas de J. Madoz, Madrid, Espasa-Calpe (Clásicos Castellanos n.º 134), 1952.

Estudios

Alonso, Dámaso, «El Arcipreste de Talavera, a medio camino entre moralista y novelista», en *De los siglos oscuros al de Oro,* Madrid, Gredos, 1958, pp. 125-136.

Ciceri, Marcella, «Arcipreste de Talavera: il linguaggio del corpo», *Quaderni di Lingue e Letterature,* 8, 1983, pp. 121-136.

Pardo, Madeleine, «Remarques sur *l'Atalaya* de l'Archiprêtre de Talavera», *Romania,* 88, 1967, pp. 350-398.

5. *Los comienzos del humanismo*

Textos

Lucena, Juan de, *Vita Beata,* ed. Giovanni M. Bertini, Turín, Testi spanioli del secolo xv, 1950.

Nebrija, Antonio de, *Diccionario latino-español,* ed. Germán Colón y A. J. Soberanas, Barcelona, Puvill, 1979.

—, *Vocabulario de romance en latín,* ed. Gerald J. Macdonald, Philadelphie University Press, 1973.

—, *Gramática de la lengua castellana,* ed. Antonio Quilis, Madrid, Editora Nacional, 1980.

Lucena, Luis de, *Repetición de Amores,* ed. Jacob Ornstein, Chapel Hill, University of North Carolina Studies, 1954.

Mena, Juan de, *La Ylíada en romance,* Barcelona, Selecciones Bibliófilas, 1949.

Penna, Mario, *Prosistas castellanos del siglo xv,* I, Atlas, BAE, CXVI, Madrid, 1959. El siglo xv y sus escritores políticos: obras de Mosén Diego de Valera (p. ex. *Tratado en defensa de virtuosas mugeres*), Alfonso de Cartagena (p. ex. *Sobre la precedencia del rey católico sobre el rey de Inglaterra en el concilio de Basilea*), Rodrigo Sánchez de Arévalo *(Suma de la Política, Vergel de los príncipes),* Alfonso de Palencia *(Tratado de la perfeción del triunfo militar).*

Rubio, Fernando, *Prosistas castellanos del siglo xv,* II, Madrid, Atlas (BAE, CLXXI), 1964 (contiene obras de Fray Martín de Córdoba [p. ex. *Jardín de nobles doncellas*] y de Fray Lope Fernández de Minaya [p. ex. *Espejo del alma*]).

Valera, Diego de, *Tratado en defensa de las virtuosas y claras mujeres,* ed. de Ronald E. Surtz, Madrid, El Archipiélago, 1983.

Estudios

Cátedra, Pedro, *Del Tostado sobre el amor*, Barcelona, Stelle dell'Orsa, 1987.
—, *Amor y pedagogía en la Edad Media: estudios de doctrina amorosa y práctica literaria*, Universidad de Salamanca, 1989.
Di Camillo, Ottavio, *El humanismo castellano del siglo XV*, Valencia, Fernando Torres, 1976.
Hill, John, *«Universal vocabulario» de Alfonso de Palencia. Registro de voces españolas internas*, Madrid, RAE, 1957.
Nebrija y la introducción del Renacimiento en España, Universidad de Salamanca, Academia literaria renacentista, Salamanca, 1983.

ECLOSIÓN DE LA NOVELA

1. Los modelos franceses y sus imitaciones españolas

Textos

GRLMA, ed. H. Jauss y otros, Heidelberg, Carl Winter, 1978, vol. IV/1, «Le Roman», pp. 60-83 y 183-625.
ALMA, ed. R. S. Loomis y otros, Oxford, Oxford University Press, 1959 (+ 1961, 1967, etc.).

Sharrer, H., *A Critical Bibliography of Hispanic Arthurian material*, Londres, Grant & Cutler, 1977.
«Crónica de Tablante de Ricamonte y Jofre», ed. A. Bonilla y San Martín, en *Libros de caballerías - Ciclo artúrico y ciclo carolingio*, Madrid, NBAE 6, 1907, pp. 458-499; en el mismo volumen: *Baladro del sabio Merlín, Demanda del Santo Grial, Tristán de Leonís*.
Tristán de Leonís, ed. I. B. Anzoategui, Madrid, Espasa-Calpe, col. Austral, número 359.

GRLMA, vol. IV/l, «Le roman», pp. 145-182.

«Historia Troyana en prosa y verso», ed. R. Menéndez Pidal, Madrid, en *Textos medievales españoles, O.C.*, vol. XII, Madrid, Espasa-Calpe, 1976, pp. 179-419.

La corónica troyana (versión castellana), ed. F. Pelletier Norris Jr., Chapel Hill, Universidad de Carolina del Norte (UNCSRLL 90), 1970.

Sumas de historia troyana o «Leomarte», ed. A. Rey, Madrid, RFE *(Anejo XV)*, 1932.

Cuento del Emperador Carlos Maynes y de la enperatriz Sevilla plus, ed. A. Bonilla y San Martín, NBAE 6, pp. 503-533, y también: ed. A. Benaim de Lasry, «*Carlos Maynes*» and «*La emperatriz de Roma*»: *Critical Edition and Study of Two Spanish Medieval Romances,* Newark, Delaware, Juan de la Cuesta, 1982.

Enrique fi de Oliva, ed. P. de Gayangos, Madrid, SBE, primera serie, VIII, 1871.

El caballero Plácidas, ed. R. M. Walker, EHT 28, Exeter, Universidad de Exeter, 1982; y *El rrey Guillerme,* ed. J. R. Maier, EHT 39, 1984.

Fermoso cuento de una Santa Emperatriz que ovo en Roma. Véase *Cuento del Emperador Carlos Maynes.*

Cuento del Emperador don Otas, ed. J. Amador de los Ríos, *Historia crítica de la literatura española,* Madrid, 1864, vol. V, pp. 391-468.

Ystoria del noble Vespesiano (Destruición de Jerusalem), en *Libros de caballerías - Ciclo de los Palmerines y Extravagantes,* ed. A. Bonilla y San Martín, NBAE 11, pp. 337-401, Madrid, 1908; ed. I. B. Anzoategui, Madrid, Espasa-Calpe, col. Austral, n.º 374.

La vida de Roberto el Diablo, NBAE 11, pp. 404-421; y también ed. I. B. Anzoategui, col. Austral, n.º 416.

La historia de Oliveros de Castilla y Artús de Algarbe, NBAE 11, pp. 445-523; y también col. Austral, n.º 337.

Roberto el Diablo, con *Oliveros de Castilla y Artús d'Algarbe,* ed. A. Blecua, Barcelona, Editorial Juventud (Libro de Bolsillo, 174), 1969.

Historia de Clamades y Clarmonda, con *Historia del rey Canamor y del infante Turián,* y *Partinuples,* en NBAE 11.

Historia de Clamades y Clarmonda, con *Partinuples,* ed. I. B. Anzoategui, col. Austral, n.º 416.

Historia del rey Canamor y del infante Turián, ed. I. B. Anzoategui, col. Austral, n.º 374.

Flores y Blancaflor rey y reina de España y Emperadores de Roma, Alcalá de Henares, 1512, ed. A. Bonilla y San Martín, Madrid, Ruiz Hermanos, 1916.

Historia de Paris y Viana, texte castillan de Burgos, 1524, ed. R. Kaltenbacher, «Der altfranzösische Roman "Paris et Vienne"», *Romanische Forschungen,* 1904, pp. 670-688.

Historia de la linda Melosina, ed. I. A. Corfis, Madison, HSMS, Spanish Series 32, 1986.

La gran conquista de Ultramar, ed. L. Cooper, Bogotá, Instituto Caro y Cuervo (Publicaciones del Instituto, vol. LI-LV), 1979 (según la edición príncipe de 1503).

Estudios

Lida de Malkiel, M. R., «La literatura artúrica en España y Portugal», *Estudios de literatura española y comparada,* Buenos Aires, EUDEBA, 1966, pp. 134-148.

Riquer, M. de, *Historia de la literatura catalana,* Barcelona, Ariel, 1964, vol. I, pp. 56-66: «Guerau de Cabrera i la literatura a Catalunya al segle XII»; *ibid.,* vol. II, pp. 13-40: «Narracions en vers. Matèria de Bretanya»; e *ibid.,* vol. II, pp. 721-723: «La Tragèdia de Lançalot de Mossèn Gras».

Solalinde, A. G., ed. de la *Grande e General Estoria, Primera Parte,* Madrid, 1930: «Introduccion», en especial pp. XIV-XXIII; y «Las versiones españolas del "Roman de Troie"», *RFE,* 3, 1916, pp. 121-165.

Solalinde, A. G. y Rey, A., *Ensayo de una bibliografía de las leyendas troyanas en la literatura española,* Bloomington, Indiana University Publications (Humanities series 6), 1942.

Bohigas Balaguer, P., «Orígenes de los libros de caballerías» y «La novela caballeresca, sentimental y de aventuras», en Díaz Plaja, G., *Historia general de las literaturas hispánicas,* Barcelona, Editorial Barna, vol. I, 1949, pp. 521-541, y vol. II, 1951, pp. 189-236.

Menéndez Pelayo, M., *Orígenes de la novela,* t. I, cap. IV: «Breves indicaciones sobre los libros de caballerías», en *Obras completas,* vol. XIII, Madrid, CSIC, 1962, pp. 199-291.

2. *El* Caballero Zifar *y el* Amadís de Gaula

Menéndez Pelayo, M., *Orígenes de la novela,* t. I, cap. IV: «Aparición de los libros de caballerías indígenas», en *O.C.,* vol. XIII, Madrid, CSIC, 1962, pp. 293-466: 1.ª ed., 1905-1915.

Thomas, H., *Las novelas de caballerías españolas y portuguesas,* Madrid, CSIC, 1952 (trad. de *Spanish and Portuguese Romances of Chivalry,* Cambridge University Press, 1920, reimpresión, Nueva York, Kraus, 1969, caps. 1 y 2).

Textos

González, C., *Libro del Caballero Zifar*, Madrid, Cátedra, 1983.
Olsen, Marilyn A., ed., *Libro del Cavallero Çifar*, Madison, HSMS, 1984.
Riquer, Martín de, ed., *El cavallero Zifar*, Barcelona, Selecciones Bibliófilas, 1951, 2 vols.

Cacho Blecua, Juan Manuel, ed., *Amadís de Gaula*, Madrid, Cátedra, 1987-1988, 2 vols.
Rico, Francisco, ed., *Amadís de Gaula*, Barcelona, Biblioteca de Plata de los Clásicos españoles, Círculo de Lectores 3, 1989.
«Sergas de Esplandián», ed. P. de Gayangos, en *Libros de caballerías*, Madrid, BAE, XL, 1857, pp. 403-561.

Estudios

Burke, James F., *History and vision: The Figural Structure of the «Libro del cavallero Zifar»*, Londres, Tamesis, 1972.
Walker, Roger M., *Tradition and Technique in the «Libro del cavallero Zifar»*, Londres, Tamesis, 1974.

Avalle-Arce, J. B., *«Amadís de Gaula»: el primitivo y el de Montalvo*, México, FCE, 1988.
Fogelquist, J. D., *El «Amadís» y el género de la historia fingida*, Madrid, Porrúa Turanzas, 1982.
Pierce, F., *Amadís de Gaula*, Boston, Twayne, TWAS, 372, 1976.

LA FICCIÓN SENTIMENTAL

Textos

Conjunto de la obra de Juan Rodríguez del Padrón sin el *Bursario*, ed. C. Hernández Alonso, Madrid, Editora Nacional, 1982.
Bursario, ed. P. Saquero Suárez y T. González Rolán, Madrid, Universidad Complutense, 1984.
Prieto, A., Serrano Puente, F., eds., *Siervo libre de amor*, Madrid, Castalia, 1976.

Tragèdia de Caldesa i altres proses, ed. F. Rico, M. Gustà, Barcelona, Edicions 62-La Caixa, 1980.

Tragèdia de Caldesa: Texto catalán y traducción española, en Lola Badía, «Materiales para la interpretación de Joan Roís de Corella», *Filología Románica, 6,* 1989, pp. 97-109.

Triste deleytación, ed. E. M. Gerli, Washington, Georgetown University Press, 1982.
Riquer, M. de, «Triste deleytación, novela castellana del siglo XV», *RFE,* 40, 1956, pp. 33-65.

Crónica incompleta de los Reyes Católicos, ed. J. Puyol, Madrid, Academia de la Historia, 1954.
Triunfo de Amor, ed. A. Gargano, Pisa, Giardini, 1981.

Grisel y Mirabella, ed. P. Alcázar López, A. González Núñez, Granada, Don Quijote, 1983.
Grimalte y Gradissa, ed. Pamela Waley, Londres, Tamesis Books, 1971, ed. C. Parrilla García, Universidad de Santiago de Compostela, 1988.

Obras completas de San Pedro, ed. K. Whinnom y D. S. Severin, Madrid, Castalia, 39, 54 y 98, 1971-1979.
Arnalte y Lucenda, ed. I. A. Corfis, Londres, Tamesis Books, 1985.
Cárcel de amor, ed. I. A. Corfis, Londres, Tamesis Books, 1985.
Cumplimiento de Nicolás Núñez o *Continuación* de la *Cárcel de amor,* ed. M. Menéndez Pelayo, en *Orígenes de la novela,* Madrid, NBAE 7, 1907, pp. 29-36; ed. K. Whinnom, en *Dos opúsculos isabelinos,* Universidad de Exeter, EHT 23, 1979.

Estudios

Menéndez Pelayo, M., *Orígenes de la novela,* t. II, cap. VI: «La novela sentimental», en *Obras completas,* vol. XIV, Madrid, CSIC, 1962, pp. 3-69, 1.ª ed., 1905-1915.
Gargano, A., «Stato attuale degli studi sulla novela sentimental (I. La questione del genere)», *Studi Ispanici,* 1979, pp. 59-80.
López Estrada, Francisco, «Prosa narrativa de ficción», *Grundriss der romanischen Literaturen des Mittelalters,* vol. IX, fasc. 1, 4, 1985, cap. 4: «La ficción sentimental»; y documentación correspondiente en *GRLMA,* IX, fasc. 2, 4, 1985.
Para una bibliografía general de la producción sentimental (textos y estudios): Whinnom, Keith, *The Spanish Sentimental Novel: A Critical Bibliography,* Londres, Grant & Cutler, 1983.

Gilderman, M. S., *Juan Rodríguez del Padrón*, Boston, Twayne, 1977.

Cátedra, Pedro, *Amor y pedagogía en la Edad Media (Estudios de doctrina amorosa y práctica literaria)*, Universidad de Salamanca, 1989, cap. 6, pp. 143-159: «Los primeros pasos de la ficción sentimental; a propósito del *Siervo libre de amor*».

Lida de Malkiel, María Rosa, «Juan Rodríguez del Padrón», en *Estudios sobre la literatura española del siglo XV*, Madrid, José Porrúa Turanzas, pp. 21-144.

Torre, Fernando de la, *Tratado e dispido a una dama de religión*, en *Cancionero y obras en prosa*, ed. A. Paz y Melia, Dresde, Gesellschaft fur romanische Literatur, 16, 1907.

Díez Garretas, M. J., *La obra literaria de Fernando de la Torre*, Universidad de Valladolid, 1983.

Condestable Pedro de Portugal, *Sátyra de felice e infelice vida*, en *Obras completas*, ed. L. A. Da Fonseca, Lisboa, Fundação C. Gulbenkian, 1975.

Gascón Vera, Elena, *Don Pedro, Condestable de Portugal*, Madrid, Fundación Universitaria Española, 1979.

Riquer, M. de, *Historia de la literatura catalana*, Barcelona, Ariel, 1964, vol. III, pp. 254-320: «Joan Roís de Corella».

Biografía de Juan de Flores incluyendo las ediciones de *Grisel y Mirabella* y *Grimalte y Gradissa*.

Matulka, Barbara, *The Novels of Juan de Flores and their European Diffusion. A study in Comparative Literature*, Nueva York, 1931; reimpresión: Ginebra, Slatkine, 1974.

Rohland de Langbehn, R., *Zur interpretation der Romane des Diego de San Pedro*, Heidelberg, Carl Winter, 1970.

Whinnom, K., *Diego de San Pedro*, Nueva York, Twayne, TWAS, 310, 1974.

CAPÍTULO VIII

LA POESÍA A FINALES DE LA EDAD MEDIA

Textos

Aguirre, José María, *Cancionero general de Hernando del Castillo (Antología temática del amor cortés)*, Salamanca, Biblioteca Anaya, 1971.

Alonso, Álvaro, *Poesía de cancionero*, Madrid, Cátedra, Letras Hispánicas, 1986.

Aubrun, Charles V., *Le Chansonnier espagnol d'Herberay des Essarts,* Burdeos, Ferêt, 1951.

Blecua, Alberto, *La poesía del siglo XV,* Madrid, La Muralla, Literatura española en imágenes, VII, 1975.

Cancionero de Baena, ed. J. M. de Azáceta, Madrid, CSIC, Clásicos Hispánicos, 1966.

Cancionero de Estúñiga, ed. Salvador Miguel, Nicasio, Madrid, Alhambra, 1987.

Cancionero de obras de burlas provocantes a risa, ed. J. A. Bellon y P. Jauralde Pou, Madrid, 1974.

Cancionero de Palacio (ms. 594), ed. de Francisca Vendrell de Millás, Barcelona, CSIC, 1945.

Cancionero Musical de Palacio, ed. José Romeu Figueras, Barcelona, CSIC, 1965 (en la serie *La música en la corte de los Reyes Católicos*).

Cancionero de Ramón de Llavia, ed. R. Benítez Claros, Madrid, Sociedad de Bibliófilos españoles, 1945.

Escavias, Pedro, *Cancionero de Oñate y Castañeda,* ed. Michel García y Dorothy Severin, Madison, HSMS, 1990.

Marqués de Santillana, *Poesías completas,* I/II, ed. Manuel Durán, Madrid, Castalia, 1978.

Íñigo López de Mendoza, Marqués de Santillana, *Obras completas,* ed. Ángel Gómez Moreno y Maximiliann Kerkhof, Barcelona, Planeta, 1988.

Juan de Mena, *El Laberinto de Fortuna,* ed. José Manuel Blecua, Madrid, Espasa-Calpe, Clásicos Castellanos, 1943.

El Laberinto de Fortuna, ed. John Cummins, Salamanca, Biblioteca Anaya, 1968.

Juan de Mena, *Poesie Minori,* ed. Carla de Negris, Nápoles, Liguori, 1988.

Jorge Manrique, *Cancionero,* ed. Augusto Cortina, Madrid, Espasa-Calpe, Clásicos Castellanos, 4.ª ed., 1960.

—, *Poesía completa,* ed. Vicente Beltrán Pepió, Barcelona, Planeta, 1988.

Carvajal, *Poesie,* ed. Emma Scoles, Roma, Biblioteca dell'Ateneo, 1967.

Encina, Juan del, *Poesía lírica y cancionero musical,* ed. R. O. Jones y Carolyn R. Lee, Madrid, Castalia, 1975.

—, «Arte de poesía castellana», en *Obras completas I,* ed. Ana María Rambaldo, Madrid, Espasa-Calpe, Clásicos Castellanos, 1978.

Imperial, Francisco, *El dezir de las Siete Virtudes,* ed. Colbert Neupaulsingh, Madrid, Espasa-Calpe, Clásicos Castellanos, 1977.

Manrique, Gómez, *Cancionero,* ed. A. Paz y Melia, 2 vols., Madrid, 1885.

Montoro, Antón de, *Cancionero,* ed. F. Cantera, Burgos y C. Carrete Parondo, Madrid, Editora Nacional, 1984.

Poeti cancioneriles del secolo XV (Francisco y Luis Bocanegra, Suero y Pedro de Quiñones, Alonso Pérez de Vivero), ed. G. Caravaggi, M. von Wunster, G. Mazzocchi, S. Toninelli, Roma, Japadre, 1986.

Ribera, Suero de, *Poesías,* ed. Blanca Periñán, Universidad de Pisa, Miscellanea di Studi Ispanici, 1968.

Sánchez de Badajoz, Garci, *Cancionero,* ed. Julia Castillo, Madrid, Editora Nacional, 1980.

San Pedro, Diego de, *Obras completas III: Poesías,* ed. Dorothy S. Severin y Keith Whinnom, Madrid, Castalia, 1979.

Stúñiga, Lope de, *Poesías,* ed. J. Battesti-Pelegrin, Aix-en-Provence, Universidad de Provenza, Série Hispanique, 2, 1982.

Villena, Enrique de Aragón, marqués de, *Arte de trobar (1433),* ed. Sánchez Cantón, Madrid, Biblioteca de Divulgación Científica, 1923.

Coplas de la panadera, ed. Vicente Romano García, Madrid, Aguilar, 1963.

«Coplas de Mingo Revulgo», ed. Marcella Ciceri, *Cultura Neo-Latina,* 37, 1977, pp. 75-149 y 189-266.

«Coplas del Provincial», ed. Marcella Ciceri, *Cultura Neo-Latina,* 35, 1975, pp. 39-210.

Cota, Rodrigo, *Diálogo del Amor y un Viejo,* ed. Elisa Aragone, Florencia, F. Le Monnier, 1961.

Danza de la Muerte, ed. Margherita Morreale, «Para una Antología de la literatura castellana medieval: la Danza de la Muerte», en *Annali del Corso di Lingue e letterature della Università di Bari,* VI, 1963.

—, ed. Víctor Infantes, Madrid, Visor, 1982.

Mendoza, Fray Íñigo de, *Cancionero,* ed. Julio Rodríguez Puértolas, Madrid, Espasa-Calpe, Clásicos Castellanos, 1968.

Padilla, Juan de, el Cartujano, *Los doce triunfos de los Doce Apóstoles,* ed. Enzo Norti Gualdini, Universidad de Florencia, 2 vols., 1975-1978.

Rodríguez Puértolas, Julio, *Fray Íñigo de Mendoza y sus Coplas de Vita Christi,* Gredos, 1968.

—, *Poesía crítica y satírica del siglo XV,* Madrid, Castalia, 1989.

Estudios

Boase, Roger, *The Troubadour Revival: A Study of Social Change and Traditionalism in Late Medieval Spain,* Londres, Routledge & Kegan, 1978.

Clarke, Dorothy Clotelle, *Morphology of Fifteenth Century Castilian Verse*, Pittsburgh, Duquesne University Press, 1963.

Dutton, Brian, *El cancionero del siglo XV (c. 1360-1520)* [en curso de publicación, 7 vols.], I: Manuscritos Salamanca (Biblioteca del Siglo XV, Universidad de Salamanca), 1989.

Dutton, B., Fleming, S., Krostad, J., Santoyo Vázquez, F., González Cuenca, J., *Catálogo-índice de la poesía cancioneril del siglo XV*, Madison, HSMS, 1982, 2 vols. en 1.

Fraker, Charles F., *Studies on the Cancionero de Baena*, Chapel Hill, Universidad de Carolina del Norte, 1966.

Frenk Alatorre, Margit, *Corpus de la antigua lírica popular hispánica (siglos XV a XVII)*, Madrid, Castalia, 1987.

Lázaro Carreter, Fernando, «La poética del Arte Mayor castellano», *Studia Hispanica in Honorem Rafael Lapesa*, I, Madrid, Gredos, 1972, pp. 343-378; reimpr. en *Estudios de Poética (la obra en sí)*, Taurus, Persiles, 1976, pp. 75-111.

Le Gentil, Pierre, *La poésie lyrique espagnole et portugaise à la fin du Moyen Âge*, 2 vols., Rennes, 1949-1953.

Rodríguez-Moñino, Antonio, *Manual bibliográfico de Cancioneros y Romanceros impresos (siglos XVI y XVII)*, Madrid, Castalia, 1973-1978, 4 vols.

Sánchez Romeralo, Antonio, *El villancico*, Madrid, Gredos, 1969.

Steunou, Jacqueline, Knapp, Lothar, *Bibliografía de los cancioneros castellanos del siglo XV y repertorio de sus géneros poéticos*, París, CNRS, 2 vols. aparecidos, 1975-1978.

Whinnom, Keith, «Hacia una interpretación y apreciación de las canciones del *Cancionero general*», *Filología*, 13 (1968-1969), pp. 361-381.

Lapesa, Rafael, *La obra literaria del Marqués de Santillana*, Madrid, Ínsula, 1957.

Schiff, Mario, *La Bibliothèque du Marquis de Santillane*, París, 1904.

Lida de Malkiel, María Rosa, *Juan de Mena, poeta del Prerrenacimiento español*, México, Colegio de México, 2.ª ed., 1984.

Cangiotti, Gualtiero, *Le «Cople» di Manrique, tra Medioevo e umanesimo*, Bolonia, R. Patrón, 1964.

Navarro Tomás, Tomás, «Métrica de las "Coplas" de J. Manrique», en *Los Poetas en sus versos: desde Jorge Manrique a García Lorca*, Barcelona, Ariel, 1973, pp. 67-86.

Salinas, Pedro, *Jorge Manrique, o tradición y originalidad*, Buenos Aires, Sudamericana, 1959.

Serrano de Haro, Antonio, *Personalidad y destino de Jorge Manrique,* Madrid, Gredos, 2.ª ed., 1975.

Avalle-Arce, Juan Bautista, «Tres poetas del "Cancionero General"», en *Temas hispánicos medievales,* Madrid, Gredos, 1974, pp. 280-367.

Battesti-Pelegrin, Jeanne, *Lope de Stúñiga. Recherches sur la poésie espagnole au XVᵉ siècle,* Aix-en-Provence, Universidad de Provenza, 1982.

Caravaggi, Giovanni, «Villasandino et les derniers troubadours de Castille», en *Mélanges Rita Lejeune,* I, Gembloux, 1969.

Vozzomendia, Lia, *Lope de Stúñiga, Poesie,* ed. Crítica, Nápoles, Liguori, 1989.

Álvarez Pellitero, Ana María, *La obra lingüística y literaria de Fray Ambrosio Montesino,* Universidad de Valladolid, 1976.

Álvarez Pellitero, Ana María, «La *Danza de la Muerte,* entre el sermón y el teatro», Bulletin hispanique, 93, 1991, pp. 13-29.

Darbord, Michel, *La Poésie religieuse espagnole, des Rois Catholiques à Philippe II,* París, Éditions hispaniques, 1965.

Rodríguez Puértolas, Julio, *Fray Iñigo de Mendoza y sus Coplas de Vita Christi,* Madrid, Gredos, 1968.

Saugnieux, Joël, *Les Danses macabres de France et d'Espagne et leurs prolongements littéraires,* París, Les Belles Lettres, Bibliothèque de la Faculté des Lettres de Lyon, 30, París, 1972.

Wardropper, Bruce W., *Historia de la poesía lírica a lo divino,* Madrid, 1958.

Whinnom, Keith, «The Supposed Sources of Inspiration of Spanish Fifteenth-century Religious Verse», *Symposium,* 17, 1963, pp. 268-291.

CAPÍTULO IX

EN LOS ORÍGENES DEL TEATRO

EL SILENCIO MEDIEVAL

Coplas de Mingo Revulgo, ed. Marcella Ciceri, *op. cit.,* cap. VIII.

Donovan, Richard, *The Liturgical Drame in Spain,* Toronto, Pontifical Institute of Medieval Studies, 1958.

Lapesa, Rafael, «Sobre el *Auto de los Reyes Magos*: sus rimas anómalas y el posible origen de su autor», en *De la Edad Media a nuestros días. Estudios de historia literaria*, Madrid, Gredos, 1967, pp. 37-47.

Lázaro Carreter, Fernando, *Teatro medieval*, Madrid, Castalia (Odres Nuevos), 1970. Esta antología presenta los textos estudiados en el curso del capítulo: el anónimo *Representación de los Reyes Magos*, las obras de Gómez Manrique, el *Diálogo entre el Amor y un Viejo* de Rodrigo Cota, la *Égloga* de Francisco de Madrid, así como las *Coplas de Puertocarrero* y la *Querella ante el dios de Amor* del comendador Escrivá.

López Morales, Humberto, *Tradición y creación en los orígenes del teatro castellano*, Madrid, Ediciones Alcalá, 1968.

Menéndez Pidal, Ramón, «Auto de los Reyes Magos», en *Revista de Archivos, Bibliotecas y Museos*, Madrid, 4, 1900, pp. 453-462.

Rodríguez Puértolas, Julio, «Sobre el autor de las "Coplas de Mingo Revulgo"», *Homenaje a Rodríguez-Moñino*, II, Madrid, 1966, pp. 131-142.

Torrejas Menéndez, Carmen y Ribas Pala, María, «Teatro en Toledo en el siglo XV. *Auto de la Pasión de Alonso del Campo»*, *Anejo del Boletín de la RAE*, Madrid, 1977, pp. 180 y ss.

La Celestina

Textos

Rojas, Fernando de, *La Celestina*, ed. Dorothy S. Severin, Madrid, Cátedra, 4.ª ed., 1990.

—, Comedia. Tragicomedia de Calisto y Melibea, ed., Peter E. Russell, Madrid, Castalia, 1991.

Estudios

Bataillon, Marcel, *La Célestine selon Fernando de Rojas*, París, Didier, 1961.

Berndt, Erna Ruth, *Amor, muerte y fortuna en La Celestina*, Madrid, Gredos, 1963.

Castro, Américo, «La Celestina como contienda literaria (castas y casticismos)», Madrid, *Revista de Occidente*, 1965.

Deyermond, Alan D., *The Petrarchan Sources of «La Celestina»*, 2.ª ed., West-port, Connecticut, Greenwood Press, 1975.

Fothergill-Payne, Louise, *Seneca and «Celestina»*, Cambridge University Press, 1988.

Gilman, Stephen, *La Celestina: Arte y estructura*, Madrid, Taurus, 1982.

—, *La España de Fernando de Rojas*, Madrid, 1978 (traducción en castellano de

S. G., *The Spain of F. de R.: The Intellectual and Social Landscape of «La Celestina»*, Princeton University Press, 1972).

Heugas, Pierre, *«La Célestine» et sa descendance directe*, Burdeos, Institut d'Études ibériques et ibéro-americaines de l'Université, 1973.

Lida de Malkiel, María Rosa, *La originalidad artística de la Celestina*, Buenos Aires, Edit. Universitaria, 1962.

Maravall, José Antonio, *El mundo social de «La Celestina»*, Madrid, Gredos, 1981.

Menéndez Pelayo, Marcelino, *Orígenes de la novela*, t. III, Madrid, CSIC, 1961.

Samonà, Carmelo, *Aspetti del retoricismo nella «Celestina»*, Universidad de Roma, 1953.

Severin, Dorothy S., *Memory in «La Celestina»*, Londres, Tamesis Books, 1970.

Siebenmann, Gustav, «Estado presente de los estudios celestinescos, 1956-1974», *Vox Románica*, 34, 1975, pp. 168-212.

CAPÍTULO X

EL ROMANCERO

Textos

Déebax, Michelle, *Romancero*, Madrid, Alhambra, 1982.

Díaz Roig, Mercedes, *El romancero viejo*, Madrid, Cátedra, 1976.

—, *Estudios y notas sobre el Romancero*, México, El Colegio de México, 1986.

Durán, Agustín, *Romancero general o Colección de romances castellanos anteriores al siglo XVIII*, Madrid, 2 vols., 1945.

García de Enterría, María Cruz, *Romancero viejo*, Madrid, Castalia, 1987.

Romancero judeo-español de Marruecos, Madrid, Castalia, 1968.

Cancionero General de Hernando del Castillo, 1511, ed. A. Rodríguez-Moñino, Madrid, Real Academia Española, 1958.

Cancionero de romances impreso en Amberes sin año, ed. R. Menéndez Pidal, Madrid, 1945.

Cancionero de romances (Amberes, 1550), ed. A. Rodríguez-Moñino, Madrid, Castalia, 1967.

Estudios

Alvar, Manuel, *El Romancero viejo y tradicional*, México, Porrúa, 1971.

—, *El Romancero: tradicionalidad y pervivencia*, Barcelona, Planeta, 2.ª ed., 1974.

Armistead, Samuel G. y otros, *El romancero judeo-español en el Archivo Menéndez Pidal (Catálogo-índice de romances y canciones)*, Madrid, Cátedra-Seminario Menéndez Pidal, 3 vols., 1978.

Asensio, Eugenio, *Poética y realidad en el Cancionero peninsular de la Edad Media*, Madrid, Gredos, 1970.

Aubrun, Charles Vincent, *Les Vieux Romances espagnols (1440-1550)*, París, Éditions hispaniques, 1986.

Bénichou, Paul, *Creación poética en el romancero tradicional*, Madrid, Gredos, 1968.

Catalán, Diego, *Siete siglos de romancero (historia y poesía)*, Madrid, Gredos, 1969.

—, *Por campos del romancero: Estudios sobre la tradición oral moderna*, Madrid, Gredos, 1970.

—, *Catálogo general del romancero: el romancero pan-hispánico. Catálogo general descriptivo*, ed. Diego Catalán, Jesús Antonio Cid, Beatriz Mariscal de Rhett, Flor Salazar, Ana Valenciano, Sandra Robertson, Madrid, Seminario Menéndez Pidal, 3 vols., 1982-1984.

Devoto, Daniel, «Entre las siete y las ocho», *Filología*, 5 (1959), pp. 65-80.

—, «El mal cazador», *Studia Philologica. Homenaje ofrecido a Dámaso Alonso*, I, Madrid, Gredos, 1960, pp. 481-491.

Díaz Viana, Luis y Díaz, Joaquín, eds., *Romancero tradicional soriano*, Soria, Diputación Provincial, 2 vols., 1983.

Di Stefano, Giuseppe, *Sincronia e diacronia nel Romancero*, Universidad de Pisa, 1967.

—, *El romancero: estudio, notas y comentarios de texto*, Madrid, Narcea, 1973.

Mariscal de Rhett, Beatriz, ed., *La muerte ocultada*, Madrid, Gredos (Romancero Tradicional de las Lenguas Hispánicas), 1985.

Menéndez Pelayo, Marcelino, «Tratado de los romances viejos», *Antología de poetas líricos castellanos*, t. VI y VII, Santander, 1944.

—, «Apéndices y suplemento a la "Primavera y flor de romances"» de Wolf y Hoffman, *Antología de poetas líricos castellanos*, t. IX, Santander, 1945.

Menéndez Pidal, Ramón, *Romancero hispánico (hispano-portugués, americano y sefardí), teoría e historia*, Madrid, Espasa-Calpe, 2 vols., 1953.

—, *Flor nueva de romances viejos*, Madrid, Espasa-Calpe, Colección Austral (número 100), 10.ª ed., 1955.

—, *Estudios sobre el romancero*, Madrid, Espasa-Calpe, 1973.

Milá y Fontanals, Manuel, *De la poesía heroico-popular castellana*, Barcelona, 1959 (1.ª ed., 1874).

Norton, F. J. y Wilson, E. M., *Two Spanish Verse Chap-Books. Romance de Amadis c. 1515-1519. Juyzio hallado y trobado c. 1510*, Cambridge, 1969.

Rodríguez-Moñino, Antonio, *La Silva de romances de Barcelona, 1561. Contribución al estudio bibliográfico del Romancero español en el siglo XVI*, Salamanca, 1969.

—, *Manual bibliográfico de Cancioneros y Romanceros (siglo XVI)*, Madrid, Castalia, 2 vols., 1973.

Romancero hoy: nuevas fronteras (El), ed. A. Sánchez Romeralo y otros, Madrid, Cátedra-Seminario Menéndez Pidal, 1979.

Romancero hoy: Poética (El), ed. D. Catalán y otros, Madrid, Cátedra-Seminario Menéndez Pidal, 1979.

Romancero hoy: Historia, comparatismo. Bibliografía crítica (El), ed. S. G. Armistead y otros, Madrid, Cátedra-Seminario Menéndez Pidal, 1979.

Romancero tradicional de las lenguas hispánicas (español-portugués-catalán-sefardí): elección de textos y notas de María Goyri y Ramón Menéndez Pidal, ed. D. Catalán y otros, 11 vols., Madrid, Seminario Menéndez Pidal, 1957-1978.

Timoneda, Juan, *Rosas de Romances (Valencia, 1573)*, ed. D. Devoto y A. Rodríguez-Moñino, Valencia, Castalia, 1963.

Wolf, Fernando José y Hofmann, Conrado, *Primavera y flor de romances*, 2 vols., Berlín, 1856; 2.ª ed., Menéndez Pelayo, *Antología de poetas líricos castellanos*, VIII, Santander, 1945.

Szertics, Joseph, *Tiempo y verbo en el romancero viejo*, Madrid, Gredos, 1967.

Zumthor, Paul, *La Lettre et la voix. De la «littérature» médiévale*, París, Seuil, 1987.

LOS AUTORES

Jeanne Battesti-Pelegrin es catedrática de la Universidad de Provenza. Sus trabajos están consagrados principalmente a la poesía de la Edad Media, en especial a los *Cancioneros*, a los que dedicó su tesis de doctorado.

Bernard Darbord es catedrático de la Universidad París-X. Medievalista y especialista en lingüística hispánica, ha estudiado el lenguaje de la epopeya castellana, al que consagró su tesis. Trabaja actualmente en la tradición medieval del cuento en España.

Michelle Débax es profesora de la Universidad de Toulouse-Le Mirail. Trabaja principalmente sobre el romancero, del que publicó una importante antología.

Monique de Lope es catedrática de la Universidad de Provenza y especialista en literatura medieval. Su tesis está dedicada al *Libro de buen amor*. Se interesa actualmente por el teatro castellano del siglo XV.

Michel Garcia es catedrático de la Universidad Sorbonne-Nouvelle (París-III). Autor de una tesis sobre el canciller Ayala, dirige *Atalaya, Revue française d'Études médiévales hispaniques*. Sus publicaciones actuales conciernen a la literatura de los siglos XIV y XV (mester de clerecía, crónicas, cancioneros, nacimiento del teatro).

Pierre Heugas es catedrático emérito de la Universidad Burdeos-III. Traductor de *La Celestina*, estudió en su tesis esa obra maestra y sus continuaciones. Sus artículos están dedicados a diferentes aspectos de la literatura española, a las obras marianas del siglo XIII y al teatro del Siglo de Oro.

Georges Martin es catedrático de la Universidad de París-XIII. Sus investigaciones —y en especial su tesis, recientemente publicada, sobre los *Jueces de Castilla*— están dedicadas a lo imaginario histórico y a las concepciones políticas de la España medieval.

Silvia Roubaud es profesora de la Universidad de París-Sorbona y es traductora de J. L. Borges. Sus investigaciones y principales artículos están dedicados a las novelas de caballerías españolas y a su proyección en *Don Quijote*.

Jean Roudil es catedrático de la Universidad París-III y director de *Cahiers de linguistique hispanique médiévale*. Es autor de obras y artículos sobre la literatura jurídica española de la Edad Media, y de ediciones de tradiciones manuscritas.

Alain Varaschin es profesor adjunto de las clases preparatorias. Se interesa por las formas de la espiritualidad y de la sensibilidad medievales. Su tesis está dedicada al vocabulario de Gonzalo de Berceo.

ÍNDICE DE AUTORES

ÍNDICE DE OBRAS

ÍNDICE

Impreso en el mes de octubre de 1994
en Talleres Gráficos HUROPE, S. A.
Recaredo, 2
08005 Barcelona